LA SOCIETAT JUEVA CONVERSA
A LA BARCELONA BAIXMEDIEVAL,
1391-1440

FUNDACIÓ NOGUERA

www.fundacionoguera.com

Col·lecció Estudis

Director tècnic: Josep Maria Sans i Travé

FUNDACIÓ NOGUERA

Estudis, 83

LA SOCIETAT JUEVA CONVERSA A LA BARCELONA BAIXMEDIEVAL, 1391-1440

Xavier Pons Casacuberta

BARCELONA, 2021

© Xavier Pons Casacuberta, 2020
Edita: Pagès Editors, SL
 Sant Salvador, 8 - 25005 Lleida
 editorial@pageseditors.cat
 www.pageseditors.cat
Primera edició: gener de 2021
ISBN: 978-84-1303-231-3
DL: L 4-2021
Impressió: Arts Gràfiques Bobalà, SL

SUMARI

AGRAÏMENTS

Primer de tot, vull agrair a la Fundació Noguera l'atorgament de la Beca Ramon Noguera, gràcies a la qual ha sigut possible el present treball i la finalització dels meus estudis de doctorat. De la mateixa manera i per les mateixes causes, vull donar les gràcies al meu director el doctor Josep Hernando Delgado per ser, més que un director, el meu mestre i ensenyar-me tot el que sé sobre recerca històrica, amb una infinita paciència i dedicació.

Com no podia ser menys vull donar les gràcies als meus pares Juan i Margarita, als meus germans Juanfran i Júlia, als meus oncles Maria del Carme i Carles, així com a tota la gent que m'ha acompanyat en aquest camí i als qui tinc la sort de tenir com a amics, pel seu suport i ànims en els bons i mals moments.

Finalment, vull donar les gràcies a tots els professionals dels arxius de Barcelona per la seva ajuda, dedicació i professionalitat. Un agraïment especial per al personal de l'Arxiu Històric de Protocols de Barcelona: en Laureà, en Jordi, la Montserrat i en Vicenç.

INTRODUCCIÓ

Aquesta tesi va ser motivada per l'article del doctor Josep Hernando Delgado "Conversos i jueus: cohesió i solidaritat. Necessitat d'una recerca".[1] En aquest article el doctor Josep Hernando ens mostra la importància que té per a la historiografia catalana el fet de conèixer com era la societat jueva conversa i quin paper tenia dins de la societat del seu temps.

El present treball té com a objectiu principal estudiar en profunditat el grup social dels conversos de Barcelona des de tots els aspectes: socials, econòmics, professionals, familiars, religiosos, així com la seva relació entre ells i la resta de la societat.

El context històric en el qual desenvolupem la nostra investigació parteix cronològicament de l'agost de 1391, data en què es produïren les conversions en massa dels jueus barcelonins. Els avalots de 1391, produïts per un profund malestar social i econòmic dels estaments baixos de la societat, van significar la ruptura de la coexistència entre jueus i cristians barcelonins. Les conseqüències d'aquests fets foren letals per a la comunitat jueva de la ciutat: d'una banda, el 10 de setembre de 1392 s'abolí per sempre més l'aljama jueva de Barcelona; de l'altra, la majoria dels jueus es convertiren al cristianisme. Per tant, un nou grup social irromp en el cor de la societat cristiana, ja que els conversos, com a cristians, entren a formar-ne part en tots els seus àmbits (legals, religiosos, econòmics...).

---

1. Josep HERNANDO DELGADO: "Conversos i jueus: cohesió i solidaritat. Necessitat d'una recerca", dins *Anuario de Estudios Medievales*, 37/1 (Barcelona, 2007), p. 181-212, p. 189.

La de l'estiu de 1391 no va ser l'única onada de conversions en massa al territori de la Corona d'Aragó. Les predicacions de sant Vicent Ferrer i la coneguda Disputa de Tortosa, on destacats membres de la fe cristiana i jueva s'enfrontaren dialectalment entre 1414 i 1415 per tal de demostrar quina era la vertadera fe, produïren noves conversions numeralment significatives.

Per tant, els conversos es trobaren immersos en una societat que abans els excloïa. Així mateix, aquesta societat es veu obligada a absorbir un nou grup social, amb les seves característiques i els seus costums propis, que ella mateixa ha creat i que ara fa molt dificultosa la seva integració. Recordem que aquestes conversions en massa es varen fer sota coacció, així que les primeres mesures preses per les autoritats van anar encaminades a impedir que els nous adeptes al cristianisme tornessin a la seva antiga fe. Per acomplir aquesta tasca, les primeres ordinacions del govern municipal de Barcelona tenien com a objectiu separar la població jueva de la conversa. Aquestes mesures van provocar la separació entre membres de la família nuclear, ultra altres de grau més llunyà i amics, puix que no tots van abjurar de la fe mosaica. Davant aquesta situació part dels conversos van decidir fugir cap a altres indrets on pogueren continuar vivint en la seva vertadera fe. La resta es quedaren per tal d'integrar-se en la nova societat en la qual els havien inclòs.

Després del desastre de 1391, els conversos tenien davant seu un camí ple de dificultats. La societat cristiana, és a dir, aquells que els varen obligar a convertir-se, es va despreocupar completament del seu adoctrinament. Tret, és clar, dels coneixements que els conversos absorbien de les predicacions. Per tant, aquests van haver de conèixer la nova fe pels seus propis mitjans, puix que eren conscients que la seva fe estava sota sospita. Fins i tot, alguns conversos arribaren a formar part de l'estament clerical. Així mateix, hagueren de refer-se econòmicament i adaptar-se a la nova situació en la qual es trobaven, ja que com a cristians el seu marc econòmic i mercantil es presentava diferent. També hem de tenir en compte les dificultats que sorgiren arran de la no conversió del cònjuge, fills o germans, que va propiciar separacions i ruptures econòmiques.

Tot i les dificultats que se'ls presentaven, els conversos van anar integrant-se en la societat cristiana, convivint amb ella sense conflictes greus fins a l'arribada de la Inquisició castellana. Formaven, per tant, part de la nostra societat i de la nostra història. Com funcionava, però, aquest grup? Com i en quin grau es relacionava amb els cristians de natura? Quants d'ells eren verdaderament cristians? Com funcionaven econòmicament i quins eren els oficis que dominaven? Com i on vivien dins de la ciutat? Com es relacionaven amb la seva família? I amb els seus membres jueus?

Com veiem, l'estudi de la societat conversa barcelonina ens planteja aquestes i més preguntes, la resposta a les quals ens permetrà conèixer millor la nostra història.

ESTAT DE LA QÜESTIÓ

Certament, són pocs els estudis dedicats als jueus conversos i el seu paper en la societat abans de la implantació de la Inquisició castellana. Els principals estudis monogràfics sobre aquesta qüestió portats a terme per diversos historiadors jueus com Haim Beinart,[1] Benzion Netanyahu[2] i Cecil Roth,[3] analitzen principalment els conversos d'època moderna i es limiten a la zona castellana. D'altra banda, les seves principals fonts d'estudi són els processos portats a terme contra conversos per part de la Inquisició castellana. Les seves investigacions ens serveixen per conèixer quina era la situació dels conversos a Castella i poder establir comparacions. Tots aquests estudis insisteixen en la idea que la majoria de les conversions no van ser sinceres i que els conversos sincers eren una diminuta minoria. Aquests tres autors també coincideixen en la idea que la Inquisició castellana va ser creada amb la finalitat de solucionar "el problema" convers. Resulta interessant l'obra de Benzion Netanyahu[4] *Los marranos españoles según las fuentes hebreas de la época (siglos XIV-XVI)*, que tracta sobre els conversos castellans des de les fonts hebrees, és a dir, des del punt de vista jueu.

---

1. Haim BEINART: *Los conversos ante el tribunal de la Inquisición*, ed. Riopiedras, Barcelona, 1983.
2. Benzion NETANYAHU: *De la anarquía a la Inquisición: estudios sobre los conversos en España durante la Baja Edad Media*, ed. Esfera de los Libros, Madrid, 2005. Del mateix autor, *Los orígenes de la Inquisición en la España del siglo XV*, ed. Crítica, Barcelona, 1999. Del mateix autor, *Los marranos españoles según las fuentes hebreas de la época (siglos XIV-XVI)*, ed. Junta de Castilla y León, 1994.
3. Cecil ROTH: *Los judíos secretos: historia de los marranos*, ed. Atalena, Madrid, 1979.
4. Benzion NETANYAHU: *Los marranos españoles según las fuentes hebreas de la época (siglos XIV-XVI)*, ed. Junta de Castilla y León, 1994..

Altres importants historiadors jueus han tractat el tema dels conversos no de manera monogràfica, però sí dintre dels seus estudis dedicats als jueus de la Península Ibèrica. D'aquests historiadors jueus el més important és Yitzhak Baer,[5] que realitza dos estudis completíssims: *Historia de los judíos en la España cristiana*, sobre els jueus dels regnes hispànics durant l'època medieval, i *Historia de los judíos en la Corona de Aragón (siglos XIII-XIV)*, sobre els jueus de la Corona d'Aragó en concret. Amb aquestes dues obres, Baer va ser el primer que va estudiar la societat conversa a la Corona d'Aragó, d'una manera més àmplia i profunda.

També és molt important l'obra de Salo Wittimayer Baron[6] *A social and religious history of the jews*. Tot i basant-se en els estudis realitzats per Baer, aporta nous detalls sobre la situació dels conversos de la Corona d'Aragó. La seva obra consta de catorze volums, en els quals estudia la història dels jueus des de l'antiguitat fins als nostres dies.

Altres autors han tractat aspectes concrets dels conversos com la seva fe. En aquest camp destaca l'estudi fet per David M. Gitlitz[7] *Secreto y engaño: la religión de los criptojudíos*, en què resulta molt interessant la classificació que fa dels conversos respecte a la seva fe. Classificació que ja va fer Julio Caro Baroja[8] a *Los judíos en la España moderna y contemporánea*. Un altre aspecte concret que també s'ha tractat és el tema dels problemes legals que podien aparèixer entre els membres d'una mateixa família, dels quals uns s'havien convertit i altres no. Dels autors que tracten aquest aspecte destaquen Encarnación Marín Padilla,[9] *Relación judeoconversa durante la segunda mitad del siglo XV en Aragón: la Ley*; i Moisés Orfali,[10] *Los conversos españoles en la literatura rabínica: problemas jurídicos y opiniones legales durante los siglos XII-XVI*.

---

5. Yitzhak Baer: *Historia de los judíos en la España cristiana*, ed. Riopiedras, Barcelona, 1998; *Historia de los judíos en la Corona de Aragón (siglos XIII-XIV)*, ed. Diputación General de Zaragoza, Saragossa, 1985.

6. Salo Wittmayer Baron: *A social and religious history of the jews*, ed. Columbia University Press, Nova York, 1952.

7. David M. Gitlitz: *Secreto y engaño: la religión de los criptojudíos*, ed. Junta de Castilla y León, 2003.

8. Julio Caro Baroja: *Los judíos en la España moderna y contemporánea*, ed. Edicones Arion, Madrid, 1962.

9. Encarnación Marín Padilla: *Relación judeoconversa durante la segunda mitad del siglo XV: la Ley*, Madrid, 1986.

10. Moisés Orfali: *Los conversos españoles en la literatura rabínica: problemas jurídicos y opiniones legales durante los siglos XII-XVI*, ed. Universidad Pontificia de Salamanca, 1982.

Com a autor espanyol que ha tractat monogràficament el tema dels conversos destaca Eloy Benito Ruano,[11] amb *Los orígenes del problema converso.* Tanmateix, aquest estudi se centra sobretot en la problemàtica sorgida dels conversos a Castella.

Un altre autor que va tractar el tema dels conversos però dins d'una obra més general va ser Julio Amador de los Ríos,[12] amb la seva coneguda obra *Historia social, política y religiosa de los judíos de España.*

Tanmateix, la gran part de la bibliografia sobre conversos barcelonins la trobem en articles i actes de congressos.

Un dels primers articles que fa referència als conversos de Barcelona és el d'Isidore Loeb[13] "Liste nominative des juifs de Barcelone en 1392", en el qual es va publicar la llista dels conversos que van demanar ajuda al rei per a recuperar els seus béns robats durant l'assalt al call de Barcelona de 1391.

Molt important és l'article de Francesc Carreras Candi[14] "Evolución histórica de juehus y juheissants barcelonins".

El primer article que va tractar la societat conversa barcelonina des de totes les vessants i va fer referència a la importància d'una recerca sobre aquest tema, va ser el de Josep Hernando Delgado[15] "Conversos i jueus: cohesió i solidaritat".

Respecte als congressos destaquem el celebrat a Girona el gener del 2004, sota el títol *Cristianos y judíos en contacto en la Edad Media. Polémica, conversión, dinero y convivencia.*[16] Els autors que tractaren específicament el tema dels conversos foren: Josep Hernando, "Conversos, jueus i cristians de natura. El testimoni dels processos i la necessitat d'una recerca"; Silvia Planas, "Convivència, pervivència, supervivència: apunts per a la història de les dones converses de Girona"; i Rafael Narbona, "Los conversos de Valencia (1391-1482)".

11. Eloy Benito Ruano: *Los orígenes del problema converso,* ed. El Albir Universal, Barcelona, 1976.

12. Julio Amador de los Ríos: *Historia social, política y religiosa de los judíos de España,* ed. Orbis, Barcelona, 1986.

13. Isidore Loeb: "Liste nominative des juifs de Barcelone en 1392", *Revue des Études Juives,* IV, 1982, p. 57-77.

14. Francesc Carreras Candi: "Evolución histórica de juehus y juheissants barcelonins", *Estudis Universitaris Catalans,* III (1909), p. 404-428 i 498-522; IV (1910), p. 45-65 i Francesc Fuster, *Octavum decimum manuale,* 1409, juny, 25 - 1411, abril, 2373.

15. Josep Hernando Delgado: "Conversos i jueus: cohesió i solidaritat", dins *Anuario de Estudios Medievales,* 37/1 (Barcelona, 2007), p. 181-212,

16. Flocel Sabaté i Claude Denjean (eds.), *Cristianos y judíos en contacto en la Edad Media. Polémica, conversión, dinero y convivencia,* Reunión Científica en Girona (20 - 24 de enero de 2004), Editorial Milenio, Lleida, 2009.

FONTS I METODOLOGIA

Abreviatures

AHPB Arxiu Històric de Protocols de Barcelona.

AHCB Arxiu Històric de la Ciutat de Barcelona.

ACA Arxiu de la Corona d'Aragó.

ACB Arxiu de la Catedral de Barcelona.

ADB Arxiu Diocesà de Barcelona.

El present treball sobre la societat conversa és un estudi històric i social de caràcter microhistòric. Per tant, la prosopografia juga un important paper en la nostra metodologia.

La majoria de les nostres dades provenen de documentació notarial cercada en la seva major part a l'Arxiu Històric de Protocols de Barcelona. Així doncs, la informació que recopilarem farà referència a individus concrets, però amb un nombre considerable, ens servirà per reflectir tot el grup social.

Pel que fa a la cronologia del nostre estudi (1391-1440) comprèn un període de gairebé cinquanta anys. La data d'inici és el 1391 degut al fet que és quan van començar les conversions en massa. Pel que fa la data final de 1440, ve determinada pel fet que és l'últim any en què hem trobat l'adjectiu *conversus* —el qual ens permet identificar els conversos— en la documentació notarial.

Hi ha la dificultat que a partir de 1416 l'adjectiu *conversus* va desapareixent gradualment fins a fer-ho definitivament el 1440. Per tal de no desvirtuar el nostre estudi, no hem inclòs els individus que no sabem segur que eren conversos. Per tant, per tal de determinar plenament que un individu era convers hem aplicat que, a banda del nom i l'ofici, hagi de constar el nom del cònjuge o d'algun altre familiar.

La metodologia que hem seguit per localitzar la documentació notarial referent als conversos ha estat realitzar un buidat sistemàtic dels volums notarials més significatius compresos en la cronologia esmentada, tant de l'AHPB com de l'AHCB i l'ACB. D'altra banda, hem cercat documents referents a la societat conversa en les seccions corresponents dels següents arxius: AHCB, ADB, ACB i ACA.

A continuació mostrem les fonts concretes d'aquest treball:

AHPB

Els llibres, manuals, llibres de vendes, llibres de comandes, testaments, inventaris, etc., dels notaris més destacats compresos entre 1391 i 1440.

ACA

— Registres de Cancelleria corresponents als regnats que comprenen la cronologia esmentada.
— Processos en quart.
— Patrimoni.

ADB

— Mensa Episcopal.
— Visites Pastorals.
— *Registra Ordinatorum.*
— Processos.

ACB

Tota la documentació notarial compresa entre 1391 i 1440.

AHCB

— Consell de Cent.
    Llibre del Consell.
    Registre de deliberacions.
    Registre d'ordinacions.
    Ordinacions especials.
    Lletres closes.
    Lletres i provisions reials.

Lletres comunes originals.

Manual.

Notularum.

Diversorum.

Plets i processos.

— Consellers.

Oficials de la ciutat.

Imposicions.

Obreria.

Eclesiàstics. Inquisició.

Diversos.

Processos.

— Protocols notarials.

EL TRENCAMENT DE LA CONVIVÈNCIA
I LES CONVERSIONS EN MASSA

Els fets de 1391 van marcar un gran punt d'inflexió en la història dels regnes cristians hispànics en general i en la història de Barcelona en particular. Després de segles, la convivència entre jueus i cristians va ser violentament trencada. Tanmateix, els avalots de 1391 i el desig del poble *menut* d'exterminar el poble jueu no van ser fets fortuïts i improvisats, simplement producte d'unes circumstàncies momentànies. Van ser el resultat d'un llarg conflicte entre dos concepcions diferents envers els jueus: la reialista, que depenia dels jueus pel seu capital i per administrar els regnes, i que per tant els protegia i defensava; i el corrent antijueu influenciat per una creixent intolerància religiosa que no acceptava les concessions que els reis feien als jueus.

Al llarg d'aquest primer capítol farem una breu anàlisi de la situació dels jueus durant la Conquesta i el canvi de l'actitud dels cristians respecte als jueus quan la Corona d'Aragó va deixar d'expandir-se cap als territoris musulmans i va consolidar les seves conquestes. Seguirem després amb l'anàlisi dels fets de 1391 que van provocar l'aparició dels conversos com a nou grup social.

Abans, però, d'entrar en matèria ens agradaria fer unes puntualitzacions. Són molts els autors que han estudiat el tema dels jueus medievals a la Península Ibèrica.[1] Tanmateix, Yitzhak Baer és l'autor

---

1. D'entre el gran nombre d'obres que fan referència l'estudi dels jueus medievals a la Península Ibèrica destaquem les següents: Y. BAER: *Historia de los judíos en la España cristiana*, ed. Riopiedras, Barcelona, 1998; *Historia de los judíos en la Corona de Aragón (siglos XIII-XIV)*, ed. Diputación General de Zaragoza, Saragossa, 1985; J. AMADOR DE LOS RÍOS: *Historia social, política y religiosa de los judíos en España*, ed. Orbis, Barcelona, 1986; S. W. BARON: *A social and religious history of the jews*, ed. Columbia University Press, Nova York, 1952. H. BEINART: *Los judíos en España*, ed. Mapfre, Madrid, 1993; F. DE BOFARULL I SANS: *Los judíos en el territorio de Barcelona, siglos X-XIII: reinado de Jaime I,*

que millor ens ofereix una visió històrica sobre els jueus de les nostres terres, un fet que converteix la seva obra en un referent. Per tant, ens referirem en nombroses ocasions al seu magnífic treball.

D'altra banda, tot i que en alguns casos tractarem el cas de Castella, el present capítol se centrarà en la situació dels jueus en la Corona d'Aragó, ja que les causes de l'odi cap als jueus van ser diferents depenent de la zona.

Els jueus de la Corona d'Aragó durant les primeres etapes de la Conquesta

El destí dels jueus durant l'edat mitjana als regnes hispànics sempre va anar acompanyat de la estabilitat política dels regnes cristians. El rei, com a "propietari" dels jueus, s'encarregava de protegir-los, i per tant el destí d'aquests anava lligat al seu. Si un rei era prou poderós per a mantenir l'estabilitat política dels seus regnes, les comunitats jueves vivien en plena tranquil·litat i harmonia. En canvi, en situacions de buit de poder i de govern inestable, les aljames jueves eren les primeres a notar les conseqüències.

El 1060 els regnes cristians de la Península Ibèrica van fer el primer intent de conquerir territoris del sud ocupats pels musulmans. Tanmateix, els almohades van aconseguir aturar l'avanç dels regnes cristians, que no es reprendria fins al segle XIII.

La situació política, demogràfica i econòmica que els monarques cristians trobaven en els territoris cristians recentment conquerits va fer que aquests veiessin en els jueus la gran solució als seus problemes.

Efectivament, durant la Conquesta, les noves àrees ocupades pels cristians estaven totalment deshabitades. La conquesta d'Andalusia amb les ciutats de Còrdova (1236) i Sevilla (1248), en el cas de Castella, i de les Illes Balears (1229) i València (1238), en el cas de la Corona d'Aragó, va fer que es plantegés una nova política de repoblament i de rehabilitació econòmica: facilitar als jueus que s'establissin en les noves àrees conquerides.[2] Els jueus establerts en aquestes zones varen ser molt apreciats tant pels governants com per la resta de la socie-

1213-1276, Impr. de F. J. Altes, Barcelona, 1910; M. J. Estanyol i Fuentes: *Els jueus catalans: les seves vivències i influència en la cultura, economia i política en els reialmes cristians*, ed. PPV, Barcelona, 2009; A. Rich Abad: *La comunitat jueva de Barcelona entre 1348 i 1391 a través de la documentació notarial*, ed. Fundació Noguera, Barcelona, 1999; L. Suárez Fernández: *Judíos españoles en la Edad Media*, ed. Rialp, Madrid, 1980. L. Poliakov: *Historia del antisemitismo*. 3 volums, ed. Muchnik Editores, Barcelona, 1986.
2. S. W. Baron: *A social and religious history...*, p. 119.

tat. Entre la societat cristiana, la burgesia —procedent dels nobles i dels camperols— augmentava molt lentament, i per aquesta causa era necessari el suport dels jueus, àmpliament competents en l'artesanat i el comerç.[3]

Políticament, els monarques cristians necessitaven secretaris que dominessin la llengua àrab i que sabessin com administrar els nous territoris. Sens dubte, els que millor ho podien fer eren els jueus, ja que no tan sols dominaven la llengua àrab, sinó que coneixien a la perfecció la naturalesa del territori conquerit, la seva organització administrativa i els costums de la seva gent.[4] També cal tenir en compte l'experiència adquirida pels jueus en els camps de la diplomàcia i l'administració. L'administració dels nous territoris conquerits requeria un íntim coneixement de les diverses comunitats i religions que els componien, així com dels recursos financers de cada comunitat i els seus líders, que tan sols financers experimentats podien portar a terme correctament.[5] En conseqüència, els jueus van anar ocupant importants càrrecs administratius i diplomàtics que els conferien gran poder, però que els feien odiosos als ulls de la societat cristiana.

De fet, l'únic guardià dels jueus era el rei. En la societat cristiana, el principi que regia respecte als jueus era el de considerar-los propietat personal del rei. Aquest principi deriva de les ensenyances dels Pares de l'Església, que consideraven que els jueus estaven condemnats a la servitud eterna pel terrible crim d'assassinar Crist. Aquest concepte es va definir clarament el 1176 en el Fur de Terol i va servir com a model per a les ciutats de Castella i de la Corona d'Aragó: "els jueus són els serfs del rei i pertanyen al seu tresor".[6] Com a tresor seu el rei cobrava un seguit de tributs a les aljames que li aportaven quantiosos beneficis. I no tan sols això, sinó que els jueus eren els únics que, mitjançant el préstec, podien prestar a la corona el capital, amb la quantitat i rapidesa necessàries, per portar a terme campanyes militars en les quals el temps de reacció era primordial.[7]

Tanmateix, la noblesa, l'Església i el poble pla no tenien igual concepte dels jueus. A part de la qüestió religiosa, per a l'Església el fet que els jueus ocupessin càrrecs públics contravenia les lleis eclesiàstiques. Els nobles, per la seva banda, veien en els jueus l'eina utilitzada pel rei per a debilitar-los. Finalment, el poble pla no volia que ocupessin

3. Y. Baer: *Historia de los judíos...*, p. 48.
4. Y. Baer: *Historia de los judíos...*, p. 48.
5. S. W. Baron: *A social and religious history...*, p. 122.
6. Y. Baer: *Historia de los judíos...*, p. 93.
7. L. Suárez-Fernández: *Judíos españoles...*, p. 112.

càrrecs públics per tal d'ocupar-los ells.[8] A aquestes causes socials cal sumar les idees d'intolerància religiosa vingudes des de França, les quals van contribuir al corrent antijueu que aquests últims estaments enfrontaren contra el corrent protector de la monarquia i que va produir els fets de 1391.

Els jueus sota el regnat de Jaume I

Respecte als jueus, Jaume I va seguir la mateixa política protectora que els seus antecessors, a més de donar a alguns dels seus membres gran poder. Un cop Jaume I va aconseguir controlar l'oposició interna que li exercia la noblesa, inicià la conquesta de Mallorca, a la qual seguiria poc després la de València. Aquestes noves campanyes militars significaven una necessitat de capital immediat, el repoblament i l'administració de les zones conquerides així com la reactivació de la seva economia. Els jueus van donar solució a totes aquestes necessitats, fet que revestí de gran poder alguns dels seus membres.

Un cop conquerida Mallorca, els jueus que van decidir establir-se en els nous territoris conquerits van rebre habitatges, tallers i parcelles de terrenys, tant dins com fora de les muralles.[9] Els jueus que ja hi vivien van conservar les seves propietats. La política iniciada per Jaume I envers els jueus a partir del repartiment de Mallorca, assajada ja per Ferran III de Castella en les regions andaluses, marcava el camí de l'era d'esplendor del poble jueu a la Corona d'Aragó.[10]

La conquesta de València va tenir més conseqüències per als jueus, alguns dels quals van veure les seves propietats confiscades. Com ja havia passat a Mallorca, els musulmans que residien en la ciutat van ser expulsats. Als jueus, en canvi, se'ls va reservar el barri que sempre van ocupar i el van ampliar.[11] També en aquest cas, molts jueus procedents de les zones velles de la Corona (Barcelona, Lleida, Saragossa...) es van establir a València, atrets pels privilegis donats pel monarca (1239 i 1244) que equiparaven en drets els nouvinguts amb els residents de les aljames de Saragossa i Barcelona. En el cas de València, Jaume I va aplicar una novetat al ja esmentat sistema de repoblament: juntament amb els nobles cristians, els jueus cortesans també van rebre terres i altres propietats.[12] Veiem, doncs, com degut

---

8. Y. Baer: *Historia de los judíos...*, p. 185.
9. Y. Baer: *Historia de los judíos...*, p. 157.
10. J. Amador de los Ríos: *Historia social...*, p. 218.
11. L. Suárez Fernández: *Judíos españoles...*, p. 100.
12. Y. Baer: *Historia de los judíos...*, p. 157.

a les circumstàncies els jueus prenen molta importància per als reis, fins a arribar al punt que els jueus cortesans eren "cuidats" pel rei igual que la noblesa. Dintre de les mateixes aljames hi havia un seguit de famílies jueves que tenien un autèntic poder aristocràtic. Aquestes famílies —en el cas de Barcelona eren els Perfet, els Benveniste i els Alazar—, en alguns casos, tenien immunitat enfront de l'autoritat dels oficials i els jutges locals, i la seva situació jurídica era igual a la de l'alta noblesa.[13]

A la necessitat de repoblament de les zones conquerides, era inherent el fet que aquestes noves poblacions fossin productives, ja que en un estat de guerra la necessitat de capital líquid era primordial. Aquesta reactivació econòmica era duta a terme pels jueus que s'establien a les noves poblacions. Per tal d'assegurar i accelerar el creixement econòmic, Jaume I va concedir a les aljames jueves privilegis per a comerciar amb gra, oli i ramats, així com autoritzacions per obrir nous obradors a les ciutats. En les ocasions que els jueus mercaders necessitaven protecció, Jaume I defensava els seus drets i donava instruccions als seus oficials de no molestar-los i no permetre que ningú els destorbés en els seus negocis sense causa justificada.[14]

Com és evident, aquest tracte favorable a la comunitat jueva durant aquesta època es feia perquè els monarques cristians en treien gran profit. Tots els privilegis que hem esmentat fins ara, així com els avantatges econòmics, anaven dirigits als jueus que s'establiren en les noves zones conquerides de València i Mallorca. Jaume I era conscient del potencial econòmic dels jueus, així com del fet que ningú voldria instal·lar-se en unes poblacions que acabaven de ser conquerides en una guerra i amb una precària situació productiva i comercial. Calia doncs convèncer els jueus perquè s'establissin en els nous territoris per tal d'activar l'economia i atreure així més pobladors cristians. En canvi, van ser molt pocs els privilegis que van obtenir les aljames de les zones "velles". Les aljames del Principat van ser les que menys avantatges van aconseguir, puix que en aquell moment era el centre més important de l'Església en tota la Corona d'Aragó i el poder eclesiàstic influïa en contra dels privilegis dels jueus.[15] Poques van ser les autoritzacions donades per Jaume I a l'aljama de Barcelona per a la construcció de noves sinagogues i cementiris.[16]

13. Y. BAER: *Historia de los judíos...*, p. 99.
14. Y. T. ASSIS: *Jewish economy in the medieval Crown of Aragon, 1237-1327*, ed. E. J. Brill, Leiden, 1997, p. 27.
15. M. J. ESTANYOL I FUENTES: *Els jueus catalans...*, p. 56.
16. Y. BAER: *Historia de los judíos...*, p. 161.

Tal com demostren les contribucions fiscals compilades el 1274, les aljames situades en les zones recentment conquerides tenien menor càrrega fiscal que les establertes en les ciutats de la zona "vella". Les aljames de Saragossa i Calataiud van pagar aquell any a la Corona quinze mil (o disset mil) i deu mil sous respectivament, mentre que l'aljama de València tan sols en va pagar cinc mil.[17] L'estratègia econòmica era no pressionar fiscalment les aljames de les zones recentment conquerides, alliberar els membres d'aquestes aljames —de manera individual i també de manera general— de l'obligació de pagar impostos durant tres o quatre anys i facilitar l'adquisició de cases, terres i obradors als jueus que s'instal·lessin en les noves aljames, amb l'objectiu que aquestes fossin més productives i que en un futur paguessin més impostos. Tanmateix, aquesta política d'exempció fiscal a certs individus provocava tensions dins l'aljama, ja que en molts casos l'exempció incloïa també els impostos interns de l'aljama, vitals per a la seva supervivència.[18]

Tot i que ens trobem davant de l'època daurada dels jueus a la Corona d'Aragó, l'animadversió que la societat cristiana sentia envers ells, i que significaria la seva fi en un futur, ja començava a brollar. L'oposició antijueva mirava amb desconfiança les concessions que el rei feia als jueus i començà a actuar. El 1228, en les Corts on es decidia la conquesta de Mallorca, Jaume I va tenir que cedir a algunes de les peticions del corrent antijueu. Instigat per l'Església, de la qual depenia per tal de controlar els nobles, promulgà un seguit de lleis que perjudicaven els jueus: la prohibició d'ocupar càrrecs públics, es fixà en un vint per cent l'interès màxim que els jueus podien cobrar en els seus préstecs (percentatge que també era utilitzat entre els mercaders florentins) i l'impediment de tenir servents cristians.[19] En aquestes lleis s'adverteix el llegat de les lleis reformadores antijueves d'Innocenci III i Gregori XI.

Tanmateix, Jaume I no estava en condicions de poder respectar una de les lleis que més malestar produïa entre la població cristiana: la prohibició als jueus d'ocupar càrrecs públics. Per tal de portar a terme les seves campanyes militars, la monarquia s'havia endeutat amb membres molt importants de les aljames. L'única manera que tenia Jaume I de garantir el pagament del seu deute era atorgar a aquests

17. S. W. Baron: *A social and religious history...*, p. 129.
18. R. I. Burns: *Jaume I i els valencians al segle xiii*, ed. Tres i Quatre, València, 1981, p. 196-197.
19. Y. Baer: *Historia de los judíos...*, p. 165.

jueus el càrrec de *batlle* —administrador del patrimoni reial—, càrrec que tenia jurisdicció sobre els cristians.[20]

El 1241 es tornaren a promulgar lleis a les Corts referents a la usura dels jueus, però aquest cop la càrrega d'odi cap als jueus va ser més explícita i poderosa.

Aquest augment de l'odi cap als jueus va ser la conseqüència de l'entrada a la Corona d'Aragó dels corrents antijueus vinguts de França, portant amb ells el proselitisme dominic. França acabava de sofrir una gran onada antijueva quan el 1232 el convers Nicolas Donin —fet cristià després d'haver sigut anatemitzat per les comunitats jueves franceses per haver negat la validesa de la llei oral i més tard fet frare dominic en la Rochelle— va denunciar el Talmud davant el papa Gregori XI i va presentar a un tribunal eclesiàstic un seguit de passatges d'aquest llibre que injuriaven la religió cristiana i la figura de Crist.[21] Aquest tribunal va estudiar els passatges, entrant en contacte per primer cop amb el Talmud. Com a conseqüència, el 9 de juny de 1239, Gregori XI ordenà als frares, prelats i reis de França, Anglaterra i dels regnes hispànics que el 3 d'octubre de 1240 confisquessin als jueus tots els seus llibres sagrats i els entreguessin als dominics perquè els examinessin. París va ser l'únic lloc on es va dur a terme aquesta ordre. A partir d'aquest moment el corrent antijueu canvià d'estratègia: utilitzaria els mateixos llibres sagrats dels jueus per a convèncer-los de l'error de la seva fe.

Els fets ocorreguts a França el 1240 tingueren importants conseqüències a la Corona d'Aragó, puix que els ordes mendicants —en major nombre i intensitat els dominics, en menor el franciscans— van iniciar una intensa activitat missionera, obligant els jueus i musulmans a escoltar els seus sermons. Els espectacles de proselitisme que es duien a terme a les ciutats influenciaven el poble en el corrent antijueu i els excitaven perillosament.

Aquestes actituds confonien el poble pla i començaren a aparèixer les primeres llegendes d'assassinat ritual de nens cristians en mans de jueus. El primer cas a la Península Ibèrica es dona a Saragossa el 1250.[22] El poble acusava els jueus de raptar un nen o una nena per a crucificar-lo i amb la seva sang fer la *matsà* —pa àzim, sense llevat, que es consumeix en la Pasqua jueva.[23]

---

20. L. Suárez Fernández: *Judíos españoles...*, p. 111.

21. L. Poliakov: *Historia del antisemitismo. De Cristo a los judíos de las cortes*, ed. Muchnik Editores, Barcelona, 1986, p. 73.

22. Y. Baer: *Historia de los judíos...*, p. 166.

23. M. J. Estanyol i Fuentes: *Els jueus catalans...*, p. 62.

Aquest canvi d'estratègia va propiciar el 1263 la primera disputa pública entre un jueu i un cristià per a defensar les seves creences. Va ser convocada per Jaume I a Barcelona a petició del dominic Ramon de Penyafort, i hi assistiren eclesiàstics, nobles i ciutadans.[24] En ella s'enfrontaren el convers Pau Cristià —defensant el cristianisme— i el gran Nakhmànides —defensant el judaisme. L'objectiu de la disputa era derrotar en un debat Nakhmànides, rabí que en aquell moment tenia molta influència i prestigi entre el poble jueu, i que amb la seva conversió també es convertís un gran nombre de jueus. Tanmateix, les coses no van sortir com Ramon de Penyafort esperava. Els arguments de Nakhmànides resplendien d'una lucidesa i retòrica tan elevada que els franciscans i dominics, després de quatre jornades de discussió, van demanar al rei que acabés la disputa, puix que no eren capaços de rebatre'l. La jugada va sortir malament als dominics i franciscans. En comptes de deixar en ridícul el rabí amb més prestigi de la Corona d'Aragó, aquest havia sortit reforçat.

Tanmateix, la Disputa de Barcelona tingué importants conseqüèn-cies per al poble jueu: es va ordenar als jueus que esborressin dels seus llibres tots els passatges que segons el convers Pau Cristià eren blasfems per al cristianisme; tots els llibres de Maimònides van ser cremats i es produïren persecucions personals.[25] Nakhmànides va ser acusat de blasfèmia davant el tribunal de la Inquisició, dirigit per Ramon de Pe-nyafort. L'única manera mitjançant la qual el rei va aconseguir salvar-lo fou retardar indefinidament el compliment de la sentència. Judah de la Cavalleria va ser acusat de burlar-se de la figura de Jesucrist mitjançant un crucifix que posseïa, acusació que es va demostrar que era falsa. Com veiem, el rei feia el que estava en la seva mà per ajudar els seus col·laboradors jueus. Tanmateix, l'odi envers els jueus anirà creixent i amb ell la pressió dels dominics sobre el rei, que acabarà cedint a algunes de les seves demandes.

Al llarg del seu regnat, Jaume I va haver de practicar un continu estira-i-arronsa amb el corrent antijueu format per la resta dels esta-ments socials. En casos puntuals Jaume I va legislar en contra dels jueus —no fer-ho hauria significat pertorbar la pau social—, tanmateix la seva política general era de benefici cap als jueus.

---

24. M. J. ESTANYOL I FUENTES: *Els jueus catalans...*, p. 60.
25. L. SUÁREZ FERNÁNDEZ: *Judíos españoles...*, p. 126.

Camí cap a la decadència

El successor de Jaume I, el seu fill Pere II, heretà una corona malmesa econòmicament com a conseqüència de les campanyes bèl·liques del seu pare i les revoltes que van ser sufocades.

Una de les primeres mesures que va portar a terme per tal d'aconseguir emplenar les arques reials va ser revisar i ratificar tots els privilegis concedits pel seu pare als jueus, fet que suposava que les aljames havien de pagar per aquesta ratificació.[26]

Pere II va continuar la voluntat de protecció dels jueus iniciada pel seu pare. Tanmateix, la situació havia canviat: l'expansió catalano-aragonesa havia acabat i l'ajuda dels jueus ja no era tan necessària; d'altra banda, el corrent antijueu va anar guanyant terreny i la propaganda contra els jueus augmentava perillosament. Aquest odi envers els jueus era alimentat fonamentalment per la política seguida pel rei de donar-los càrrecs públics. Tanmateix, a pesar de les pressions de l'Església, Pere II no podia prescindir dels serveis dels seus lleials oficials jueus, ja que eren indispensables per a l'administració dels reialmes.[27]

La tensió, orquestrada pels ordes mendicants, va anar en augment. A Girona, durant la Pasqua de 1278, els clergues de la catedral i els seus familiars, als quals s'afegiren altres vilatans, van atacar el call jueu i destrossaren el cementiri.[28] El rei, que era a València, va enviar dos cartes a la ciutat de Girona amonestant el bisbe, a qui considerava el responsable d'aquests fets.

El corrent antijueu va rebre suport des de Roma per part del papa Nicolau III, que el 4 d'agost de 1278 promulgà una butlla que decretava la predicació general als jueus amb l'objectiu de convertir-los.[29] Pere II, el 19 d'abril de 1279, va ordenar als seus oficials que obligaren els jueus a escoltar els sermons en les seves sinagogues per part dels frares predicadors i que defensaren els jueus conversos de les molèsties dels seus antics correligionaris.[30] L'encarregat espiritual d'aquesta campanya a la Corona d'Aragó fou el convers Ramon Martí, el qual havia participat en la Disputa de Barcelona i havia acabat d'escriure *Explanatio Symboli apostolorum*, adreçada a la conversió de jueus i

---

26. Y. Baer: *Historia de los judíos...*, p. 178.
27. Vegeu D. Romano: *Judíos al servicio de Pedro el Grande de Aragón (1276-1285)*, ed. CSIC, Barcelona, 1983. En aquesta obra es pot observar clarament quina era la importància dels oficials jueus per a la bona administració dels territoris de la corona.
28. M. J. Estanyol i Fuentes: *Els jueus catalans...*, p. 79.
29. L. Suárez Fernández: *Judíos españoles...*, p. 143-144.
30. Y. Baer: *Historia de los judíos...*, p. 182.

musulmans; el 1280 escriuria *Pugio fidei adversus mauros et iudaeos*, en què demostrava que tots els fonaments del cristianisme estaven inclosos en el Talmud.[31]

A causa d'aquestes predicacions els aldarulls es van anar succeint. Pere II, igual que va fer el seu pare Jaume I, va ordenar als frares que durant els sermons anaren acompanyats per un nombre limitat de persones i que no es convertís cap jueu per la força. Els jueus, per la seva banda, estaven obligats a escoltar els sermons i a no respondre amb blasfèmies.

L'aixecament de part de la noblesa contra el rei el 1280 i la guerra contra Sicília el 1282, van fer que el rei atorgués als oficials jueus un seguit de poders que mai havien tingut abans.[32] La guerra contra Sicília requeria el manteniment d'un poder militar i naval que era molt onerós. A part de contribuir amb els impostos que les aljames pagaven al rei i la seva perícia en l'administració reial, els jueus van haver de prestar a Pere el Gran tot el capital necessari per a comprar cavalls i provisions.[33] Tanmateix, l'absència del rei durant la guerra contra Sicília va permetre als partidaris del corrent antijueu emprendre els primers atacs decisius contra la influència jueva. Aquestes reaccions van provocar que en les corts de Tarassona el rei prohibís definitivament als jueus ocupar qualsevol càrrec públic.[34]

La destitució dels oficials jueus marcà un important punt d'inflexió en la societat jueva, puix que significà una pèrdua de la seva influència política en la cort i una davallada en les riqueses. Amb la prohibició d'ocupar càrrecs públics també es van acabar, evidentment, les donacions de propietats que els jueus cortesans rebien del rei.

La pèrdua de la seva influència política, l'augment de l'odi dels estaments cristians cap a ells i la pressió fiscal a la qual foren sotmesos per part de la monarquia per a suportar la guerra contra França, van sumir les aljames de la Corona d'Aragó en l'inici d'una decadència, tant cultural com econòmica, que aniria en augment. El camí encetat per Pere II ja no tenia marxa enrere.

El successor de Pere II, Alfons II, va augmentar la càrrega fiscal a les aljames iniciada pel seu pare, i per primer cop la burgesia cristiana va avançar econòmicament la jueva.[35]

---

31. M. J. ESTANYOL I FUENTES: *Els jueus catalans...*, p. 80.
32. Y. BAER: *Historia de los judíos...*, p. 184. D'entre tots els oficials jueus destacaren els germans Ravaia, especialment Yosev Ravaia, que va acompanyar el rei a la guerra contra Sicília.
33. Y. T. ASSIS: *Jewish economy...*, p. 123.
34. M. J. ESTANYOL I FUENTES: *Els jueus catalans...*, p. 82-83.
35. M. J. ESTANYOL I FUENTES: *Els jueus catalans...*, p. 89.

Jaume II va ser el que va fixar la política que s'havia de seguir amb els jueus fins als fets de 1391. Aquesta consistia a protegir l'existència dels jueus i ratificar els seus drets, sempre que no interferissin en els interessos de l'Església i l'Estat.[36]

Aquest monarca va defensar els drets dels jueus i els va ajudar a desenvolupar i millorar les seves institucions. Tanmateix, la pressió antijueva de l'Església es feu més intensa, la qual cosa provocà que el monarca multipliqués els processos contra els jueus en delictes d'usura. El rei confià la investigació d'aquests delictes a clergues, fet que suposà un augment de la jurisdicció de l'Església en els jueus.

La Inquisició va augmentar la pressió cap als jueus, però el rei no estava disposat a permetre que l'Església s'entremetés en les seves "propietats". Jaume II va deixar clar a la Inquisició que els jueus pertanyien exclusivament a la jurisdicció reial, i per tant els seus delictes, religiosos o no, havien de ser jutjats pel rei.

La pressió de la Inquisició va augmentar quan al juliol de 1306 França va expulsar els jueus que habitaven en el seu territori i Jaume II els va acollir en els seus regnes. Entre els jueus nouvinguts, acollits en les aljames de les diferents ciutats i pobles, hi havia conversos, que en sentir-se segurs renegaren de la seva nova fe i tornaren al judaisme.[37] Això va legitimar l'Església per intervenir en els assumptes jueus, puix els conversos, com que eren cristians, sí que eren de la seva jurisdicció. Fet que provocà un constant estira-i-arronsa entre monarquia i Església en la jurisdicció envers els jueus.

Amb la revolta dels Pastors sorgida a França el 1320, es produí una nova onada d'immigració als territoris de la Corona d'Aragó. L'establiment d'aquests nouvinguts aportà grans beneficis econòmics degut a l'augment del comerç —intrínsec a l'establiment de jueus, com ja hem vist anteriorment—, però també va fer augmentar el descontent del poble i el seu odi envers els jueus.

Dintre d'aquesta nova onada van venir més conversos que en l'anterior, puix que molts jueus es van convertir el 1306 per tal de no haver de marxar de França.[38] La Inquisició va augmentar els processos contra conversos que tornaven a la seva antiga fe. Tanmateix, el rei vigilava de prop aquests processos per tal d'assegurar-se que cap jueu fos convertit per la força. Molts conversos van tornar a la seva antiga religió amb

---

36. Y. Baer: *Historia de los judíos...*, p. 435.
37. Y. Baer: *Historia de los judíos...*, p. 442.
38. M. J. Estanyol i Fuentes: *Els jueus catalans...*, p. 96.

certa permissivitat del monarca, ja que no es van fer investigacions sobre la religiositat de molts dels refugiats.[39]

Aquestes migracions van fer que l'odi envers els jueus anés en augment. Aquest odi va créixer més a la Corona d'Aragó que a Castella perquè tenia unes relacions més estretes amb Europa, on l'antijudaisme s'incrementava.[40] El papat, que en un principi havia censurat l'atac als jueus per part dels "Pastorets", va permetre més tard a l'inquisidor francès Bernat de Gui cremar tots els Talmuds de les sinagogues per considerar que tenien passatges blasfems al cristianisme.

Pel que fa a la intervenció en la política interna de les aljames, Jaume II va democratitzar-ne el govern abolint el govern oligàrquic que les regia i constituint un consell format per trenta membres provinents de tots els estaments i elegits democràticament que rebia el nom del Consell dels Trenta.

Durant el regnat d'Alfons III, es va patir l'assot de la crisi amb el *mal any primer*. La fam i la misèria s'escampaven per tota la corona i la mort es convertia en una companya permanent. Tot i que en els calls era on es produïen més morts pel fet de ser llocs tancats i insalubres, els cristians començaren a veure els jueus com els culpables de totes les seves desgràcies.

Aquesta visió negativa del poble cristià envers els jueus es confirmà i s'augmentà amb la vinguda de la Pesta Negra el 1348 sota el regnat de Pere IV. Al Principat —a diferència de Castella i d'altres regnes d'Europa que acusaven els jueus d'enverinar els pous per tal de propagar la pesta— el poble va culpar els jueus de l'epidèmia ja que pels seus pecats i pel simple fet d'existir havien provocat la ira de Déu. Els aldarulls contra els jueus s'estengueren per tot Europa quan va iniciar-se a Savoia el rumor de l'existència d'un complot dels jueus per enverinar tots els pous dels territoris cristians.[41] Entre el maig i el juny del mateix any foren atacades les aljames de Barcelona i de les localitats petites del nord del Principat, s'assassinaren jueus i es destruïren els seus béns.[42] A diferència de la resta d'Europa, a la Corona d'Aragó aquests desordres van ser precipitats i duts a terme pels

39. M. J. ESTANYOL I FUENTES: *Els jueus catalans...*, p. 96.
40. L. SUÁREZ FERNÁNDEZ: *Judíos españoles...*, p. 168.
41. L. POLIAKOV: *Historia del antisemitismo...*, p. 109. Segons l'autor per al tercer estament social imperava la idea que l'origen de la pesta era que Déu havia donat plena llibertat al Diable per a castigar la cristiandat; i segons els costums el Diable actuava amb la complicitat de jueus i leprosos que contaminaven les aigües.
42. Y. BAER: *Historia de los judíos...*, p. 455.

estaments populars. Les autoritats no van intervenir en la seva gènesi ni en el seu desenvolupament.

Pere IV va entendre que calia protegir més els jueus, ja que aquests avalots descontrolats provocats pel poble podrien acabar amb totes les comunitats jueves. A Barcelona va ordenar als seus oficials que prengueren mesures i va prohibir la prèdica en públic de sermons provocadors. Això va impedir que en una altra onada de pesta el 1362 els aldarulls es descontrolessin com en l'anterior.[43]

Tot i trobar-se en una època de grans agitacions socials, la política de Pere III va anar encaminada cap a la protecció dels jueus i els seus drets, i a estimular el seu progrés econòmic i institucional.[44]

Malgrat tot, l'odi cap als jueus anava augmentant perillosament. A la Corona d'Aragó no hi havia, com a Castella, una literatura antijueva que fes d'òrgan difusor d'aquest odi. Aquí l'odi envers els jueus es forjava en les capes baixes de la societat, per raons primordialment socials —mostrar els jueus com els culpables de les seves desgràcies i desitjar ocupar el seu lloc econòmic i professional— amb la religió com a element conductor i excusa moral. Odi contingut que explotarà amb metralla durant el regnat de Joan I.

Conversió o mort: el trencament de la coexistència

La població jueva es va reduir dràsticament degut a la pesta i als aldarulls dirigits contra ells per part de la població cristiana. Per exemple, la població l'aljama de Saragossa va quedar reduïda a una quinta part de la seva dimensió anterior.[45] A la mort de Pere III, va heretar la corona el seu fill Joan I, que seguiria una política de protecció als jueus com el seu pare.

Les aljames de la Corona d'Aragó continuaven les seves guerres intestines pel control del govern. Joan I va intervenir abolint el Consell dels Trenta i retornant el poder del govern de les aljames a les principals famílies aristocràtiques jueves. Tanmateix, aquesta elit jueva encetà una pugna interna pel poder. Això impedí que la societat jueva es mantingués unida davant el creixent odi dels cristians i reaccionés als primers símptomes de perill.

---

43. M. J. Estanyol i Fuentes: *Els jueus catalans...*, p. 108.
44. Y. Baer: *Historia de los judíos...*, p. 459. Cal destacar la importància de Mallorca com a centre comercial internacional jueu.
45. S. W. Baron: *A social and religious...*, p. 146.

L'odi envers els jueus era especialment palpable i furibund en les ciutats, on el desenvolupament econòmic i industrial dels jueus despertava animadversió en els cristians, que veien en ells uns perillosos competidors.[46] D'altra banda, cal recordar que estem davant d'una important crisi econòmica en què la misèria i la fam eren les protagonistes de l'escena. La inflació, les manipulacions dels comptes públics per part dels consells de les ciutats i els costos de les campanyes militars empitjoraven la situació i provocaven indignació entre el poble.[47] Eren molts els cristians que acudien als jueus en cerca d'un préstec per tal de poder menjar o aguantar els seus negocis, fet que provocà que el poble els acusés d'enriquir-se amb les desgràcies dels més desfavorits. Els artesans i el *poble menut* eren especialment sensibles a les falses acusacions de robatoris de sagrades formes i d'assassinat ritual a les quals eren sotmesos els jueus.[48]

Com veiem, s'havia creat l'ambient perfecte per a donar pas a una situació insostenible l'única solució de la qual era la revolta. La dinamita estava posada a les bases, tant sols calia algú que encengués la metxa.

Sevilla: comença el camí de no retorn

La propaganda antijueva utilitzada per Enric II de Castella durant la guerra civil contra el seu germà Pere I durant 1366-1369 feu una profunda impressió a la població cristiana.[49] Enric II pretenia amb aquesta propaganda treure legitimitat al seu germà Pere, que tenia funcionaris jueus al seu govern. Un cop guanyada la corona, Enric va pretendre parar aquesta onada d'antisemitisme que ell mateix havia creat però ja era massa tard. Tanmateix, tot i seguint en alguns casos una dinàmica dels fets diferent, les mateixes causes socioeconòmiques que motivaven l'odi contra els jueus en la Corona d'Aragó, també es donaven a Castella.

La població tenia des de feia temps el punt de mira posat sobre els jueus. Tan sols feia falta un líder carismàtic que dirigís la massa contra els jueus trobant la solució final: conversió o mort. Aquest líder resultà ser Ferrand Martínez.

El 1378, quan encara era ardiaca d'Écija, Ferrand Martínez predicava a Sevilla uns sermons incendiaris contra la població jueva, pro-

---

46. L. Suárez Fernández: *Judíos españoles...*, p. 192.
47. S. W. Baron: *A social and religious...*, p. 167.
48. Vegeu J. Miret i Sans: "El procés de les hòsties contra els jueus d'Osca", *Anuari de l'Institut d'Estudis Catalans*, Barcelona, 1911-1912, p. 59-80.
49. L. Suárez Fernández: *Judíos españoles...*, p. 193.

clamant la destrucció de les vint-i-tres sinagogues que hi havia en la ciutat i la separació total entre la població jueva i la cristiana.[50] El 1390, després de la mort de l'arquebisbe de Sevilla, l'administració de la diòcesi passà a mans de Ferrand Martínez. Entrà en joc un altre factor decisiu: l'octubre d'aquell mateix any, Joan I, rei de Castella, morí al caure d'un cavall, i la corona passà a Enric III, un nen que depenia d'una regència que va tardar més d'un any a constituir-se.[51] Investit ara bisbe, en un moment de clara inestabilitat política, el poder de Ferrand Martínez i la influència que tenia sobre el poble van ser augmentats exponencialment. El 6 de juny ordenà als feligresos l'enderroc de totes les sinagogues de la ciutat, la conversió al cristianisme dels esclaus musulmans dels jueus, i va demanar davant els tribunals eclesiàstics els jueus que eren arrendadors d'impostos.[52]

El seus sermons augmentaren en odi i violència, excitant perillosament el tercer estament, que, com era d'esperar, va atacar sense contemplacions la població jueva i els seus béns. Amb un govern estable, sota les regnes d'un rei poderós que controlés la seva oposició, la situació no hagués arribat a tal punt. Sense rei, i per tant sense protector, els jueus acudiren a una Cort inexperta i políticament nefasta a presentar les seves queixes. Com era d'esperar, no va servir de res. El tercer estament constituïa una turba incontrolada i les autoritats temien que es tornés en contra seva a causa del descontent social. Per aquesta causa, les autoritats van preferir esperar a veure com es desenvoluparien els fets.

Un cop creuada la línia no hi havia marxa enrere. La gentada va atacar el barri jueu, que va ser plenament ocupat pels cristians. Les sinagogues van ser convertides en esglésies. Davant els fets, la majoria dels jueus es van convertir al cristianisme, puix l'alternativa era l'exili o la mort.

El fenomen, lluny d'aturar-se, es va expandir sumint totes les aljames de la Península Ibèrica en una època de terror.

EXPANSIÓ DELS FETS A LA CORONA D'ARAGÓ

Tal com ja hem vist, no era la primera vegada que la població cristiana atacava els jueus. El que és inaudit en els avalots de Sevilla de 1391 és la rapidesa del seu contagi a altres zones de la Península

---

50. Y. Baer: *Historia de los judíos...*, p. 531.
51. L. Suárez Fernández: *Judíos españoles...*, p. 207.
52. Y. Baer: *Historia de los judíos...*, p. 531.

Ibèrica. El fenomen es va expandir en dues direccions: una cap al nord, la resta de Castella i Navarra; i l'altra cap al nord-est, a la Corona d'Aragó. Montoro, Andújar, Jaén, Úbeda, Baeza... en totes les poblacions on hi havia una aljama jueva es repeteixen els mateixos fets.

Després d'Oriola i Alacant, València va ser contagiada per l'onada antijueva provinent de Sevilla. Quan el motí sorprengué la ciutat de València, el call jueu no estava del tot delimitat ni fortificat, puix l'ampliació del call, necessària des de feia temps, encara no havia acabat.[53] El 9 de juliol, diversos castellans que havien arribat a la ciutat amb vaixell, instigaven les tropes pertanyents a l'infant Martí, que en aquell moment estaven a punt d'embarcar rumb a Sicília, a atacar els jueus. Amb les notícies del que havia passat a Sevilla, el Consell de la ciutat de València es preparà per a impedir un desenllaç similar. El Consell negocià amb els gremis perquè continguessin els seus homes. Al voltant de la jueria es posaren unes forques per ajusticiar els instigadors de la recent revolta i advertir així del destí que esperava a tot aquell que es volgués unir als avalots; al mateix temps es posaren llocs de guàrdia per controlar la zona.[54] Totes les mesures preses no van servir per a res. El mateix dia, un grup d'agitadors comandats pels castellans varen atacar la jueria. En un intent de defensar-se, els jueus varen tancar les portes, i va escampar-se el rumor que alguns cristians s'havien quedat dins. L'infant Martí i els consellers van ordenar als jueus que obrissin la porta, però aquests s'hi van negar. Mentrestant, un grup d'avalotadors va aconseguir entrar a la jueria pel costat oposat, molt menys protegit.[55] Es produïren enfrontaments pels carrerons i finalment un cristià va caure mort. El cadàver fou portat davant les autoritats i exhibit a la gentada. Els cristians van irrompre en la jueria posseïts per la còlera. La majoria dels jueus foren morts o convertits al cristianisme, i els seus béns saquejats. La Sinagoga Major va ser convertida en església sota la invocació de sant Cristòfol, de qui aquell dia era la seva festa, al mateix temps que en el call jueu es construïa una altra església dedicada a Santa Maria de Gràcia.[56]

El 10 de juliol, la ciutat de Mallorca es posava en alerta, en rebre notícies del que havia passat a València. Finalment, el 2 d'agost el poble petit es revoltà demanant reformes socials i econòmiques. Després van

53. F. Danvila: "Clausura y delimitación de la judería de Valencia en 1390 a 1391", *Boletín de la Real Academia de la Historia*, 18 (1891), p. 142-159.

54. Y. Baer, *Historia de los judíos...*, p. 535.

55. L. Suárez Fernández: *Judíos españoles...*, p. 211.

56. D. Frederich Schwart i Luna i F. Carreras i Candi: *Dietari del Antich Consell Barceloní*, I, ed. Ajuntament de Barcelona, 1892, p. 16.

ser convenientment desviats cap a la jueria, on van atacar i saquejar la comunitat hebrea; veien en els jueus l'arquetip de la usura i, per tant, de l'opressió econòmica als més desfavorits.[57] El 12 d'agost la majoria dels jueus ja s'havien convertit.

5 d'agost de 1391

Les notícies sobre el que havia passat a València arribaren a Barcelona el 12 de juliol.[58] Ciutadans i homes de la mar estigueren tot el dia dins la casa del Consell amb l'ordre de sufocar el mínim avalot que s'iniciés. El dia següent i el 25 foren diversos ciutadans i menestrals els que romangueren dins la casa del Consell amb la mateixa finalitat. Com en els casos anteriors, les mesures preses per les autoritats de res van servir. El dia 5 d'agost, i seguint la mateixa seqüència dels fets de València, un vaixell amb cinquanta castellans provinents de València instigaren l'exèrcit de l'infant Martí, que es trobava al port de Barcelona a punt d'embarcar-se cap a Sicília, a atacar la jueria.[59] Escamparen el rumor que a la ciutat de Mallorca ja havia passat el mateix que a València. Un grup d'exaltats, encapçalats pels cinquanta castellans, assaltaren i saquejaren el Call Major a primeres hores del matí del 5 d'agost.[60] Molts jueus foren morts o convertits al cristianisme, altres pogueren refugiar-se al Castell Nou. El dia 6 el Consell manà posar guaites de dia i de nit en un intent de controlar la situació.

Però fou el dia 7 quan l'avalot arribà al seu zenit. Homes armats de les *ciquantenes* i les *desenes* foren reunits pel Consell, que manà empresonar a la casa del veguer alguns dels que provocaren l'avalot, entre ells els esmentats castellans. Cap al migdia, el poble menut (mariners, pescadors...), amb armes i ballestes, es dirigiren en gran nombre des del carrer de la Mar cap al centre al crit de "muyra tot hom e viva lo rey e lo poble".[61] La seva intenció era cremar les cases dels rics, però en l'últim moment, tal com passà a la ciutat de Mallorca, varen ser convenientment desviats cap al call jueu.[62] D'allà es dirigiren a la casa

57. J. F. López Bonet: "La revolta de 1391: efectivament, crisi social", dins *XIII Congrés de la Corona d'Aragó*, ed. Institut d'Estudis Baleàrics, Palma de Mallorca, 1989, p. 111-113.

58. D. Frederich Schwart i Luna i F. Carreras i Candi: *Dietari del Antich...*, p. 17.

59. Y. Baer, *Historia de los judíos...*, p. 539.

60. D. Frederich Schwart i Luna i F. Carreras i Candi: *Dietari del Antich...*, p. 17.

61. C. Batlle: "L'expansió baixmedieval, s. xiii-xv", dins P. Vilar (ed.): *Història de Catalunya*, III, ed. Edicions 62, Barcelona, 1988, p. 271. També a *Dietari del Antich Consell de Barcelona*, p. 18.

62. C. Batlle: *L'expansió baixmedieval...*, p. 271.

del veguer, on irromperen per la força i alliberaren tots els presos pels avalots. Seguidament el tumult es dirigí cap al Castell Nou, on es trobaven refugiats la major part dels jueus que aconseguiren escapar del primer atac, i l'assetjaren. Per tal de fer sortir els jueus que eren dins, calaren foc a la porta i els atacaren amb ballestes des dels terrats de les cases del voltant. Mentrestant, fent sonar les campanes, es reuniren pagesos i sagramentals de fora de la ciutat, els quals, formant una massa temible, es dirigiren a cremar les escriptures del batlle i del veguer.

Finalment, el dimarts dia 8 els jueus que es trobaven refugiats al Castell Nou es varen rendir i van ser portats en processó fins a la catedral. Allí, i en altres esglésies, es va procedir a batejar massivament tots els jueus. Els que s'hi negaven, generalment dones, eren lliurats a les mans de la iracunda massa, que els donava mort. Segons el *Dietari de l'Antich Consell*, van morir tres-cents jueus.

El panorama era desolador. Quasi la totalitat dels jueus varen ser convertits al cristianisme o varen morir, tan sols una minoria va aconseguir escapar, refugiant-se en cases particulars i en convents on els ajudarien a escapar dels seus perseguidors.

Els primers a convertir-se van ser els membres més destacats de l'aljama, fet que provocà un efecte dominó. Passats els avalots, cent trenta jueus, ara convertits al cristianisme, van demanar al rei que se'ls fossin retornats tots els béns i propietats robats pels cristians.[63] Es conserva una llista d'aquests personatges importants on hi apareix el nom convers i l'antic nom jueu. Cap d'ells va recuperar els seus béns.

La conversió de la majoria dels jueus al cristianisme no va aturar els avalots, tal com es pot observar en el Llibre del Consell.[64] Nombrosos artesans estarien presents al Consell per tal que les autoritats de la ciutat donessin explicacions sobre la mala gestió de les finances municipals i demanar una rebaixa dels impostos, la qual cosa demostra que rere l'avalot hi havien importants motius socials.[65] Com diu Maria Josep Estanyol i Fuentes:[66] els fets de 1391 "a Catalunya no van ser solament un atac contra els jueus sinó que l'arrel dels disturbis també va ser el malestar del poble i dels camperols en contra del rei i els nobles, amb els jueus com a excusa o «cap de turc»; la qüestió era protestar

---

63. I. LOEB: "Liste nominative des juifs de Barcelone en 1392", *Revue des Études juives*, IV, 1982, p. 57-77.
64. AHCB, Consell de Cent. Llibre del Consell, sig. 1B.I25, 30/IX/1390 – 26/11/1392, f. 37r-43r.
65. Sobre les causes socials dels avalots de 1391, vegeu P. WOLFF: "The 1391 Progrom in Spain. Social Crisis or Not?", *Past and Present*, 50 (febrer 1971), p. 4-18.
66. M. J. ESTANYOL I FUENTES: *Els jueus catalans...*, p. 134.

per la política econòmica reial i els jueus eren la propietat reial més feble. Tot això es va barrejar amb una gran dosi de fanatisme religiós provocat pels clergues, que ho anomenaren *guerra santa*, i que, en el fons, va ser una revolta gairebé qualificable de guerra civil del poble baix empobrit en contra del rei i els nobles i els artesans en contra del govern dels patricis en les viles, amb els jueus com a excusa. Aquesta revolta va ser el bressol del malestar del segle xv. La normalitat no es restabliria completament fins l'arribada del rei a Barcelona a mitjans de desembre del mateix any".

Mesures preses arran dels avalots de Barcelona

CÀSTIG DELS CULPABLES

L'aljama de Barcelona havia quedat completament destruïda. La posició de la monarquia davant els fets de 1391 va ser la de protegir els jueus i impedir la seva conversió, ja que eren propietat del rei (el seu tresor) i representaven importants ingressos en les seves arques personals. Malauradament, la monarquia res va poder fer per impedir l'atac. En el moment dels fets el rei Joan i la reina Violant es trobaven a Saragossa, on hi havia una important comunitat jueva que no va ser devastada gràcies a la seva presència i la del seu exèrcit. Si el rei partia de Saragossa per tal d'aturar els avalots que s'estaven produint en altres indrets de la corona, l'aljama d'aquesta ciutat seria atacada com totes les altres.[67]

Els jueus, mitjançant les seves aljames, pagaven diversos impostos que anaven directament al tresor personal del rei. Gairebé totes les aljames dels regnes havien sofert una important davallada no solament pels jueus que van morir sinó pels que, al convertir-se, ja no formaven part de la propietat del rei.[68] La monarquia, però, trobà diferents mecanismes per a recuperar part dels béns perduts.

El 22 de setembre el rei va demanar una avaluació dels disturbis i va ordenar als seus oficials del Principat de Catalunya que reunissin totes les dades possibles referents als béns públics de l'aljama, així com els dels jueus que van morir durant els aldarulls, especialment aquells sense hereus i els que es van suïcidar per no renegar de la seva fe.[69] El monarca, com a propietari dels jueus, també ho era dels seus béns comuns (sinagogues, cementiri, censals destinats a causes pies),

---

67. Y. BAER, *Historia de los judíos...*, p. 546.
68. M. J. ESTANYOL I FUENTES: *Els jueus catalans...*, p. 136.
69. Y. BAER, *Historia de los judíos...*, p. 544.

per tant s'apropià de tots aquests béns per tal de repartir-los entre els seus súbdits. Per exemple, la Sinagoga Major va ser donada pel rei a Esperandéu Cardona, per tal de pagar els seus serveis com a jurista de la Cancelleria.[70] Els béns de les famílies jueves que van morir sense hereus passaren a mans del rei com a propietari dels jueus.[71] D'altra banda, el rei va desposseir dels drets d'herència els jueus "que ells mateixs se mataren" i es va apropiar dels seus béns mobles i immobles.[72]

Els monarques intentaren reconstruir les aljames amb l'esperança que tornessin a recuperar la seva esplendor, i amb ella els quantiosos ingressos que aportaven a la corona. Projecte que finalment fracassà.

Cap a finals del mes d'octubre el rei parteix de Saragossa per a castigar els culpables dels avalots. Tal com remarca Baer,[73] els càstigs varen ser ínfims: el rei va atorgar a València una carta de perdó general, i la reina va demanar clemència per als culpables dels avalots de Lleida.

El rei arribà a la meitat del mes de desembre a Barcelona, per castigar els culpables. Vint-i-sis homes foren condemnats a la forca i executats públicament a la plaça de Santa Anna. La resta foren multats amb penes pecuniàries. Els culpables procedien de tots els nivells socials, no tan sols del tercer estament. Durant mesos es va negociar sobre les multes i els perdons a les corporacions públiques i al bisbat de Barcelona, ja que també hi havia religiosos implicats.[74]

El document de pagament del lloguer de la casa que es va utilitzar per a cobrar les multes, que hem localitzat a l'Arxiu Històric de Protocols de Barcelona, ens dona molta informació respecte al mecanisme que es va seguir per cobrar-les.[75] Del citat document es desprèn que els monarques van nomenar tres diputats, Jaume Térmens i Arnau Porta, de la tresoreria del rei, i Pere Cortada, de la tresoreria de la reina, "ad colligendem et levandum quascumque peccunie quantitates provenientes ex composicionibus que fiunt et fient per quoscumque delatos de invasione, comburicione, destruccione et disraubacione Callis iudeorum Barchinone", és a dir, perquè cobressin les multes a les quals foren condemnats els culpables de la destrucció del call durant l'avalot. Per a poder fer la seva tasca, les tresoreries del rei i de la reina

---

70. J. RIERA I SANS: "La Sinagoga Major dels de Barcelona. Proposta de localització", *Butlletí Oficial de Doctors i Llicenciats en Filosofia i Lletres i Ciències de Catalunya*, 99 (Barcelona, 1997), p. 60-71, p. 68.

71. M. J. ESTANYOL I FUENTES: *Els jueus catalans...*, p. 135.

72. Y. BAER: *Historia de los judíos...*, p. 545.

73. Y. BAER: *Historia de los judíos...*, p. 549.

74. Y. BAER: *Historia de los judíos...*, p. 546.

75. AHPB, Pere Claver, *Llibre comú*, 1391, desembre, 7-1393, agost, 20, f. 103r.

varen llogar part d'una casa propietat de Joan de Mitjavila,[76] ciutadà de Barcelona, des del dia 1 de juliol de 1392 fins al mes de desembre, en total sis mesos. Per tant, podem deduir que les multes es varen començar a pagar a partir de l'1 de juliol, i que potser van preveure acabar de cobrar-les a finals d'any.

En el mateix arxiu, hem localitzat el pagament d'una de les multes.[77] En aquest instrument Antoni Rosar, de la tresoreria de la reina, ciutadà de Barcelona, procurador del rei i de la reina sobre els fets del call dels jueus de Barcelona i sobre altres fets que sorgiren com a conseqüència dels avalots, rep de Francesc Bugatell, prevere, beneficiat a l'església de Sant Just de la ciutat de Barcelona, deu florins d'or d'Aragó que Nicolau Serra, boter, ciutadà de Barcelona, havia de pagar com a acusat de la depredació i expugnació del call i del Castell Nou. Tal com observem, l'import de les multes era recollit per procuradors designats pel rei i la reina, i pertanyents a una de les dues tresoreries.

En total, vuitanta-set homes foren castigats amb multes que oscil·laven entre els sis-cents florins (un grec virater que, pel que sembla, va proporcionar als avalotadors armes del seu obrador) i els deu florins, com la multa que acabem de veure, sumant un total de cinc mil florins d'or d'Aragó.[78] En aquesta quantitat no estan incloses les multes que varen pagar les parròquies ni els consellers, ja que no varen deixar constància documental. Els culpables que no pogueren pagar les multes foren condemnats a les galeres de l'infant Martí. Els culpables d'estament humil pagaven les multes als oficials del rei, mentre que el rei i la seva esposa tractaven personalment amb els culpables dels estaments superiors, que hagueren d'abonar forts pagaments per aconseguir el perdó reial.[79]

Tanmateix, amb el càstig dels culpables dels avalots i els diners recollits en les multes no n'hi havia prou per compensar el gran trasbals econòmic provocat per l'atac als jueus i la seva conversió. Ja que,

---

    76. El mateix Joan de Mitjavila llogà una casa seva al batlle de Barcelona, Joan Sabastida, per a realitzar les seves tasques, tal com s'extreu de l'instrument de pagament del lloguer datat l'11 d'abril de 1401. AHPB, Pere Claver, *Llibre comú*, 1391, desembre, 7-1393, agost, f. 22.
    77. AHPB, Joan de Pericolis, *Manuale primum*, 1392, desembre, 5-1402, març, 1, f. 16r.
    78. C. BATLLE: *L'expansió baixmedieval...*, p. 272.
    79. C. BATLLE: *La crisis social y económica de Barcelona a mediados del siglo XV*, ed. CSIC, Barcelona, 1973, p. 125. Batlle publicà en aquesta obra una llista amb el nom de tots els inculpats amb la quantitat que havien de pagar. En aquesta llista tan sols apareixen inculpats del tercer estament. Entre els culpables es trobava Genís Ferrer, àlies Almugàver, convers i ciutadà de Barcelona.

amb la desaparició de l'aljama, abolida pel rei el 10 de setembre de 1392, i amb els seus membres morts, convertits o desapareguts, com es cobrarien tots els censals morts i violaris que l'aljama i els seus singulars havien venut? La resposta no es feu esperar.

La Comissió del Call

El 2 d'octubre de 1392, el rei Joan i la reina Violant, reunits al monestir de Sant Cugat del Vallès amb les parts implicades en la delicada situació econòmica que representava la desaparició de l'aljama jueva de Barcelona —és a dir, jueus, conversos i creditors—, crearen una comissió amb plens poders per tal de cobrar els preus dels censals i violaris que l'aljama havia venut, i fent responsables d'aquests deutes tots els jueus i conversos.

A l'Arxiu de la Corona d'Aragó es conserva el document de constitució de la comissió, que podem resumir en dotze punts:[80]

1. El rei Joan I i la reina Violant, tenint la reina la possessió i jurisdicció de l'aljama dels jueus de Barcelona, deixen als conversos i jueus, que configuraven l'aljama, quatre sous per lliura i la pensió de tot un any, amb càrregues i penes incloses, del preu dels violaris i censals que l'aljama i els seus singulars deuen als seus creditors. Els jueus i conversos prometen complir el que segueix i nomenen procuradors als comissaris, segons és concordat entre els reis, els creditors i els jueus i conversos. Les tres parts concorden donar ple poder a Felip de Ferrera, Guillem de Busquets i Jaume Pastor, i tot dret d'ocupació, incoació i continuació, del que s'expressarà a continuació. Les decisions preses entre els comissaris es faran per majoria.

2. Els reis manen als comissaris obrir els calls, pels llocs on a ells els sembli convenient, perquè es barregin amb la ciutat, així com enderrocar els edificis que ells vulguin per a tal fi. Els comissaris tenen poder per valorar aquests béns i pagar als jueus i conversos, dels quals siguin aquests béns, la quantitat que hagin decidit.

3. Els reis manen fer inventari de tots els deutes, censals, violaris, censos en morabatins, comandes, dites de taula, quantitats en monedes, cases, propietats, sinagogues, el fossar i la posa que és prop de la torre d'en Mitjavila, i altres béns i drets que van ser de l'aljama o els seus singulars, tant conversos com jueus, i que varen ser concedits pels reis, anul·lant l'esmentada concessió i tota cessió que els jueus haguessin fet

---

80. ACA, Cancelleria, *Registres*, 1925, f. 144v-147v. Citat a: J. RIERA I SANS, "La Sinagoga Major"..., p. 62.

d'aquests béns, encara que la cessió fos feta als creditors, retornant així a la propietat del rei. Els comissaris fixen els preus dels béns dels jueus i conversos segons el seu criteri. També poden comprar els deutes que aquests tenen amb els creditors, però sense perjudicar els creditors, i imposar una taxa als jueus i conversos, segons les seves possibilitats de pagament. Els comissaris tenen dret a cobrar les taxes esmentades.

4. Els comissaris tenen dret de vendre, en encant públic o en altra manera, els béns dels jueus i conversos que per absència o altres causes no poden pagar als creditors les taxes imposades pels comissaris. Dels béns que es poden vendre, queden exclosos els censos de les almoines i de les confraries de l'aljama. Els comissaris poden fer àpoca, signar els instruments de venda i tots els instruments necessaris per tal de portar a terme les vendes, així com el lliurament dels béns. Tots els guanys resultants d'aquestes vendes seran destinats a pagar als creditors. Pel que fa als quatre sous per lliura i a la pensió d'un any, que els reis presten als creditors de l'aljama, seran pagats als creditors quan aquests rebin la resta del deute.

5. Els comissaris poden contractar a qui vulguin per a fer les estimacions dels béns, per a fer els enderrocaments i altres obres per obrir els calls, i altres feines relacionades amb la comissió i els seus afers, així com establir el seu salari i pagar-lo.

6. Els comissaris, amb la intenció que els afers de la comissió arribin a millor conclusió, hauran de guiar i assessorar els conversos i jueus que són o seran absents de la ciutat de Barcelona en les obligacions que han contret amb els creditors. Els comissaris també tenen potestat de nomenar i destituir juristes que els assessorin en els negocis del call, assistents, collidors i curadors dels béns dels absents.

7. Els comissaris han de ser coneixedors de qualsevol oposició, dubte, qüestió i causa civil, que tingui a veure amb els afers de la comissió, entre les parts que conformen aquesta concòrdia, i entre els singulars de cada part i els seus successors. Aquests conflictes s'hauran de solucionar ràpidament, sense escriptures solemnes, i tota reclamació, apel·lació i suplicació serà atesa pels monarques.

8. Els comissaris podran fer bans, ordinacions i imposar penes pecuniàries, segons ells considerin, així com fer les crides per a posar-ho en coneixença, exigir el càstig pel seu incompliment i l'execució de la pena establerta. Els conflictes referents a això, o de tot el que té a veure amb la comissió, seran resolts pels comissaris sense que hi puguin intervenir l'autoritat del governador de Catalunya, ni del veguer, sotsveguer, batlle, sotsbatlle de Barcelona, ni cap altre oficial o jutge ordinari. Els comissaris poden cedir a aquestes autoritats l'execució de la sentència, sense que sàpiguen res del cas executat.

9. En el cas que un comissari, per malaltia o un altre motiu, no pugui o no vulgui continuar la seva tasca de manera permanent, el Consell de Cent serà l'encarregat d'elegir un nou comissari dos dies després que el comissari hagi dimitit. No es podrà elegir com a substitut a cap de les parts implicades (conversos, jueus i creditors). Si la incapacitat d'algun dels comissaris no és permanent sinó que és igual o inferior a un mes, aquest podrà designar un substitut en nom seu. Tanmateix, aquest substitut elegit pel comissari ha de comptar amb la conformitat de la majoria dels consellers de la ciutat. Quan el comissari absent torni a ocupar el seu càrrec, el substitut serà destituït automàticament.

10. Els comissaris tenen ple poder per exercir les seves tasques en nom dels reis, i si alguna autoritat els impedeix la seva tasca, serà condemnada amb una multa de dos florins d'or d'Aragó, que aniran a parar al cofre reial. Aquestes autoritats, però, podran participar en els afers de la comissió si els comissaris els donen permís. En aquest cas els comissaris poden no respectar la sentència de les autoritats i donar-ne una altra.

11. Perquè la comissió pugui portar a terme les seves accions sense cap impediment, els monarques revoquen i anul·len qualsevol comissió, guiatge, allargament, sobreseïment, i qualsevol lletra o provisió, que els mateixos monarques haguessin fet en benefici de l'aljama dels jueus de Barcelona i dels seus béns. Així com les inhibicions, els manaments i les abdicacions de poder que els monarques, els seus oficials i el veguer i batlle de Barcelona hagin fet a l'aljama.

12. La comissió no té l'obligació de presentar comptes a ningú.

Tal com hem vist, la comissió —en aquell moment formada pels comissaris Guillem de Busquets, Felip de Ferrera i Jaume Pastor, ciutadans de Barcelona— tenia plens poders per actuar i ningú podia impedir les seves accions. Tot i que en el moment de la seva creació només consten els comissaris, la comissió prompte farà la seva organització més complexa i els comissaris nomenaran altres càrrecs com curadors, procuradors i assessors.

Respecte als quatre sous per lliura que el rei va prestar als jueus i conversos de l'aljama barcelonina, i que es restaven dels deutes que aquests tenien, sembla que van ser augmentats posteriorment a cinc sous i sis diners per lliura. Això és el que s'extreu, si més no, d'un document notarial, datat el 29 d'abril de 1402,[81] en el qual Ramon de

---

81. AHPB, Antoni Estapera, *Manual* 1402, abril, 13-1402, novembre, 22, f. 13r-v (vegeu apèndix documental I, doc. 21).

Rosanes, corredor d'orella, ciutadà de Barcelona, dit abans de la seva conversió Caravida sa Porta, promet a Tomasa Peris, muller de mestre Marc i ciutadana de Barcelona, renunciar a la sentència dels comissaris segons la qual els creditors havien de restar de tot deute cinc sous i sis diners per lliura; i que, per tant, li pagarà íntegrament els cent deu sous de pensió anual per un censal mort venut per Ramon a Tomasa pel preu de mil cent sous. El fet que digui que pagarà la pensió sense cap descompte és el que ens fa pensar que la rebaixa de cinc sous i sis diners per lliura no és complementària ni diferent a la de quatre sous per lliura que el rei va concedir primerament.

Una de les primeres accions, com diu Jaume Riera,[82] que va fer la comissió, datada el 17 d'octubre de 1392, fou ensorrar la torre del call per tal d'obrir-hi accessos i que fos ocupat per la població cristiana.

Amb el call plenament assimilat com una part més de la ciutat i amb el control de la comissió sobre una important part dels béns dels jueus i conversos (morts, absents i menors d'edat) la comissió prompte obtingué gran benefici econòmic de la situació.

Una de les primeres accions de caire econòmic fou la venda dels censos amb què estaven gravats els immobles del call per part dels reis a Guillem Colom, canviador i ciutadà de Barcelona, pel preu de vint mil lliures en moneda de Barcelona.[83] El 17 de desembre de 1392, se signà una concòrdia entre els reis i Guillem Colom en què s'expressava el nom jueu del propietari de cada finca, el valor estimat d'aquesta i els morabatins que es pretenien carregar com a cens. El 6 d'agost de 1393, la concòrdia fou reformada i aprovada, i el dia següent es fa efectiva la venda. A partir d'aquell moment tota casa del Call Major havia de pagar un cens anual a Guillem Colom i als seus successors, i així consta en els contractes de compravenda o lloguer que es conserven a l'Arxiu Històric de Protocols de Barcelona. En un dels llibres de venda del notari Bernat Nadal es conserva íntegra, i sense etcete-rar, la clàusula que a partir d'aquell moment es s'havia d'incloure en tots els instruments de venda i lloguer referents a les cases del call.[84] El document esmentat deixa clar que a la mort de Guillem Colom els drets sobre censos seran heretats pel seu fill Jaume Colom, i així consecutivament successor rere successor.

Abans de la creació de la comissió, el rei disposà, l'1 de febrer de 1392, que tots els conversos, amb l'objectiu que es recuperessin econò-

---

82. J. RIERA I SANS: "La Sinagoga Major...", p. 62.
83. J. RIERA I SANS: "La Sinagoga Major...", p. 10.
84. AHPB, Bernat Nadal, *Tercimum manuale vendicionum anni a nativitate Domini millesimi CCCC* 1400, juny, 22-1402, juny, 9, foli solt (vegeu apèndix documental I, doc. 18).

micament, quedaven dispensats, fins a nova ordre, dels compromisos resultants dels deutes que van contraure o d'altres qüestions monetàries.[85] Però degut a les protestes generals en contra d'aquesta mesura, el rei va precisar que es referia als deutes que van contraure els conversos després dels fets de 1391. D'altra banda, els conversos tenien moltes dificultats per a cobrar el que els seus deutors cristians de natura els devien. Ara, amb la creació de la comissió, tota la càrrega econòmica que aquesta reclamava caigué sobre les espatlles dels successors dels jueus morts, dels jueus que encara quedaven a la ciutat i sobre els conversos, que tot i ser cristians patiren l'espoli de la comissió. Com veiem, del desig reial de recuperació econòmica dels conversos es va passar a la seva ruïna econòmica.

Ja abans de la creació de la comissió es va prendre la precaució, per ordre reial, que ningun jueu ni convers emigrés cap a terres on poguessin continuar practicant la seva antiga fe. Com hom ja sap, molts jueus i conversos fugiren cap al nord d'Àfrica i Palestina, i el rei acabà prohibint qualsevol emigració de jueus i conversos. L'aljama de Saragossa donava cartes de recomanació als jueus que marxaven cap a Palestina perquè fossin ben acollits i els ajudessin a instal·lar-se.[86]

Així va ser com el rei ordenà que s'interceptés i es fes tornar un vaixell que havia sortit de Barcelona en direcció a Beirut i Alexandria.[87] Hem localitzat un document en el qual es fa referència a aquest vaixell.[88] Es tracta del pagament fet per Julià Garrius, tresorer del rei, i Berenguer de Cortil, tresorer de la reina, a un tal Berenguer de Cortil, oriünd de Càller, de l'illa de Sardenya, de cinquanta-cinc sous en moneda de Barcelona, per la tasca d'haver capturat en diverses naus, mitjançant manament dels tresorers, "aliqui conversi se recollexerant cum bonis eorum causa fugiendi ad partes sarracenorum pro renegando fidem catolicam, pro faciendo ipsos conversos et eorum bona abstrahi navibus predictis". El que més preocupava al rei era que, amb la fugida de conversos i jueus cap a terres que no formaven part de la Corona d'Aragó, es perdia un gran estímul econòmic.

La comissió tenia tres mecanismes per tal de recaptar diners dels jueus i dels conversos: erigint-se com a representants dels jueus i con-

---

85. Marina Mitjà: "Juan I y el Call en 1391", dins A. Duran i Sanpere (dir.): *Barcelona divulgación histórica*, Aymá editor, 7, 1949, p. 105-113.

86. M. J. Estanyol i Fuentes: *Els jueus catalans...*, p. 135.

87. Y. Baer, *Historia de los judíos...*, p. 587. C. Batlle, *L'expansió baixmedieval...*, p. 278.

88. AHPB, Pere Claver, *Llibre comú*, 1391, desembre, 7-1393, agost, 20, f. 105v-106r (vegeu apèndix documental I, doc. 1).

versos, *iacentibus indefensis*,[89] absents o *pupillorum*, i cobrant en el seu nom els deutes que van contreure en vida; apoderar-se dels béns dels jueus i conversos amb les mateixes condicions que els anteriors, i, a l'últim, cobrar una taxa per cada immoble del call, major i menor, que s'hagués venut.

Per dur a terme aquestes accions la comissió es va organitzar en diferents càrrecs jeràrquics, tal com es mostra en el següent organigrama:

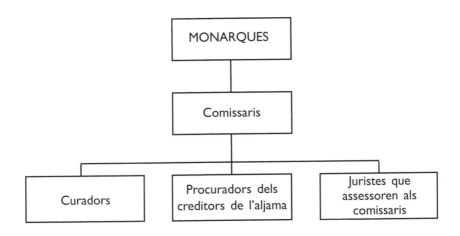

Els monarques estarien al capdamunt de tota l'organització de la comissió, i eren els que nomenaven els comissaris. Després dels monarques seguien els comissaris, anomenats, cada un d'ells, en la documentació com a "comissarius et administrator ac iudex ordinarius in et super omnibus et singulis negotiis civilibus aljame iudeorum Barchinone et eius singularium tam ad fidem catholicam conversorum quam etiam adhuc iudeorum".[90] Com ja hem vist, en el moment que es va crear la comissió es van nomenar tres comissaris. Tanmateix, segons hem pogut observar en la documentació, a partir del 15 de juny de 1397, amb la fi del comissionat de Guillem de Busquets, Felip de Ferrera i Jaume Pastor, i l'elecció d'un nou comissari, Domènec Coaner, el càrrec serà ostentat per una sola persona.

---

89.   Es tracta dels difunts dels quals no consta en cap document les seves últimes voluntats.

90.   AHPB, Bernat Sans, *Manual*, 1400, març, 31-1400, setembre, 25, f. 51v (vegeu l'apèndix documental I, doc. 19).

La progressió dels nomenaments sembla indicar que aquests es feien cada sis anys exactes. Caldria trobar, però, documents referents al nomenament de comissaris posteriors per a confirmar-ho.

Com hem pogut observar en la documentació, els comissaris elegits pertanyien en tots els casos a la tresoreria del rei i de la reina.

Com ja hem vist en el resum del document de la constitució de la comissió, el comissari tenia total llibertat per dur a terme les accions de la comissió. Cap autoritat podia impedir l'exercici de les seves funcions. En els assumptes que estigueren relacionats amb la comissió, el comissari era la màxima autoritat, per sobre de qualsevol altra. També era el que nomenava i destituïa tots aquells càrrecs que eren necessaris per a portar a terme la seva empresa i que comentem tot seguit.

Un d'aquests càrrecs eren els curadors, anomenats en la documentació "curator bonis omnium iudeorum et iudearum dicte aljame et eius singularium, tam absentium quam defunctorum".[91] Els curadors s'encarregaven de vendre els béns immobles dels jueus i conversos morts i absents, i de cobrar la taxa que gravava les propietats del call. També eren els que cobraven els deutes deguts als jueus difunts i realitzaven pagaments de la comissió. Els curadors que hem trobat en la documentació eren tots conversos. Els coneixements que aquests tenien sobre els seus antics veïns i correligionaris, i del seu patrimoni, els feien molt eficients en la seva tasca.

Un altre càrrec era el "procurator creditorum particularium Callis".[92] Representaven els creditors particulars de l'antiga aljama jueva, els assessoraven i actuaven en alguns dels cobraments de deutes i vendes, tal com veurem a continuació. A l'Arxiu Històric de Protocols de Barcelona hem trobat dos pagaments fets pel comissari a un d'aquests procuradors. Els dos són pagats per Guillem Negre, de la tresoreria del rei i comissari dels negocis dels conversos i jueus de l'antic call jueu de Barcelona, a Pere Granyana, notari i ciutadà de Barcelona. En el primer, fet el 19 de juny de 1404,[93] Pere Granyana cobra deu florins d'or d'Aragó referents a un terç del seu salari anual, corresponents als mesos de febrer a maig, a raó de 30 florins d'or d'Aragó anuals, per exercir de guia o procurador dels creditors particulars del call intervenint en els negocis de la comissió. El segon document, datat el 14

---

91. AHPB, Bernat Sans, *Manual*, 1400, març, 31-1400, setembre, 25, f. 51v (vegeu l'apèndix documental I, doc. 19).

92. AHPB, Pere Granyana, *Manuale quintum decimum*, 1403, desembre, 17-1404, desembre, f. 86r.

93. AHPB, Pere Granyana, *Manuale quintum decimum*, 1403, desembre, 17-1404, desembre, 21, f. 46r (vegeu apèndix documental I, doc. 29).

de novembre de 1404,[94] fa referència al pagament del seu salari, per la mateixa funció, corresponent als mesos de juny a setembre. Per tant, deduïm que els dits procuradors eren contractats com a mínim per a un any i cobraven per la seva feina trenta florins d'or d'Aragó.

La comissió també comptava amb un seguit de juristes i doctors en lleis que assessoraven les seves accions.

Sota el poder d'aquesta organització, la comissió espoliava a jueus i conversos intentant revestir de legalitat els seus actes. Tal com dèiem, un dels mètodes que tenia la comissió d'aconseguir els diners per a pagar els deutes que l'aljama devia als creditors era el cobrament de deutes de jueus absents i *iacentibus indefensis*, passant per alt tots els successors d'aquests jueus. Hem trobat diversos exemples que ens mostren com es portava a terme aquesta acció.

En un instrument de pagament datat el 23 d'agost de 1399,[95] Pere Llorenç, curador dels béns dels jueus i conversos *iacentibus indefensis* i absents de l'antic call de Barcelona, nomenat per Domènec Coaner, comissari dels negocis del mateix call jueu, cobra de Bartomeu Barnés, porter del rei, ciutadà de Barcelona, curador designat pel veguer de Barcelona dels béns de Francesc Ferrer, ciutadà de Barcelona, absent de la ciutat, cinquanta sous en moneda de Barcelona, pertanyents a la cura esmentada, d'aquells noranta-quatre sous i sis diners que Francesc Ferrer devia a Bonsenyor Gracià, difunt, jueu de Barcelona.

El cas que presentem tot seguit, amb data del 30 de juny de 1400,[96] en el qual també hi ha involucrada una conversa, ens mostra com tampoc es tenien en compte les cessions dels deutes, almenys si la cessió estava en mans d'un convers. Pere Llorenç, curador dels béns dels jueus i de les jueves de l'aljama de Barcelona, tant absents com difunts, nomenat pel comissari Domènec Coaner, curador dels béns d'Astruga, jueva absent de tot territori de la Corona d'Aragó, vídua de Jacob de Millan, jueu de Barcelona, cobra de Gilabert de Riera, de la parròquia de Sant Andreu del Palomar, i fill de Guillem de Riera, difunt i de la mateixa parròquia, feta composició entre Gilabert i Pere i amb la voluntat del comissari Domènec Coaner, vint-i-quatre lliures com a preu d'aquell violari, amb vuit lliures de pensió, que Pere de Riera, fill de Pere de Riera, difunt, ambdós de la parròquia de Sant Andreu

---

94. AHPB, Pere Granyana, *Manuale quintum decimum*, 1403, desembre, 17-1404, desembre, f. 86r (vegeu apèndix documental I, doc. 31).

95. AHPB, Pere Granyana, *Manuale duodecimum*, 1399, juliol, 14-1400, desembre, 21, f. 9r (vegeu apèndix documental I, doc. 17).

96. AHPB, Bernat Sans, *Manual*, 1400, març, 31-1400, setembre, 25, f. 51v.

del Palomar, va vendre a Astruga, havent de pagar cada any a la festa de Sant Martí una pensió de vuit lliures durant la vida d'Astruga i del seu marit Jacob. Tal com s'observa en el document, Astruga va cedir, durant l'any 1392, la propietat del violari a Clara, dona de Berenguer de Cortil, ambdós conversos i ciutadans de Barcelona. Clara va "nomenar" procurador l'esmentat Pere Llorenç, el qual cobrava el preu del violari. Tal com hem vist, en el moment que es constituí la comissió tots els jueus i conversos varen nomenar procuradors els comissaris. També és interessant el fet que la comissió no s'apropiés de la possessió del violari —és a dir, cobrant ells la pensió—, sinó que reclamava íntegrament el preu del violari.

En el següent document, datat el 3 d'abril de 1403,[97] el mateix curador Pere Llorenç cobrà de Francesc Serra, àlies Lart, de la parròquia de Sant Cebrià de Tiana, en composició feta entre Francesc i Pere, onze lliures i vint sous de les disset lliures, quinze sous i sis diners que Arnau Lart i la seva muller, ambdós de la mateixa parròquia, devien amb dues escriptures de terç a Bonsenyor Gracià,[98] difunt, jueu de Barcelona. El mateix instrument assenyala que de les onze lliures Francesc va fer a Pere Llorenç un instrument de comanda.

A l'últim, un document, datat el 4 d'agost de 1408,[99] ens mostra el cobrament d'un d'aquests deutes per part d'un procurador del comissari en lloc d'un curador com era habitual. Ramon de Guaiters, notari ciutadà de Barcelona, procurador de Guillem Negre, de la tresoreria del senyor rei, ciutadà de la mateixa ciutat, comissari i administrador general de tots i singulars negocis de l'aljama de l'antic call jueu de la ciutat, cobrà dels testimonis de les últimes voluntats de Sança, difunta, muller de Joan sa Batella, argenter, ciutadà de Barcelona, per mans de Francesc Quintana, prevere, i havent fet composició entre els testimonis i la comissió, vuitanta-vuit sous dels cent tres sous i sis diners que Sança devia a mestre Saltell Cabrit,[100] difunt, metge jueu de Barcelona, amb escriptura de terç. En la redacció del present do-

---

97. AHPB, Francesc de Manresa, *Manual*, 1401, setembre, 21-1403, juliol, 4, f. 116r-v (vegeu apèndix documental I, doc. 25).

98. Bonsenyor Astruch Gracià va ser secretari de l'aljama barcelonina durant l'any 1366. La seva família va ser molt rellevant quant al lideratge polític de la comunitat de Barcelona. Tenia tres germans: Bendit Gracià, Mossé Bonsenyor i Issach Bonsenyor Gracià. A. Rich Abat: *La comunitat jueva de Barcelona...*, p. 120-121.

99. AHPB. Joan Ferrer: *Primum manuale*, 1405, juliol, 14-1408, agost, 4, f. 91 (vegeu apèndix documental I, doc. 35).

100. Saltell Cabrit, cirurgià; la seva família acaparà els càrrecs mèdics més rellevants de la comunitat de Barcelona durant la segona meitat del segle xiv. A. Rich Abat: *La comunitat jueva de Barcelona...*, p. 173-175.

cument estaven presents Arnau Baró, mercader, i Jaume Just, notari, procuradors i assessors dels creditors de l'antiga aljama dels jueus. La seva presència, en aquest document en concret, és deguda segurament al fet que el pagament va ser efectuat a un procurador del comissari en lloc del curador.

Tal com veiem, en cap dels casos es tenia en compte els successors dels jueus difunts o absents, ni tampoc els conversos o jueus que tenien en cessió aquests deutes.

En el cas de mestre Saltell Cabrit, sabem que tenia muller, anomenada Sericha, ja que en la còpia del registre de censos de Guillem Colom sobre les propietats del call que es conserva a l'Arxiu Diocesà de Barcelona, hi figura com a vídua de Saltell Cabrit i com a propietària de dos cases al call: una a l'actual carrer del Call i l'altra al carrer de Sant Honorat.[101] En el mateix cens hem trobat Mossé Bonsenyor Gracià,[102] amb casa al carrer de Santa Eulàlia, germà de l'esmentat Bonsenyor Gracià.

Els altres dos mètodes pels quals la comissió recaptava diners eren: d'una banda, la venda dels béns dels jueus i conversos, *iacentibus indefensis*, absents o menors d'edat, que estaven sota la cura dels curadors de la comissió; i, de l'altra, mitjançant el cobrament d'una taxa sobre les vendes.

La base jurídica per poder portar a terme aquestes vendes la trobem en el que disposa el dret català sobre la insolvència i el concurs de creditors.[103] Segons els Costums de Tortosa si hom no podia pagar els seus deutes podia, per tal d'evitar la presó, cedir els seus béns als seus creditors perquè aquests els vengueren en encant públic fins assolir la quantitat deguda.

Un document de venda d'una de les cases del call de Sanaüja ens dona informació sobre la manera de procedir d'aquests mètodes.[104] Datat el 21 de novembre de 1397, Pere Llorenç, porter del rei, i Francesc Joan, convers, abans anomenat Bonjuha Naçanell, ciutadans de Barcelona, curadors dels béns dels jueus i conversos *iacentibus indefensis*, absents o menors, un dels quals va ser Baruc Coru, difunt, jueu de Barcelona,

---

101. ADB, Mensa Episcopal, títol III, Cens de Robres, reg. 53 i 6 respectivament.

102. ADB. Mensa Episcopal, títol III, Cens de Robres, reg. 4. Aquesta casa estava gravada amb un cens de trenta morabatins, la qual cosa ens indica que era una gran casa.

103. Sobre el concurs de creditors en el dret històric català vegeu P. Zambrana Moral: "La insolvència i el concurs de creditors en el dret històric català", *Revista de Dret Històric Català*, 7, 2009, p. 217-245.

104. AHPB, Pere Granyana, *Octavus liber vendicionum stabilimentorum ac aliarum alienacionum*, 1397 febrer, 1-1398, juliol, 31, f. 86v-88v.

venen, mitjançant encant públic, a Bernat de Fortià, convers, ciutadà de Barcelona, una casa que era propietat de Baruc Coru, ara sota la cura dels esmentats curadors, pel preu de vint-i-tres lliures i dos sous en moneda barcelonesa. Aquest hospici estava gravat amb una taxa de deu sous per lliura. Tal com diu el document, per tal de cobrar els censals morts i violaris que l'antiga aljama dels jueus de Barcelona varen vendre i que ara no poden pagar, s'imposà una taxa sobre les cases del Call Major i Menor, que constava de deu sous per lliura del valor total de la casa, és a dir, un cinquanta per cent.[105] Si aquestes propietats gravades amb la taxa estaven en mans dels procuradors, aquests havien de pagar la taxa un cop s'hagués venut la propietat. El document també ens especifica que els curadors tan sols podien cobrar la taxa dels béns immobles, no dels mobles.

Com que ningú en nom de Baruc Coru va pagar la taxa de deu sous per lliura que s'exigia per la casa que aquest tenia en propietat al call de Sanaüja, els comissaris van vendre la casa en encant públic per cobrar-la.[106]

---

105.   "[...] Actenedentes venerabiles comissarios antedictos pro solvendis mortiis et violariis ac aliis oneribus adquam aliama iudeorum dicte civitatis tenebatur seu excitur ac obligata quorum solutio et satisfactio eis impossibilis aliter quod per viam seu modum sequentem, taxasse sive talliasse propietates sive hospiciorum dicti calli, quod de stimacionibus sive apreciamentis eorum habeventur sive exhigentur decem solidorum pro libra. Et die XXIX mensis et anni proxime dictorum sepe dicti comisaarii pro levendis et solvendis censalibus, violariis et aliis omnibus supra dictis feceriter intimari sive notificari dicta talliam sive tatxia nobis curatoribus ante dictis et feceriter fieri nobis preceptum de solvendo et infra certus tempus de bonis dicte cure tatxam predictam dictorum decem solidorum pro libra solveremus; nosque, curatore predicti, videntes et vere scientes quod in dicta cura non sunt bona mobilia nec alia de quibus possimus solvere dictam talliam sive tatxiam nisi per viam vendicionum hospiciorum dicte cure [...]". AHPB, Pere Granyana, *Octavus liber vendicionum stabilimentorum ac aliarum alienacionum*, 1397 febrer, 1-1398, juliol, 31, f. 86v. En el cas de Mallorca (vegeu J. F. LÓPEZ BONET: *La revolta de 1391...*, p. 116), es va aplicar una taxa de quatre sous per lliura (25 %), que es pagarien al rei, per cada casa. L'autor diu que aquesta taxa es cobraria sobre els immobles que els jueus i conversos recuperarien de mans dels avalotadors, però tenint en compte el document de la fundació de la comissió que tractaria el cas de Barcelona, creiem que aquests quatre sous per lliura eren cobrats per a pagar als monarques aquells quatre sous per lliura, als quals ens referíem en el resum del document de la constitució de la comissió, i que aquests van deixar als conversos i jueus sobre els preus dels violaris i censals que aquests havien de tornar.

106.   "[...] Pro solvendo talliam sive tatxiam dictorum decem solidorum pro libra que imporita fuit super hospicio infrascrpto, cum non sic nec aperpecit qui nomine dicti Baruch Coru dictam tatxiam solverit velit, fuerit diligentur pro quisitum et aliam pro exequtendo oficio dicte cure et ex potestate per dictos honorabiles comissarios (..) nobis concessa et atributa previa legittima subhastatione ut infra patet per nos nomine predicto et per omnes heredere et successores dicti Baruch Coru, vendimus et, ex causa vendicionis, concedimus vobis Bernado de Fortiano, converso, civem Barchinone, [...]".

Tot i que es reconeixia certa propietat sobre els béns als successors dels jueus o conversos absents o morts, en realitat era la comissió la que tenia la plena potestat. Tant per vendre els immobles com per cobrar la taxa, els curadors havien de tenir llicència del comissari, que en el cas d'aquest document és Domènec Coaner. En aquest cas, com que els curadors eren els propietaris de l'immoble corresponia a ells pagar la taxa, que serviria per a sufragar els violaris i censals que l'aljama devia.

En un altre document, amb data del 6 d'agost de 1393,[107] Pere Gracià, convers, abans anomenat Saltell Bonjuha Gracià, fill de Bonjuha Gracià, difunt, jueu de Barcelona, Francesc Joan, convers, abans anomenat Bonjuha Nassanet, i Pere Llorenç, porter del rei, curadors dels jueus, conversos i nens, absents o morts, venen a Francesc de Ladernosa, ciutadà de Barcelona, una casa per tres-cents cinquanta florins. Tres dies després, el dia 9, es torna a fer el mateix instrument de venda.[108] En aquest cas es van incloure les signatures dels comissaris Felip de Ferrera i de Guillem de Busquets, mostrant així la seva conformitat. També signaren Pere Granyana i Jaume Just, notaris, procuradors dels creditors del call. En aquest instrument se'ns mostren tots els que participaven en la venda d'un dels béns en mans dels curadors de la comissió.

En el cas que segueix, datat el 27 d'abril de 1394,[109] va ser la casa d'un convers la que va ser venuda per la comissió. El document que ho reflecteix és una àpoca referent al cobrament de cinquanta lliures del preu d'un hospici venut per Francesc Joan, convers, i Pere Llorenç, porter, representats aquí com a actors dels jueus i conversos absents de la ciutat de Barcelona, a Esteve Salvador, ciutadà de Barcelona. L'hospici era propietat de Ferrer de Gualbes, convers, ara absent de la ciutat de Barcelona. Gràcies a l'article de Josep Hernando[110] sabem que Ferrer de Gualbes era anomenat abans de la seva conversió Issach Bonsenyor

---

AHPB, Pere Granyana, *Octavus liber vendicionum stabilimentorum ac aliarum alienacionum*, 1397 febrer, 1-1398, juliol, 31, f. 87r.

107. AHPB, Pere Vives, *Manual*, 1392, novembre, 28-1395, gener, 14, f. 43v (vegeu apèndix documental I, doc. 2).

108. AHPB, Pere Vives, *Manual*, 1392, novembre, 28-1395, gener, 14, f. 45r.

109. AHPB, Arnau Piquer, *Manual*, 1393, desembre, 25-394, juliol, 3, f. 54v.

110. J. HERNANDO DELGADO: "Conversos i jueus: cohesió i solidaritat", *Anuario de Estudios Medievales*, 37/1 (Barcelona, 2007), p. 181-212, p. 189. Durant el mes de febrer de 1391, Ferrer de Gualbes, convers, dit Issach Bonsenyor de Gualbes quan era jueu, actua com a procurador del seu pare encara jueu Bonsenyor Gracià, i del seu germà també jueu Mossé Bonsenyor Gracià, en el cobrament de certes quantitats degudes per cristians de natura als seus pare i germà jueus, p. 189.

de Gualbes, i per tant germà de Mossé Bonsenyor i de Bonsenyor As-truch. La comissió no tingué en compte els possibles drets successoris que ell tenia per cobrar els deutes deguts al seu difunt germà. Quan Ferrer va marxar de la ciutat de Barcelona, la comissió li confiscà la casa. Amb el seu germà espoliat un cop mort i Ferrer espoliat en vida, no és difícil imaginar les dificultats econòmiques a les quals s'enfron-taven jueus i conversos a partir dels fets de 1391.

Un estudi fet per Antonio Collantes de Terán Sánchez sobre un plet sobre els béns d'uns conversos sevillans en el 1396, ens mostra les dificultats que podia portar als conversos el fet que es confisquessin els seus immobles en cas que marxessin.[111] Tal com assenyala el mateix autor, en el cas de Castella, el 29 de juliol de 1392, Enric III va con-cedir al seu cambrer, Ruy López Dávalos, tots els béns comuns de les aljames de Toledo i Còrdova, així com els béns dels jueus i conversos que s'exiliaren per a poder seguir practicant la seva religió. Aquest fet creava grans dificultats econòmiques als conversos ja que una mane-ra de poder obtenir diners per a continuar amb els seus negocis, després de quasi arruïnar-se, era vendre les seves propietats, però ningú volia comprar els seus immobles per por que els fossin després expropiats.

Una altra dificultat en la venda dels béns mobles de jueus i con-versos era que aquestes propietats estaven ubicades dins del call. Si es tornés a instaurar una aljama jueva a Barcelona i s'ubiqués a la seva comunitat un altre cop el call les vendes es podrien considerar invàlides. Això és el que va passar a Cervera quan després dels assalts de 1391 es va voler concentrar la població hebrea en un dels dos calls, fent-los desprendre del millor ubicat comercialment, les cases del qual van ser comprades per cristians de natura i conversos; van requerir la intervenció del rei, que el 1395 va retornar la consideració de call a aquella zona i va considerar il·lícites les compres dels habitatges.[112]

En altres casos es va forçar els jueus a vendre les seves cases ubicades al call sense cap problema posterior. Aquest va ser el cas de Girona quan el 1415 l'Almoina de la ciutat va comprar un seguit d'immobles ubicats al call amb l'objectiu de construir allí el seu nou edifici.[113] Els jueus afectats venien particularment els seus immobles

---

111. A. Collantes De Terán Sánchez: "Un pleito sobre bienes de conversos sevi-llanos en 1396", *Historia, Instituciones, Documentos*, 3, 1976, p. 167-186.
112. Flocel Sabaté: *L'ordenament municipal...*, p. 773-804.
113. E. Canal, J. Canal, J. M. Nolla i J. Sagrera: "La forma del Call jueu de Girona", dins *Cristianos y judíos en contacto en la Edad Media...*, p. 415-450.

a la comissió rectora de l'aljama de Girona i aquesta ho traspassava a l'Almoina amb un preu taxat i pactat per ambdues institucions.[114]

En un altre cas, va ser un convers el que va comprar un d'aquests béns immobles que la comissió havia confiscat als conversos absents. En un instrument de venda datat el dia 24 d'octubre de 1398,[115] Francesc Joan, convers, curador dels béns dels conversos i jueus menors d'edat, absents o morts de la ciutat de Barcelona, ven a Joan des Pla, convers, lligador de llibres, ciutadà de Barcelona, un obrador que havia estat propietat d'Issach Ardit, abans jueu, ara convers absent, pel preu de cinquanta lliures barceloneses. La venda va ser signada i confirmada pel comissari Domènec Coaner i pels corredors que subhastaren l'immoble, Pere Oliver i Pasqual Sabater. El pagament no es feu fins al dia 11 de març de 1399.[116] En l'instrument Pere Llorenç, ciutadà de Barcelona, curador nomenat pel comissari Domènec Coaner, i amb el consentiment del comissari, reconeix que Joan de Pla, convers, llibreter, ciutadà de Barcelona, li ha pagat les cinquanta lliures barceloneses degudes per la compra d'un obrador feta per Joan de Pla a Francesc Joan, convers, curador.

Seria interessant estudiar les relacions personals que tenien els compradors conversos amb els jueus i conversos difunts o desapareguts, que abans ostentaven la propietat dels immobles esmentats, ja que, potser, trobaríem en aquestes compres la solidaritat a la qual es referia el doctor Josep Hernando. Tot sembla indicar que els conversos intentaren recuperar el màxim de patrimoni possible que havien perdut com a conseqüència dels fets del dia 5 d'agost de 1391. Tanmateix, i tal com ens mostren els instruments de venda referents a les cases del Call Major, els cristians de natura aconseguiren quedar-se amb la propietat de la immensa majoria dels immobles jueus. Sens dubte, la ruïna econòmica en la qual quedaren sotmesos gairebé tots els jueus, ara conversos, a partir d'aquells fets, juntament amb l'espoli al qual els sotmetia la comissió, va significar la pèrdua de la majoria del patrimoni que els jueus tenien a la ciutat de Barcelona.

---

114. E. Canal, J. Canal, J. M. Nolla i J. Sagrera: "La forma del Call jueu de Girona", dins *Cristianos y judíos en contacto en la Edad Media...*, p. 415-450.

115. AHPB, Pere Granyana, *Manuale undecimum*, 1398, juny, 8-1399, juliol, 12, f. 34r.

116. AHPB, Pere Granyana, *Manuale undecimum*, 1398, juny, 8-1399, juliol, 12, f. 70v.

De jueus a conversos. Nou grup social, nou problema social

Amb les conversions en massa resultants dels avalots de 1391, Barcelona va passar de tenir una majoria de jueus a una majoria de conversos. Aquests configuraren un nou grup social que calia integrar dins de la societat cristiana —com a cristians que eren— i apartar-la de la societat jueva —a la qual ja no pertanyien.

Al llarg dels segles, la societat havia aprés des de la infantesa com havien de tractar els jueus i quina consideració moral havien de tenir envers ells. Tanmateix, ara es trobaven davant un problema nou, tan sols tractat anteriorment en conversions individuals. Els conversos —sincers o no— eren cristians i per tant correligionaris seus i ciutadans de ple dret.

El corrent antijueu havia aconseguit el seu objectiu: convertir la majoria dels jueus. Però, què calia fer ara?

Deliberacions i ordenances referents a jueus i conversos a la ciutat de Barcelona a partir dels fets de 1391

Amb la mort i conversió de la majoria de la població jueva el rei havia perdut una important font d'ingressos. El primer que va intentar fer el rei fou restaurar les aljames però xocà frontalment amb la forta oposició antijueva. El 10 de setembre de 1392, el rei dictava ordre formal d'abolir l'aljama de Barcelona.[117] Tanmateix, el 2 d'octubre de 1392, el rei estava decidit a restaurar l'aljama de la ciutat, que s'installaria en un nou emplaçament.[118] El dia següent, el rei va procedir a l'execució de tributs als jueus per a iniciar el repoblament de l'aljama de Barcelona.[119] Es va suprimir l'obligació als jueus d'allotjar en les seves cases els familiars de la casa reial i de mantenir les feres reials. El monarca també es va comprometre que en un espai de cinc anys la Inquisició no podria actuar contra ells per delictes d'usura. El projecte, però, va fracassar.

El 1395 uns avalotadors van intentar derruir la sinagoga major de Barcelona, i la majoria dels pocs jueus que habitaven a la ciutat van fugir a altres indrets.[120]

117.　ACA, Cancelleria, reg. 1906, f. 131v, citat a CODOIN, vol. VI, p. 436.
118.　ACA, Cancelleria, reg. 1906, f. 132r, citat a CODOIN, vol. VI, p. 438.
119.　ACA, Cancelleria, reg. 1906, f. 133r, citat a CODOIN, vol. VI, p. 441.
120.　Y. Baer, *Historia de los judíos...*, p. 554.

El 1401 el rei Martí va prohibir l'establiment de qualsevol aljama a la ciutat de Barcelona. Aquesta prohibició va ser ratificada a perpetuïtat per Alfons V en un privilegi reial donat a Barcelona el 26 de desembre de 1423, a més de prohibir a tot jueu habitar en la ciutat i romandre-hi més de quinze dies.[121]

Els conversos que s'havien convertit ho havien fet per salvar la vida i, per tant, era molt probable que, quan els fos possible, tornessin a la seva antiga fe. Tanmateix, ara pertanyien a la fe catòlica i segons el Dret canònic si tornaven a la seva antiga fe, així com tot aquell que els ajudés a apostatar, serien considerats heretges.

Per tant, les primeres deliberacions preses pel Consell anaren encaminades a separar la població conversa de la jueva. Així, el 22 d'agost de 1391[122] el Consell de la ciutat de Barcelona deliberà que tots els conversos que habitaven en cases del call ho podien continuar fent sempre que aquestes estigueren situades en la part tocant a la muralla i tapessin totes les finestres i portals situats dins de la jueria. Deduïm per tant que aquests conversos van haver d'obrir accessos a les seves cases per la part que donava als carres cristians.

Poc després, el Consell ordenava que cap jueu anés vestit com un cristià.[123]

Les següents disposicions, que perseguien el mateix objectiu, foren preses pel Consell quan el rei era a la ciutat de Barcelona el 1393. Així, els conversos tenien determinadament prohibit estar sota el mateix sostre que els jueus i menjar amb ells. Per tal de poder controlar completament els contactes amb jueus i conversos, el Consell renovà les antigues disposicions per les quals els jueus estaven obligats a vestir-se d'una manera determinada i a portar el cercle identificatiu: "per conèxer mils los dits juheus e que la dita cohabitació o participació de conversos ab juheus sia pus squivada, que tots los juheus macles, e cascun d'ells, porten e hagen de portar contínuament capa juhiga o gramalla larga ab caperó vestit de drap scut; e haien a portar en la vestidura sobirana alt en los pits, en loch apparent qui amagar no·s puxa, una roda mig groga e mig vermella ben ample e tal forma com aprés la destrucció del call la han portada; e que les fembres juhies hagen a portar contínuament en lo cap la capçana que·s aconstumada

---

121.   A. M. ARAGÓ I M. COSTA: *Privilegios reales concedidos a la ciudad de Barcelona*, CODOIN, Barcelona, 1971, p. 224.

122.   AHCB, Llibre del Consell, XXV, 1391/8/27, f. 37v.

123.   F. DE BOFARULL: "Ordinacions de los Concelleres de Barcelona sobre los judíos en el siglo XIV", *Boletín de la Real Academia de las Buenas Letras de Barcelona*, Barcelona, 1911, p. 102.

de portar per les juhoes ans la destrucció del call el mantell a tornar sedons era acostumat en temps antich".[124] El 1397 es torna a insistir en aquesta obligació, la qual cosa ens fa pensar que no era del tot obeïda.

En 1395 es va fer a Barcelona una ordinació que tractà d'impedir les relacions comercials entre jueus i conversos, sobretot en productes que havien pogut ser manipulats seguint els preceptes jueus, com per exemple el vi: "que alcun juheu qui vena o faça vendre vi en aquella no gos vendre o fer vendre, en gros ne a menut, del dit vi a algun convers ni a altra persona qui·l vulla per lo dit convers".[125]

El 1397 el Consell de la ciutat de Barcelona torna a insistir en la separació entre jueus i conversos: "que d'aquí en avant algun convers, hom o fembra, no gos habitar ne conversar en una casa o habitació, ne encara paret migera ne en altre loch separadament, ab juheu o ab juhia, ne menjar ne beure de lur vianda o d'altre faher oració o en altre manera participar ab ells, ne algun juheu o juhia ab algun convers o conversa".[126]

Hem de tenir en compte que dins d'una mateixa família no sempre tots els membres es van convertir, però el seu contacte no es va perdre mai.[127] Tanmateix, aquestes mesures de separació significaven un trauma per a tots els parents. Es produïren separacions matrimonials pel fet que un dels seus membres, generalment la dona, es negava a convertir-se, i molts problemes jurídics derivats d'herències, viduïtats, matrimonis concertats de fills, entre d'altres.[128]

Segons Baer,[129] i així ho creiem nosaltres, aquestes lleis no es varen seguir al peu de la lletra i tots els estaments, en un principi, eren tolerants amb els contactes entre jueus i conversos. S'entenia lògicament que la integració dels conversos no es podia fer d'un dia per l'altre i que, per tant, es necessitava un període d'adaptació.

Fins i tot els mateixos conversos, conscients de la seva situació, vigilaven les seves relacions. El dia 17 de gener de 1397[130] un grup de conversos de la ciutat de Barcelona demanaren al Consell que actués

---

124. J. M. Madurell Marimon: "La cofradia de la Santa Trinidad de los conversos de Barcelona", *Sefarad*, 958, p. 73-75.
125. F. Sabaté: *L'ordenament municipal...*, p. 734.
126. F. Sabaté: *L'ordenament municipal...*, p. 734.
127. J. Hernando Delgado: *Conversos i jueus...*, p. 181-212.
128. Vegeu M. Orfali Levi: *Los conversos españoles en la literatura rabínica. Problemas jurídicos y opiniones legales durante los siglos XII-XVI*, ed. Universidad Pontificia de Salamanca, Salamanca, 1982.
129. Y. Baer, Historia de *los judíos...*, p. 558.
130. AHCB, *Llibre del Consell*, XXVII, f. 74v.

contra uns jueus vinguts de França que els obligaven a menjar carn tallada per ells i a participar en els rituals jueus. Aquest fet provocaria que el 5 de juny[131] del mateix any el Consell demanés al rei un privilegi perquè a la ciutat de Barcelona no hi pogués haver mai més cap aljama de jueus, ni que cap d'ells hi pogués habitar; privilegi que, com hem vist abans, va ser definitivament concedit.

Tot sembla indicar que no es va fer una legislació conjunta a tots els regnes de la Corona d'Aragó per a tractar el tema dels conversos, així que cada govern municipal legislaria d'una manera per tal d'afrontar aquest problema.

Aquesta separació entre jueus i conversos no es va aconseguir mai, tal com mostrarem al llarg d'aquesta investigació.

CONVERSOS I AUTORITATS: INTEGRACIÓ O PASSIVITAT?

Hom va poder veure les conseqüències de no integrar dins de la mateixa societat a tota la població que coexistia en un mateix espai. Les conversions en massa no havien solucionat el problema jueu, puix el gruix de la població desconfiava de la sinceritat dels nous cristians. De moment la població cristiana de natura de Barcelona es mantenia a l'expectativa a veure com es desenvolupaven els conversos en la societat i cada festa popular religiosa i cada acte de litúrgia era una prova. Recentment sufocats els avalots la població no s'atreviria a fer un altre pogrom contra els conversos, tampoc seria lògic ja que van ser ells els que els van forçar a convertir-se.

Les autoritats temien que els fets ocorreguts durant l'agost de 1391 es repetiren en un futur contra els conversos. Per tant, calia integrar els neòfits en la societat cristiana, i el camí per fer-ho era la instrucció religiosa en la nova fe.

La primera disposició que es va fer va ser el 22 d'agost de 1391,[132] i es referia als jueus que durant el pogrom no s'havien convertit. El Consell ordenava que aquests foren posats dins de cases de religiosos on se'ls instruís en la fe catòlica. Si acabada la instrucció no es convertien serien foragitats de la ciutat.

Tot i que la intenció era aquesta, la veritat va ser que ni l'Església ni les autoritats civils es van preocupar per la instrucció religiosa

131. AHCB, *Llibre del Consell*, XXVII, f. 91v.
132. AHCB, *Llibre del Consell*, XXV, 1391/8/27, f. 37v.

d'aquests conversos, que desconeixien els dogmes de la fe catòlica i la seva litúrgia.[133]

Els polemistes proconversos van criticar àmpliament a les autoritats la seva escassa preocupació en proporcionar als conversos una adient instrucció cristiana, fet que provocava que molts tornessin al judaisme per estar obligats a seguir una fe que no entenien o bé de la qual tenien un coneixement rudimentari.[134] Un convers, doncs, que hagués abraçat el cristianisme de manera sincera es veia en dificultats de formar-se adequadament. A aquest fet cal afegir els inconvenients que tenien la majoria de conversos a l'hora de deixar de practicar hàbits i costums quotidians relacionats amb la religió.

Cal recordar que al llarg dels segles els ordes mendicants havien predicat als jueus amb l'objectiu de convertir-se. L'única instrucció que van rebre els conversos en la nova fe eren aquestes prèdiques, que tanmateix no aprofundien en els dogmes ni en la litúrgia; tot això en una època que la *Devotio Moderna* manava instruir més i millor el poble en la religió catòlica.[135]

Cada convers havia d'instruir-se per si mateix i segons els seus mitjans. Aquesta instrucció la buscaven entre cristians de natura que havien conegut professionalment, demanant que els formaren, o bé adquirint llibres religiosos i formant-se pel seu compte.

Aquesta última opció és la que van seguir el convers Marc d'Avinyó, seder de Barcelona, i els seus avantpassats. En el seu testament fet el 8 de maig de 1445,[136] consten una Bíblia i dos llibres anomenats *Catholicam Unam*. Marc va ser enterrat al monestir dels frares predicadors de Barcelona i pertanyia a la parròquia de Santa Maria del Mar. Com veiem en aquest exemple, els conversos s'esforçaven personalment a integrar-se per tal de protegir-se de nous atacs.

En unes obres que el gener de 1621 es van fer prop la capella de Santa Trinitat, antiga capella dels conversos barcelonins, es va trobar un Antic Testament escrit en llengua catalana.[137] Entre les obres con-

---

133. H. BEINART: "Los conversos y su destino", dins E. KEDOURIE (ed.): *Los judíos de España*, ed. Crítica, Barcelona, 1992, p. 97.

134. M. P. RÁBADE OBRADÓ: "La instrucción cristiana de los conversos en la Castilla del siglo XV", dins *En la España cristiana*, Madrid, 1999, p. 369-393, p. 369.

135. M. P. RÁBADE OBRADÓ: *La instrucción cristiana...*, p 381.

136. AHPB, Ferrer Verdaguer, *Llibre de testaments*, 1431, desembre, 12-1448, gener, 17, f. 20v-21v.

137. J. RIERA I SANS: "Contribució a l'estudi del conflicte religiós dels conversos jueus (segle XV)", dins *IX congreso di storia della Corona d'Aragonia: la Corona d'Aragonia, aspeti e problema comuni da Alfonso il Magananimo a Ferdinando il Catolico (1416-1516)*, ed. Società Napoletana di Storia Patria, Nàpols, 1982, p. 409-425, p. 414.

fiscades per la Inquisició castellana a Tarragona es trobaren diversos Evangelis traduïts al català, així com epístoles.

En unes obres que es van fer en una casa del call de Barcelona el 1848 es va trobar un llibre de notes de lectura del segle xv que pertanyia al convers Bartomeu Rodrigues, mercader de Barcelona.[138] El començà el 1468 per apuntar-hi les despeses de la seva nau, però a partir del foli 43 hi ha algunes anotacions sobre discursos i sermons, consultes sobre judaisme a mestre Gabriel de Lleó, i consultes sobre la Bíblia a Joan Ramon, agustí. El que més abunda en el llibre són notes de lectura dels passatges que més interès li despertaven dels llibres religiosos que llegia, entre els quals es troba, entre d'altres, el *Vita Christi* de Francesc Eiximenis. En aquestes notes hi busca els parallelismes del judaisme amb el cristianisme, per afirmar la seva nova fe i assimilar-la millor. Aquesta bé podria ser l'actitud més comuna dels conversos: es formaven religiosament pel seu compte i s'assessoraven per algú que conegués bé la religió catòlica.

Pel que fa a la Inquisició catalana, aquesta no va ser gens estricta amb els conversos, tal com demostren els escassos processos inquisitorials conservats a l'Arxiu Diocesà de Barcelona. Els grans processos fets contra conversos per heretgia es faran dècades més tard sota la Inquisició castellana.

La conversió com a únic camí. El proselitisme cristià de sant Vicent Ferrer i la Disputa de Tortosa

Les conversions en massa promogudes pels pogroms de 1391 van donar una tràgica, a la vegada que inútil, solució al problema jueu. Els jueus que havien sobreviscut i que no s'havien convertit estaven dispersos, atemorits, i creient que l'exili era l'única solució que els garantia la seva seguretat. La situació plantejava als monarques peninsulars una difícil disjuntiva: fer la vista grossa davant els conversos que decidiren tornar a la seva antiga fe —fet que permetria als monarques tornar a cobrar importants sumes a les aljames— per tal de retornar a una situació similar abans dels fets de 1391; o bé cedir davant el corrent antijueu —que ja havia demostrat del que era capaç— i adherir-se a la idea que la conversió era l'únic camí per tal d'acceptar el poble d'Israel dintre d'una societat eminentment cristiana.

Joan I, com totes les monarquies hispàniques, es va decidir clarament per accelerar el procés iniciat per les conversions en massa de

---

138. J. RIERA I SANS: "Contribució a l'estudi del conflicte...", p. 419.

1391.[139] Segurament dues raons degueren de convèncer la monarquia. La primera era que grans aljames com Saragossa, Girona i Tarragona estaven recuperant ràpidament la seva esplendor i, per tant, tornarien a donar ingressos. La segona era que ara els conversos sí que eren jurisdicció legítima de l'Església i en un moment d'estreta vinculació entre monarquia i papat amb Martí l'Humà i Benet XIII un enfrontament amb l'Església era el que menys convenia a la monarquia.

El camí que es va decidir, doncs, va ser la conversió dels jueus al cristianisme. Tanmateix, s'havia de fer mitjançant la convicció i no per la violència, convencent els jueus que el Messies ja havia arribat i la verdadera fe era el cristianisme. Seguint aquesta teoria, les predicacions es van intensificar i el seu màxim representant va ser sant Vicent Ferrer.

SANT VICENT FERRER: EL PODER DE LA PARAULA

Provinent d'una família de juristes —el seu pare era notari—, Vicent Ferrer va néixer a la ciutat de València el 1350.[140] El 1367 ingressà en l'orde dels dominics, i el 1368 pronuncià els vots. Entre 1368 i 1375 marxà a Barcelona a estudiar Filosofia i Teologia, millorà la seva formació a Tolosa dos anys més i fou ordenat sacerdot a València el 1379. Aquest any va ser nomenat prior de València, càrrec que abandonà mesos després degut a la seva participació en el cisma.

Inicià un espectacular itinerari de prèdiques per Castella, coincidint en l'època que el convers Pablo de Santa María era bisbe de Burgos.[141] El principi fonamental de fra Vicent Ferrer respecte a les conversions era que aquestes s'havien de fer des de la llibertat del nou profés i mitjançant la persuasió i la convicció, mai utilitzant la violència com el 1391.[142] Tanmateix, després de cada sermó sempre es produïen aldarulls on s'instigava els jueus a convertir-se.

Un altre principi clau en l'ideari de fra Vicent era la completa separació entre jueus i cristians, especialment conversos; principi que influí el papa Benet XIII en la seva butlla de l'11 de maig de 1415 en què generalitzà per a tota l'Església la separació física dels jueus de la

139. L. SUÁREZ FERNÁNDEZ: *Judíos españoles...*, p. 233.

140. Aquesta dada biogràfica del sant, com les que segueixen, són extretes de J. F. MIRA: *Sant Vicent Ferrer. Vida i llegenda d'un predicador*, ed. Bromera, Alzira, 2002.

141. M. J. ESTANYOL I FUENTES: *Els jueus catalans...*, p. 159.

142. P. BERNARDINO LLORCA: "San Vicente Ferrer y el problema de las conversiones de los judíos", dins *IV Congreso de la historia de la Corona de Aragón*, ed. Diputació Provincial de Balears, Palma, 1959, p. 47-64, p. 49.

societat cristiana.[143] Després de cada sermó, els jueus eren desallotjats de les cases que tingueren entre els cristians, i obligats a viure en barris especials per a ells en unes condicions inhumanes.[144]

Ja hem vist en l'inici d'aquest capítol que les prèdiques als jueus dirigides a la seva conversió ja feia temps que s'anaven succeint. Quina és, llavors, la novetat? Què va fer que sant Vicent Ferrer fos tan important en les conversions dels jueus al cristianisme?

Paga la pena contestar aquestes preguntes per tal de comprendre en quin ambient social es trobaven els conversos en el moment de reiniciar la seva activitat econòmica. Convergiren diversos factors que van fer que la figura de fra Vicent no passés desapercebuda, el principal dels quals fou la seva manera de predicar. Era un predicador impressionant. Tota l'expressió, la tècnica i els recursos dels seus sermons anaven dirigits a causar en els oients una impressió el més intensa i profunda possible.[145] Cal que recordem el moment de crisi que la societat estava passant, amb la fam dels *mals anys* i les morts de la pesta. La visió apocalíptica de fra Vicent recordava als mortals —jueus, sarraïns i cristians— que la fi del món era pròxima i que calia preparar l'ànima per salvar-se. Degut a aquesta visió creia que la conversió dels jueus havia de ser imminent, puix el temps era escàs. El seu llenguatge era senzill i dinàmic, a més d'eloqüent. Utilitzava exemples que el públic copsava al moment, fent ús d'una cèlebre expressivitat unida a la imitació de personatges i veus.[146] Lloc per on passés fra Vicent, les conversions es multiplicaven. Per tal d'assegurar-se la presència dels jueus en les seves prèdiques, instava les autoritats civils a obligar els jueus a assistir als seus sermons sota amenaça d'una forta multa. Així mateix ho expressà ell en un sermó: "És necessari al preycador de publicar les veritats als fels e infels [...]. E veus per ço vosaltres, juheus, veniu a la preycació. Hoc, importune, ab pena de mil florins."[147]

Un factor determinant del seu èxit va ser el suport polític que tingué sant Vicent per portar a la pràctica el seu ideari. Enric III de Castella, el 1407, deixant com a successor Joan II, massa jove per a governar. És significatiu que l'educació del jove Joan estigués a càrrec del bisbe convers Pau de Santa Maria, una de les màximes figures antijueves.[148] La regència estigué en mans de l'infant Ferran, germà

143. P. BERNARDINO LLORCA: "San Vicente Ferrer...", p. 59.
144. Y. BAER: *Historia de los judíos...*, p. 594.
145. J. F. MIRA: *Sant Vicent Ferrer. Vida i llegenda...*, 74.
146. J. F. MIRA: *Sant Vicent Ferrer. Vida i llegenda...*, 74.
147. P. BERNARDINO LLORCA: "San Vicente Ferrer...", p. 52.
148. P. AZCÁRATE AGUILAR-AMAT: *Historia de Castilla y León*, v. IV, coord. E. LOPEZ CASTELLÓN, ed. Ediciones Páramo, Madrid, 1989, p. 91.

d'Enric III, i de Caterina de Lancaster. Amb la intenció de posar els seus fills en llocs claus políticament, entre ells els maestrats dels ordes militars, els regents van buscar suport en el papa Benet XIII, acceptant les seves directrius (entre elles, és clar, l'antijudaisme).[149] En 1408 es va prohibir als jueus l'arrendament de qualsevol impost, al mateix temps que se'ls apartava de qualsevol càrrec públic.[150] Aquesta relació íntima de la corona castellana i el papat va ser aprofitada per fra Vicent. El 2 de gener de 1412 el govern de Castella, a instàncies de fra Vicent, va promoure a Valladolid un seguit de lleis relatives als jueus.[151] Aquestes lleis —conegudes com ordenances de Valladolid o lleis de Ayllón— representaven la posada en pràctica de l'ideari de fra Vicent Ferrer. En els seus vint-i-quatre articles, es mana als jueus que visquin separats dels cristians habilitant un barri on, en un termini de vuit dies, tots els jueus no batejats havien de traslladar-se; perdien la seva llibertat de desplaçament; estaven obligats a deixar-se créixer la barba i el cabell, i a vestir robes austeres on es veiés clarament la rodella; tots els oficis dignes quedaven prohibits als jueus: metges,[152] apotecaris, sastres, pelleters, fusters...[153] Totes aquestes mesures tenien com a objectiu fer impossible la vida als jueus, reduint-los a unes condicions infrahumanes per tal que clamessin per la seva conversió. Tanmateix, el juliol d'aquell mateix any, es va promulgar a Cifuentes una versió més suau d'aquestes ordenacions, que seria la més utilitzada.[154]

Pel que fa a la Corona d'Aragó, la situació d'inquietud política era molt semblant a la de Castella. El 31 de maig de 1410 morí el rei Martí l'Humà sense deixar un clar successor a la corona, puix l'únic fill legítim, Martí el Jove, havia mort.[155] Com en tota corona sense un clar successor, s'inicià un procés per tal d'elegir entre els pretendents al tron. Aquest resultà ser Ferran d'Antequera, elegit per votació en el compromís de Casp el 22 de juny de 1412. Darrere d'aquesta elecció tornà a estar la mà del papa Benet XIII i de sant Vicent Ferrer. A canvi de la seva ajuda, Ferran va prometre a Benet XIII suport militar per al setge que patia a Avinyó. Benet XIII, per la seva banda,

---

149. L. Suárez Fernández: *Judíos españoles...*, p. 224.

150. Y. Baer: *Historia de los judíos...*, p. 594.

151. Y. Baer: *Historia de los judíos...*, p. 595.

152. A Castella hi havia el rumor que segons el codi ètic dels metges jueus aquests havien de matar un pacient per cada cinc que en curaven. L. Poliakov: *Historia del antisemitismo...*, p. 145.

153. L. Suárez Fernández: *Judíos españoles...*, p. 226.

154. Y. Baer: *Historia de los judíos...*, p. 595.

155. F. Sabaté: "El compromís de Casp", dins A. Furió (coord.): *Història de Corona d'Aragó*, ed. Edicions 62, Barcelona, 2007, p. 287-304.

oferí a Ferran el millor home que podria convèncer els membres de la comissió que havien d'elegir el successor que Ferran era el legítim rei: fra Vicent Ferrer. El paper de sant Vicent va ser fonamental perquè Ferran fos elegit rei de la Corona d'Aragó. Ara el papa Benet XIII controlava espiritualment tant Castella com la Corona d'Aragó, a on importà el *modus operandi* envers els jueus que ja s'havia iniciat a Castella. Les ordenances antijueves fetes a Valladolid, en la versió de Cifuentes, van ser implantades a Mallorca, on a més es va prohibir als conversos fer viatges al nord d'Àfrica, la qual cosa va afectar greument la seva economia internacional.[156] Per la seva part, fra Vicent Ferrer continuà predicant, com havia fet a Castella, entre els pobles de la Corona d'Aragó. Entre el gran nombre de conversions que va produir destaca la de Ioixua Halorquí, metge personal del papa Benet XIII, que rebé el nom de Jerónimo de Santa Fe i que es convertiria en una de les figures clau de l'antijudaisme i instigador de la Disputa de Tortosa.[157]

La Disputa de Tortosa

El mes d'agost de 1412, el convers Jerónimo de Santa Fe, format en el cristianisme per Pau de Santa Maria i convertit per fra Vicent Ferrer, presentà al papa Benet XIII uns *midraixim* —llibres de material jurídic que componien un mètode per interpretar la Bíblia— que provaven, seguint el judaisme, que Jesús era l'autèntic Messies. Aquests *midraixim* van ser reunits des de l'època de Raimon Martí, que com recordarem va participar en la disputa de Barcelona.

Benet XIII, en un principi, pretenia fer una modesta disputa a Alcanyís, ciutat natal de Jerónimo de Santa Fe.[158] Tanmateix, aquests opuscles eren un tresor d'incalculable valor per a l'estratègia seguida per l'Església en la conversió dels jueus: convèncer aquests de l'error de persistir en la seva fe utilitzant els seus llibres sagrats.

L'agost de 1412, Benet XIII envià peticions a totes les aljames de la Corona d'Aragó instant que els seus rabins discutissin la vinguda del Messies en una disputa pública.[159] Els jueus demanaren més temps per a preparar-se. Al novembre del mateix any el papa envià, juntament amb els *midraixim*, l'ordre per la qual cada aljama quedava obligada a enviar quatre rabins a Tortosa per tal de discutir la qüestió abans esmentada. La disputa se celebraria finalment el 7 de febrer a Tortosa.[160]

---

156. Y. Baer: *Historia de los judíos...*, p. 596.
157. M. J. Estanyol i Fuentes: *Els jueus catalans...*, p. 160.
158. Y. Baer: *Historia de los judíos...*, p. 612.
159. A. Pacios López: *La disputa de Tortosa*, 2 vols., ed. CSIC, Madrid, 1957, p. 45.
160. M. J. Estanyol i Fuentes: *Els jueus catalans...*, p. 166.

La direcció de la controvèrsia la portava Benet XIII en persona, i en la seva absència Sanç Porta, general dels dominics, i el cardenal Pere de Sant Àngel.[161] Per la part cristiana el màxim representant era Jerónimo de Santa Fe, que possiblement va ser també el màxim instigador de la disputa, puix l'Església tenia altres problemes més greus per atendre degut al Cisma.[162] De la part jueva, els rabins que destacaren en la defensa de la seva causa foren: Zerakhia ben Itskhaq ha-Leví, de Saragossa; Mossé ben Xemuel ben Abbas, també de Saragossa i destacat dirigent de la seva aljama durant el regnat de Pere III; Mititiahu Haitsharí, de l'aljama de Daroca; Iosef Albó, de la comunitat d'Alcanyís, i Astruch Ha-Leví, de Girona.[163]

Les discussions giraren sempre sobre el mateix tema: els detalls que els llibres religiosos jueus referents a la vinguda del Messies mostren Jesucrist com el vertader i últim Messies. Els rabins, amonestats continuadament pel Papa, ho tenien veritablement difícil per sortir de la disputa victoriosos.

L'absència dels principals rabins de les seves aljames va ser aprofitada intel·ligentment per fra Vicent Ferrer, que multiplicava les conversions entre una comunitat jueva en plena crisi religiosa i privada dels seus principals líders espirituals.[164] Tanmateix, les conversions que feren més mal entre la comunitat jueva van ser les de destacats membres de la seva comunitat que acudiren a la Disputa i es convertiren perquè no els van convèncer els arguments dels rabins.[165] En plena crisi de fe en el judaisme, les conversions d'aquests dirigents foren seguides per molts jueus de condició més modesta i va produir-se una nova onada de conversions.

El 10 de maig van acabar finalment les disputes, que perjudicaren greument la comunitat jueva, que sofria una nova onada de conversions. D'altra banda, a causa de la Disputa, Benet XIII va promulgar una butlla l'11 de maig de 1415 per la qual prohibia als jueus la lectura i audició pública del Talmud.[166]

La situació no es normalitzaria fins a 1416, quan un seguit de fets polítics evitaren la ruïna total del judaisme de la Corona: a Benet XIII li va ser revocada l'autoritat papal; aquell mateix any morí Ferran I,

161. A. PACIOS LÓPEZ: *La disputa de Tortosa...*, p. 49.
162. Y. BAER: *Historia de los judíos...*, p. 613.
163. M. J. ESTANYOL I FUENTES: *Els jueus catalans...*, p. 165.
164. M. J. ESTANYOL I FUENTES: *Els jueus catalans...*, p. 169.
165. A. PACIOS LÓPEZ: *La disputa de Tortosa...*, p. 66.
166. M. J. ESTANYOL I FUENTES: *Els jueus catalans...*, p. 173.

que ja havia retirat obediència a Benet XIII, i l'activitat de fra Vicent Ferrer, ara sense suport polític, disminuí notablement.

L'escenari que es mostrava a partir d'aquell moment era d'una majoria de jueus convertits al cristianisme que, pràcticament arruïnats, s'havien d'integrar en el teixit professional d'una societat cristiana que no els acabava d'acceptar però que tampoc bullia d'odi envers ells com a Castella. Tal com sabem, les conversions en massa no van solucionar el *problema* jueu, ans el van complicar. La solució final no arribaria fins a la tràgica expulsió definitiva dels jueus de la Península el 1492 per part dels Reis Catòlics Isabel i Ferran, que suposaria també la condemna econòmica dels regnes hispànics fins als nostres dies.

JUEUS CONVERSOS: HÀBITAT I ESPAI DINS LA CIUTAT DE BARCELONA

Els avalots produïts contra la comunitat jueva aquell agost de 1391 significaren molt més que un trànsit a la religió cristiana de gran part de la població jueva barcelonina. La conversió significà, per a tots aquells jueus que es convertiren, l'ingrés a la societat cristiana i l'abandó de la comunitat jueva en la qual havien crescut. Com sabem, una de les primeres mesures que les autoritats van portar a terme fou la determinant separació entre els neòfits i els seus antics correligionaris jueus. Aquesta separació, lògicament, va afectar el domicili dels conversos, que tan sols podien seguir ocupant aquelles cases del call que donaven als carrers cristians, tot tapiant portes i finestres que donessin a la part jueva. Tanmateix, els conversos, en ser cristians, adquiriren tots els drets com qualsevol ciutadà i, per tant, podien establir la seva residència en qualsevol punt de la ciutat. La definitiva cristianització dels calls permetia finalment als conversos establir-s'hi també. Aquest fet ens planteja un seguit de preguntes que intentarem respondre en aquest capítol: on vivien els conversos? Preferien llogar o comprar? En cas de llogar, durant quant de temps i en quines condicions? Després d'haver viscut en comunitat al call, amb evidents solidaritats veïnals i sentiment de grup, viurien ara prop uns dels altres? Com es va integrar el call a la resta de la ciutat? Qui vivia al call un cop va ser assimilat i cristianitzat?

Els avalots de 1391 també significaren l'abolició de l'aljama de Barcelona i la prohibició definitiva als jueus d'establir la seva residència a la ciutat a partir de 1401, fet que afectà directament els béns comuns de la comunitat jueva de la ciutat com ara les sinagogues públiques i el cementiri de Montjuïc. En aquest capítol també mostrarem quin va ser el destí d'aquests béns.

Un altre dels punts tractats és la situació dels obradors dels artesans conversos a la ciutat de Barcelona. Entenent el treball com un element integrador i font de relacions personals, és interessant observar on establiren els obradors i a qui tenien prop.

Finalment, veurem quin era el lloc que els conversos elegien per a ser enterrats. Intentarem esbrinar quines eren les causes per elegir un lloc o un altre de sepultura. Aquest últim apartat ens remet inevitablement als aspectes espirituals dels conversos i als signes religiosos que flueixen entorn de la mort i la preocupació sobre la salvació de l'ànima.

Els calls de Barcelona després dels avalots de 1391

Com ja hem referit en el capítol anterior, els avalots de 1391 i la conversió de la majoria dels jueus al cristianisme varen ocasionar la desaparició de l'aljama jueva de la ciutat de Barcelona. Tot i que la primera intenció del rei era crear una nova aljama jueva a la ciutat —ubicada en un emplaçament nou, puix l'antic call ja estava ocupat per cristians de natura i conversos—, el fracàs d'aquesta empresa va fer que es desistís en la idea. Finalment, el rei Martí va prohibir el 1401 l'establiment de cap aljama jueva a la ciutat de Barcelona. Tanmateix, hi havia un seguit de béns comuns que eren administrats per l'aljama (Sinagoga Major, cementeri, posa i els violaris i censals destinats a causes pies): quin seria el seu destí un cop desapareguda l'aljama? D'altra banda, la desaparició d'una comunitat jueva a la ciutat feia innecessari un call on albergar-los: quin va ser el destí dels calls de Barcelona?

DESTÍ DELS ESPAIS COMUNS DE L'ALJAMA DE BARCELONA

Els espais comuns de l'aljama de Barcelona (Sinagoga Major, Sinagoga Menor, cementeri i posa), com els de qualsevol altra aljama, eren propietat del rei, el qual cedia el seu ús a la comunitat jueva. El dia 2 d'octubre de 1392, quan es va constituir la comissió per a cobrar els deutes de l'aljama de Barcelona, el rei va ordenar que tots els espais comuns de l'aljama foren retornats a la seva propietat.[1] Els jueus que encara residien a la ciutat veieren com el seu principal temple i el cementeri escapaven del seu control. Sense l'organització de l'aljama estaven completament indefensos.

---

1. ACA, Cancelleria, reg. 1925, f. 144v-147v. Vegeu capítol 1.

Tanmateix, el maig de 1393 el rei estava completament decidit a restaurar les aljames de Barcelona i València.[2] L'encarregat de fer-ho va ser el rabí Hasday Cresques que, juntament amb dos jueus de Saragossa i dos més de Calataiud, havia d'elegir seixanta famílies de totes les comunitats jueves de la corona i obligar-les a establir-se en aquestes dues ciutats. D'altra banda, era necessari construir un nou call fortificat a cada ciutat, amb un cost xifrat en mil cinc-cents florins d'or, quantitat que s'havia de recollir entre totes les aljames. Amb una nova aljama, els béns comuns retornarien al control jueu i en garantirien el culte i la sepultura. Els fets de 1391, però, encara pervivien en la memòria dels jueus i foren poques les famílies, segurament molt pobres, que estigueren disposades a córrer el risc d'establir-se en una ciutat on els seus habitants havien demostrat quina era la consideració que mereixien els jueus. Malgrat tots els esforços, la idea de construir una nova aljama barcelonina s'abandonà completament el març de 1395[3] quan —gairebé quatre anys després dels avalots!— un grup d'exaltats intentà enderrocar la que va ser la Sinagoga Major, provocant que molts dels pocs jueus que encara residien a la ciutat l'abandonessin definitivament. Mentrestant, els béns comunals de l'aljama continuaven en mans del rei, el qual els donà altres funcions.

El cas de la Sinagoga Major ha estat profundament estudiat per Jaume Riera i Sans,[4] seguint el rastre dels canvis de propietat a partir de 1391. El 2 de desembre de 1392, els reis van fer donació de la Sinagoga Major al jurista Esperandéu Cardona, conseller i promotor dels negocis de la cort, en satisfacció i remuneració als seus serveis.[5] Un any i mig després, el 16 de juliol de 1394, Esperandéu llogà la sinagoga a Arnau de Cervelló, algutzir reial, que l'utilitzaria com a presó d'homes i de dones.[6] El 16 de març de 1396, Esperandéu llogà al rajoler Pere Antic l'entrada i una part del fons de la sinagoga, que utilitzaria per a guardar material de construcció.[7] En aquest cas, l'instrument notarial de lloguer fa esment de dos dades interessants: l'existència de deu lloses

---

2. Y. BAER: *Historia de los judíos...*, p. 553.

3. Y. BAER: *Historia de los judíos...*, p. 554.

4. J. RIERA I SANS: "La Sinagoga Major dels jueus de Barcelona. Proposta de Localització", i "La Sinagoga Major dels jueus de Barcelona en la tradició documental".

5. ACA, Cancelleria, reg. 1902, f. 72v-73v. Citat per J. RIERA SANS: "La Sinagoga Major dels jueus de Barcelona en la tradició documental", p. 62.

6. AHPB, Joan de Pericolis, *Manuale primum*, 1392, desembre, 5-1402, març, 1 (vegeu apèndix documental I, doc. 7). Citat, però no transcrit, per J. RIERA SANS: "La Sinagoga Major dels jueus de Barcelona en la tradició documental", p. 63.

7. AHPB, Joan Eiximenis, *Manual*, 1395, octubre, 13-1398, març, 22, f. 39r. Vegeu apèndix documental I, doc. 8.

que es troben dins la sinagoga, no sabem si amb algun valor religiós; i que la resta de l'edifici ja estava llogat. Pel que fa a les deu lloses, Jaume Riera especula amb la possibilitat que es tractés de plaques de marbre amb inscripcions que ja havien estat arrancades de la paret del mateix edifici amb la intenció de reutilitzar-les.[8] Observem com el complex sinagogal va essent llogat però no venut. Això és degut al fet que la donació feta pels reis a Esperandéu Cardona era subreptícia, ja que aquests s'havien compromès a conservar els béns comunals dels jueus per a redimir els deutes impagats de l'aljama barcelonina.[9] Per aquesta causa, les donacions de la Sinagoga Major i d'altres béns comunals foren impugnades reiteradament.

No fou fins l'any 1435 quan la sinagoga fou venuda judicialment a Marc Safont, mestre de cases, que després heretaria el seu fill Joan Safont.[10] Aquesta va estar sota la propietat de Joan fins que aquest la va vendre, l'1 d'octubre de 1477, a Jaume Mas, notari.[11] El 7 d'octubre del mateix any, Joan Safont parteix la finca i ven una part, l'edificada, a Jaume d'Àrguens i el seu fill Gabriel d'Àrguens, tintorers, i Jaume Mas es queda el pati posterior de la sinagoga.[12] Jaume i Gabriel d'Àrguens eren descendents de jueus conversos, i amb la implantació de la Inquisició castellana foren acusats i condemnats per heretges, i les seves propietats foren requisades pel fisc.[13] Després la casa fou adquirida per Pere Miquel, prevere, que segurament ja la va transformar en casa habitable.[14] La Sinagoga Major, ara convertida en habitatge, anà passant per diversos propietaris que no canviaren la seva funció, però que tornaren a dividir la propietat per la part que corresponia a les dones.

Pel que fa a l'altra principal sinagoga dels jueus barcelonins, la Sinagoga Poca, també va córrer similar destí. La documentació notarial

---

8. J. RIERA I SANS: "La Sinagoga Major dels jueus de Barcelona en la tradició documental...", p. 24.

9. J. RIERA I SANS, "La Sinagoga Major dels jueus de Barcelona. Proposta de localització...", 68.

10. J. RIERA I SANS: "La Sinagoga Major dels jueus de Barcelona en la tradició documental...", p. 26.

11. J. RIERA I SANS: "La Sinagoga Major dels jueus de Barcelona en la tradició documental...", p. 26.

12. J. RIERA I SANS: "La Sinagoga Major dels jueus de Barcelona en la tradició documental...", p. 27.

13. J. RIERA I SANS: "La Sinagoga Major dels jueus de Barcelona en la tradició documental...", p. 28.

14. J. RIERA I SANS: "La Sinagoga Major dels jueus de Barcelona en la tradició documental...", p. 28.

també reflecteix aquesta donació. L'instrument de venda d'una casa del Call Major el 3 d'octubre de 1393,[15] en una de les confrontacions de la propietat fa referència a la Sinagoga Menor: "ab oriente in carrerono vocato de la escola pocha, per quom itur ad fontem de Sent Honorat de la dita sinagoga ho escola pocha, que est nunc honorabilis Julianii Garrius, thesaurarii domini regis, seu venerabilis Ypolit, eius filii". Com veiem, aquest bé de l'aljama també va ser utilitzat per pagar els serveis d'un cortesà i segurament va ser habilitada per ser habitada.

Les sinagogues privades van tenir el mateix destí. La sinagoga anomenada d'en Massot també va ser convertida en habitatge. Així ho reflecteix un document de venda d'una casa del Call Major fet el 21 de desembre de 1400,[16] situada al carrer pel qual es va a aquella casa on antigament hi havia la sinagoga anomenada d'en Massot.

Juntament amb les sinagogues els jueus barcelonins perderen el bé comunal amb més càrrega sentimental: el cementeri de Montjuïc. Com els altres béns comuns, la seva propietat va tornar al rei. Tanmateix, com en el cas dels dos béns anteriors, no van durar gaire temps en les seves mans i va ser utilitzat per a pagar els seus propis deutes. Els creditors del rei aprofitaren l'avinentesa dels fets i es disposaren a reclamar al rei part del capital que devia. El 18 de juliol de 1392, formaren una comissió i nomenaren procuradors Antoni Bussot, Pere Germà, batxiller en medicina, Pere Traver, Jaume Just i Pere Granyana, aquests dos últims notaris de Barcelona. Aquesta societat de creditors va comprar a Berenguer de Cortil, conseller i tresorer de la reina, els drets que els monarques Joan I i Violant tenien sobre els cementeris vell i nou que els jueus posseïen a Montjuïc, amb les pedres, la terra i altres béns que hi pogués haver, pel preu de 2.450 lliures.[17] El gran atractiu que sens dubte tenia el cementeri jueu a ulls dels creditors eren els grans túmuls de pedra llaurada de les sepultures jueves que, com sabem, van ser utilitzats per a nombroses construccions en edificis de la ciutat.[18] Tanmateix, ja hem dit abans que els reis tingueren la intenció de tornar a formar una aljama a la ciutat, que de ben

---

15. AHPB, Arnau Piquer, *Manual*, 1392, desembre, 29-1393, des., 23, f. 151r-v.

16. AHPB, Bernat Nadal, *Tercimum manuale vendicionum anni a Nativitate Domini millessimi CCCC*, 1400, juny, 22-1402, juny, 9, f. 22r-v.

17. A. Duran i Sanpere: *Barcelona i la seva història. La formació d'una gran ciutat*, ed. Curial, Barcelona, 1972, p. 637.

18. Alguns d'aquests edificis són l'antic Palau Comtal, el Palau de la Generalitat, l'església de les Magdalenes, la casa del marquès de Lió, i diverses cases particulars situades als carrers Tallers, Moncada i Riera de Sant Joan. F. Carreras Candi: *Geografia general de Catalunya*, v. 3, Edicions Catalanes, Barcelona, 1980, p. 497.

segur desitjaria recuperar l'antic cementeri jueu. Per aquesta raó, el 30 d'octubre de 1393, els reis trameteren una lletra als oficials reials de Barcelona ordenant que, sots pena de mil florins d'or, el cementeri jueu fos respectat i que no se n'extraguessin més pedres, puix que el cementeri havia de ser tornat als jueus de la ciutat. Ordenaren també que aquestes disposicions es feren públiques mitjançant crides.[19] Com és natural, els qui van comprar els drets van presentar recurs, i el rei va ordenar, el 23 de gener de 1394, una nova disposició per a revocar les anteriors i retornar els drets sobre el cementeri a qui correspongués en aquell moment.[20] Segons mostren un seguit de documents del notari de Cervera Jaume de Corts, els drets sobre el cementeri van anar passant de mà en mà. La propietat, però, seguia essent dels monarques. Així va ser fins que, segons un contracte de compravenda que hem trobat a l'AHPB, el 9 d'octubre de 1408 el rei donà a l'orde dels frares celestins de Barcelona un terreny que antigament formava part del cementeri jueu de Barcelona.[21] El document al qual ens referim data el dia 22 de gener de 1410, i per tant sabem que, almenys fins a aquesta data, el cementeri va estar en mans dels frares celestins. També ens mostra com el cementeri va ser dividit en diferents parcel·les. Si suposem que aquests el van mantenir sempre en el seu poder, el cementeri passaria el 1423 a mans dels frares mercedaris, que foren els que adquiriren tot el patrimoni dels frares celestins quan aquests van decidir marxar de Barcelona.[22] A partir d'aquí desconeixem el seu destí.

L'existència del cementeri va anar perdent-se en la memòria i amb ella la seva localització. No va ser fins al 1945, quan l'Ajuntament de Barcelona va realitzar unes obres en uns terrenys al costat de les installacions del "Tiro Nacional" destinades a la construcció d'un xalet per a la realització del tir, que es va tornar a localitzar el cementeri jueu.[23] En les primeres aixades, l'arquitecte encarregat de l'obra Ramon Raventós es va adonar que apareixia el que semblava una fossa sepulcral tapada per una filera de pedres, i va sospitar que podia tractar-se d'un sepulcre jueu. Immediatament va avisar l'Instituto Municipal de Historia de Barcelona, que s'encarregà de portar a terme les excavacions que

19. A. DURAN I SANPERE: *Barcelona i la seva història. La formació d'una gran ciutat*, ed. Curial, Barcelona, 1972, p. 637.

20. ACA, Cancelleria, 1927, f. 144r.

21. AHPB, Simó Carner, *Manuale primum*, 1408, abril, 28-1414, agost, 25, 24r-v (vegeu apèndix documental I, doc. 36).

22. F. CARRERAS CANDI: *Geografia general de Catalunya...*, p. 951.

23. A. DURAN I SANPERE, "La montaña de Montjuïc revela sus secretos", dins *Barcelona, divulgación histórica*, ed. Aymà Editor, Barcelona, 1945, p. 81-84.

deixarien al descobert trenta sepulcres datats dels segles XI-XIII. Un any després ja eren més de cent cinquanta els sepulcres trobats, molt pocs d'ells superposats, fet que ens indica que el cementeri devia d'ocupar una extensió considerable.[24] Durant l'any 2001 es portà a terme una nova campanya arqueològica que establí la cronologia de la necròpoli jueva entre els segles IX i XIV.[25] També constatà que la part excavada correspon a la part més moderna del cementeri —els enterraments són lineals i segueixen una seqüència cronològica: de més antiga a més moderna—, i una zona limítrofa, probablement a la part nord o oest. Actualment desconeixem quins són els límits exactes de la necròpolis jueva barcelonina.

OBERTURA DELS CALLS. EL CALL MAJOR COM A RESIDÈNCIA DE CRISTIANS DE NATURA

En el moment de la constitució de la comissió del call, el 2 d'octubre de 1392, els monarques ordenaren als comissaris l'obertura dels calls de la ciutat de Barcelona. En el citat document s'especifica que els comissaris poden obrir els calls per aquells punts que ells considerin adients, i se'ls dona potestat per enderrocar les cases que facin falta per tal de portar a terme aquesta operació. Quelcom preocupant era el fet que el preu a pagar als propietaris de les cases afectades era estipulat unilateralment pels comissaris. Per tant, les famílies afectades, després de perdre gairebé tot el que tenien durant l'assalt als calls, s'havien de conformar amb l'almoina que donessin per la seva casa, en molts casos l'únic patrimoni de què disposaven. A tot això hem de sumar l'obligació de pagar la taxa de deu sous per lliura del preu que rebessin per la casa.

Segons consta al *Dietari Municipal*, el 17 d'octubre de 1392 es va procedir a enderrocar la *torra* que hi havia sobre el portal del call vers la plaça de Sant Jaume, per tal que "en la població d'aquell estiguessen los christians".

La comissió, personada pel comissari Guillem de Busquets i pel jueu Hasday Cresques, va demanar al Consell de Cent si podien pagar part de les obres, puix que proporcionaven a la ciutat nous carrers i places de lliure accés, que sens dubte l'embellirien. El 23 d'octubre de

---

24. A. DURAN I SANPERE: "Nuevos hallazgos en la necrópolis hebrea de Montjuïc", dins *Barcelona, divulgación histórica*, ed. Aymà Editor, Barcelona, 1946, p. 139-142.
25. X. MAESE I FIDALGO, J. CASANOVAS I MIRÓ: "Nova aproximació a la cronologia del cementeri jueu de Montjuïc (Barcelona)", *Tamid*, 4 (2002-2003), p. 7-25.

1392, el Consell deliberà que la ciutat no pagaria ni un diner per les obres d'obertura.[26]

Resulta significativa la presència de Hasday Cresques en aquest afer juntament amb el comissari Busquets. No sabem si estava integrat dins la comissió o si hi col·laborava per manament del rei, però amb tota seguretat la seva missió era defensar els interessos dels jueus i conversos.

Aquest, però, no va ser l'únic nou accés que es va fer al call jueu. Un document que hem localitzat a l'AHCB[27] ens mostra de quina manera es va procedir a l'obertura del Call Major per un dels altres punts que no coincidien amb les entrades que ja tenia. El document està malmès per la part superior, justament on se'ns indica la data, de la qual tan sols podem llegir que es va redactar durant el mes d'agost. Tanmateix, tenint en compte que en aquest document es fa esment de la comissió, també de Guillem Colom i que el 17 d'octubre es va procedir a l'obertura del call per les parts de les seves antigues entrades, podem afirmar amb seguretat que el present document data de l'agost de 1393, dies després que es reformà i es concordà definitivament la compra dels censos del call feta per Guillem Colom a la comissió (6 d'agost de 1393). Les obertures al call, al tractar-se d'unes obres realitzades en la ciutat de Barcelona, van ser controlades pel Consell de Cent, el qual va redactar el document que ens proposem comentar. L'instrument es refereix als trencs, concretament dos, que s'han de fer enderrocant algunes cases perimetrals del call o a les seves cantonades, en aquells punts que connectaven amb carrers cristians, amb un pressupost inicial de vuit-centes lliures barceloneses. El primer trenc es realitzaria davant del Castell Nou, enderrocant la casa que va ser del jueu Sentou Xerxell. Segons el cens de Robres, aquesta casa era la que es trobava a la cantonada dels actuals carrers del Call i de Banys Nous. En el cens també s'especifica que no es va enderrocar tota la casa sinó una part i que es va fer construir una volta a sobre del nou tram. Per tal de portar a terme l'enderroc, però, havien de comprar primer la casa, i no començar les obres fins que no fos signat el contracte de venda. Pel que fa a l'altre trenc, encara no estava clara la seva ubicació exacta en el moment de redactar el present document. Tanmateix, era segur que el farien per la part posterior del call, és a dir, pel carrer de Santa Eulàlia: o bé a l'Escola de la Gramàtica o per la casa anomenada d'en Cortal. El cens de Robres situa la casa d'en

---

26. AHCB, Consell de Cent, *Llibre del Consell*, llibre XXV, f. 93r.
27. AHCB, Consellers, *Obrería*, C-XIV.27 (vegeu apèndix documental I, doc. 3).

Cortal al final d'un dels carrerons sense eixida que donaven al carrer de Santa Eulàlia, coincidint amb l'actual plaça de Sant Neri. Aquest segon trenc s'havia de realitzar amb el capital que restés del primer trenc, que era prioritari. En el cas que no hi haguessin prous diners, es manaria fer un pressupost del que costaria el trenc esmentat i del preu es farien dues meitats: una la pagaria Guillem Colom i l'altra la comissió del call. Tanmateix, la part que Guillem Colom pagaria havia de ser tornada per la comissió durant el mes de febrer de l'any següent. Per tant, Guillem deixaria els diners a la comissió amb unes condicions que desconeixem. El document també preveu la possibilitat que les vuit-centes lliures podrien ser prestades per Guillem Colom. Indiferentment com fos, els diners que la comissió havia de pagar a Guillem Colom havien de provenir del que aquesta recollís de les accions que portava a terme —de les quals ja hem parlat en el capítol anterior— per tal de cobrar els censals morts i violaris que l'antiga aljama jueva devia. El document encara ens dona una última dada important. Guillem Colom tenia el dret de retenir els diners de la comissió, dipositats a la seva taula, en cas de no cobrar al mes de febrer. Per tant, sabem que tots els diners que la comissió recollia en les seves accions eren ingressats a la taula de Guillem Colom.

L'inici d'aquestes obres no es feu esperar. El document de venda d'una casa del Call Major, datat el 9 de desembre de 1393, ens indica que les obres d'accés al Call Major per la part del Castell Nou ja estaven finalitzades en aquesta data. En el citat document Astruc Jucef Levi Provençal, seder, jueu de Barcelona, ven a Joan Junyent, draper, ciutadà de la mateixa ciutat, una casa situada prop del Castell Nou.[28] Aquesta casa limitava en la part occidental amb una volta anomenada d'en Colom. Com ja hem dit abans, per tal d'obrir un accés al call per aquesta part va ser necessari enderrocar parcialment una casa. Per tal d'assegurar la seva estructura es va haver de construir una volta —com la que hi havia al carrer de Santa Eulàlia— i aquesta rebé el nom de Colom. Per tant, deduïm que les obres d'obertura van ser pagades finalment pel mateix Colom, és per això que el carrer va ser conegut com la Volta d'en Colom, fins que a principis del segle XVII, en ser canonitzat Ramon de Penyafort, passà a anomenar-se carrer de l'Arc de Sant Ramon.[29]

Es realitzaren dos trencs més. Al carrer de Santa Eulàlia es derruirien les cases apostades als extrems del carrer per tal que aquest

---

28. AHPB, Jaume Just, *Llibre de vendes*, 1393, agost, 8 - 1398, març, 13, 52v-55r.
29. V. Balaguer: *Las calles de Barcelona*, ed. Editorial Dossat, edició facsímil de 1987, Barcelona, p. 209.

connectés amb altres "cristians". Els primers enderrocs, en aquesta secció, es produïren per la part del carrer que connecta amb el carrer dels Banys Nous. El document de venda del solar resultant de les cases que es van enderrocar ens confirma que el 6 de novembre de 1393 aquest accés ja estava finalitzat.[30] Aquest document torna a deixar clar que els reis van concedir als comissaris Guillem de Busquets, Jaume Pastor i Felip de Ferrera la plena potestat per a realitzar els enderrocs necessaris per tal d'obrir el Call Major pels llocs que ells estimessin oportuns. La comissió havia de pagar als jueus i conversos propietaris de les cases que havien de ser derruïdes el valor d'aquestes. Emperò, era la mateixa comissió la que decidia el valor de les cases. Fent ús d'aquest dret, els comissaris van decidir derruir dues cases contigües propietat dels jueus Davi Maymó Cap de Pebre i de Davi Jaques, situa-des al carrer de Santa Eulàlia, per tal d'obrir el Call Major per la part que condueix a l'església de Santa Maria del Pi. Un cop derruïdes part de les cases, va quedar part d'una casa o un pati com a terreny útil. Els comissaris, juntament amb els conversos i jueus, representats pels seus procuradors Ramon de Vilafranca, Pere Pujol, Ramon Ses Escales i Ferrer de Conomines, van decidir vendre aquesta part útil i destinar els diners resultants a cobrir part de la càrrega onerosa a la qual estaven sotmesos els jueus i conversos barcelonins. Així, els pro-curadors dels conversos i jueus i els comissaris vengueren, mitjançant encant públic, a Joan de Casademunt, cirurgià, ciutadà de Barcelona, el pati o casa resultant d'aquests enderrocs, pel preu de quaranta-sis lliures i quinze sous.

L'última obertura de la qual tenim constància es va realitzar, el 14 de maig de 1394, a l'altre extrem del carrer de Santa Eulàlia, orientat a la Seu, fent completament transitable aquest carrer.[31] Per portar a terme aquest últim accés va ser necessari enderrocar part de la casa situada al cap de carrer orientat a la Seu. Aquesta pertanyia a Barto-meu Ferrer, canonge de la Seu de Barcelona, qui no va acceptar tan fàcilment l'enderrocament de la casa on vivia. En els altres casos les cases pertanyien a jueus i conversos, i va ser molt fàcil arribar a un "acord" degut a la pressió a la qual els sotmetia la comissió. En el cas que ens ocupa la situació era ben diferent, el propietari era cristià de natura i, a més, canonge de la Seu. Bartomeu Ferrer va acudir al bisbe i al Capítol de Barcelona, perquè l'ajudessin a fer valer els seus drets. El Capítol es va reunir i va confirmar que no tenien potestat

---

30. AHPB, Jaume Just, *Llibre de vendes*, 1393, agost, 8 - 1398, març, 13, f. 36v-38v (vegeu apèndix documental I, doc. 4).

31. ADB, *Reg. Communium*, 1391-1395, v. XLV, f. 196v-197r (vegeu apèndix do-cumental I, doc. 6).

per a contradir la comissió. Tancada aquesta via tan sols quedava la possibilitat de negociar. Bisbe i Capítol van demanar a la comissió si era possible obrir el call per un altre lloc per tal de no ensorrar la casa de Bartomeu. La comissió insistí que calia enderrocar la casa del canonge, puix que era l'únic lloc possible on obrir el call per tal de fer totalment transitable el carrer de Santa Eulàlia. El bisbe i el Capítol episcopal buscaren una solució que satisfés tant la comissió com Bartomeu. Finalment, el 14 de maig de 1394, Bartomeu, d'una part, i el bisbe i el Capítol, de l'altra, elegiren tres persones que discutirien el problema —actuarien com a àrbitres, tot i que el document no ho digui explícitament. Finalment arribaren a una concòrdia amb la comissió: els comissaris pagarien nou mil sous barcelonesos a Bartomeu com a compensació, i es farien càrrec del reforç de les parets resultants i altres estralls que les obres ocasionessin. Bartomeu, per la seva part, no estava d'acord amb aquesta solució i va advertir que presentaria protest. Tanmateix, però, la sentència es compliria immediatament, inclòs el pagament, sense esperar el resultat del protest. Aquest document encara ens dona una altra dada interessant. Els nou mil sous que els comissaris havien de pagar estaven dipositats a la taula d'en Colom, fet que ens torna a mostrar com Guillem Colom treia profit de tots els diners resultants dels afers del call.

Aquesta va ser l'última obertura feta al call de la qual tenim constància. Amb quatre accessos el call deixà d'estar aïllat de la resta de la ciutat i millorà notablement la seva salubritat (com hom pot veure en el mapa de la plana següent). Però, qui hi vivia als calls? La documentació trobada a l'AHPB —que resumim en la taula que presentem a continuació— ens demostra que, un cop els calls varen ser oberts mitjançant les obres abans dites, les cases de l'antic Call Major de Barcelona passaren a ser, en la seva immensa majoria, propietat de cristians de natura i habitades per aquests.

La informació que configura la següent taula l'hem extreta no tan sols dels documents de venda i lloguer, sinó de tots els documents cercats en l'AHPB en els quals hi figurava la residència dels implicats. En alguns casos, la documentació ens mostra on vivien els seus implicats o on es redactava l'instrument, tanmateix això no ens assegura que la casa on es vivia era propietat de qui hi residia. En altres casos, com per exemple en les compravendes, la documentació ens mostra qui era el propietari però no qui hi vivia. En aquest últim cas, entenem que la majoria de vegades qui comprava una casa ho feia amb la intenció d'habitar-la. Malgrat tot, pensem que en alguns casos la compra es fa amb la intenció d'invertir un capital. Així, si un individu és propietari de diverses cases, entendrem que la compra es fa per invertir i per tant no podem assegurar que resideixi a la casa.

El total de referències trobades de cases del call és de noranta-set. En vuitanta-dos casos els cristians de natura apareixen com a propietaris d'una casa del Call Major. En tres referències apareixen conversos com a propietaris i habitants, en quatre tan sols com a propietaris i en sis tan sols com a habitants. D'aquests sis, en tres apareixen com a propietaris cristians de natura i en els tres restants desconeixem el propietari. En altres casos apareixen jueus com a propietaris, vuit referències, o hereus de jueus difunts, tres referències. Pel que fa a les cases propietat de jueus, tornem a insistir que després del pogrom de 1391 continuarien vivint jueus en la ciutat de Barcelona. Cal recordar també que l'aljama dels jueus fou abolida i el call obert, així que ja no hi havia cap obligació de viure en un lloc específic. D'altra banda, hem pogut constatar que en alguns documents de venda en què se cita un jueu com a propietari d'una de les cases contigua a la propietat objecte de la venda, el propietari real era un cristià de natura a qui el jueu feia poc havia venut la casa.

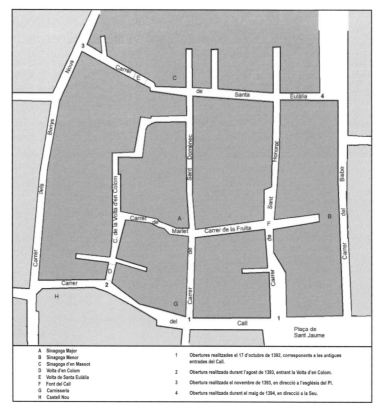

Mapa del Call Major on indiquem les dates d'obertura dels nous accessos i la localització dels edificis més importants del call.

TAULA 1

Propietaris i habitants de les cases del Call Major de Barcelona

Data	Propietari	Condició	Habitat per	Condició	Carrer	Font
1392-07-16	Esperandéu Cardona, cB	Cristià de natura	Arnau de Cervelló, cavaller i algutzir del rei	Cristià de natura	Sant Domènec (sinagoga Major)	AHPB, Joan de Pericolis, *Manuale primum*, 1392, desembre, 5 - 1402, març, 1, f. 21v.
1393-06-12	Pere de Casasagia, mercader, cB	Cristià de natura	Pere de Casasagia, mercader; cB	Cristià de natura	Sant Honorat (a la plaça on es trobava la font)	AHPB, Pere Granyana, *Quartus liber vendicionum stabilimentorum ac aliarum alienacionum*, 1392, abril, 2 - 1394, febrer, 23, f. 93v-96r.
1393-06-12	Pere de Casasagia, mercader, cB	Cristià de natura	-	-	Sant Honorat	AHPB, Jaume Just, *Llibre de vendes*, 1393, agost, 8 - 1394, març, 13, f. 93v-96r.
1393-06-12	Ramon Ballester, cB	Convers	Ramon Ballester, cB	Convers	Sant Honorat	AHPB, Jaume Just, *Llibre de vendes*, 1393, agost, 8 - 1394, març, 13, f. 93v-96r.
1393-08-11	Jaume Pastor, de la tresoreria del rei; cB	Cristià de natura	Jaume Pastor, de la tresoreria del rei; cB	Cristià de natura	Sant Honorat, plaça de la Font	AHPB, Pere Granyana, *Quartus liber vendicionum stabilimentorum ac aliarum alienacionum*, 1392, abril, 2 - 1394, febrer, 23, f. 121r-123r.
1393-10-03	Pere Pasqual, doctor en lleis, cB	Cristià de natura	Pere Pasqual, doctor en lleis, cB	Cristià de natura	Sant Honorat	AHPB, Arnau Piquer, *Manual*, 1392, desembre, 29 - 1393 - des. 23, f. 151r-v.
1393-10-03	Romeu Gisbert, prevere, cB	Cristià de natura	Romeu Gisbert, prevere, cB	Cristià de natura	-	AHPB, Jaume Just, *Llibre de vendes*, 1393, agost, 8 - 1394, març, 13, f.14v-16r.
1393-10-11	Bartomeu Valls, cambrer de la reina, cB	Cristià de natura	Bartomeu Valls, cambrer de la reina, cB	Cristià de natura	Sant Domènec	AHPB, Jaume Just, *Llibre de vendes*, 1393, agost, 8 - 1394, març, 13, f. 17r-19r.

cB. = ciutadà de Barcelona hb.= habitant de Barcelona. - = no especificat al document.

Data	Propietari	Condició	Habitat per	Condició	Carrer	Font
1393-10-11	Bernat Miquel, llicenciat en lleis, cB	Cristià de natura	Bernat Miquel, llicenciat en lleis, cB	Cristià de natura	Sant Domènec	AHPB, Jaume Just, *Llibre de vendes*, 1393, agost, 8 - 1394, març, 13, f. 17r-19r.
1393-10-11	Jafuda Lobell	Jueu	-	-	-	AHPB, Jaume Just, *Llibre de vendes*, 1393, agost, 8 - 1394, març, 13, f. 17r-19r.
1393-10-16	Ramon de Llagostera, corredor d'orella, cB	Cristià de natura	Ramon de Llagostera, corredor d'orella, cB	Cristià de natura	Sant Domènec	AHPB, Jaume Just, *Llibre de vendes*, 1393, agost, 8 - 1394, març, 13, f. 21v-24r.
1393-10-18	Berenguer Roure, notari, cB	Cristià de natura	Berenguer Roure, notari, cB	Cristià de natura	Sant Domènec	AHPB, Jaume Just, *Llibre de vendes*, 1393, agost, 8 - 1394, març, 13, f. 27r-29v.
1393-10-18	Ferrer de Canet, donzell	Cristià de natura	Ferrer de Canet, donzell	Cristià de natura	Sant Domènec	AHPB, Jaume Just, *Llibre de vendes*, 1393, agost, 8 - 1394, març, 13, f. 27r-29v.
1393-11-01	Francesc d'Alçamora, escrivent del rei, cB	Cristià de natura	Francesc d'Alçamora, escrivent del rei, cB	Cristià de natura	Sant Honorat, cantonada amb Santa Eulàlia	AHPB, Pere Granyana, *Quartus liber vendicionum stabilimentorum ac aliarum alienacionum*, 1392, abril, 2 - 1394, febrer, 23, f. 138r-140r.
1393-11-01	Bartomeu Eiximenis, notari, cB	Cristià de natura		Cristià de natura	-	AHPB, Pere Granyana, *Quartus liber vendicionum stabilimentorum ac aliarum alienacionum*, 1392, abril, 2 - 1394, febrer, 23, f. 138r-140r.
1393-11-01	Abraham Ardit, hB	Jueu	-	-	-	AHPB, Pere Granyana, *Quartus liber vendicionum stabilimentorum ac aliarum alienacionum*, 1392, abril, 2 - 1394, febrer, 23, f. 138r-140r.

Data	Propietari	Condició	Habitat per	Condició	Carrer	Font
1393-11-05	Arnau de Millars, notari, cB	Cristià de natura	Arnau de Millars, notari, cB	Cristià de natura	Sant Domènec	AHPB, Jaume Just, *Llibre de vendes*, 1393, agost, 8 - 1394, març, 13, f. 33v-36r.
1393-11-05	Nicolau Carner, cB	Cristià de natura	Nicolau Carner, cB	Cristià de natura	Sant Domènec	AHPB, Jaume Just, *Llibre de vendes*, 1393, agost, 8 - 1394, març, 13, f. 33v-36r.
1393-11-05	Astruc Perfet, cB	Jueu	Astruc Perfet, hB	Jueu	-	AHPB, Jaume Just, *Llibre de vendes*, 1393, agost, 8 - 1394, març, 13, f. 33v-36r.
1393-11-06	Bernat Gal·lé, de la casa del rei, cB	Cristià de natura	Bernat Gal·lé, de la casa del rei, cB	Cristià de natura	Carrer que va de la sinagoga d'en Massot a la sinagoga de les Franceses	AHPB, Jaume Just, *Llibre de vendes*, 1393, agost, 8 - 1394, març, 13, f. 39r-41r.
1393-11-06	Francesc Oliva, cuireter, cB	Cristià de natura	Francesc Oliva, cuireter; cB	Cristià de natura	-	AHPB, Jaume Just, *Llibre de vendes*, 1393, agost, 8 - 1394, març, 13, f. 39r-41r.
1393-11-06	Bartomeu Lunes, cB	Cristià de natura	Bartomeu Lunes, cB	Cristià de natura	-	AHPB, Jaume Just, *Llibre de vendes*, 1393, agost, 8 - 1394, març, 13, f. 39r-41r.
1393-11-08	Andreu Urgellès, canonge	Cristià de natura	Andreu Urgellès, canonge	Cristià de natura	Santa Eulàlia	AHPB, Jaume Just, *Llibre de vendes*, 1393, agost, 8 - 1394, març, 13, f. 41v-43v.
1393-11-08	Pere Brines, notari, cB	Cristià de natura	Pere Brines, notari, cB	Cristià de natura	-	AHPB, Jaume Just, *Llibre de vendes*, 1393, agost, 8 - 1394, març, 13, f. 41v-43v.
1393-11-08	Joan de Sant Hilari, prevere beneficiat de la Seu de Barcelona	Cristià de natura	Joan de Sant Hilari, prevere beneficiat de la Seu de Barcelona	Cristià de natura	-	AHPB, Jaume Just, *Llibre de vendes*, 1393, agost, 8 - 1394, març, 13, f. 41v-43v.

Data	Propietari	Condició	Habitat per	Condició	Carrer	Font
1393-11-17	Gracià d'Estella, tintorer, cB	Cristià de natura	Gracia d'Estella, tintorer, cB	Cristià de natura	Santa Eulàlia	AHPB, Pere Granyana, *Quartus liber vendicionum stabilimentorum ac aliarum alienacionum*, 1392, abril, 2 - 1394, febrer, 23, f. 161r-162v.
1393-11-17	Astruc de Ripoll, cB	Jueu	Astruc de Ripoll, cB	Jueu	-	AHPB, Pere Granyana, *Quartus liber vendicionum stabilimentorum ac aliarum alienacionum*, 1392, abril, 2 - 1394, febrer, 23, f. 161r-162v.
1393-12-03	Joan Junyent, draper, cB	Cristià de natura	Joan Junyent, draper, cB	Cristià de natura	Carrer que va de la plaça de Sant Jaume al carrer dels Banys Nous	AHPB, Jaume Just, *Llibre de vendes*, 1393, agost, 8 - 1394, març, 13, f. 52v-55r.
1393-12-03	Marc de Cortilles, cirurgià, cB	Cristià de natura	Marc de Cortilles, cirurgià, cB	Cristià de natura	Sant Honorat	AHPB, Pere Granyana, *Quartus liber vendicionum stabilimentorum ac aliarum alienacionum*, 1392, abril, 2 - 1394, febrer, 23, f. 147v-150v.
1393-12-03	Pere Palau, canonge, cB	Cristià de natura	Pere Palau, canonge, cB	Cristià de natura	-	AHPB, Pere Granyana, *Quartus liber vendicionum stabilimentorum ac aliarum alienacionum*, 1392, abril, 2 - 1394, febrer, 23, f. 147v-150v.
1393-12-03	Arnau Piquer, notari, cB	Cristià de natura	Arnau Piquer, notari, cB	Cristià de natura	Sant Honorat	AHPB, Pere Granyana, *Quartus liber vendicionum stabilimentorum ac aliarum alienacionum*, 1392, abril, 2 - 1394, febrer, 23, f. 147v-150v.

Data	Propietari	Condició	Habitat per	Condició	Carrer	Font
1393-12-05	Ponç Cabrera, artesà de tubes, cB	Cristià de natura	Ponç Cabrera, artesà de tubes, cB	Cristià de natura	Sant Domènec	AHPB, Jaume Just, *Llibre de vendes*, 1393, agost, 8 - 1394, març, 13, f. 167r-168v.
1393-12-05	Pere de Raiadell, cB	Cristià de natura	Pere de Raiadell, cB	Cristià de natura	-	AHPB, Jaume Just, *Llibre de vendes*, 1393, agost, 8 - 1394, març, 13, f. 167r-168v.
1393-12-05	Hereus de Mahir Lobell, jueu	Convers	-	-	-	AHPB, Jaume Just, *Llibre de vendes*, 1393, agost, 8 - 1394, març, 13, f. 167r-168v.
1393-12-05	Berenguer Gisbert, cB	Convers	Berenguer Gisbert, cB	Convers	Sant Domènec	AHPB, Jaume Just, *Llibre de vendes*, 1393, agost, 8 - 1394, març, 13, f. 167r-168v.
1393-12-18	Francesc Morató, doctor en lleis, cB	Cristià de natura	Francesc Morató, doctor en lleis, cB	Cristià de natura	Sant Domènec	AHPB, Jaume Just, *Llibre de vendes*, 1393, agost, 8 - 1394, març, 13, f. 60v-64v.
1393-12-18	Hereus de Saltell Cabrit, jueu, difunt, cB	Convers	-	-	Sant Domènec	AHPB, Jaume Just, *Llibre de vendes*, 1393, agost, 8 - 1394, març, 13, f. 60v-64v.
1393-12-18	Gabriel de Moncada, cB	Cristià de natura	Gabriel de Moncada, cB	Cristià de natura	Sant Domènec	AHPB, Jaume Just, *Llibre de vendes*, 1393, agost, 8 - 1394, març, 13, f. 60v-64v.
1393-12-18	Hereus de Davi Fabib, jueu, cB	Convers	-	-	-	AHPB, Jaume Just, *Llibre de vendes*, 1393, agost, 8 - 1394, març, 13, f. 60v-64v.
1393-12-31	Joan Llobet, mercader, cB	Cristià de natura	Joan Llobet, mercader, cB	Cristià de natura	Sant Honorat, prop de la font	AHPB, Pere Granyana, *Quartus liber vendicionum stabilimentorum ac aliarum alienacionum*, 1392, abril, 2 - 1394, febrer, 23, f. 183r-185r.

Data	Propietari	Condició	Habitat per	Condició	Carrer	Font
1394-01-14	Francesc Terrades, prevere beneficiat a la Seu de Barcelona, cB	Cristià de natura	Francesc Terrades, prevere beneficiat de la Seu de Barcelona, cB	Cristià de natura	Sant Honorat, plaça de la Font	AHPB, Jaume Just, *Llibre de vendes*, 1393, agost, 8 - 1394, març, 13, f. 71r-72r.
1394-01-14	Berenguer Pere, argenter, cB	Cristià de natura	Berenguer Pere, argenter, cB	Cristià de natura	-	AHPB, Jaume Just, *Llibre de vendes*, 1393, agost, 8 - 1394, març, 13, f. 71r-72r.
1394-01-24	Guillem Colom, cB	Cristià de natura	Guillem Colom, cB	Cristià de natura	Sant Honorat, plaça de la Font	AHPB, Jaume Just, *Llibre de vendes*, 1393, agost, 8 - 1394, març, 13, f. 84v-86r.
1394-01-24	Issac Bonastruc	Jueu	-	-	-	AHPB, Jaume Just, *Llibre de vendes*, 1393, agost, 8 - 1394, març, 13, f. 84v-86r.
1394-02-05	Joan de Junyent, mercader, cB	Cristià de natura	Joan de Junyent, mercader, cB	Cristià de natura	Santa Eulàlia	AHPB, Jaume Just, *Llibre de vendes*, 1393, agost, 8 - 1394, març, 13, f. 96v-98v.
1394-02-05	Romeu Gisbert, prevere, cB	Cristià de natura	Romeu Gisbert, prevere, cB	Cristià de natura	Santa Eulàlia	AHPB, Jaume Just, *Llibre de vendes*, 1393, agost, 8 - 1394, març, 13, f. 93v-95v.
1394-02-05	Mateu Ferrandell, notari, cB	Cristià de natura	Mateu Ferrandell, notari, cB	Cristià de natura	Santa Eulàlia	AHPB, Jaume Just, *Llibre de vendes*, 1393, agost, 8 - 1394, març, 13, f. 93v-95v.
1394-02-05	Bernat de Vinyamata, prevere beneficiat de Barcelona	Cristià de natura	Bernat de Vinyamata, prevere beneficiat de Barcelona	Cristià de natura	Santa Eulàlia	AHPB, Jaume Just, *Llibre de vendes*, 1393, agost, 8 - 1394, març, 13, f. 93v-95v.
1394-02-06	Anna, vídua d'Arnau Gerald, cB	Cristià de natura	Anna, vídua d'Arnau Gerald, cB	Cristià de natura	Carrer de la Volta d'en Colom	AHPB, Jaume Just, *Llibre de vendes*, 1393, agost, 8 - 1394, març, 13, f. 100v-106r.

Data	Propietari	Condició	Habitat per	Condició	Carrer	Font
1394-02-06	Hereus de Pere de Ferriol, difunt, cB	Cristià de natura	Hereus de Pere de Ferriol, difunt, cB	Cristià de natura	-	AHPB, Jaume Just, *Llibre de vendes*, 1393, agost, 8 - 1394, març, 13, f. 100v-106r.
1394-02-06	Francesc Lleó, causídic, cB	Cristià de natura	Francesc Lleó, causídic, cB	Cristià de natura	-	AHPB, Jaume Just, *Llibre de vendes*, 1393, agost, 8 - 1394, març, 13, f. 100v-106r.
1394-02-06	Sentou Xerxell, hB	Jueu	-	-	-	AHPB, Jaume Just, *Llibre de vendes*, 1393, agost, 8 - 1394, març, 13, f. 100v-106r.
1394-02-13	Gracià d'Estella, cB	Cristià de natura	Gracià d'Estella, cB	Cristià de natura	Davant de la sinagoga d'en Massot	AHPB, Jaume Just, *Llibre de vendes*, 1393, agost, 8 - 1394, març, 13, f. 111v-114r.
1394-02-18	Joan Duc, traginer, cB	Cristià de natura	Joan Duc, traginer, cB	Cristià de natura	Carrer que va a la Volta d'en Salamó	AHPB, Jaume Just, *Llibre de vendes*, 1393, agost, 8 - 1394, març, 13, f. 117v-120r.
1394-02-18	Arnau, de la casa del rei, cB	Cristià de natura	Arnau, de la casa del rei, cB	Cristià de natura	-	AHPB, Jaume Just, *Llibre de vendes*, 1393, agost, 8 - 1394, març, 13, f. 117v-120r.
1394-02-25	Francesc Vigatà, porter del rei, cB	Cristià de natura	Francesc Vigatà, porter del rei, cB	Cristià de natura	Carrer que va a la sinagoga de les Franceses	AHPB, Jaume Just, *Llibre de vendes*, 1393, agost, 8 - 1394, març, 13, f. 124r-126v.
1394-03-02	Guillem de Térmens, donzell de la casa del rei	Cristià de natura	Guillem de Térmens, donzell de la casa del rei	Cristià de natura	Carrer sense trànsit que connecta amb Santa Eulàlia	AHPB, Jaume Just, *Llibre de vendes*, 1393, agost, 8 - 1394, març, 13, f. 128r-130r.
1394-03-02	Ramon de Buseu, notari, cB	Cristià de natura	Ramon de Buseu, notari, cB	Cristià de natura	Carrer sense trànsit que connecta amb Santa Eulàlia	AHPB, Jaume Just, *Llibre de vendes*, 1393, agost, 8 - 1394, març, 13, f. 128r-130r.

Data	Propietari	Condició	Habitat per	Condició	Carrer	Font
1394-03-02	Pere de Casasagia, mercader, cB	Cristià de natura	-	-	Carrer sense trànsit que connecta amb Santa Eulàlia	AHPB, Jaume Just, *Llibre de vendes*, 1393, agost, 8 - 1394, març, 13, f. 128r-130r.
1394-03-05	Asber de Trilla, cB	Cristià de natura	Asbert de Trilla, cB	Cristià de natura	Carrer que va a la sinagoga de les Franceses	AHPB, Jaume Just, *Llibre de vendes*, 1393, agost, 8 - 1394, març, 13, f. 130r-132v.
1394-03-05	Salamó Gracià	Jueu	-	-	-	AHPB, Jaume Just, *Llibre de vendes*, 1393, agost, 8 - 1394, març, 13, f. 130r-132v.
1394-03-13	Joan de Casademunt, cirurgià, cB	Cristià de natura	Joan de Casademunt, cirurgià, cB	Cristià de natura	Carrer sense trànsit que connecta amb Santa Eulàlia	AHPB, Jaume Just, *Llibre de vendes*, 1393, agost, 8 - 1394, març, 13, f. 147v-149v.
1394-03-13	Mahir Salomó	Jueu	-	-	Carrer sense trànsit que connecta amb Santa Eulàlia	AHPB, Jaume Just, *Llibre de vendes*, 1393, agost, 8 - 1394, març, 13, f. 147v-149v.
1394-03-13	Eimeric Salent, llicenciat en dret, cB	Cristià de natura	Eimeric Salent, llicenciat en dret, cB	Cristià de natura	Santa Eulàlia	AHPB, Jaume Just, *Llibre de vendes*, 1393, agost, 8 - 1394, març, 13, f. 145r-146v.
1394-03-13	Gabriel des Far, cB	Cristià de natura	Gabriel des Far, cB	Cristià de natura	Santa Eulàlia	AHPB, Jaume Just, *Llibre de vendes*, 1393, agost, 8 - 1394, març, 13, f. 145r-146v.
1394-04-27	Esteve Salvador, cB	Cristià de natura	Esteve Salvador, cB	Cristià de natura	-	AHPB, Arnau Piquer, *Manual*, 1392, desembre, 29 - 1393-des. 23, f. 54v.
1396-03-03	Antoni de Mas, cirurgià, cB	Cristià de natura	Antoni de Manso, cirurgià, cB	Cristià de natura	Santa Eulàlia	AHPB, Bernat Nadal, *Primum manuale vendicionum*, 1395, gener, 8 - 1397, juny, 26, f. 41r-v.

Data	Propietari	Condició	Habitat per	Condició	Carrer	Font
1396-04-08	Pere Sabater, cuireter, cB	Cristià de natura	Pere Sabater, cuireter, cB	Cristià de natura	Prop de la sinagoga de les Franceses	AHPB, Pere Granyana, *Sextus liber vedicionum, stabilimentorum ac aliarum alienacionum*, 1395, abril, 28 - 1396, juliol, 7, f. 142v-144r.
1396-06-22	-	-	Arnau Roger, giponer, i la seva muller Beatriu, cB	Convers.	Tormers	AHPB, Pere Granyana, *Sextus liber vedicionum, stabilimentorum ac aliarum alienacionum*, 1395, abril, 28 - 1396, juliol, 7, , f. 179r-181r. També AHPB, Pere Pellisser, *Manuale*, 1414, juliol, 2 - 1415, juny, 26, f. 13r, 1414/07/17.
1398-04-13	Sibil·la, muller de Jaume Esteve de Calafat	Cristià de natura	Sibil·la, muller de Jaume Esteve de Calafat	Cristià de natura	Call Major	AHPB, Jaume de Trilla, *Manual*, 1398, febrer, 21 - 1399, desembre, 4, f. 12v-13r.
1399-07-29	Gabriel Ferrer, bataner de fulls d'or, cB	Cristià de natura	Bartomeu Badia, peller, cB	Convers	Sant Honorat (on hi havia l'antic portal del Call Major)	AHPB, Pere Granyana, *Manuale duodecimum*, 1399, juliol, 14 - 1400, desembre, 21, f. 3v.
1399-09-24	-	-	Bernat Porta, cB	Cristià de natura	-	AHPB, Bernat Nadal, *Manual*, 1399, setembre, 22 - 1400, març, 2, f. 2v-3r.
1400-12-21	Antoni Carreres, prevere, cB	Cristià de natura	Antoni Carreres, prevere, cB	Cristià de natura	Carrer on hi havia la Sinagoga d'en Massot	AHPB, Bernat Nadal, *Tercium manuale vendicionum anni Nativitatis Domini Mllessimi CCCC*, 1400, juny, 22 - 1402, juny, 9, f. 22r-v.
1401-03-07	Hereus de Pere Riadell, difunt, llicenciat en dret, cB	Cristià de natura	Jaume Marc, cavaller, cB	Cristià de natura	Sant Honorat	AHPB, Pere Granyana, *Manuale*, 1400, desembre, 29 - 1402, gener, 30, f. 32v-33r.

Data	Propietari	Condició	Habitat per	Condició	Carrer	Font
1401-03-07	Llop de Sant Domènec, camperol, cB	Cristià de natura	Llop de Sant Domènec, camperol, cB	Cristià de natura	-	AHPB, Bernat Nadal, *Manual*, 1401, febrer, 4 - 1401, agost, 5, f. 15r.
1401-03-06	Pericó de Montpiré, cB	Cristià de natura	Pere de Merusos, corredor d'orella, cB	Convers	Prop de la font	AHPB, Pere Granyana, *Manuale*, 1400, desembre, 29 - 1402, gener, 30, f. 39r.
1403-04-02	Alfons Tous, Jaume Marc i Ramon Pla, diputats del General	Cristià de natura	Alfons Tous, Jaume Marc i Ramon Pla, diputats del General	Cristià de natura	Sant Honorat	AHPB, Joan Gasset, *Llibre comú*, 1402, juny, 10 - 1404, agost, -, f. s/n.
1404-03-01	Hereus Pere de Riadell, llicenciat en dret, cB	Cristià de natura	Francesc ça Mella, cB	Cristià de natura	Sant Honorat (tocant la casa anomenada Lo Celler)	AHPB, Pere Granyana, *Manuale quintum decimum*, 1403, desembre, 17 - 1404, des., 24, f. 21v-22r.
1408-05-23	Guillem Ramon, oriünd de Girona	Cristià de natura	Guillem Ramon, oriünd de Girona	Cristià de natura	Torners	AHPB, Joan Ferrer, *Primum manuale*, 1405, juliol, 14-1408, agost, 4, f. 79r-v.
1409-03-28	Tomàs d'Horts, estudiant, cB	Cristià de natura	Tomàs d'Horts, estudiant, cB	Cristià de natura	A la volta de Salomó Gracià	AHPB, Antoni Estapera, *Octavum manuale*, 1409, gener, 19 - 1410, octubre, 17, f. 32v-33r.
1409-06-19	Bartomeu ça Vall, notari, cB	Cristià de natura	Bartomeu ça Vall, notari, cB	Cristià de natura	Prop de la Sinagoga Major	AHPB, Francesc de Manresa, *Manual*, 1409, març, 10 - 1410, maig, 31, f. 35r-v.
1409-11-16	Berenguer Arnau de Cervelló, noble	Cristià de natura	Joan Font, de la casa del rei, cB	Cristià de natura	-	AHPB, Bartomeu Guamir, *Manuale secundum*, 1408, novembre, 3 - 1410, nov., 19, f. 51v-52r.

Data	Propietari	Condició	Habitat per	Condició	Carrer	Font
1410-12-24	Francesc Escales, mercader, cB	Cristià de natura	Francesc Escales, mercader, cB	Cristià de natura	-	AHPB, Joan Ferrer, Tercium manuale, 1409, novembre, 19 - 1411, maig, 6, f. 60v.
1411-03-16	Berenguer Lordes, mestre de cases, cB	Cristià de natura	Constança, vidua de Berenguer de Pratnarbonés, cB	Cristià de natura	Santa Eulàlia	AHPB, Joan Ferrer, Tercium manuale, 1409, novembre, 19 - 1411, maig, 6. f. 86v-57r.
1413-04-28	Pere Suau, notari, cB	Cristià de natura	Pere Suau, notari, cB	Cristià de natura	Sant Domènec	AHPB, Pere Pellisser, Manual, 1416, abril, 3 - 1413, juny, 7, f. 15r.
1413-09-00	Guillem Ros, llicenciat en lleis, cB	Cristià de natura	Guillem Ros, llicenciat en lleis, cB	Cristià de natura	Sant Honorat	AHPB, Pere Granyana, Vicesimum secundum manuale, 1413, febrer, 23 - 1414, abril, 3, f. 48v.
1414-07-18	-		Bernat de Pinós, corredor d'orella, cB	Convers	Torners	AHPB, Pere Pellisser, Manuale, 1414, juliol, 2 - 1415, juny, 26, f. 13r.
1414-10-05	Joan Comes, cB	Cristià de natura	Joan Comes, cB	Cristià de natura	-	AHPB, Pere Pellisser, Manuale, 1414, juliol, 2 - 1415, juny, 26, f. 44v.
1415-01-15	Hereus de Pere Sabater, difunt, frener, cB	Cristià de natura	-		-	AHPB, Pere Pellisser, Manuale, 1414, juliol, 2 - 1415, juny, 26, f. 111v.
1416-06-09	Bernat Maler, sastre, cB	Cristià de natura	Bernat Maler, sastre, cB	Cristià de natura	Sant Domènec (on hi havia abans la carnisseria)	AHPB, Bernat Pi, Manual, 1416, febrer, 20 - 1416, agost, 1, f. 63v.
1417-08-23	Mateu Cortil, de la casa del rei, cB	Cristià de natura	Mateu Cortil, de la casa del rei, cB	Cristià de natura	Lo Cortal	AHPB, Pere Granyana, Vicesimum quintum manuale, 1416, juliol, 11 - 1417, set., 20, f. 90r.

Data	Propietari	Condició	Habitat per	Condició	Carrer	Font
1417-08-23	Bartomeu Soler, mestre racional de la cúria del rei, cB	Cristià de natura	Bartomeu Soler, mestre racional de la cúria del rei, cB	Cristià de natura	Lo Cortal	AHPB, Pere Granyana, *Vicesimum quintum manuale*, 1416, juliol, 11 - 1417, set., 20, f. 90r.
1418-09-16	Guillem Ferrer, bataner de fulls d'or, cB	Cristià de natura	Cristòfor Domènec, teixidor de vels, cB	Convers	Sant Domènec	AHPB, Pere Granyana, *Vicesimum sextum manuale*, 1417, set., 22 - 1418, des., 17, f. 56v-57r.
1421-01-05	-	-	Guillem sa Coma, llibreter, cB	Convers	-	AHPB, Bernat Sans, *Manual*, 1420, des., 21 - 1421, març, 6, f. 5v.
1428-09-05	Clara, muller de Joan Pujol, coraler, abans cB, ara h. d'Avinyó	Convers	Galcerà Roca, mestre en arts i *corrector accentus ecclessie sedis B*, Nicolau de Rim, mestre en arts, i Jaume Serra, estudiant en arts, hB	Cristià de natura	Carrer que va de Sant Honorat a Sant Domènec	AHPB, Francesc Ferrer, *Manuale comune secundum*, 1426, febrer, 18 - 1432, gener, 22, f. s/n.
1429-04-22	Guillem de Blacafort, de la parròquia de Sant Esteve de les Garrigues	Cristià de natura	-	-	-	AHPB, Joan de Pericolis, *Manuale duodecimum*, 1427, des., 6 - 1430, set., 6, f. 46v.
1431-12-19	Joan des Far, peller, cB	Convers	Joan des Far, peller, cB	Convers	Sant Domènec, al costat de la carnisseria	AHCB, *Consellers*, obreria, 1C.XIV-27, s/f.

Això és degut, amb tota probabilitat, al fet que en el moment de la redacció de l'instrument de venda el venedor —jueu o convers— recordava el nom de l'antic propietari de la casa que afrontava amb la seva. A més, pot ser que ni tan sols tingués constància que aquest ja l'havia venuda. Aquest és el cas d'una casa d'Isaac Bonastruc, jueu de Barcelona.[32] En el document de venda, redactat el 24 de gener de 1394, en què Antoni Massana, convers, ciutadà de Barcelona, vengué a Francesc Terrades, prevere beneficiat de la Seu de Barcelona, una casa situada al carrer de Sant Honorat, apareix com a afrontació per la part d'occident la casa d'Isaac Bonastruc i per la part de migdia una casa que abans era de Vidal Ferrer. En un instrument de venda anterior, redactat l'11 d'octubre de 1393, Vidal Ferrer, jueu que abans residia a Barcelona i que ara habitava a Perpinyà, vengué a Jaume Pastor, de la tresoreria del rei, una casa al mateix carrer de Sant Honorat; el document cita com a afrontació per la part de ponent la casa d'Antoni Massana i per la part d'occident una casa que abans pertanyia a Isaac Bonastruc.[33] El document no esmenta el nou propietari però deixa clar que la casa ja no pertanyia a Isaac.

Pel que fa a les cases on consta que els propietaris eren els hereus d'un jueu difunt, en la seva gran majoria conversos, no podem demostrar que hi habitessin, puix que es tractava de béns heretats. Del que sí estem segurs —tal com hem vist i veurem a continuació— és que els pocs jueus que varen sobreviure als fets de 1391, els hereus dels qui van morir i la pràctica totalitat dels conversos, vendrien finalment les propietats que conservaven al Call Major a cristians de natura. Quina raó els va impulsar a fer-ho? Per què va desistir un poble marcat per una tradició i uns costums ferris a abandonar el que havia estat la seva llar durant generacions? La resposta l'hem trobada en dos llibres de vendes —un corresponent al notari Pere Granyana i l'altre al notari Jaume Just— entre la multitud de volums que es conserven a l'AHPB. Aquests dos llibres van cridar la nostra atenció per la gran quantitat d'instruments de venda sobre cases del Call Major i perquè aquests es feien consecutivament, tal com es veu en la taula que mostrem en planes següents.

Seguint la taula, podem observar com a partir del 12 de juny de 1393 fins al 13 de març de 1394 es van produir un gran nombre de vendes consecutives de cases del Call Major. El considerable nombre

---

32. AHPB, Jaume Just, *Llibre de vendes*, 1393, agost, 8-1394, març, 13, 84v-86v (Vegeu apèndix documental I, doc. 5).

33. AHPB, Pere Granyana, *Quartus liber vendicionum stabilimentorum ac aliarum alienacionum*, 1392, abril, 2-1394, febrer, 23, 121r-123r.

de vendes efectuades i la freqüència amb què es fan, criden l'atenció. No és l'únic detall. Si ens hi fixem, les vendes van ser registrades tan sols per dos notaris: Pere Granyana i Jaume Just. A més, a partir del gener de 1394 va ser únicament Jaume Just qui s'encarregà de protocol·litzar els instruments de venda. La majoria de les vendes corresponen a les cases situades als carrers de Sant Domènec, Sant Honorat i Santa Eulàlia, els carrers principals, puix que eren els connectats amb les obertures recentment fetes. Quina va ser la raó per la qual, de sobte, tants conversos volguessin vendre les seves propietats?

Tots els compradors eren cristians de natura. Pel que fa als venedors, eren conversos, jueus que havien emigrat de Barcelona i els curadors de la comissió que venien els béns de jueus sense intestat o fugats. Tots els instruments de venda redactats expliquen la causa de la venda: pagar la taxa de deu sous per lliura amb què es van gravar les cases del Call Major per tal de redimir els deutes de l'antiga aljama jueva de la ciutat. Per tant, és evident que la comissió reclamava l'immediat cobrament de la taxa. Però, a què es deu tanta pressa? Observem que a partir del 3 d'octubre de 1393 es comencen a succeir un seguit de vendes de cases del Call Major i tots els instruments de venda van ser redactats per les escrivanies dels notaris Jaume Just i Pere Granyana. Recordem que durant l'agost de 1393 es va determinar obrir un nou accés al Call Major enderrocant part d'una casa que estava situada davant del Castell Nou. Aquest carrer seria conegut com carrer de la Volta d'en Colom, fet que ens indica que amb tota probabilitat les obres van ser sufragades finalment pel canviador Guillem Colom. Segons el document redactat pel Consell de la ciutat en el qual es determinaven el lloc i els detalls de les obres —document que ja hem tractat anteriorment—, aquestes havien de ser pagades per la comissió. Tanmateix si aquesta no comptava amb el capital necessari seria Guillem Colom qui prestaria el capital a la comissió, que tindria l'obligació de retornar la quantitat prestada mitjançant els diners que recollís de les seves accions. Per tant, finalitzades les obres i obert el call, a la comissió li urgeix pagar el més prompte possible a Guillem Colom la quantitat prestada. Per tal de reunir tota la suma, exigeix el cobrament de la taxa als propietaris de les cases del call. Tots aquells que no disposessin del capital per fer front a l'onerosa taxa van haver de vendre les propietats gravades. Recordem que la majoria de conversos i jueus tenien una economia familiar delicada arran dels avalots de 1391, i si hem de jutjar pel nombre de vendes localitzades, gairebé tots van haver de vendre.

TAULA 2

Cases del Call Major venudes per tal de pagar la taxa per redimir el deute de l'aljama jueva de Barcelona

Data	Antic propietari	Nou propietari	Carrer	Preu	Font
1393/10/03	Gabriel de Prades, convers, abans anomenat Iucef de Prades, fill de Lluís de Prades, abans anomenat Vidal de Prades, seder; hB, i de Goig, difunta	Gabriel Ferrer, bataner de fulls d'or, cristià de natura, cB	Sant Domènec, prop de la sinagoga d'en Massot	65 lliures	AHPB, Jaume Just, *Llibre de vendes*, 1393, agost, 8 - 1394, març, 13, f. 14v-16r.
1393/10/11	Angelina, conversa, abans Pricosa, muller de Jofre Escales, convers, abans Isaac Rossell	Bartomeu Valls, cambrer de la reina	Sant Domènec	140 lliures	AHPB, Jaume Just, *Llibre de vendes*, 1393, agost, 8 - 1394, març, 13, f. 17r-19r.
1393/10/16	Clara, conversa, abans Regina, filla de Ferrer Saladí, difunt, jueu, i muller de Francesc sa Porta, abans Caravida Salolmó sa Porta	Ramon de Llagostera, corredor d'orella	Sant Domènec, contigu a la Sinagoga Major	80 lliures	AHPB, Jaume Just, *Llibre de vendes*, 1393, agost, 8 - 1394, març, 13, f. 21v-24r.
1393/10/18	Bonjuha Gracià, difunt, jueu (venut pels curadors de la comissió)	Berenguer Roure, notari	Sant Domènec	165 lliures	AHPB, Jaume Just, *Llibre de vendes*, 1393, agost, 8 - 1394, març, 13, f. 27r-29v.
1393/11/05	Barzalay Samuel Saragossa, difunt, jueu de Perpinyà	Arnau de Millars, notari	Sant Domènec	110 lliures	AHPB, Jaume Just, *Llibre de vendes*, 1393, agost, 8 - 1394, març, 13, f. 33v-36r.
1393/11/06	Daví Maimó Cap de Pebre i Daví Jaques, jueus de Barcelona	Joan de Casademunt, cirurgià	Santa Eulàlia	46 lliures i 15 sous	AHPB, Jaume Just, *Llibre de vendes*, 1393, agost, 8 - 1394, març, 13, f. 36v-38v.

ll.= Lliures s.= Sous - = No especificat en el document cB= ciutadà de Barcelona hB= habitant de Barcelona h.= habitant

Data	Antic propietari	Nou propietari	Carrer	Preu	Font
1393/11/06	Bernat de Munt, convers, abans Jucef Jaffell Xam, absent	Bernat Gal·lè, de la casa del rei	Carrer que va de la sinagoga d'en Massot a la sinagoga de les Franceses. La casa està tocant el mur i té un hort	147 lliures	AHPB, Jaume Just, *Llibre de vendes*, 1393, agost, 8 - 1394, març, 13, f. 39r-41r.
1393/11/08	Agnès, conversa, abans Regina, filla de Vidal Provençal, jueu, difunt, i muller de Pere Martí, convers, abans Jucef Burgalès	Andreu Urgellès, canonge de la Seu (...)	Santa Eulàlia	150 lliures	AHPB, Jaume Just, *Llibre de vendes*, 1393, agost, 8 - 1394, març, 13, f. 41v-43v.
1393/11/08	Agnès, conversa, abans Regina, filla de Vidal Provençal, jueu, difunt, i muller de Pere Martí, convers, abans Jucef Burgalès	Mateu de Ferrandell, escrivent del rei	Al carrer que va de la Seu i a una volta que allí hi ha fins a l'església de Santa Maria del Pi (Santa Eulàlia)	100 lliures	AHPB, Jaume Just, *Llibre de vendes*, 1393, agost, 8 - 1394, març, 13, f. 44r-46r.
1393/12/09	Astruc Jucef Leví Provençal, seder, jueu de Barcelona	Joan Junyent, draper	"Propere salicet ostrum novum ipsius civitatur". Creiem que es refereix al Castell Nou	55 lliures	AHPB, Jaume Just, *Llibre de vendes*, 1393, agost, 8 - 1394, març, 13, f. 52v-55r.
1393/12/17	Lluís de Junyent, convers, abans Astruc Isaac Adret, i Sibil·la, conversa, abans Bonafilla, ara habitants de Falset. (Venda feta mitjançant procurador nomenat per aquests: Antoni Muntaner, de la casa del comte de Prades, cB)	Miquel Marçal, mercader	Sant Domènec	130 lliures	AHPB, Jaume Just, *Llibre de vendes*, 1393, agost, 8 - 1394, març, 13, f. 58r-60v.

Data	Antic propietari	Nou propietari	Carrer	Preu	Font
1393/12/18	Bartomeu de Pont, convers, abans Mossè Bonafeu, fill de Ramon ses Escales, convers, abans Rubèn Bonafeu, i de Dolça, conversa, abans anomenada Astruga	Francesc Morató, doctor en lleis	Sant Domènec	9.000 sous	AHPB, Jaume Just, *Llibre de vendes*, 1393, agost, 8 - 1394, març, 13, f. 60v-64v.
1394/01/14	Arnau Massana, convers, abans Vidal Massana, fill d'Antoni Massana, convers, abans Astruc Massana, hB	Francesc Terrades, prevere beneficiat a la Seu de Barcelona	Sant Honorat (al costat de la font)	38 lliures	AHPB, Jaume Just, *Llibre de vendes*, 1393, agost, 8 - 1394, març, 13, f. 71r-72r.
1394/01/16	Constança, conversa, abans Ester, filla d' Abrac Jucef, àlies Abraham, corretger, jueu, difunt, i muller de Pere Pinós, sastre, convers, abans Abraham Natxir	Pere de Casasagia, mercader	Carrer dels Torners, tocant el palau de l'arquebisbe de Tarragona. La casa no està sota domini de Guillem Colom, ho està sota Joan de Mitjavila. Tanmateix la casa està gravada amb la taxa	90 lliures	AHPB, Jaume Just, *Llibre de vendes*, 1393, agost, 8 - 1394, març, 13, f. 75r-77r.
1394/01/24	Antoni Massana, abans Astruc Massana	Francesc Terrades, prevere beneficiat de la Seu de Barcelona	Sant Honorat	61 lliures i 10 sous	AHPB, Jaume Just, *Llibre de vendes*, 1393, agost, 8 - 1394, març, 13, f. 84v-86r.
1394/02/05	Sentou de Bellcaire, difunt, jueu (la venda va ser realitzada pels curadors)	Romeu Gisbert, prevere de Barcelona	Santa Eulàlia	110 lliures	AHPB, Jaume Just, *Llibre de vendes*, 1393, agost, 8 - 1394, març, 13, f. 93v-95v.

Data	Antic propietari	Nou propietari	Carrer	Preu	Font
1394/02/05	Sentou Domac, difunt, jueu de Barcelona, ven Joan de Queralt, convers, h. Tàrrega, procurador i marit de Clemença, conversa, filla i hereva universal de Sentou	Joan de Junyent, mercader	Santa Eulàlia	150 lliures	AHPB, Jaume Just, *Llibre de vendes*, 1393, agost, 8 - 1394, març, 13, f. 96v-98v.
1394/02/06	Marc de Pratmajor, convers, abans Rovén Bondia, fill i hereu de Bondia Bonhom, difunt, jueu	Anna, vídua d'Arnau Giralt	Tocant la Volta d'en Colom	-	AHPB, Jaume Just, *Llibre de vendes*, 1393, agost, 8 - 1394, març, 13, f. 100v-106r.
1394/02/13	Astruc Prefet, difunt, jueu, venda feta pels curadors de la comissió	Gracià d'Estela, tintorer	Davant de la sinagoga d'en Massot, al carrer per on es va a la sinagoga de les franceses	30 lliures	AHPB, Jaume Just, *Llibre de vendes*, 1393, agost, 8 - 1394, març, 13, f. 111v-114r.
1394/02/18	Jucef Bonjac, difunt, jueu, venda feta pels curadors de la comissió	Joan Duc, traginer	Carrer que va a la Volta d'en Salamó	21 lliures, 10 sous	AHPB, Jaume Just, *Llibre de vendes*, 1393, agost, 8 - 1394, març, 13, f. 117v-120r.
1394/02/25	Isaac Ferrer difunt, jueu, venda feta pels curadors de la comissió	Francesc Vigatà, porter del rei	Carrer que va a la sinagoga de les Franceses	30 lliures	AHPB, Jaume Just, *Llibre de vendes*, 1393, agost, 8 - 1394, març, 13, f. 124r-126r.
1394/03/02	Jucef Abraham Ferrer, jueu, difunt, venda feta pels curadors de la comissió	Guillem de Térmens, donzell de la casa del rei	Carrer sense trànsit que connecta amb el carrer de Santa Eulàlia	35 lliures	AHPB, Jaume Just, *Llibre de vendes*, 1393, agost, 8 - 1394, març, 13, f. 128r-130r.
1394/03/05	Bonafós Malet, difunt, jueu, venda feta pels curadors de la comissió	Asbert de Trilla	Carrer que va a la sinagoga de les Franceses	67 lliures, 10 sous	AHPB, Jaume Just, *Llibre de vendes*, 1393, agost, 8 - 1394, març, 13, f. 130r-132v.

Data	Antic propietari	Nou propietari	Carrer	Preu	Font
1394/03/05	Abraham Barbut, difunt, jueu, venda feta pels curadors de la comissió	Ramon de Buseu, notari	Carrer sense trànsit contigu al carrer de Santa Eulàlia	25 lliures	AHPB, Jaume Just, *Llibre de vendes*, 1393, agost, 8 - 1394, març, 13, f. 132v-135r.
1394/03/13	Miquel Lobet, convers, abans anomenat Issac de Bellcaire, hB	Eimeric Salent, llicenciat en dret	Santa Eulàlia (casa amb nou portals)	165 lliures	AHPB, Jaume Just, *Llibre de vendes*, 1393, agost, 8 - 1394, març, 13, f. 145r-146v.
1394/03/13	Abraham Adret de Cervera, difunt, jueu (venda feta pels curadors de comissió)	Joan de Casademunt, cirurgià	Carrer que no té trànsit contigu a Santa Eulàlia	[4]1 lliures, 5 sous	AHPB, Jaume Just, *Llibre de vendes*, 1393, agost, 8 - 1394, març, 13, f. 147v-149v.
1393/06/12	Llorenç de Santcliment, abans Massot Evangena	Pere de Casasagia, mercader	Sant Honorat. Cantonada a la plaça de la Font	9.060 sous	AHPB, Pere Granyana, *Quartus liber vendicionum stabilimentorum ac aliarum alienacionum*, 1392, abril, 2 - 1394, febrer, 23, f. 93v-96r.
1393/08/11	Vidal Ferrer, abans de Barcelona, ara h. de Perpinyà	Jaume Pastor, de la tresoreria del rei	Sant Honorat. Abans era una carnisseria. Cantonada plaça de la Font	55 lliures	AHPB, Pere Granyana, *Quartus liber vendicionum stabilimentorum ac aliarum alienacionum*, 1392, abril, 2 - 1394, febrer, 23, f. 121r-123r.
1393/11/01	Astruc sa Porta	Francesc d'Alçamora, escrivent del rei	Sant Honorat, cantonada amb Santa Eulàlia	3.000 sous	AHPB, Pere Granyana, *Quartus liber vendicionum stabilimentorum ac aliarum alienacionum*, 1392, abril, 2 - 1394, febrer, 23, f. 138r-140r.
1393/12/3	Azdai Brunell, difunt, venda feta pels curadors de la comissió	Marc de Cortilles, cirurgià	Sant Honorat	40 lliures	AHPB, Pere Granyana, *Quartus liber vendicionum stabilimentorum ac aliarum alienacionum*, 1392, abril, 23, f. 147v-150v.

Data	Antic propietari	Nou propietari	Carrer	Preu	Font
1393/11/17	Dolça, vídua de Jucef Damasc, jueu de Barcelona, i filla de Salamó Damasc, difunt. Venda fera mitjançant procurador: Salamó Cresqués, jueu de Barcelona	Garcia d'Estella, tintorer	Santa Eulàlia	55 lliures	AHPB, Pere Granyana, *Quartus liber vendicionum stabilimentorum ac aliarum alienacionum, 1392, abril, 2 - 1394, febrer, 23,* f. 161r-162v.
1393/12/05	Lluís de Sunyent, convers, abans Astruc Issac Adret, i la seva muller Sibil·la, conversa, abans Bonafilla, ara h. Falset. Venda feta mitjançant procurador: Antoni Muntaner, de la casa del comte de Prades	Ponç Cabrera, músic de tuba	Abans anomenat de la Porta de del Call (Sant Domènec). Dos obradors d'aquesta casa estaven sota domini alodial de l'almoina d'en Saladí. Aquest cens, que estava en mans de la comissió, va ser venut a Guillem Colom	137 lliures	AHPB, Pere Granyana, *Quartus liber vendicionum stabilimentorum ac aliarum alienacionum, 1392, abril, 2 - 1394, febrer, 23,* f. 167r-168v.
1393/12/31	Vital Ferrer, jueu de Perpinyà. Venda feta mitjançant procurador: Joan Bertran, convers de Barcelona, abans anomenat Samuel Benvenist	Joan Llobet, mercader	Sant Honorat. Prop de la font, fa cantonada	55 lliures	AHPB, Pere Granyana, *Quartus liber vendicionum stabilimentorum ac aliarum alienacionum, 1392, abril, 2 - 1394, febrer, 23,* f. 183r-185r.

A més, les afrontacions de les vendes registrades ens mostren com la resta de les cases ja estaven en mans de cristians de natura i que, per tant, ja havien estat venudes amb el conseqüent pagament de la taxa. Això explicaria per què, a diferència d'altres jueries de la península, l'antic barri jueu de Barcelona va ser abandonat pels conversos i els pocs jueus que restaven.

Tret d'un draper i un tintorer, els compradors de les cases esmentades eren gent amb un poder econòmic considerable: mercaders, oficials reials, eclesiàstics i gent d'oficis lliberals. De tots els compradors ens criden l'atenció tres: Jaume Pastor, de la tresoreria del rei i comissari de la mateixa comissió; Francesc d'Alçamora, escrivent del rei i notari que redactà la venda dels censos de les cases del Call Major, i el mateix Guillem Colom. Encara que tenien una posició immillorable en l'entramat d'extorsió als conversos, pagarien les propietats adquirides a preu de mercat. És a dir, tot i que controlaven tot el procés en les vendes de les cases dels calls no hi ha cap evidència que utilitzessin la seva influència per tal d'aconseguir preus encara més inferiors dels que ja es pagaven per les cases en les subhastes.

Jaume Pastor comprà l'11 d'octubre de 1393,[34] a Vidal Ferrer, jueu que abans residia a Barcelona i que després dels avalots s'establí a Perpinyà, una casa que aquest tenia al carrer de Sant Honorat, més concretament on hi havia la font i on abans hi havia una carnisseria, pel preu de cinquanta-cinc lliures. La casa limitava per la part de ponent amb la d'Antoni Massana, convers, abans anomenat Astruc Massana.

Antoni Massana vendria casa seva el 24 de gener de 1394[35] a Francesc Terrades, prevere, beneficiat a la Seu de Barcelona, pel preu de seixanta-una lliures i deu sous. En buscar el límit per la part del migdia —que hauria de correspondre a la propietat del comissari Jaume Pastor— apareix com a nou propietari Guillem Colom. Per tant, en el transcurs d'aquests mesos la propietat havia canviat de propietari.

Pel que fa a Francesc Alçamora, l'1 de novembre de 1393,[36] va comprar a Astruc sa Porta, jueu de Barcelona, una casa situada a la cantonada del carrer de Sant Honorat amb Santa Eulàlia, pel preu de tres mil sous, és a dir, unes cent cinquanta lliures.

---

34. Pere Granyana, *Quartus liber vendicionum stabilimentorum ac aliarum alienacionum*, 1392, abril, 2 - 1394, febrer, *23*, 121r-123r.

35. AHPB, Jaume Just, *Llibre de vendes*, 1393, agost, 8 - 1394, març, 13, f. 84v-86r.

36. AHPB, Pere Granyana, *Quartus liber vendicionum stabilimentorum ac aliarum alienacionum*, 1392, abril, 2 - 1394, febrer, 23, f. 138r-140r.

Hem trobat també un altre cas que molt probablement forma part d'aquests documents de venda relacionats amb membres de la comissió, però no ho podem afirmar completament. Es tracta d'un pagament, datat el 22 d'agost de 1402, efectuat a Pere Oliver, corredor d'orella, per la seva tasca professional en la subhasta d'una casa propietat d'un matrimoni jueu difunt venuda a Bernat Coaner.[37] En el present document no ho indica, però sabem per un altre instrument que el comissari Domènec Coaner tenia un fill anomenat Bernat Coaner.[38] Tampoc s'especifica que la casa venuda fos del Call Major. Com que pertanyia a un matrimoni jueu és molt probable que aquesta estigués situada en un dels dos calls, però sabem que en alguns casos els jueus aconseguien burlar la prohibició d'adquirir cases fora dels calls. El preu elevat de la casa, cent cinquanta lliures, també ens fa pensar que és molt probable que estigués situada dins el Call Major. Malgrat tot, no podem assegurar plenament aquesta ubicació, ja que hi ha una petita probabilitat que aquesta estigués situada fora del call, adquirida pel matrimoni jueu com una inversió. Aquest document, però, resulta interessant per una altra raó. La casa va ser subhastada per ordre del batlle de Barcelona, amb motiu de les accions legals endegades per Pere Llançà, convers, procurador i fill de Margarida, conversa, a causa d'un deute que el matrimoni jueu tenia amb Margarida. Per tant, en aquest cas van ser uns conversos (creditors) els que van forçar la venda d'un immoble propietat d'un matrimoni jueu (deutors) per tal de cobrar els deutes.

Els documents de venda també ens donen informació sobre els jueus que, una vegada convertits al cristianisme, emigrarien a altres indrets. Aquest va ser el cas de Lluís de Junyent, convers, abans anomenat Astruc Isaac Adret, i la seva muller Sibil·la, abans anomenada Bonafilla, que el 5 de desembre de 1393 van vendre, mitjançant Antoni Muntaner, de la casa del comte de Prades, procurador seu, a Ponç de Cabrera, ciutadà de Barcelona, una casa que tenien al carrer de Sant Domènec.[39] El document fa constar que el matrimoni residia a la ciutat de Barcelona quan eren jueus i que en convertir-se es van traslladar a Falset. El mateix matrimoni vendria, el 17 de desembre de 1393,[40] a

---

37. AHPB, Pere Claver, *Llibre comú*, 1401, desembre, 8-1402, octubre, 27, f. 84v-85r (vegeu apèndix documental I, doc. 23).
38. AHPB, Pere Claver, *Llibre comú*, 1401, desembre, 8-1402, octubre, 27, 1402, juliol, 27, f. 66r-v.
39. AHPB, Pere Granyana, *Quartus liber vendicionum stabilimentorum ac aliarum alienacionum*, 1392, abril, 2 - 1394, febrer, 23, 167r-168v.
40. AHPB, Jaume Just, *Llibre de vendes*, 1393, agost, 8 - 1398, març, 13, f. 58r-60v.

Miquel Marçal, mercader i ciutadà de Barcelona, una altra casa que tenien al carrer de Sant Domènec. Com veiem, aquest matrimoni va elegir un poble petit com a nou destí. Aquests nuclis més petits de població, tot i que no estaven exempts d'aldarulls, permetien més seguretat que una ciutat com Barcelona, en ple enfrontament politicosocial que podria tornar a utilitzar els jueus o conversos com a cap de turc.

Les vendes realitzades per la comissió no van estar exemptes de certs problemes amb els compradors. Per exemple, el 13 d'abril de 1398, Sibil·la, muller de Jaume Esteve Calafat, ciutadà de Barcelona, va cobrar de Francesc Joan, convers, i Pere Llorenç, curadors de la comissió, vuit lliures com a compensació per les molèsties ocasionades per unes obres que s'estaven realitzant en una casa situada al Call Major que van comprar a aquests curadors.[41] L'origen del conflicte era que els curadors no van fer constar en el document de venda les obres esmentades, tal com estaven obligats per llei. El conflicte va requerir la intervenció de dos àrbitres, els quals van fallar a favor de Sibil·la estipulant la compensació de vuit lliures.

En resum, durant el 1392 es va procedir a enretirar les portes del Call Major de Barcelona i a enderrocar la torre de la porta principal per tal d'obrir-lo i integrar-lo a la resta de la ciutat. Durant l'agost de 1393 es va acordar realitzar dues obertures més: una davant el Castell Nou i l'altra en un punt que encara no estava determinat. A finals de 1393 s'inicien les obres d'enderrocament de dues cases que encapçalaven el carrer de Santa Eulàlia per la part de tramuntana per tal de connectar aquest carrer amb el que porta a l'església de Santa Maria del Pi, realitzant per tant l'altra obertura que encara no es tenia clara durant l'agost de 1393. Finalment, el 14 de maig de 1394, es realitza un altre accés enderrocant una altra casa del mateix carrer per la part orientada a la Seu. Guillem Colom prestà el capital necessari a la comissió per dur endavant les obres. Quan ja foren finalitzades, la comissió havia de retornar els diners prestats i forçà els conversos i jueus a pagar la taxa que grava les cases del Call Major. Com que la majoria no tenia els diners per fer front a l'onerós impost, van vendre les propietats del call i s'establiren en altres punts de la ciutat. Com veiem, la causa per la qual els conversos no van continuar vivint al call no era la por ni el desig de barrejar-se amb la resta de la societat, sinó la imperiosa necessitat de fer front a l'immediat pagament de la taxa. D'altra banda, hom ha dit que el Call Major es va convertir en

---

41. AHPB, Jaume de Trilla, *Manual*, 1398, febrer, 21 - 1399, desembre, 4, f. 12v-13r (vegeu apèndix documental I, doc. 16).

el barri de moda de la ciutat durant aquells anys, donada la ràpida ocupació per part de cristians de natura. La nostra opinió és que la ràpida venda de les cases va ser deguda a la conjuntura econòmica del moment que propiciava la satisfacció d'una demanda d'immobles per part d'inversors mitjançant una oferta promoguda per la comissió. Degut a la crisi econòmica que en aquell moment estava patint la Corona d'Aragó, hom veia en l'adquisició d'immobles una inversió segura i lucrativa.[42] Si ens hi fixem, tots els compradors eren d'un nivell econòmic alt i, per tant, formaven part del perfil d'inversor. Amb això no volem dir que qui comprava una casa al Call Major no hi visqués —les cases a les quals ens referim en l'última taula estaven situades als principals carrers i per tant eren les més espaioses i vistoses— sinó que hom, al mateix temps, considerava aquesta adquisició com una inversió de futur. Amb els fets de 1391 aquests inversors es trobaren de sobte amb un bon nombre d'immobles a la venda, situats al bell mig d'una Barcelona saturada. La revalorització de les cases del call estava assegurada amb un risc mínim, i es convertiren per tant en una atractiva inversió. Hem pogut observar com les cases que es posaren a la venda no trigaren gaire a trobar comprador —la prova està en els alts preus que assolien en les subhastes—, fins que en la seva pràctica totalitat va acabar en mans de cristians de natura.

El Call Major va passar de ser un espai tancat i aïllat exclusivament habitat per jueus a ser una zona com qualsevol altra de la ciutat. És clar que també hi hagueren conversos que pogueren pagar la taxa exigida i continuaren conservant la seva casa al Call Major, almenys durant uns anys.

EL CALL MENOR

Vist el destí del Call Major passem ara a tractar l'altre call de la ciutat: el Call Menor o de Sanaüja, les propietats del qual, com hem vist en el capítol anterior, també estaven gravades amb la taxa que va estipular la comissió dels afers del call. Per tant, va tenir la mateixa sort? En pàgines següents incloem la taula de totes les propietats del Call Menor que hem trobat a l'AHPB. Com podem observar, tret d'un parell d'excepcions, totes pertanyien a conversos i eren habitades per aquests. A què es deu aquesta diferència? Si ens fixem en la cronologia de les vendes no és consecutiva com en el cas del Call Major, sinó que

---

42. Vegeu E. FELIU: "La crisis catalana de la Baja Edad Media: estado de la cuestión", dins *Hispania*, ed. CSIC, 2004, p. 435-466.

es van realitzant al llarg dels anys. Un altre detall és que en totes les vendes de propietats del Call Menor en les quals va intervenir la comissió, les cases pertanyien a jueus morts intestats i tots els compradors van ser conversos. Es tracta d'un total de quatre casos. El primer cas ja el coneixem del capítol anterior, data del 21 de novembre de 1397,[43] quan Pere Llorenç, porter del rei, i Francesc Joan, convers, curadors dels béns dels conversos i jueus morts intestats, absents i menors d'edat, vengueren a Bernat de Fortià, convers, mercader, ciutadà de Barcelona, una casa que havia pertanyut a Baruc Coru, jueu, difunt intestat, i que es trobava al Call de Sanaüja —és a dir, al Call Menor—, pel preu de vint-i-tres lliures i dos sous barcelonesos. Aquesta casa limitava a ponent amb una casa també propietat de Bernat de Fortià, que era on residia. El següent cas data del 7 de desembre de 1397,[44] quan Blanca, conversa, muller de Joan Bertran, convers, mercader, ciutadà de Barcelona, comprà als curadors una casa derruïda situada al Call Menor que abans pertanyia a Davi Barrot, jueu de Barcelona, difunt intestat, pel preu de quaranta sous. Aquesta casa limitava a tramuntana i ponent amb una altra casa que ja tenien i on, amb tota probabilitat, vivien, i que era propietat de Joan Bertran. El mateix dia, Blanca comprà una altra casa derruïda, contigua a la que havia comprat per la part de llevant i ponent, pel preu de vint-i-sis sous.[45] En aquest cas, la família Bertran va augmentar considerablement el seu patrimoni a un preu molt baix, comprant les parcel·les que quedaren buides al voltant de casa seva. Tant en aquest cas com en l'anterior observem com alguns conversos del Call Menor no tan sols no venien les seves propietats sinó que compraven les adjacents, pertanyents a jueus morts intestats. Podem pensar que aquestes adquisicions es feien per tal d'ampliar l'actual residència o bé com a futura residència dels seus fills, per tal de mantenir aglutinat el nucli familiar.

---

43. AHPB, Pere Granyana, *Octavus liber vendicionum, stabilimentorum ac aliarum alienacioneum*, 1397, febrer, 1 - 1398, juliol, 31, f. 86v-88r.
44. AHPB, Jaume Just, *Llibre de vendes*, 1397, juny, 2 - 1398, juny, 25, f. 54v-57r.
45. AHPB, Jaume Just, *Llibre de vendes*, 1397, juny, 2 - 1398, juny, 25, f. 64v-67r.

TAULA 3

Propietaris i habitants de les cases del Call Menor de Barcelona

Data	Propietari	Condició	Habitat per	Condició	Carrer concret	Localització
1394-04-03	Francesc de Casasagia, porter del rei	Convers	Francesc de Casasagia, porter del rei	Convers	Call Menor	AHPB, Jaume de Trilla, *Capibrevium vendicionum*, 1393, set., 8 - 1394, maig, 5, f. 76v-78r.
1394-04-03	Arnau Massana	Convers	Arnau Massana	Convers	Call Menor	AHPB, Jaume de Trilla, *Capibrevium vendicionum*, 1393, set., 8 - 1394, maig, 5, f. 76v-78r.
1394-04-03	Francesc de Casasagia, porter del rei	Convers	-	-	Call Menor	AHPB, Jaume de Trilla, *Capibrevium vendicionum*, 1393, set., 8 - 1394, maig, 5, f. 78r-79r.
1397-11-21	Bernat de Fortià, mercader	Convers	Bernat de Fortià, mercader	Convers	Call Menor	AHPB, Pere Granyana, *Octavus liber vendicionum, stabilimentorum ac aliarum alienacioneum*, 1397, febrer, 1 - 1398, juliol, 31, f. 86v-88r.
1397-11-21	Joan Massana	Convers	Joan Massana	Convers	Call Menor	AHPB, Pere Granyana, *Octavus liber vendicionum, stabilimentorum ac aliarum alienacioneum*, 1397, febrer, 1 - 1398, juliol, 31, f. 86v-88r.
1397-12-00	Blanca, muller de Joan Bertran, mercader	Convers	Blanca, muller de Joan Bertran, mercader	Convers	Plaça de la Trinitat	AHPB, Jaume Just, *Llibre de vendes*, 1397, juny, 2 - 1398, juny, 25, f. 54v-57r.

Data	Propietari	Condició	Habitat per	Condició	Carrer concret	Localització
1397-12-00	Joan Bertan, mercader	Convers	-	-	Plaça de la Trinitat	AHPB, Jaume Just, Llibre de vendes, 1397, juny, 2 - 1398, juny, 25, f. 54v-57r.
1398-04-01	Ramon Rovira	Convers	Ramon Rovira	Convers	Call Menor	AHPB, Jaume Just, Llibre de vendes, 1397, juny, 2 - 1398, juny, 25, f. 102r-
1398-04-01	Senyor de Sant Climent	Cristià de natura	-	-	Call Menor	AHPB, Jaume Just, Llibre de vendes, 1397, juny, 2 - 1398, juny, 25, f. 102r-
1398-04-01	Brunissén	Convers	Brunissén	Convers	Call Menor	AHPB, Jaume Just, Llibre de vendes, 1397, juny, 2 - 1398, juny, 25, f. 102r.
1398-06-25	Pere Rouric, beneficiat de l'església de Santa Maria del Mar	Cristià de natura	-	-	Prop del Call Menor	AHPB, Jaume Just, Llibre de vendes, 1397, juny, 2 - 1398, juny, 25, f. 137v-139v.
1398-06-25	Pere de Trilla, argenter	Cristià de natura	Pere de Trilla, argenter	Cristià de natura	Prop del Call Menor	AHPB, Jaume Just, Llibre de vendes, 1397, juny, 2 - 1398, juny, 25, f. 137v-139v.
1398-06-25	Berenguer de Colliure	Convers	Berenguer de Colliure	Convers	Call Menor	AHPB, Jaume Just, Llibre de vendes, 1397, juny, 2 - 1398, juny, 25, f. 137v-139v.
1399-12-01	Guillem Salamó, sastre	Convers	Guillem Salamó, sastre	Convers	Call Menor, prop de l'església de la Santa Trinitat	AHPB, Jaume de Trilla, Llibre de vendes, 1398, novembre, 28 - 1400, gener, 29, f. 71r-72r.

Data	Propietari	Condició	Habitat per	Condició	Carrer concret	Localització
1399-12-01	Guillem Salamó, sastre	Convers	-	-	Call Menor; prop de l'església de la Santa Trinitat	AHPB, Jaume de Trilla, *Llibre de vendes*, 1398, novembre, 28 - 1400, gener, 29, f. 72r-73v.
1399-12-01	Antoni Massana, ciutadà de la ciutat de Mallorca	Convers	-	-	Call Menor; prop de l'església de la Santa Trinitat	AHPB, Jaume de Trilla, *Llibre de vendes*, 1398, novembre, 28 - 1400, gener, 29, f. 72r-73v.
1401-04-28	Joan Massana, germà de Nicolau Massana	Convers	Joan Massana, germà de Nicolau Massana	Convers	Call Menor	AHPB, Tomàs de Bellmunt, *Manual de vendes*, 1401, abril, 7 - 1403, maig, 12, f. 3r.
1402-08-02	Pere de Pla, corredor d'orella	Convers	Pere de Pla, corredor d'orella	Convers	Call Menor	AHPB, Tomàs de Bellmunt, *Manuale [VIII] contractuum*, 1402, juliol, 24 - 1403, gener, 15, f. 7v.
1420-03-19	-	-	Berenguer Castanyer, teixidor de vels	Convers	Plaça de la Trinitat	AHPB, Pere Puig, *Manual*, 1420, febrer, 28 - 1420, juny, 4, f. 10v.

Tanmateix, aquestes propietats també es podien adquirir amb finalitats especulatives, fins i tot entre conversos. Aquest sembla el cas que presentem a continuació. El 3 d'abril de 1394, Francesc de Casasagia, porter del rei, convers,[46] ciutadà de Barcelona, va comprar a Ferrer de Parellada, també convers i ciutadà de la mateixa ciutat, una casa situada al Call Menor pel preu de vint lliures, i amb un cens anual de tretze sous i sis diners.[47] El mateix dia, Francesc comprà a Ferrer una altra casa, amb pou i pati, adjacent a la que acabava d'adquirir, pel preu de deu lliures, amb un cens anual de dos sous i sis diners.[48] Malgrat el baix preu a què foren venudes, en cap dels dos contractes es fa menció que les cases estiguin en estat ruïnós ni que la quantitat pagada formi part d'un pagament fraccionat. A més, el cens anual que han de pagar és proporcional al baix valor de les cases, per tant queda clar que aquest era el seu preu total. Aquestes cases seguiren en possessió de Francesc fins que l'1 de desembre de 1399, cinc anys i vuit mesos després de la seva adquisició, les vengué a Guillem Salamó, convers, sastre i ciutadà de Barcelona, per un preu molt més elevat: la casa que tenia un pou i un pati la ven per cinquanta lliures, i el seu cens passa de dos sous i sis diners a setze sous anuals.[49] L'altra casa és venuda per noranta lliures i el seu cens passa de tretze sous i sis diners a vint-i-set sous anuals.[50] En poc de temps la casa del pou s'ha revaloritzat un 500 % del seu preu inicial i l'altra un 450 %! Interpretem això com una evidència que la demanda de cases al Call Menor per part de conversos va fer augmentar-ne el valor.

Fins ara, hem vist com totes les cases que adquirien els conversos eren comprades als curadors de la comissió del call o a altres conversos. En el cas que presentem a continuació, la venda va ser realitzada per un cristià de natura. L'1 d'abril de 1398, Gonçau d'Àvila, de la casa del rei, ciutadà de Barcelona, vengué a Ramon Rovira, convers i ciutadà de la mateixa ciutat, una casa, amb una caseta adjunta, situada al

---

46. Malgrat que el document no esmenta explícitament que Francesc de Casasagia sigui convers, ho sabem per altres documents en què s'especifica la seva condició. AHPB, Pere Ponç, *Manual*, [1442], febrer, 19-1447, abril, 18, f. 87r. Gabriel Terrassa, *Secundus liber manuale*, 1407, novembre, 22-1410, juliol, 8, f. 27r.

47. AHPB, Jaume de Trilla, *Capibrevium vendicionum*, 1393, set., 8-1394, maig, 5, f. 76v-78r.

48. AHPB, Jaume de Trilla, *Capibrevium vendicionum*, 1393, set., 8-1394, maig, 5, f. 78r-79r.

49. AHPB, Jaume de Trilla, *Llibre de vendes*, 1398, novembre, 28-1400, gener, 29, f. 71r-72r.

50. AHPB, Jaume de Trilla, *Llibre de vendes*, 1398, novembre, 28-1400, gener, 29, f. 72r-73r.

Call Menor, pel preu de vuitanta-dues lliures i deu sous.[51] Pel mateix document sabem que Gonçau va adquirir aquesta casa l'11 de juliol de 1396, comprant-la en una subhasta pública feta pels curadors de la comissió del call i provinent dels béns dels jueus i conversos morts intestats, absents i menors d'edat. No podem afirmar plenament que Gonçau va adquirir aquesta propietat amb l'objectiu d'especular en un futur, puix que l'instrument de venda de l'11 de juliol de 1396 no es conserva i per tant no podem saber la fluctuació del preu. El que sí que és clar és que no va deixar passar l'oportunitat de vendre a un convers una casa situada en un barri de conversos, a un preu gens menyspreable.

Tot i que el Call Menor era cobejat pels conversos i era molt atractiu especular amb els seus immobles, moltes famílies preferien mantenir la seva unitat abans que fer negoci, traspassant o venent les seves propietats a membres del mateix nucli familiar. Aquest va ser el cas dels Massana. Antoni Massana, convers, tenia una casa al Call Menor de Barcelona, però abans del desembre de 1399 marxà a viure a la ciutat de Mallorca,[52] i donà la casa al seu fill Nicolau Massana.[53] Un temps després, el 28 d'abril de 1401, Nicolau ven la casa al seu germà Joan Massana.[54]

Coneixent els detalls del destí dels dos calls de Barcelona podem respondre la pregunta que ens fèiem: per què els conversos conserven les cases del Call Menor i en canvi el Call Major és ocupat per cristians de natura?

L'essència d'aquesta diferència rau en la pròpia diferència entre els dos calls. El cas de Barcelona presenta un paral·lelisme amb el de Cervera, que també tenia dos calls. En el cas de Cervera, després de les conversions de 1391, es va obligar els jueus a viure en un dels calls, i a desprendre's del millor ubicat comercialment, que va ser ocupat per cristians de natura i conversos.[55]

En el cas de Barcelona el Call Major disposava de totes les estructures necessàries per al manteniment de la comunitat jueva que l'habitava, i una vegada oberts els seus accessos i assimilat amb la

---

51. AHPB, Jaume Just, *Llibre de vendes*, 1397, juny, 2-1398, juny, 25, f. 102r-104r (vegeu apèndix documental I, doc. 15).
52. AHPB, Jaume de Trilla, *Llibre de vendes*, 1398, novembre, 28-1400, gener, 29, f. 72r-73v.
53. AHPB, Tomàs de Bellmunt, *Manual de vendes*, 1401, abril, 7-1403, maig, 12, f. 3r.
54. AHPB, Tomàs de Bellmunt, *Manual de vendes*, 1401, abril, 7-1403, maig, 12, f. 3r.
55. Flocel Sabaté: "L'ordenament municipal de la relació amb els jueus de la Catalunya baixmedieval", dins *Cristianos y judíos en contacto en la Edad Media...*, p. 773-804.

resta de la ciutat, oferia un gran ventall de possibilitats econòmiques —tant en especulacions immobiliàries com en obertura de comerços. El Call Menor, en canvi, no deixava de ser una mera expansió del call principal, però sense les seves possibilitats. Les obres realitzades al Call Major per tal d'obrir accessos va ser l'oportunitat d'or per obligar jueus i conversos a renunciar a les propietats que hi tenien, que serien ràpidament adquirides per cristians de natura. Per tant, els jueus i conversos es veieren forçats a marxar.

El Call Menor, per la seva part, no despertava l'interès d'aquests inversors —per tant els propietaris dels immobles no estaven sotmesos a la pressió que la comissió va aplicar als del Call Major—, però sí dels conversos que volien continuar vivint on sempre ho havien fet i amb la seguretat de l'agrupament. Per tant, es converteix en un dels llocs preferents dels conversos per a establir, o mantenir, la seva residència. Tanmateix, el reduït espai permet poca oferta enfront d'una alta demanda, la qual cosa provoca una pujada dels preus dels immobles. Qui no pogué establir-se aquí ho va haver de fer en altres llocs de la ciutat.

Residències dels conversos en altres punts de la ciutat

Els conversos, com a cristians que eren, no tenien cap limitació respecte al lloc de la ciutat on establir el seu habitatge. Tenien, per tant, plena llibertat per a comprar o llogar una nova casa en qualsevol punt.

Tal com ens mostra la documentació trobada, la majoria dels conversos que no pogueren establir el seu habitatge al Call Menor ho feren als voltants d'ambdós calls, tenint preferència pel Menor.[56]

---

56. 1391-09-14, AHPB, Arnau Piquer, *Manual*, 1391, octubre, 16-1392, desembre, 24, f. 179r. 1397-01-12, AHPB, Bernat Nadal, *Primum manuale vendicionum*, 1395, gener, 8-1397, juny, 26, f. 82v. 1399-07-17, AHPB, Jaume de Trilla, *Llibre de vendes*, 1398, novembre, 28-1400, gener, 29, f. 39v-40r. 1399-08-30, AHPB, Pere Granyana, *Manuale duodecimum*, 1399, juliol, 14-1400, desembre, f. 21, f. 9v. 1400-03-03, AHPB, Guillem Andreu, *Octavum manuale*, 1398, març, 2-1400, març, 13, f. 151r. 1402-06-06, AHPB, Pere Joan Martí, *Manuale*, 1402, març, 14-1403, agost, 2, s/f. 1404-05-12, AHPB, Antoni Estapera, [*Manuale quintum*], 1403, desembre, 28-1404, març, 29, f. 11v-12r. 1406-03-03, AHPB, Bernat Nadal, *Manual de vendes*, 1404, juliol, 5-1406, juny, 1, f. 93r. 1409-02-13, AHPB, Antoni Estapera, *Octavum manuale*, 1409, gener, 19-1410, octubre, 17, f. 10v. 1409-02-21, AHPB, Antoni Estapera, *Octavum manuale*, 1409, gener, 19-1410, octubre, 17, f. 14r. 1409-08-08, AHPB, Pere Pellisser, *Manual*, 1409, juny, 11-1410, novembre, 26, f. 17r. 1411-08-27, AHPB, Gabriel Terrassa, *Tercius liber manuale*, 1410, juliol, 11-1411, desembre, 31, f. 68rv. 1411-11-12, AHPB, Bartomeu Guamir, *Manuale secundum*, 1408, novembre, 3-1410, novembre, 19, f. s/f. 1415-06-19, AHPB, Pere Pellisser, *Manuale*, 1414, juliol, 2-1415, juny, 26, f. 190r. 1415-12-13, AHPB, Antoni Brocard, *Manuale comune* [*nonum*], 1415, agost, 30-1416, març, 30, f. 51rv. 1416-01-28, AHPB, Pere Granyana,

Dels casos que hem registrat —un total de vint-i-dos—, la majoria s'establiren prop del Call Menor: dos al carrer Raurich, un al carrer de la Boqueria, un al carrer dels Escudellers, dos al carrer dels Tres Llits i un al carrer del Vidre. Altres s'establiren prop del Call Major: un a la plaça de Sant Jaume, dos prop de l'església de Sant Just, un al carrer Pedritxol, un al carrer d'en Regomir i un al carrer dels Especiers.[57] La resta no s'establirien tan a la vora, tanmateix mantingueren la seva proximitat amb ambdós calls: un al carrer Mercaders, un altre al carrer Superior de Sant Pere, dos al carrer Bertrellans, un al carrer d'en Jauper,[58] un al carrer dels Banys Vells i un al carrer dels Mercaders. Finalment, hem trobat dos conversos que s'establiren apartats de la zona dels calls: un al Born i un al carrer del Mar amb Basilià.

Fent un recompte de tots els domicilis de conversos localitzats a l'AHPB, obtenim: nou conversos establerts al Call Major, dotze al Call Menor, tretze molt a prop dels dos calls, una mica més apartats set i més lluny dos. Per tant, els conversos establiren la seva llar el més a prop possible d'on durant segles havien viscut les seves famílies i, el que és més important, mantingueren el sentit de grup com quan eren jueus. La proximitat entre ells els oferia un sentit de seguretat en cas de perill i fomentava la solidaritat veïnal.

Lloguer o propietat?

Ja hem vist com la immensa majoria dels conversos del Call Major van haver de vendre les seves cases, algunes derruïdes durant els avalots, i es van establir al Call Menor o als voltants. El fet que els conversos lloguen o comprin els habitatges on s'establiran ens serveix primerament per saber quants d'ells tenen la plena ciutadania i, des d'un punt de vista més general, en serveix com a baròmetre de la seva situació econòmica. El fet de comprar una propietat, més si és en

---

Vicesimum secundum manuale, 1413, febrer, 23-1414, abril, 3, f. 61r. 1416-03-16, AHPB, Pere Pellisser, *Manual*, 1415, juliol, 2-1416, juny, 26, f. 124v. 1420-04-11, AHPB, Gerard Basset, *Manual*, 1419, desembre, 11-1420, maig, 30, f. 35r. 1420-06-19, AHPB, Llorenç de Casanova, *Manual*, 1420, maig, 7-1420, agost, 23, f. 18rv. 1421-08-08, AHPB, Pere Granyana, *Vicesimum nonum manuale*, 1421, maig, 3-1422, juliol, 28, f. 22v. 1422-02-11, AHPB, Pere Granyana, *Vicesimum nonum manuale*, 1421, maig, 3-1422, juliol, 28, f. 68v-69r. 1422-11-26, AHPB, Marc Canyís, *Manuale*, 1414, desembre, 14-1422, desembre, 22, f. 112r.

57.   Actual carrer de la Llibreteria. Aquest carrer anà adoptant el nom dels professionals que s'hi instal·laven, i per tant el nom va anar canviant al llarg dels anys: primer s'anomenava dels Apotecaris, després dels Especiers, més tard dels Espasers, després dels Calseters i a l'últim de la Llibreteria. V. Balaguer: *Las calles de Barcelona...*, p. 592.

58.   Actual carrer d'en Jupí, V. Balaguer: *Las calles de Barcelona...*, p. 573.

la que es viu, indica un sentit d'arrelament, la intenció de continuar vivint a la ciutat durant un temps indeterminat. Alhora, denota una estabilitat econòmica. El lloguer, en canvi, predisposa una situació econòmica dèbil, que no permet desprendre's del capital necessari per adquirir una propietat o d'aconseguir un préstec a llarg termini (censals morts i violaris). D'altra banda, però, el règim de lloguer no és sinònim de nomadisme, és a dir, un individu que lloga una casa ho fa, generalment, perquè no disposa del capital necessari per adquirir-la en propietat, i no perquè no tingui intenció de quedar-s'hi a llarg termini.

En el cas dels lloguers hem localitzat un total de setze contractes de lloguer de cases a conversos.[59] En tots els casos, menys en un, els propietaris eren cristians de natura i es tractava de cases situades al Call Major i fora dels calls. L'excepció es dona en una casa situada al Call Menor, a la plaça de la Trinitat, propietat de Pere de Pla, convers, corredor d'orella, part de la qual, la sala corresponent al menjador, va ser llogada el 2 d'agost de 1402 a Pere Gralet, també convers i corredor d'orella, pel període d'un any al preu de nou lliures i divuit sous barcelonesos.[60] Això ens reafirma el fet que el Call Menor estava en mans converses i que era una zona predilecta. Pel que fa al Call Major, en els quatre contractes que hem trobat consten com a propietaris cristians de natura i en cap cas hi consta un convers o un jueu. Com sabem, les cases més importants del Call Major es trobaven als carrers Sant Honorat i Sant Domènec, i eren les més cobejades tant per cristians com per conversos malgrat el seu preu elevat. Ja hem vist com els cristians

---

59. 1391-09-14, AHPB, Arnau Piquer, *Manual*, 1391, octubre, 16-1392, desembre, 24, f. 179r. 1399-07-29, AHPB, Pere Granyana, *Manuale duodecimum*, 1399, juliol, 14-1400, desembre, 21, f. 3v. 1399-08-30, AHPB, Pere Granyana, *Manuale duodecimum*, 1399, juliol, 14-1400, desembre, 21, f. 9v. 1401-03-06, AHPB, Pere Granyana, *Manuale*, 1400, desembre, 29-1402, gener, 30, f. 39r 1402-06-06, AHPB, Pere Joan Martí, *Manuale*, 1402, març, 14-1403, agost, 2, f. s/n. 1402-07-17, AHPB, Pere Joan Martí, *Manuale*, 1402, març, 14-1403, agost, 2, f. s/n. 1402-08-02, AHPB, Tomàs de Bellmunt, *Manuale [VIII] contractuum*, 1402, juliol, 24-1403, gener, 15, f. 7v. 1404-05-12, AHPB, Antoni Estapera, [*Manuale quintum*], 1403, desembre, 28-1404, març, 29, f. 11v-12r. 1406-03-29, AHPB, Pere Granyana, *Manuale sextum decimum*, 1404, desembre, 27-1406, des. 24, f. 93v-99r. 1409-04-11, AHPB, Pere Granyana, *Manual*, 1408, desembre, 22-1410, febrer, 26, f. 30r. 1411-08-27, AHPB, Gabriel Terrassa, *Tercius liber manuale*, 1410, juliol, 11-1411, desembre, 31, f. 68rv. 1416-01-28, AHPB, Pere Granyana, *Vicesimum quartum manuale*, 1415, abril, 8-1416, juliol, 9, f. 61r. 1418-02-16, AHPB, Pere Granyana, *Vicesimum sextum manuale*, 1417, setembre, 22-1418, desembre, 17, f. 36v-37. 1420-06-19, AHPB, Llorenç de Casanova, *Manual*, 1420, maig, 7-1420, agost, 23, f. 18v. 1422-02-11, AHPB, Pere Granyana, *Vicesimum nonum manuale*, 1421, maig, 3-1422, juliol, 28, f, 68v-69r. 1422-11-26, AHPB, Marc Canyís, *Manuale*, 1414, desembre, 14-1422, desembre, 22, f. 112r.

60. AHPB, Tomàs de Bellmunt, *Manuale [VIII] contractuum*, 1402, juliol, 24-1403, gener, 15, f. 7v.

de natura es van afanyar a comprar les propietats d'aquests carrers quan les circumstàncies van brindar l'oportunitat; així doncs, alguns d'aquests propietaris cristians de natura tenien en els conversos una clientela predilecta. Aquest és el cas de Gabriel Ferrer, bataner de fulls d'or, procurador de Ferrera, vídua de Bernat de Rierola, mercader, que el 29 de juliol de 1399 va llogar, durant tres anys a Bartomeu Badia, convers, peller, una casa amb tres portals i un obrador, propietat de Ferrera, situada al carrer on hi havia la porta major del call, al preu de vint-i-cinc florins l'any.[61] Per tant, el preu total pels tres anys van ser setanta-cinc florins! El 16 de febrer de 1418, dinou anys després, el mateix Gabriel llogà una casa amb dos portals i una botiga, aquest cop de la seva propietat, situada al carrer de Sant Domènec, a un altre convers, Cristòfor Domènec, teixidor de vels, per setze lliures anuals.[62] Sabem que Gabriel va adquirir aquesta casa el 3 d'octubre de 1393[63] durant l'onada de vendes dels anys 1393-1394, per seixanta-cinc lliures. Tan sols amb aquest contracte de lloguer, que li aportà quaranta-vuit lliures en tres anys, Gabriel gairebé ha recuperat la inversió inicial. Si a més comptem els anys que hi ha entre aquests contractes, els anteriors i els que els seguiren, observem com de lucratius eren aquests immobles per als inversors que aprofitaren la venda forçosa realitzada entre 1393 i 1394.

Les cases que els conversos van llogar fora dels calls, localitzades en aquest estudi, eren totes propietat de cristians de natura. Pel que fa als anys, els contractes localitzats duren un, tres, quatre i cinc anys. Tanmateix hem de tenir present que era molt probable que es fessin nous contractes de lloguer en finalitzar el temps primerament pactat. Per exemple, el 6 de juny de 1402, Clara, vídua de Guillem Cot, mercader, llogà al convers Pere Gisbert de Camprodon, seder, una casa situada al carrer d'en Rourich per un període de tres anys pel preu de nou lliures l'any.[64] Passat un mes, Pere decideix ampliar el termini de tres anys a quatre anys. Així, el 17 de juliol del mateix any, acudeixen al notari per redactar un nou contracte amb una durada de quatre anys i amb un preu inferior, vuit lliures i quinze sous.[65] Abans que acabés aquest

---

61.   AHPB, Pere Granyana, *Manuale duodecimum*, 1399, juliol, 14-1400, desembre, 21, f. 3v.

62.   AHPB, Pere Granyana, *Vicesimum sextum manuale*, 1417, setembre, 22-1418, desembre, 17, f. 36v-37r.

63.   AHPB, Llibre de vendes, 1393, agost, 8 - 1398, març, 13, f. 14v-16r.

64.   AHPB, Pere Joan Martí, *Manuale*, 1402, març, 14-1403, agost, 2, f. s/n. (vegeu apèndix documental I, doc. 98).

65.   AHPB, Pere Joan Martí, *Manuale*, 1402, març, 14-1403, agost, 2, f. s/n. (vegeu apèndix documental I, doc. 99).

termini, el 29 de març de 1406, Clara llogà a Pere durant un any més la mateixa casa, ara amb un preu d'onze lliures.[66] El cas d'aquest últim contracte ens fa pensar que potser els contractes de tan sols un any podrien ser en realitat pròrrogues d'una casa ja llogada anteriorment amb contractes més llargs. Analitzant tots els documents en conjunt, no hem observat cap discriminació especial per part dels cristians de natura envers els conversos respecte al lloguer d'habitatges.

Ans al contrari. La majoria de contractes són entre quatre i cinc anys, fet que demostra una certa confiança envers uns llogaters solvents i que complien els contractes. Com és normal en tot assumpte econòmic, hem trobat documentació relativa a problemes entre llogaters i propietaris, tanmateix aquests eren inherents a la condició religiosa. Per exemple, Pere de Muntrós, convers, corredor d'orella, llogà una casa situada prop de la font del Call Major propietat de Pericó de Montpano, fill i hereu del seu pare, Gabriel de Montpano, difunt, durant un any al preu de dotze florins d'or, amb la condició que pagués sis florins per avançat. El problema vingué quan, abans que acabés l'any, la casa va ser venuda i Pere de Muntrós va haver de marxar. Què passaria amb els diners que havia pagat? Hi hauria discriminació pel fet que el llogater fos convers? Tota aquesta informació l'hem extreta precisament d'un instrument de pagament, datat el 3 de maig de 1401, pel qual Pere de Muntrós reconeix haver rebut de Pere Moliner, mercader, tutor i administrador dels béns de Pericó, vint-i-set sous dels sis florins que ell va pagar per avançat.[67] Com veiem, el problema es va solucionar retornant al llogater convers la part proporcional del pagament fet prèviament. Copsem, doncs, que problema i solució bé podien haver-se donat entre cristians de natura, puix que eren purament de caire econòmic.

Una altra mostra d'aquest inici d'integració dels conversos en la societat cristiana —en el camp econòmic— la trobem en els contractes de lloguer compartit. Normalment, hom llogava una casa per habitar-la amb la seva família, però no sempre era així. La típica casa de la Barcelona medieval disposava d'un obrador a la part inferior, a peu de carrer, i un primer pis on hi havien els dormitoris i altres estances.[68] Per tant, hi havia casos en què a hom li interessés l'habitatge i no l'obrador, o a l'inrevés. Es podia trobar, però, amb l'inconvenient que el propietari es negués a llogar casa i obrador per separat. La solució, per tant, era trobar algú interessat en la part de la casa que hom no

66. AHPB, Pere Granyana, *Manuale sextum decimum*, 1404, desembre, 27-1406, desembre, 24, f. 93v-94 (vegeu apèndix documental I, doc. 123).
67. AHPB, Pere Granyana, *Manuale*, 1400, desembre, 29-1402, gener, 30, f. 39r.
68. T. VINYOLES Vidal: *Mirada a la Barcelona...*, p. 112.

pensava utilitzar i compartir les despeses del lloguer. Aquest sembla ser el cas de Joan Desplà, convers, llibreter, i de Berenguer de Sant Just, garbellador d'espècies, i del qual no hem pogut determinar si era convers o cristià de natura. El 12 de maig de 1404, Bernat Figuerola, mercader, llogà a Joan Desplà i Berenguer de Sant Just una casa amb un obrador situada a la plaça de Sant Jaume, pel període de tres anys. Tots dos fermen el contracte.[69] El preu total eren cinquanta-un florins d'Aragó, que van ser pagats a nom d'ambdós el mateix dia.[70]

Fins ara hem tractat els contractes de lloguer en els quals els llogaters eren sempre conversos. Hi havia, però, contractes de lloguer en què el propietari era convers i el llogater cristià de natura? Efectivament, n'hem trobat dos exemples. En el primer, datat del 13 de setembre de 1392, un any i un mes després dels fets de 1391, Jaume Sala, convers, mercader, llogà per tres anys a Arnau Torrella, corredor d'orella, cristià de natura, una casa situada al carrer dels Vigatans, a un preu total de quaranta-dues lliures barceloneses.[71] Aquest document és interessant per dues raons. D'una banda, ens mostra un dels conversos que comptaven amb recursos per refer-se ràpidament del trasbals econòmic que va suposar l'assalt al call. D'altra banda, ens permet observar el contacte entre conversos i cristians de natura un any després dels fets de 1391. Per a signar un contracte de lloguer cal confiança per ambdues parts i segurament en aquest cas concret van influir els llaços professionals, dels quals ja en parlarem en el capítol corresponent. L'altre exemple data del 5 de setembre de 1429, quan Francesc Bertran, convers, llibreter de Barcelona, procurador de Clara, muller de Joan Pujol, coraler, i germana del mateix Francesc, conversos, que abans vivien a Barcelona i que ara viuen a Avinyó, llogà una casa situada al Call Major, a l'actual carrer de la Fruita, a Galcerà Roca, mestre en arts i corrector d'accent de la Seu de Barcelona, a Nicolau de Rim, també mestre d'arts, i a Jaume Serra, estudiant d'arts, pel període d'un any i al preu de vint-i-tres lliures i dos sous.[72] Ens trobem davant un cas inusual respecte al que hem vist en l'exemple de les cases del Call Major, donat que en el present lloguer els propietaris eren conversos i els llogaters cristians de natura. Veiem, doncs, com alguns conversos seguiren l'exemple dels

---

69. AHPB, Antoni Estapera, [Manuale quintum], 1403, desembre, 28-1404, març, 29, f. 11v-12r.

70. AHPB, Antoni Estapera, [Manuale quintum], 1403, desembre, 28-1404, març, 29, f. 11v-12r.

71. AHPB, Bernat Nadal, Decimum manuale, 1392, juliol, 11-1393, gener, 23, f. 36r.

72. AHPB, Francesc Ferrer, Manuale comune secundum, 1426, febrer, 18-1432, gener, 22, f. 65v-66v.

cristians de natura i no deixaren passar l'oportunitat de la revalorit-zació dels immobles del Call Major. Si tenim en compte que el carrer de la Fruita no era uns dels carrers principals, un lloguer de vint-i-tres lliures i dos sous per any era un import elevat. Podria existir la possibilitat que es tractés d'una casa gran, tanmateix sabem que les cases més grans i importants es trobaven als carrer principals, i com ja hem vist els lloguers no arribaren a aquest preu. Per tant, les cases del Call Major augmentaren de valor i alguns conversos —molt pocs, certament— també participaren en l'especulació.

Tractem ara les cases comprades per conversos.[73] Les primeres vendes corresponen a cases del Call Menor, de les quals ja hem parlat anteriorment, i sabem que es compraven de convers a convers. Al llarg dels anys es continuarien realitzant compres d'aquestes cases. Pel que fa a les cases situades fora dels calls, tots els venedors eren cristians de natura. Aquest fet, com ja sabem, no era gens excepcional, ja que els jueus tenien prohibit adquirir cases fora dels calls, malgrat que en algunes ocasions aquesta prohibició fos obviada. Un detall ens ha cridat l'atenció: sembla que els preus més elevats corresponen a les cases situades prop dels calls. Això ens permet deduir, un cop més, la predilecció dels conversos envers aquesta zona i l'elevada demanda.

Analitzant en conjunt les dades sobre els habitatges dels conversos, observem que la diferència entre els que tenen casa en propietat i els que no en tenen és molt ajustada, amb predomini d'aquests últims. El que queda clar és la tendència dels conversos a adquirir les cases on viuen, sobretot quan aquestes estaven dins o prop dels antics calls. La ubicació geogràfica dels habitatges dels conversos dins la ciutat de Barcelona ens mostra la intenció d'aquests de mantenir-se units, de re-crear el sentiment de grup que tenien quan eren jueus i vivien als calls.

---

73.   1394-04-03, AHPB, Jaume de Trilla, *Capibrevium vendicionum*, 1393, setembre, 8-1394, maig, 5, f. 76v-78r. 1397-01-12, AHPB, Bernat Nadal, *Primum manuale vendicio-num*, 1395, gener, 8-1397, juny, 26, f. 82v. 1397-11-21, AHPB, Pere Granyana, *Octavus liber vendicionum, stabilimentorum ac aliarum alienacioneum*, 1397, febrer, 1-1398, juliol, 31, f. 86v-88r. 1399-07-01, AHPB, Jaume de Trilla, *Manual*, 1398, febrer, 21-1399, desembre, 4, f. 104v. 1399-12-01, AHPB, Jaume de Trilla, *Manual*, 1398, febrer, 21-1399, desem-bre, 4, 132v. 1401-04-28, AHPB, Tomàs de Bellmunt, *Manual de vendes*, 1401, abril, 7-1403, maig, 12, f. 3r. 1402-10-31, AHPB, Bernat Sans, *Manuale intrumentorum contractuum [comunium] decimum*, 1402, octubre, 31-1403, abril, 24, f. 1r. 1406-03-03, AHPB, Bernat Nadal, *Manual de vendes*, 1404, juliol, 5-1406, juny, 1, f. 93r. 1409-02-13, AHPB, Antoni Estapera, *Octavum manuale*, 1409, gener, 19-1410, octubre, 17, f. 10v. 1409-02-21, AHPB, Antoni Estapera, *Octavum manuale*, 1409, gener, 19-1410, octubre, 17, f. 14r. 1411-11-12, AHPB, Bartomeu Guamir, *Manuale secundum*, 1408, novembre, 3-1410, novembre, 19, f. s/n. 1416-03-16, AHPB, Pere Pellisser, *Manual*, 1415, juliol, 2-1416, juny, 26, 124v.

És precisament aquest sentiment de grup el que els impulsa a adquirir les cases en els calls i prop d'ells. D'aquesta manera, en el cas de produir-se uns avalots com els de 1391, els seria més fàcil reaccionar i coordinar una defensa.

OBRES I REPARACIONS DELS HABITATGES

La documentació notarial relativa a les obres dels habitatges no tan sols ens dona informació sobre el mateix fet de la tasca. Aquests documents ens mostren detalls sobre les relacions dels conversos amb la resta de la societat i les autoritats de la ciutat.

Les obres sempre són i seran quelcom que no sols provoca molèsties a qui viu en la casa en qüestió, sinó que també implica els veïns. Aquesta molèstia augmenta quan els obrers han de treballar dins la propietat del veí. És en aquestes ocasions quan les relacions interveïnals es posen a prova: o bé s'arriba a un acord o inevitablement comença un conflicte. Un exemple de la primera opció el trobem amb el cas d'Antoni Xerxell, convers,[74] peller, i Elionor, vídua de Joan de Mitjavila, datat el 2 de gener de 1422.[75] Antoni Xerxell volia fer dues finestres, de l'amplada i altura de dos canyes i mitja, a casa seva, situada al carrer dels Giponers. El problema era que la part per on Antoni volia realitzar les obres no donava a la via pública sinó a l'hort del seu veí, Joanet, fill i hereu universal de Joan de Mitjavila, difunt, i d'Elionor, que actuava com la seva tutora. El 2 de gener de 1422, Elionor va donar permís a Antoni per a realitzar les obres, tanmateix aquest permís era subjecte a un seguit de condicions imposades per ella. En primer lloc, les finestres havien de ser fetes a una altura suficient per evitar que ningú pogués saltar d'elles a l'hort d'Elionor. Aquestes, a més, havien de tenir una reixa de ferro, tot cuidant que l'òxid i altres residus no embrutessin el seu hort. A l'últim, Elionor exigeix a Antoni, pel fet de realitzar aquestes obres, el pagament d'un morabatí anual, equivalent a nou sous, durant tres anys. En el cas que Antoni no complís qualsevol de les condicions, estava obligat a tornar a deixar la paret on fes les finestres en l'estat anterior a les obres. Aquestes condicions ens donen valuosos detalls sobre la vida quotidiana. El fet d'exigir una

---

74. El document al qual ens referirem a continuació no esmenta que Antoni Xerxell sigui convers, tanmateix sabem de la seva condició religiosa per altres documents: AHPB, Gabriel Terrassa, *Secundus liber manuale*, 1407, novembre, 22-1410, juliol, 8, 40v-41r; Pere de Pou, *Quintum manuale*, 1400, desembre, 30-1404, novembre, 17, f. 89r.

75. AHPB, Marc Canyís, *Manuale*, 1414, desembre, 14-1422, desembre, 22, f. 93r (vegeu apèndix documental I, doc. 49).

altura determinada per a les finestres i que aquestes hagueren de ser reixades per evitar que ningú —és a dir, el mateix Antoni— pogués accedir al seu hort, ens mostra la falta de confiança que té Elionor en el seu propi veí. Aquesta malfiança bé podria ser per la seva condició de convers, però també pel fet que fes poc que s'hagués instal·lat a aquesta casa i en conseqüència fos un desconegut per a la seva veïna. El que està clar és que les relacions entre els dos veïns disten molt de ser cordials, i que la causa podria ser el fet que Antoni fos convers. En conjunt, aquest document ens mostra la poca confiança per part d'una cristiana de natura amb el seu veí convers, al qual exigeix un seguit de condicions per realitzar unes obres. El convers, per la seva part, acceptà totes les condicions i el pagament, molt probablement per no ocasionar problemes i evitar despertar antipaties entre els seus veïns que podrien perjudicar la seva integració.

Les obres no tan sols podien ocasionar conflictes entre veïns, sinó també amb les autoritats de la ciutat. El cas que presentem a continuació, datat el 19 de desembre de 1431, és un exemple molt clar d'aquest conflicte, no tan sols *amb* les autoritats sinó *entre* les autoritats.[76] Es tracta de part d'un procés —concretament, la part dels testimonis— sobre el cobrament indegut per part del lloctinent del General de Catalunya i els seus porters, d'uns permisos per obrar en cases de la ciutat. Les autoritats competents per donar i cobrar el permís per obrar en les cases de la ciutat de Barcelona eren els *obrers*,[77] que depenien del Consell de la Ciutat. Degut a un seguit de queixes per part dels afectats, el Consell presentà demanda en contra dels lloctinents i els seus porters per usurpar una competència que pertanyia als *obrers*.

Un dels testimonis —i per tant un dels afectats— fou el convers[78] Joan des Far, peller i ciutadà de Barcelona, que vivia en una casa situada al costat d'on abans es trobava la carnisseria del call, al carrer de Sant Domènec. Joan explicà com en la seva casa, com en altres del veïnat, hi havia unes taules fermades amb peus al terra que es trobaven podrides a causa de la pluja i pel pas del temps. Així que demanà llicència i uns obrers de la ciutat van començar a adobar les taules. Mentre les estaven adobant passà en Lledó, porter del batlle general de Catalunya, el qual li preguntà què feia adobant les taules sense permís. Joan li respongué que tenia permís dels obrers de la ciutat. Llavors el porter Lledó li

---

76. AHCB, Consellers, *Obreria*, 1C.XIV-27, s/f.
77. T. VINYOLES VIDAL: *Mirada a la Barcelona...*, p. 115.
78. El present document no especifica que Joan des Far fos convers, tanmateix sabem de la seva condició degut al registre de l'ordenació eclesiàstica del seu fill Joan des Far el 2 de març de 1420. Vegeu J. HERNANDO I DEGADO: *Jueus i conversos...*, p. 206.

digué que era el batlle general qui li havia de donar la llicència, i va ordenar al fuster que estava arreglant les taules que deixés de fer-ho. Al cap de quatre o cinc dies, Joan anà a veure el lloctinent del batlle general, que en aquell moment era Pere Lledó (no s'ha de confondre amb el porter del mateix cognom), li explicà quelcom que li havia dit el porter, alhora que l'informava que ell no col·locava unes taules noves, sinó que arreglava les velles que ja hi eren quan ell va comprar la casa i que presentaven un estat lamentable. Pere Lledó, per la seva part, mantingué el discurs del porter, insistint que havia de demanar permís al batlle o al rei. Les taules continuaren sense arreglar fins que un dia el porter va passar per davant de la casa de Joan i aquest li recriminà el fet de no poder arreglar-les. El porter li proposà com a solució que s'entengués amb ell, que a canvi de quelcom ell podria fer la vista grossa. Joan li respongué que amb qui s'entendria seria amb el Consell, puix que li comunicaria la seva actitud. La resposta no agradà gaire al porter, ja que acte seguit amb ajuda d'unes tenalles i un martell arrancà totes les taules i petges de la casa de Joan. Com a compensació, el porter li donà dos florins. Davant aquest fet, el dia següent, Joan anà a veure el lloctinent Pere Lledó per fer-li saber l'actitud del seu porter. La resposta del lloctinent fou contundent: no en creia una paraula. Joan insistí a posar en coneixement del consell l'actitud del porter i que comptava amb testimonis que li donarien bona fe de la seva persona. Finalment, Pere Lledó acceptà donar permís a Joan perquè continués les obres a canvi que l'endemà li pagués sis rals. El dia següent Joan reprengué la rehabilitació de les taules i mentre ho estava fent passaren els obrers de la ciutat. Aquests li preguntaren si havia pagat res per fer-ho i ell respongué que aquell mateix dia havia de pagar sis rals al lloctinent Pere Lledó. Els obrers van informar a Joan que no havia de pagar res. Tanmateix, al poc temps de marxar els obrers, vingué el porter a reclamar els sis rals acordats el dia anterior. Joan es negà a pagar-los, puix que els obrers li havien dit que res havia de pagar. Veient-se descobert, el porter exigí dues calces, que posteriorment vendria, en lloc dels sis rals.

L'altre testimoni fou Joan Salvatge, apotecari i ciutadà de Barcelona, que tenia una casa a la plaça de Sant Pere. Aquesta casa, ja des que ell la va comprar, tenia una taula en mal estat, i un dia que els obrers de la ciutat hi passaven per davant els pregà que li donessin llicència per canviar-la per una de nova. Aquests li van donar llicència i la mida que havia de tenir la nova taula. Al cap de poc de ser feta la taula, passaren per davant de casa seva el lloctinent del batlle general de Catalunya, que en aquest cas era Bernat Fàbregues, acompanyat de dos porters de la batllia general: l'esmentat Lledó i Ranyells. Al fixar-se en que a casa de Joan Salvatge hi havia una taula nova, li preguntaren qui li havia donat permís per posar-la. Salvatge els respongué que van ser els obrers de la ciutat i que fins i tot li van facilitar les mides de la taula. La reacció del lloctinent no es feu esperar: ordenà als dos porters que arrencaren no solament la taula nova sinó una altra que no havia sigut canviada. Al contrari que en el cas de Joan de Far, Salvatge no obtingué cap compensació per haver-li pres les taules, ans va haver de pagar un ral al porter Lledó. Salvatge, davant aquest greuge, acudí a Jordi de Lemena, que també era lloctinent del batlle general, i després de contar-li els fets manà a Salvatge que tornés a posar les taules sense cap compensació i a càrrec d'ell.

El tercer i últim testimoni va ser Marc Robert, sastre i ciutadà de Barcelona, que tenia una casa a la plaça de la Boira. L'anterior propietari de la casa va voler fer un pis més al dessobre del ja construït. Tanmateix tan sols va poder fer les parets, perquè tenia intenció de prosseguir les obres més avant. I així és com Marc la va adquirir quan la va comprar. Amb el pas del temps, Marc va voler continuar les obres, i quan es disposava a embigar el sostre el porter li va embargar les obres en nom de Pere Reixac, lloctinent del batlle general de Catalunya. Acudí llavors a Pere Reixac, que li digué que l'obra estava aturada i embargada per interès de la Batllia General; tanmateix, per a "que no fos dit que lo dit offici ere comenat a bèsties", Pere li proposà que a canvi d'una retribució podria continuar l'obra. Marc es va negar a pagar res i va acudir al Consell buscant una solució. Finalment, el Consell donà permís a Marc per a continuar les obres, donant a entendre que era el Consell el qui decidia aquests afers i no el lloctinent de la Batllia General de Catalunya.

La manera d'actuar tant dels porters com del lloctinent i sobretot el fet d'exigir unes calces al convers Joan des Far, en veure's descobert i no poder cobrar el permís, ens fa pensar que el que es jutjà aquí no era tan sols un conflicte de competències sinó un cas de corrupció en què *conflicte de competències* no deixava de ser un generós eufemisme. Tanmateix, el més interessant d'aquest cas és que ens permet comparar la situació del convers Joan amb la resta dels implicats, cristians de natura. Ja hem vist que la reacció del porter i dels lloctinents en cas de no pagar la quantitat exigida era trencar les taules i paralitzar les obres. Tots tres testimonis van ser sotmesos a la mateixa pressió i van sofrir les mateixes reaccions. No s'observa, per tant, cap tracte especial o pejoratiu envers Joan pel fet de ser convers, ans al contrari, va ser l'únic que aconseguí una compensació per part dels acusats abans de denunciar els fets. Ni tan sols es diu en el document que Joan era convers. Aquest exemple ens mostra com part dels conversos, al llarg dels anys, es van integrant en la societat cristiana barcelonina.

El rastre documental de les obres fetes a cases de conversos també ens dona una valuosa informació respecte a la situació econòmica d'alguns d'aquests pocs anys després dels fets de 1391. Per exemple, un instrument de pagament, datat el 12 de novembre de 1398, ens mostra com Antònia, conversa, vídua del convers Arnau Massana, va realitzar unes obres en dues cases de la seva propietat —una situada a l'antic Call Menor i l'altra al carrer de Sant Pau— per valor de vint-i-tres lliures, tres sous i vuit diners.[79] A aquestes propietats cal afegir-ne altres que la família Massana tenia al Call Menor. Per tant, la família Massana comptava amb propietats en una de les zones més cobejades, el Call Menor, una altra al carrer Sant Pau, i diners per reformar-les. Això ens porta a pensar que tot i que es va produir un empobriment general dels conversos a partir dels fets de 1391, alguns dels seus membres conservaren la seva riquesa i aconseguiren ampliar-la en un termini relativament curt de temps. Aquest document també en mostra qui va treballar en les reformes, així com el detall de les tasques realitzades i el seu cost. El mestre de cases que dirigí les reformes fou Pere de Blancafort i, per tant, va ser qui va cobrar la quantitat total de les obres per distribuir-la posteriorment entre la resta de professionals que hi intervingueren:

Tots els que van intervenir en les obres eren cristians de natura. Entre ells destaca el rajoler Pere Antic que, recordem, havia llogat part de la Sinagoga Major per a guardar el material per al seu ofici, entre el qual es trobava la calç i les rajoles utilitzades per a realitzar aquestes obres. Tanmateix, el que més ens interessa és que durant almenys dinou dies aquests operaris van estar sota el sostre de dues cases on hi vivien conversos. En el cas que Antònia visqués en alguna de les dues mentre es realitzessin les obres, els operaris veurien el parament de la llar, si continuava respectant el sàbat i consumint menjar caixer, si observava les oracions cristianes o bé les jueves; en fi, al llarg de les hores que treballaven al dia, aquests operaris tindrien accés a no pocs aspectes de la vida privada dels seus habitants conversos que potser delatarien la seva heretgia o reafirmarien la sinceritat en la nova fe. Tot i que no s'han conservat és ben segur que es donessin més casos com el que acabem d'exposar, a més d'altres situacions similars en què els conversos veien la seva intimitat exposada als cristians de natura. No hi ha dubte que renegar de la fe era una cosa, però deixar de practicar

---

79. AHPB, Guillem Andreu, *Octavum manuale*, 1398, març, 2-1400, març, 13, 51r-v.

tot un seguit d'actes quotidians lligats a la seva antiga religió —és a dir, aspectes culturals com per exemple la gastronomia i qüestions higièniques— era la part més difícil. Tanmateix, no tenim constància de gran nombre de processos contra la fe dels conversos durant aquests primers anys, quan els conversos encara no havien assimilat la nova fe i encara menys els nous costums.[80] Fet que ens mostra novament com la situació a la Corona d'Aragó —si més no a la ciutat de Barcelona— era diferent a la de Castella, ja que hi havia més consciència per part de la societat de la difícil transició dels conversos a la nova fe.

Espai laboral: els obradors

Hem analitzat fins ara els espais de residència dels conversos barcelonins. Tanmateix hi havia altres llocs on els conversos es relacionaven amb la resta de la societat i passaven bona part del seu temps diari: els obradors. Aquests eren els llocs de feina on els artesans elaboraven els seus productes, alhora que un aparador on els mostraven. Els obradors, per tant, eren un important nexe entre els conversos i la resta de la societat, i establien entre ells relacions personals i professionals productor-client.

El que pretenem analitzar en aquest apartat no difereix molt del que ja hem fet en l'apartat anterior: situació i propietat dels obradors utilitzats per conversos, per tal d'obtenir pistes sobre el seu sentiment de grup i la riquesa.

UBICACIÓ DELS OBRADORS

Recordem que la majoria de les cases medievals tenien obradors a la planta baixa; per tant, la majoria dels obradors estaven situats al mateix lloc que les cases que acabem de veure. Tanmateix hem trobat alguns documents referents a compres o lloguers exclusivament d'obradors.[81]

---

80.   Vegeu Josep Hernando Delgado: "El procés contra el convers Nicolau Sanxo, ciutadà de Barcelona, acusat d'haver circumcidat el seu fill (1437-1438)", dins Acta historica et archeologica mediaevalia, ed. Universitat de Barcelona, Barcelona, 1992.

81.   1398-10-24, AHPB, Pere Granyana, Manuale undecimum, 1398, juny, 8-1399, juliol, 12, 34r. 1406-03-11, AHPB, Bernat Nadal, Manual de vendes, 1406, juny, 2-1407, octubre, 12, 25v-26r. 1409-08-20, AHPB, Pere Granyana, Manual, 1408, desembre, 22-1410, febrer, 26, 54v. 1411-07-29, AHPB, Antoni Brocard, Manuale comune secundum, 1411, juny, 17-1412, abril, 16, 8v. 1416-03-27, AHPB, Pere Pellisser, Manual, 1415, juliol, 2-1416, juny, 26, 136r. 1416-12-20, AHPB, Bernat Pi, Manual, 1416, febrer, 20-1416, agost, 1, 4r.

Observem com tots, tret del situat al carrer de Sant Menat, estan situats molt a prop dels antics calls jueus. Tal com va passar amb les cases, els conversos també varen buscar els obradors fora dels calls de la ciutat. També els obradors del call foren molt cobejats, i com era d'esperar coneguts noms tornen a aparèixer com a beneficiats: el 10 de març de 1393, el rei Joan donà en emfiteusi a Domènec Coaner, tresorer del rei i futur comissari dels afers del call, dues carnisseries situades al Call Major.[82]

També en aquest cas, van ser molt pocs els conversos que van poder aconseguir algun dels obradors que la comissió venia en subhasta pública. El cas que hem trobat, datat el 24 d'octubre de 1398, correspon al de Joan Desplà, important llibreter convers, que comprà a la comissió un obrador situat al Call Major per cinquanta lliures barceloneses.[83] Aquest obrador pertanyia a un convers, anomenat Isaac Ardit en temps quan era jueu, i va ser confiscat per la comissió en fugir aquest de la ciutat.

L'altre obrador adquirit en propietat, situat al carrer dels Apotecaris, va ser venut l'1 de gener de 1406 per Pere de Casasagia, mercader, a Marc d'Avinyó, seder convers.[84]

Aquests obradors van ser comprats per conversos anys després de la catàstrofe de 1391, quan la seva economia ja estava prou sòlida per tal de poder dur a terme aquests tipus d'inversions. Tanmateix, no degueren ser pocs els que vengueren part del patrimoni que conservaven —sense comptar els immobles situats als calls, la venda dels quals, com hem vist, responia a altres circumstàncies— per tal d'aconseguir prou capital per reprendre les seves activitats econòmiques i professionals. Un exemple d'això podria ser el que presentem a continuació. El novembre de 1392, Ramon de Mirambell, convers, fill d'Isaac sa Salomó, difunt, i hereu de Vidal sa Salomó, difunt, vengué a Francesc Senós, tintorer, un obrador situat al carrer Especiers.[85]

La resta dels obradors que hem localitzat van ser ocupats en règim de lloguer. Com també passava amb les residències, eren pocs els conversos que tenien el seu obrador dintre l'antic Call Major. Un d'aquests era Berenguer Soler, convers, teixidor de vels, que el 27 de març de 1416 va llogar un obrador, situat al carrer dels Torners, pro-

82. ACA, Cancelleria Reial, *Feudorum*, reg. 2009, f. 9v-10r.
83. AHPB, Pere Granyana, *Manuale undecimum*, 1398, juny, 8-1399, juliol, 12, 34r.
84. AHPB, Bernat Nadal, *Manual de vendes*, 1406, juny, 2-1407, octubre, 12, f. 25v-26r.
85. AHPB, Arnau Piquer, *Manual*, 1391, octubre, 16-1392, desembre, 24, f. 195r.

pietat de Bernat Maler, sastre.[86] Tres mesos més tard, el 9 de juny de 1416, Bernat Maler va realitzar unes obres de fusteria en el mateix obrador, potser per a adequar-lo al llogater o perquè aquest no estava en un estat òptim.[87]

Altres se situaven prop dels calls. El 29 de juliol de 1411, Bernat de Calaf, convers, giponer, va llogar una botiga propietat de Rafael d'Ulzinells, de la tresoreria del rei, situada prop de la plaça de Sant Jaume, durant un període de cinc anys al preu total de divuit florins.[88] Un altre exemple és el de Romeu d'Agis, convers, seder, que el 20 d'agost de 1409, va llogar una taula amb totes les seves pertinences, situada a la plaça de les Cols, propietat de Pere Soler, durant un període de quatre anys a seixanta-nou sous per any.[89]

Tots els casos que hem trobat tenen en comú que els obradors que eren llogats per conversos eren propietat de cristians de natura. Com veiem, tant la tendència d'agrupament com la situació que delataven les cases habitades per conversos es tornen a repetir amb els obradors.

---

86. AHPB, Pere Pellisser, *Manual*, 1415, juliol, 2-1416, juny, 26, f. 136r.
87. AHPB, Bernat Pi, *Manual*, 1416, febrer, 20-1416, agost, 1, f. 63v.
88. AHPB, Antoni Brocard, *Manuale comune secundum*, 1411, juny, 17-1412, abril, 16, f. 8v.
89. AHPB, Pere Granyana, *Manual*, 1408, desembre, 22-1410, febrer, 26, 54v.

FAMÍLIA I VIDA QUOTIDIANA

La família, la vida quotidiana i les relacions personals constitueixen l'esfera més privada de tota societat, i la que ens aporta els detalls més clarificadors sobre el seu funcionament. La particularitat en la societat conversa és precisament la que el seu propi adjectiu indica: haver abandonat un tipus de societat, la jueva, per passar a formar part d'una altra, la cristiana. Aquesta transició tingué greus conseqüències en la manera de viure i relacionar-se, que incidiren especialment en l'àmbit familiar. Com veurem al llarg d'aquest capítol, no tots els membres d'una mateixa família es convertiren. Hem vist en el primer capítol com les autoritats incidien en la prohibició als conversos de relacionar-se amb jueus, fins i tot si aquests formaven part del mateix nucli familiar. Tanmateix, això no significa necessàriament que les relacions es trenquessin, però sí que es complicaren. Formar part de diferents religions significava formar part de societats diferents especialment separades. Aquest fet ens planteja un seguit de qüestions que són les que pretenem respondre en aquest capítol. Els primers interrogants es plantegen en la llavor mateixa de la família, el matrimoni. La disparitat de les conversions també es produí entre cònjuges i l'única solució era el divorci. Aquest fet provocava un seguit de problemes que plantejaven el dubte en les seves solucions: la devolució del dot, l'educació i el manteniment dels fills, les relacions entre els dos grups familiars, entre altres. D'altra banda, és també una qüestió a desvelar el manteniment o el trencament de les relacions entre jueus i conversos d'una mateixa família. En el cas que aquests seguiren en contacte, com es desenvolupaven aquestes relacions? Pel que fa als nous matrimonis, els conversos, com a cristians, podien casar-se sense cap impediment legal amb cristians de natura, reafirmant per tant la seva nova condició. Però el sentiment de grup i la integritat de la seva cohesió és un sentiment que pesava amb força en la mentalitat de la societat conversa. Es plantegen llavors dos opcions per als conversos barcelonins: reforçar la seva integració en la societat cristiana mitjançant el matrimoni amb cristians de natura, o bé mantenir la seva cohesió casant-se entre ells, convertint-se en un grup hermètic dins la societat.

En la societat jueva la religió marcava els costums diaris i les relacions familiars. El rol del pare i la mare envers els fills estava marcat per les creences religioses. També l'alimentació, els remeis contra les malalties i la higiene, estaven estretament relacionats amb les escriptures sagrades. Per tant, la religió tenia un pes primordial en la vida d'un jueu. Els conversos de primera generació, els que de la nit al dia varen passar de ser jueus a ser cristians, es veieren de sobte orfes d'una conducta diària marcada per la seva antiga religió i d'una manera de relacionar-se que fins ara anava marcada per la seva antiga fe.

Tanmateix, tot sembla indicar —com ja hem observat en el primer capítol— que les autoritats religioses i civils van ser bastant laxes amb els nous conversos de 1391 envers les observances de la nova religió que acabaven d'adoptar. L'abandó d'una religió que els marcava profundament el seu mode de vida i l'adopció d'una de nova de la qual ignoraven pràcticament tota litúrgia i costum, deuria de causar en els conversos de primera generació una desesperant sensació de desorientació i incertesa. Per aquesta causa, i com és natural, els convertits recentment continuarien vivint i relacionant-se com sempre ho havien fet ja que no coneixien altra manera de fer-ho.

Contacte entre conversos i jueus

Les conversions en massa resultants dels avalots de 1391 restaren molt lluny d'una solució per eliminar el judaisme de la ciutat de Barcelona, ans al contrari. Aquestes conversions es feren sota amenaça i coacció, no per convicció, per tant era més que probable que a la mínima oportunitat molts dels ara conversos tornarien a professar la seva antiga fe amb l'ajuda dels jueus que encara vivien a la ciutat. Els jueus que escaparen de la turba i aconseguiren mantenir-se fidels representaven per a les autoritats un gran perill, uns caps solts que podrien provocar una major ignomínia que mantenir-se jueus: que els conversos, cristians de ple dret, renegaren de la seva nova fe i tornaren al judaisme. Per tant les autoritats s'esforçarien per expulsar de la ciutat tots els jueus i evitar qualsevol contacte entre aquests i els conversos.

Presència jueva a Barcelona després dels fets de 1391

Immediatament després dels aldarulls tant les autoritats municipals com les eclesiàstiques van copsar els perills que suposava per a la seva causa el fet que alguns jueus romangueren en la seva fe. La societat cristiana es veia obligada a integrar un grup social que fins ara havia viscut segregat i totalment rebutjat per ella; malgrat ser oficialment cristians, la societat s'adonà més prompte que tard que hi havia la possibilitat que algunes de les conversions no foren sinceres pel fet de no ser motivades per una convicció interior i raonada dels afectats, i, per tant, el contacte constant entre conversos i jueus no afavoria la sinceritat dels primers.

Les reaccions de les autoritats davant aquest problema no es feren esperar i la primera mesura que es va prendre fou localitzar els jueus que havien aconseguit escapar de les conversions i recloure'ls en cases religioses de la ciutat per tal d'informar-los millor de la religió cristiana i intentar que es convertiren; en cas que no ho fessin, serien foragitats de la ciutat.[1] Aquesta amenaça d'expulsió no passà de les paraules, ja que encara romandrien a la ciutat jueus que es negaven a abandonar-la. La documentació notarial ens en dona múltiples exemples. Poc després de les conversions, el 27 de desembre del mateix any, Ferrer de Gualbes, convers, abans anomenat Isaac Bonsenyor Gracià, actuà com a procurador del seu pare Bonsenyor Gracià i del seu germà Mossé Bonsenyor Gracià, ambdós jueus.[2] El 6 de febrer de 1392 Ferrer de Gualbes tornaria a actuar com a procurador del seu pare i del seu germà en un pagament efectuat a Guillem Pelegrí.[3] Aquest exemple també ens mostra la continuïtat de les relacions entre jueus i conversos membres d'una mateixa família, tema que tractarem una mica més endavant. Altres exemples ens mostren com en els primers anys posteriors a les conversions i a les amenaces d'expulsió, hi hagueren jueus que continuaren vivint a la ciutat. El 23 de març de 1396, Bonanasc Abizmell, jueu de Gandesa, i Samuel Bonjorn i la seva muller, jueus de Barcelona, demanaren trenta-set lliures i deu sous en comanda

---

1. Francisco de Bofarull: "Ordinacions de los Concelleres de la ciudad de Barcelona sobre los judíos en el siglo xiv", *Boletín de la Real Academia de las Buenas Letras de Barcelona*, núm. IX/43, 1911, p. 102.

2. J. Hernando Delgado: "Conversos, jueus i cristians de natura. El testimoni dels processos i la necessitat d'una recerca", dins Flocel Sabaté i Claude Demjean (eds.), *Cristianos y judíos en contacte en la Edad Media. Polémica, conversión, dinero y convivencia*, ed. Editorial Milenio, Lleida, 2009, p. 387-412.

3. AHPB, Pere Claver, *Llibre comú*, 1391, desembre, 7-1393, agost, 20, f. 28r.

a un jueu també resident a Barcelona de nom Abraham.[4] Al mateix document actuà com a testimoni un jueu anomenat Mossé de Piera també resident a Barcelona. Mossé de Piera, sastre d'ofici, el tornem a trobar com a habitant de la mateixa ciutat el 12 de març de 1399 quan ell i la seva muller Blanca demanaren un préstec en comanda a Bonafós Alguer, coraler, i també jueu habitant de Barcelona.[5] Com en el cas anterior, en els testimonis apareix un altre jueu resident a la ciutat anomenat Maimó Vidal, coraler.

Entre 1391 i 1397 el Consell municipal aprovaria un seguit d'ordinacions que prohibiren la convivència i relació entre jueus i conversos, a més d'obligar els jueus a tornar a vestir els signes que els identificaven com a tals. L'objectiu era dificultar la presència de jueus a la ciutat i evitar que aquests es relacionessin amb conversos. Tanmateix, tal com mostrarem més avant, conversos i jueus continuaren relacionant-se malgrat l'oposició de les autoritats.

Els conversos barcelonins, però, eren molt conscients de les sospites que creaven entre la societat cristiana pels contactes amb els seus antics correligionaris i dels perills als quals s'enfrontaven. Tot i això, continuaren mantenint les seves relacions amb jueus. Tanmateix es cuidaren molt de realitzar quelcom que pogués despertar sospites i reaccionaren davant qualsevol eventualitat que els tornés a posar en perill, com per exemple un grup de jueus forasters que es dediqués a judaïtzar obertament els conversos barcelonins. Això és el que va passar el gener de 1397 quan uns jueus vinguts de França s'establiren a la ciutat i començaren a judaïtzar els conversos. El 17 de gener del mateix any, els conversos presentaren una súplica al Consell barceloní advertint-los que un grup nombrós de jueus vinguts de França els obligaven a participar en cerimònies judaiques i a consumir carn caixer, carn que també feien comprar a cristians de natura ja que a simple vista no es notava la diferència amb la carn habitual.[6] La por que les accions d'aquests jueus estrangers fessin créixer entre la societat cristiana el dubte sobre la sinceritat de les seves conversions i que es produís una altra matança com la de 1391, va motivar que els conversos fessin la súplica esmentada. Tanmateix el Consell no va perdre l'oportunitat d'or que el destí li brindava per limitar encara més les relacions entre jueus i conversos. El Consell no es pronuncià fins al 23 de març del mateix any recordant primer la súplica feta pels conversos, però can-

---

4. AHPB, Pere Pellisser, *Manual*, 1396, març, 3-1397, novembre, 21, f. 5v.

5. AHPB, Jaume de Trilla, *Manual*, 1398, febrer, 21-1399, desembre, 4, 82v.

6. AHCB, Consell de Cent, *Llibre del Consell*, 1B.I-27, f. 74v (vegeu apèndix documental I, doc. 9).

viant-ne substancialment el significat, ometent qualsevol referència als jueus vinguts de França i generalitzant-la a tots els jueus.[7] El que en un principi havia estat una queixa dels conversos en contra d'un grup concret de jueus forasters s'acabava de convertir en un al·legat de la inconveniència dels contactes entre conversos i jueus i la necessitat d'expulsar aquests últims de la ciutat. Seguint aquesta premissa, el Consell acordà que fossin vistes i reconegudes totes les ordinacions sobre els jueus —fent especial èmfasi en l'obligació de portar la rodella groga i vermella que els identificava com a tals—, així com les que regulaven les relacions entre aquests i els conversos; acordà també que cap cristià gosés consumir carn caixer.[8] Les dificultats perquè conversos i jueus pogueren continuar relacionant-se es feren més evidents. El més curiós, però, estava per arribar, ja que segons consta en el *Llibre del Consell* de Barcelona el 5 de juny un grup significatiu de conversos presentà una instància als consellers demanant-los que mai més pogués haver-hi una aljama de jueus a la ciutat i ni tan sols jueus singulars. El Consell deliberà que tal petició seria suplicada al rei.[9] L'endemà es fa referència al fet que la súplica a més de ser presentada per conversos també ho era per cristians de natura i es concreta que es demanarà al rei que atorgui a la ciutat un especial i perpetu privilegi pel qual no es permeti l'establiment de qualsevol aljama de jueus i es prohibeixi l'estada de jueus singulars a la ciutat per més de deu dies.[10] Per primer cop eren els mateixos conversos els que demanaven expressament al Consell que no s'establís mai més una aljama a la ciutat i a més que cap jueu hi pogués residir. La primera demanda, la de no permetre establir cap més aljama a la ciutat, és perfectament comprensible si tenim en compte el poder que una reduïda casta exercia sobre la resta de la comunitat per tal de beneficiar els seus interessos particulars. L'establiment d'una nova aljama representaria el ressorgiment de nous grups de poder i lluites intestines que podrien perjudicar els conversos que, tot i no pertànyer a la comunitat jueva, es veurien implicats mitjançant llaços de sang i per qüestions de negocis. Els jueus que s'havien convertit, s'havien alliberat del control directe que l'aljama exercia sobre els seus membres i amb la seva condició de cristians

---

7. AHCB, Consell de Cent, *Llibre del Consell*, 1B.I-27, f. 84v (vegeu apèndix documental I, doc. 10).

8. AHCB, Consell de Cent, *Llibre del Consell*, 1B.I-27, f. 85r (vegeu apèndix documental I, doc. 11).

9. AHCB, Consell de Cent, *Llibre del Consell*, 1B.I-27, f. 101v-102r (vegeu apèndix documental I, doc. 12).

10. AHCB, Consell de Cent, *Llibre del Consell*, 1B.I-27, f. 103r, 104r (vegeu apèndix documental I, doc. 13).

s'obria un nou món de possibilitats. La creació d'una nova aljama tan sols posaria en perill la seva llibertat i els comprometria davant una societat cristiana que desconfiava de la seva fe. Més intrigant és la segona petició: prohibir als jueus establir-se a la ciutat. Hem vist alguns exemples que certifiquen la continuïtat de les relacions entre jueus i conversos, tant en l'àmbit personal com econòmic. Quin sentit tenia fer una petició que els perjudiqués i que impliqués l'expulsió d'alguns dels seus membres familiars que encara eren jueus? Potser els conversos van demanar que no s'establís cap aljama més i el Consell aprofità per demanar que, a més, cap jueu singular s'hi pogués establir. També hi ha la possibilitat que els conversos realitzessin aquesta petició de manera explícita per tal d'esvair qualsevol dubte sobre la sinceritat en la seva nova fe i amb la voluntat de trencar amb el passat, però sense la mínima intenció d'acomplir les ordenances que d'aquest fet es derivessin. Ja hem vist anteriorment que la major part de les ordenances que impedien el contacte entre jueus i conversos no van ser respectades i que no hi hagué cap conseqüència per part del govern municipal. Per tant, aquest cas tampoc seria una excepció. Fos quin fos el motiu d'aquesta petició, el 1401 el rei Martí prohibí definitivament l'establiment d'una nova aljama a la ciutat de Barcelona i el 1424 Alfons V va atorgar a la ciutat el privilegi especial a perpetuïtat que el Consell havia suplicat confirmant aquesta prohibició.[11] Entremig d'aquestes dues decisions reials hi hagué encara una crida feta a instàncies del Consell el 29 de gener de 1416 en la qual s'anunciava vehementment mitjançant quatre trompetes i dos tabals, seguint el mateix recorregut que solia fer la processó del Corpus Christi passant per la plaça del Blat, de la Freneria, de Sant Jaume i la dels Canvis, que els jueus de la ciutat tenien seixanta dies a partir d'aquesta crida per a abandonar la ciutat i establir-se en una altra població situada dins dels territoris reials.[12] Segons la mateixa crida aquesta expulsió ve determinada per un privilegi —segurament atorgat per la reina a la ciutat, de la qual era lloctinent general— però era voluntat del Consell que aquest no fos un impediment perquè els jueus de qualsevol indret vinguessin a la ciutat de Barcelona a fer negocis. Establia emperò un seguit de condicions: tan sols podien romandre a la ciutat un màxim de quinze dies, s'havien d'allotjar en un hostal o posada i havien de vestir els distintius jueus. En cas d'incomplir aquests requisits els infractors serien apallissats i expulsats. A més, el Consell es reservava el dret d'impedir l'entrada a la ciutat d'alguns jueus en particular fins que no passessin dos mesos

---

11.   Y. Baer: *Historia de los judíos...*, p. 554.
12.   AHCB, Consell de Cent, *Ordinacions*, 1B.IV-4, 03-I-1414-05-VI-1425, f. 17r-v.

des de la seva última estada. Aquest privilegi no era exclusiu de Barcelona. Molt abans, el 1400, els oficials de València demanaren al rei Martí una legislació per a impedir que els jueus viatgessin a la ciutat i contaminessin la fe dels conversos.[13] La resposta del rei a aquesta petició no arribà fins al 1403 amb una legislació que limitava a deu dies el temps que els jueus que anessin a València podien romandre a la ciutat, al mateix temps que els obligava a allotjar-se en llocs regentats per cristians de natura.[14]

El Consell semblava decidit a expulsar definitivament els jueus barcelonins al mateix temps que dificultava les relacions entre aquests i els conversos. El fet que la crida esmentada obligués els jueus que anessin a Barcelona a allotjar-se en un hostal o posada s'explicava perquè era acostumat que aquests s'allotgessin a casa de familiars o amics conversos que residien a la ciutat. Aquest costum ha estat estudiat a Aragó per Encarnación Marín Padilla, que amb les seves investigacions també certifica el manteniment de les relacions entre els jueus que es convertiren i els que no.[15] La cohabitació de jueus i conversos també és observada per M. D. Meyerson en el cas de Sagunt i València.[16]

Malgrat les prohibicions i les pressions exercides per les autoritats implantant aquestes mesures per tal d'impedir l'establiment de jueus a Barcelona alguns d'aquests encara hi residirien de manera habitual. El 27 de febrer de 1419, és a dir, tres anys després de la crida feta a Barcelona el 1416, Mossé Bendit, jueu habitant de Barcelona, actuà com a testimoni en la venda d'una esclava feta pel convers Guillem sa Coma, llibreter, a Guillem Martorell, hortolà, ciutadà de Barcelona.[17] El 8 d'octubre de 1420, Astruc Levi, jueu, habitant de Barcelona, pagà a Pere Bosc, notari, ciutadà de la mateixa ciutat, quaranta-un sous i sis diners, actuant com a testimoni l'anteriorment esmentat jueu Mossé Bendit.[18] El 29 d'octubre de 1423, Jacob des Quart, jueu, bataner de fulls d'or, habitant de Barcelona, va vendre a Maria, muller de Narcís Bru, notari, ciutadà de la mateixa ciutat, una pensió de cent deu sous per un preu de cinquanta-cinc lliures.[19]

---

13. M. D. MEYERSON: *A Jewish Renaissance in Fifteenth-century Spain*, ed. Pinceton University Press, Princeton, 2004, p. 186.

14. M. D. MEYERSON: *A Jewish Renaissance...*, p. 186.

15. E. MARÍN PADILLA: "Relación judeoconversa durante la segunda mitad del siglo xv en Aragón: nacimientos, hadas, circuncisiones", *Sefarad*, 41:2 (1981), p. 273-300, p. 275.

16. M. D. MEYERSON: *A Jewish Renaissance...*, p. 185-187.

17. AHPB, Tomàs Vives, *Quartum manuale*, 1416, juny, 23-1419, abril, 8, f. 141r.

18. AHPB, Tomàs Vives, *Manual*, 1420, maig, 14-1421, abril, 21, f. 17r.

19. AHPB, Pere Agramunt, *Manual*, 1422, octubre, 28-1423, desembre, 2, s.f.

Per tant, i com ja mostrava el doctor Josep Hernando Delgado,[20] la presència jueva a Barcelona no s'acabaria amb els avalots de 1391 malgrat que aniria disminuint al llarg del segle xv.

RELACIONS ENTRE JUEUS I CONVERSOS AMB VINCLES PROFESSIONALS I D'AMISTAT

En un altre nivell de les relacions entre jueus i conversos trobem les que es produïen arran dels intercanvis comercials i els préstecs. Aquest nivell de relació no era tan íntim com el familiar però, si més no, permetia un contacte directe entre els conversos i els no convertits. Els esforços de les autoritats municipals també es van dirigir a evitar les relacions comercials entre conversos i jueus per tal d'impedir que es posés en perill la veracitat de les seves conversions.[21] Malgrat tots els esforços, conversos i jueus van continuar portant a terme les seves relacions comercials. D'aquestes relacions destaquen les mantingudes entre conversos barcelonins i jueus que fugiren de la ciutat després de 1391 però que hi tenien interessos. Aquests vincles permetien als jueus barcelonins desplaçats poder mantenir tractes comercials a Barcelona així com administrar el seu patrimoni. Va ser precisament en aquesta administració del patrimoni que els contactes amb conversos barcelonins van permetre als jueus que emigraren poder reaccionar davant l'espoli del qual fou objecte l'antiga comunitat jueva el 1393. Per exemple, el 3 d'octubre de 1393 el convers barceloní Gracià d'Estella actuà com a procurador d'Aterita, vídua de mestre Saltell Cabrit, ambdós jueus, que havia viscut a Barcelona fins als fets de 1391, moment en el qual decidí marxar i establir-se a València, en la venda d'una casa que aquesta posseïa al Call Major de la ciutat.[22] En altres casos els afectats per aquestes vendes forçades —normalment eren els fills d'un jueu barceloní que havien adquirit la casa mitjançant herència— feia molt de temps que havien marxat de Barcelona i havien de recórrer a contactes amb els quals no tenien un tracte tan continuat com si haguessin viscut sempre a la ciutat, tanmateix aquests contactes es mantenien, fet que ens demostra la força d'aquests lligams entre la comunitat jueva i la conversa. Aquest potser va ser el cas dels germans Vidal Josef i Mossé Josef, jueus de Tortosa, que el 8 de maig de

---

20. JOSEP HERNANDO DELGADO: *Conversos, jueus i cristians de natura. El testimoni...*, p. 3. Bernat Sans, *Manual*, 1406, març, 6-1406, setembre, 30.

21. Flocel SABATÉ: "L'ordenament municipal de la relació amb els jueus a la Catalunya Baixmedieval", dins Flocel SABATÉ i Claude DENJEAN (eds.): *Cristianos y judíos en contacto en la Edad Media. Polémica, conversión, dinero y convivencia*, p. 733-804, p. 754.

22. AHPB, Arnau Piquer, 1392, desembre, 29-1393, desembre, 23, f. 151r-v.

1393 van nomenar procuradors Pere de Casasagia, convers, ciutadà de Barcelona, Guillem Roig, notari, ciutadà de Barcelona, i Pere Asbert, mercader, ciutadà de Barcelona, aquests dos últims cristians de natura, perquè actuessin en nom seu en la venda d'una casa situada al Call Major de Barcelona que el seu pare, Jucef Mossé, els havia deixat en herència.[23] Aquest cas resulta interessant pel fet que com a procuradors hi figuren un expert en lleis, el notari Guillem Roig, i també algú avesat en els negocis, el mercader Pere Asbert, és a dir, dos magnífics assessors per a una delicada operació. El més probable és que aquests dos assessors van ser buscats pel convers Pere de Casasagia, important mercader de la ciutat de Barcelona, com també ho era un mercader cristià de natura igualment anomenat Pere de Casasagia. El problema és que en la documentació notarial prompte es començà a ometre l'adjectiu *conversus* quan es parla del convers Pere de Casasagia —segurament aquest era el seu objectiu quan va triar el nom, o bé era apadrinat de l'esmentat Pere, cristià de natura, i els contactes d'aquest van fer la resta—, per tant, les activitats d'ambdós es confonen i no ens ha estat possible establir la influència que el convers Pere de ben segur tenia. Tanmateix, en aquest document s'aprecia com Pere utilitza la seva influència per oferir als germans Jucef un bon assessorament per a la venda de la seva casa.

En el món del crèdit era on es produïen més contactes entre jueus i conversos. El 13 de setembre de 1397, Bonastruc Nazniell, jueu de Gandesa, cedia els drets de cobrament sobre un ciutadà de Lleida a Dalmau de Perelló, convers, mercader, ciutadà de Barcelona, per tal de pagar-li els seixanta florins d'or d'Aragó que li devia.[24] El 10 de febrer de 1402, Gracià d'Estela, tintorer, ciutadà de Barcelona, nomenà procurador Nicolau Guash, porter del rei, ciutadà de la mateixa ciutat, perquè cobrés en nom d'ell les tretze lliures, dinou sous i deu diners que Abraham Benvenist, jueu de Castelló d'Empúries, abans jueu barceloní, li devia a causa de la cessió de drets de cobrament sobre ell feta per Rafael de Quer, convers de Barcelona, abans anomenat Bonafeu Fabib.[25] L'11 de febrer de 1416, Mossé de Piera, jueu d'Altafulla, reconeixia haver cobrat de Joan de Pallars, convers, ciutadà de Barcelona, dos florins d'or d'Aragó a raó de la venda d'una túnica que Mossé va deixar a Joan de Pallars com a penyora pel préstec que aquest li va fer de dotze florins d'or i que posteriorment va vendre per catorze florins,

23. AHPB, Arnau Piquer, 1392, desembre, 29-1393, desembre, 23, f. 79v.
24. AHPB, Bernat Nadal, *Manual*, 1397, agost, 1-1398, gener, 4, f. 46r.
25. AHPB, Pere Claver, *Llibre comú*, 1401, desembre, 8-1402, octubre, 27, f. 41r.

amb el seu permís; dotze florins se'ls quedà Joan per a recuperar la quantitat prestada i els dos restants van ser pagats a Mossé.[26]

Les relacions entre conversos i jueus en les operacions creditícies no es limitaven als papers de prestamista i deutor, sinó que també tant jueus com conversos recorrien als seus contactes per tal de cobrar deutes, especialment quan deutor i prestamista vivien en diferents poblacions. En aquests casos, trobem conversos que nomenaren procurador un jueu que vivia en la mateixa localitat que el deutor perquè cobrés en nom seu; i també trobem el cas contrari, és a dir, jueus que nomenen conversos per al mateix afer. El 4 de gener de 1415, Samuel Cofet i Bondeu Conerell, jueus de Santa Coloma de Queralt, pagaren per mans del convers Pere de Montagut, ciutadà de Barcelona, les vint-i-dos lliures que devien a Lluís de Queralt, convers barceloní.[27] El 10 de gener de 1416, aquests jueus realitzarien un altre pagament de la mateixa quantitat a Lluís de Queralt mitjançant Joan de Montagut.[28] El 5 de juliol de 1415, el mateix Lluís de Queralt, actuant com a procurador del convers Miquel Bosset, àlies Rossell, sastre, ciutadà de Santa Coloma de Queralt, reconeixia haver cobrat de Blanquina, vídua de Pere Vila, apotecari de Santa Coloma de Queralt, tretze lliures que aquesta li devia; els pagaments foren efectuats en dos terminis, un fet per mans del jueu Inhab Basses i l'altre per mans del convers Joan de Moncada, ambdós de la localitat esmentada.[29] Fins i tot hem trobat casos en què jueus i conversos demanen préstecs conjuntament. Per exemple, el 2 de juny de 1418 el convers Lluís de Queralt nomenava procurador Antoni Ferrer, causídic, perquè cobrés en el seu nom les vuit lliures i cinc sous que Bernat Vidal, convers, i Bonastruc del Mestre, jueu, ambdós de Girona, li devien.[30] El fet de contraure un préstec conjuntament determina un projecte i una responsabilitat compartida entre ells, i, per tant, una relació de confiança mútua.

Aquestes relacions entre jueus i conversos sense lligams de sang entre ells podien assolir una complicitat encara major. Per exemple, el 16 de gener de 1410 Judà Axaham, jueu, major de dinou anys i menor de vint-i-cinc, fill de Xehe Axaham, difunt, jueu de Barcelona, prometia a Pere Llopis, convers, giponer, ciutadà de Barcelona, que durant un any estaria amb ell per tal d'aprendre el seu ofici i servir-lo, tant de dia com de nit; a canvi, Pere li donaria dotze florins d'or d'Aragó com a

---

26. AHPB, Pere Pellisser, *Manual*, 1415, juliol, 2-1415, juny, 26, f. 98r.
27. AHPB, Pere Pellisser, *Manuale*, 1414, juliol, 2-1415, juny, 26, f. 62v.
28. AHPB, Pere de Folgueres, menor, *Manual*, 1415, abril, 30-1416, abril, 30, f. 76v.
29. AHPB, Pere Pellisser, *Manual*, 1415, juliol, 2-1415, juny, 26, f. 2v.
30. AHPB, Marc Canyís, *Manuale*, 1414, desembre, 14-1422, desembre, 22, f. 37v.

sou per aquest any, a més d'alimentar-lo.[31] Com veurem més endavant, en el capítol corresponent al món del treball en la societat conversa, els aprenents solien conviure amb el seu mestre. La clàusula referent a servir el mestre tant de dia com de nit té a veure amb aquest fet. Tanmateix, el contracte omet que l'aprenent conviurà amb el mestre i per tant no ho podem assegurar. Malgrat tot, la relació que es teixia entre aprenent i mestre era molt íntima, fruit d'hores de convivència i projectes comuns. Aquest és un clar exemple de contacte entre jueus i conversos malgrat les adversitats, alhora que ens mostra un més que possible cas de solidaritat donat que, com es mostra en el document, el noi és orfe de pare i per tant disposa de pocs recursos. Normalment, a la Barcelona baixmedieval, quan el mestre contractava un aprenent o professional era perquè ja hi havia relació entre ells o amb els seus pares, ambdues parts ja es coneixien i es tenien confiança. Per a un convers, era molt més segur contractar un aprenent convers per tal de no posar en dubte la sinceritat de la seva conversió. Per tant, en aquest cas, els lligams entre Pere i Judà havien de ser molt forts per tal d'arriscar-se d'aquesta manera.

Com hem pogut veure, els conversos i els jueus continuaven relacionant-se malgrat les prohibicions i l'evident perill social que això comportava en una societat que permanentment posava en dubte la sinceritat de les conversions. Aquesta malfiança dels cristians de natura envers els conversos avivava en aquests les pors que l'odi i la violència exercida el 1391 contra ells quan eren jueus es podrien traslladar en un futur contra els conversos, i això contribuïa al fet que els neòfits no trencaren les relacions amb els seus antics correligionaris. En cas que aquestes pors es feren realitat els conversos es trobarien en una situació delicada, ja que si es desentenien dels jueus i tallaven tota relació es podien trobar sols davant l'odi dels cristians de natura, per tant formaven un grup compacte, que els distanciava alhora dels cristians de natura.[32]

La família conversa

ALGUNS APUNTS SOBRE LA FAMÍLIA JUEVA

La influència de la religió jueva encara marcaria la vida dels conversos de primera i, fins i tot, de segona generació. Per això, és im-

---

31. AHPB, Joan Ferrer, *Tercium manuale*, 1409, novembre, 19-1411, maig, 6, f. 13v.
32. V. BELTRÁN DE HEREDIA: "Las bulas de Nicolás V acerca de los conversos de Castilla", *Sefarad*, 21:1, 1961, p. 24.

portant que abans de tractar plenament com era la família conversa, estudiem quines eren les característiques principals de la família jueva a Barcelona.

Malgrat el gran influx que la religió exercia sobre la família jueva el model d'aquesta no era uniforme a tots els territoris medievals. Com indica Kraemer, el model de família jueva variava segons l'espai i el temps en què es trobava, ja que adoptava un seguit d'elements propis de la societat en la qual convivien.[33] En el cas de Barcelona, com ja va observar Anna Rich,[34] no és cap excepció i és ben palès com la família tradicional jueva absorbeix elements propis de la societat cristiana de la ciutat. Aquest sincretisme social també s'observa en la societat conversa i en la seva evolució.

Quelcom comú a totes les comunitats jueves era que el nucli principal de la societat era la família, tant la conjugal com l'extensa.[35] Aquest esquema social adquireix especial rellevància en un poble com el jueu donat que es tracta d'una comunitat que no gaudeix d'un territori propi sobirà i que per tant està obligada a viure sota el domini de societats d'una religió diferent que la manté al marge i sota sospita constantment. Es tracta de grups relativament reduïts on tots els seus membres viuen en un espai delimitat i separat de la societat que els domina. En un ambient tan hostil la protecció i solidaritat familiar, tant conjugal com extensa, resulta especialment necessària. Aquesta protecció i solidaritat familiar també es manifestava dins de la pròpia societat jueva mitjançant la venjança i el perdó d'un altre grup familiar que hagués agredit o ofès a qualsevol dels seus membres i també en la protecció patrimonial.[36]

La família jueva era essencialment patriarcal i el seu cap era el membre masculí amb més edat i dignitat. Així, un cop mort el pare l'autoritat passava a ser ostentada pel primogènit. La família nuclear esdevenia un veritable centre de culte en què el pare seria l'encarregat de dirigir tota la litúrgia.

La quotidianitat familiar del dia a dia venia marcada per la litúrgia. Abans que les primeres llums de l'albada apareigueren, els membres de la família amb edat de professar la fe mosaica recitaven les oracions *Birkot ha-sháhar*, per tal de demanar protecció, i la *Shemah Yisra'el.*[37]

---

33. D. KRAEMER: *The Jewish Family: Metaphor and Memory*, ed. Oxford University Press, Nova York, 1989, p. 5.

34. A. RICH ABAD: *La comunitat jueva de Barcelona...*, p. 77.

35. E. CANTERA MONTENEGRO: *Aspectos de la vida cotidiana de los judíos en la España medieval*, ed. UNED, Madrid, 1998, p. 79.

36. E. CANTERA MONTENEGRO: *Aspectos de la vida...*, p. 80.

37. E. CANTERA MONTENEGRO: *Aspectos de la vida...*, p. 81.

El paper de la dona dins de la família jueva no diferia molt del de la dona cristiana a la Barcelona medieval. El paper d'aquesta es limitava pràcticament a les seves obligacions com a muller i mare. Aquesta inferioritat de la dona envers l'home trobava la seva justificació mitjançant la religió, evocant les paraules de Jahvè a Eva quan aquesta induí Adam a cometre el pecat original: "et multiplicaré els dolors i els embarassos; tindràs els fills amb dolor. El teu desig t'impulsarà cap al teu home, i ell et voldrà sotmetre".[38] Tanmateix, la dona també tenia el seu paper religiós dins la família ja que era l'encarregada de vetllar estrictament l'acompliment dels preceptes religiosos domèstics, com per exemple encendre els llums d'oli els divendres.

Pel que fa als fills, el seu paper dins la família —i de la societat— depenia també del seu sexe. Entre els cinc i sis anys els nens eren enviats a l'escola (*habrah*) on rebien instrucció religiosa i aprenien a llegir i a escriure. Les nenes, en canvi, eren educades a casa per la seva mare que les instruïa en la religió, la moral i els afers domèstics, per tal de perpetuar el rol femení abans descrit. El pare era l'encarregat d'instruir els seus fills en les litúrgies religioses del calendari jueu, mentre que la mare era la que els educava.

Com veiem, a grans trets, l'estructura de la família nuclear jueva era molt semblant a la cristiana. Tanmateix, hi havien importants particularitats d'origen religiós que interferien en les relacions familiars i que no podem obviar. Al llarg d'aquest capítol profunditzarem en els aspectes més importants de la família i analitzarem si el trànsit de la religió jueva a la cristiana va influir en els conversos en un àmbit tan privat i íntim com la família i les seves relacions interparentals.

Cohesió familiar després de les conversions de 1391

En els nuclis familiars les conversions no foren totals.[39] Tanmateix, i malgrat les ordinacions destinades a la separació entre jueus i conversos, els contactes entre jueus i conversos d'un mateix nucli familiar continuaren. La família jugava un paper cabdal en la societat jueva i aquestes relacions, si totes les parts estaven d'acord, no quedaven eliminades després de la conversió. Aquests contactes familiars es donaven també als altres regnes de la Corona d'Aragó, sense que s'hagi documentat cap conflicte amb les autoritats. En el cas del Regne de

---

38. Gen, III, 16.
39. J. Hernando Delgado: *Conversos i jueus: cohesió i solidaritat...*, p. 189.

València, els estudis de Mark D. Meyerson[40] i de José Luis Compañ[41] mostren com les relacions entre jueus i conversos d'un mateix grup familiar es mantenen. El mateix succeeix a Aragó, on destaquem l'estudi fet per Encarnación Marín Padilla.[42] L'únic territori de la Corona en què les autoritats preveien aquest tipus de contacte i el legislaren fou Aragó on es permetia que els conversos continuessin en contacte amb els seus familiars jueus durant el primer any de la seva conversió; i era molt comú que aquestes continuessin passat aquest any.[43] En el cas de Barcelona les autoritats municipals no feren cap ordinació específica respecte a aquestes relacions, tret de les que ja hem exposat anteriorment que es referien a les relacions entre jueus i conversos indiferentment del seu grau de parentesc. Tanmateix, com dèiem, les relacions entre ells se succeïren sense cap intervenció de les autoritats. La documentació notarial és taxativa en aquesta qüestió. Recordem l'exemple esmentat anteriorment en el qual el convers Ferrer de Gualbes actuava com a procurador del seu pare Bonsenyor Gracià i del seu germà Mossé Bonsenyor Gracià, ambdós jueus.[44] El 28 de febrer de 1392, Lleonard Ferrer, convers, abans anomenat Bonjuha Bonsenyor, i el seu fill Vidal Bonjuha, jueu, prometeren pagar a Dolça, conversa, abans anomenada Vidala, quinze lliures.[45] L'exemple que segueix ens mostra també les relacions entre un nebot convers i un oncle jueu. El 16 d'octubre de 1392, Joan Bertran, convers, abans anomenat Samuel Benvenist, fill de Ferrer Benvenist, jueu, i el seu oncle Samuel Benvenist, també jueu, venen a Esteve sa Torre, apotecari, ciutadà de Barcelona, una casa.[46] Com veiem amb aquests exemples que acabem de mostrar, les primeres reaccions del Consell per tal d'evitar les relacions entre jueus i conversos no tingueren efecte. Tampoc les mesures posteriors, que hem exposat anteriorment, evitaren que aquests es continuessin relacionant. Per exemple, el 6 de setembre de 1423, Çadia Suri, jueu habitant de Barcelona, nomenava procurador seu el seu germà convers Lluís de Marimon, giponer, ciutadà de Barcelona.[47] En aquest mateix document consta com a testimoni Maimó Ferrer, giponer, jueu habitant de Barcelona.

---

40. M. D. Meyerson: *A Jewish Renaissance in Fiftennth-century...*
41. J. L. Compañ: "Familias judías-familias conversas. Una aproximación a los neófitos valencianos del siglo xiv", *Espacio, Tiempo y Forma, Serie III, H. Medieval*, t. 6, 1993, p. 409-424.
42. E. Marín Padilla: *Relación judeoconversa...*, p. 275.
43. E. Marín Padilla: *Relación judeoconversa...*, p. 274.
44. AHPB, Pere Claver, *Llibre comú*, 1391, desembre, 7-1393, agost, 20, f. 28r.
45. AHPB, Pere Claver, *Llibre comú*, 1391, desembre, 7-1393, agost, 20, f. 40v-41r.
46. AHPB, Francesc de Pujol, *Manual*, 1392, agost, 9-1392, novembre, 29, f. 33r.
47. AHPB, Joan Pedrol, *Tercium manuale*, 1422, agost, 12-1423, novembre, 12, f. 87v.

Les relacions familiars també es van mantenir en els casos en què una de les dues parts vivia fora de Barcelona. Per exemple, l'1 de setembre de 1401 Abraham Brunell, jueu de Mollerussa, pagà per mans del seu fill convers Pere de Passavant, peller, ciutadà de Barcelona, a Bartomeu Vives, convers, corredor d'orella, ciutadà de la mateixa ciutat, procurador de Nadal de Requesens, mercader de Tivissa, sis lliures i dotze sous per dues dotzenes de cordons de pell assaonats.[48] Un altre cas és el del convers Gabriel de Queralt, ciutadà de Barcelona, fill de Bonsenyor Samuel, difunt, i Bonafilla, vivent, jueus de Girona, que el 7 de maig de 1418 nomenà procurador el convers Guillem Pujol, corredor d'orella, ciutadà de la ciutat, perquè cobrés en el seu nom els diners i béns que la seva mare Bonafilla li havia donat després de que aquesta els rebés com a herència de la seva àvia Regina, també jueva de Girona.[49] Un exemple més és el del convers barceloní Guillem Fivaller, corredor d'orella, fill d'Astruc Bendit, jueu de Solsona, que el 12 d'abril de 1426 nomenà procurador el seu germà Cresques Bendit, jueu de Solsona, perquè cobrés en el seu nom els diners que li devia Jafudà de Tolosa, jueu d'Agramunt.[50]

Tots aquests exemples ens mostren unes situacions en les quals es pressuposa un contacte continu anterior, un manteniment de les relacions. També cal tenir en compte que els documents que evidencien aquest contacte eren documents públics, realitzats amb testimonis, i que per tant cap de les parts s'amaga dels seus actes.

Trencament familiar després de les conversions de 1391

Aquesta cohesió, emperò, no es va mantenir en tots els casos. En el cas dels matrimonis, la conversió d'un dels cònjuges i la permanència de l'altre en la fe hebraica conduïa irremeiablement a la ruptura i el divorci. Les lleis civils i religioses prohibien explícitament el matrimoni entre dues persones de diferent religió.[51] Recordem que les conver-

---

48.   AHPB, Pere de Pou, *Quintum manuale*, 1400, desembre, 30-1404, novembre, 17, f. 85r.

49.   AHPB, Joan Franc, major, *Septimum manuale*, 1418, gener, 3-1418, desembre, 28, f. 70v (vegeu apèndix documental I, doc. 46).

50.   AHPB, Narcís Bru, *Tertium manuale*, 1427, juliol, 19 – 1430, novembre, 7, s.f.

51.   Com ja hem vist en el primer capítol el Consell de Cent prohibí explícitament la cohabitació de jueus i conversos. També els Costums de Tortosa prohibeixen els matrimonis entre jueus i cristians. D'altra banda, el "privilegi paulí" permetia el trencament del matrimoni si un dels seus membres no era cristià en el cas que la part batejada no pogués excercir lliurement la religió cristiana o que la part no cristiana demanés la ruptura del matrimoni. Vegeu l'article "Divorce", dins *Dictionnaire de Droit Canonique*, t. IV, París, 1949, col. 1318.

sions en massa de 1391 es feren de manera precipitada i coercitiva. En alguns casos un dels dos cònjuges —perquè es trobava de viatge de negocis o altres raons— va aconseguir escapar de la conversió mentre la seva parella era convertida. En altres, sobretot després dels fets de 1391, la conversió d'un dels membres solia ser voluntària, fet que imprimia encara més dramatisme a la situació. Qualsevol de les dues vies —la coerció o la convicció— representava un canvi profund en el nucli familiar si l'altre membre no es convertia. Un exemple d'aquesta angoixa el trobem el 1484 a Calataiud quan un jueu i dos dels seus fills eren convertits mentre que la seva muller, que romania en el judaisme, "plorant en jueria", es lamentava de ser vídua en vida.[52] L'única via per a mantenir unit el matrimoni era la conversió de l'altre membre, puix que qui s'havia convertit no podia renegar del baptisme sense ser acusat d'apòstata. Tanmateix, en alguns casos la fe podia més que el matrimoni i el membre no convertit es negava a renegar de la seva vertadera religió. Paradoxalment es podia donar el cas que el cònjuge que en un primer moment es va negar rotundament a abandonar la seva religió, fet que va provocar per tant la ruptura del matrimoni, acabés convertint-se al cristianisme passat un temps però sense possibilitat de tornar amb el seu antic marit perquè aquest ja s'havia casat amb una altra dona. Per exemple, tal com es desprèn d'un instrument datat el 12 de febrer de 1392, la reticència de Mayrona, jueva barcelonina, de convertir-se al cristianisme, i la conversió del seu marit Isaac Xam, ara anomenat Pere de Pla, va provocar el trencament del seu matrimoni i el posterior enllaç entre Pere i una dona conversa.[53] Passat un temps Mayrona es convertí, anomenant-se Caterina, però el seu antic marit ja s'havia tornat a casar. Tanmateix, era comú que el cònjuge no convertit romangués en la seva fe fins que no fos obligat a fer-ho, i això, si succeïa, podia trigar dècades. Per exemple, el 17 de maig de 1411, el convers Pere d'Ortafà, sabater, ciutadà de Barcelona, va rebre vint lliures en concepte de dot per part de Blanquina, conversa, filla d'Isaac Torquós, jueu de Castelló d'Empúries, i de Margarida, conversa, ara maridada amb Pere de Gurrea, convers, sastre, ciutadà de Barcelona.[54] Molt probablement, Blanquina i la seva mare Margarida eren converses de primera generació, és a dir, batejades durant el avalots de 1391. La conversió de Margarida i la negativa d'Isaac a renegar de la seva religió provocaren la ruptura del matrimoni, i segurament el

---

52. E. MARÍN PADILLA: *Relación judeoconversa...*, 1986.
53. AHPB, Bernat Nadal, *Manual*, 1392, gener, 4-1392, juliol, 11, f. 29v.
54. AHPB, Jaume de Trilla, *Capibrevium comune*, 1411, gener, 11-1411, desembre, 27, f. 80r-v.

trasllat d'Isaac a Castelló d'Empúries, on va restar jueu almenys fins 1411. Un altre exemple exactament igual al que acabem de descriure és el que mostrem a continuació. En un document datat el 3 de març de 1417, Guillem de Fontclara, convers, corredor d'orella, ciutadà de Barcelona, reconeix haver rebut de la seva neboda[55] Eulàlia, conversa barcelonina, filla de Caterina, conversa, i de Bonjuha, jueu de Castelló d'Empúries, una certa quantitat de diners de la seva mare, Caterina, ara maridada amb Pere Ripoll, convers barceloní.[56]

La ruptura del matrimoni comportava la devolució del dot i l'esponsalici a la muller. En la comunitat jueva, com també passava en la societat cristiana, els matrimonis eren pactats pels pares. Un cop dues famílies decidien unir-se mitjançant el matrimoni dels seus fills negociaven el compromís matrimonial (*shiddukhim*), en què es fixava la data i el dot. La cerimònia del matrimoni es dividia en dues fases: les esponsalles (*kiddushín*) i el *nissuín*, que és quan se celebra la cerimònia.[57] Les esponsalles era un acte social molt important per a la família jueva i era quan el nuvi feia entrega a la núvia del contracte matrimonial (*ketuba*).[58] En la *ketuba* s'establia les aportacions econòmiques dels nuvis, el compromís de manutenció a la muller fet pel nuvi, la promesa del marit de no prendre una segona esposa, s'estableixen els drets que el nuvi tenia sobre els béns que la núvia aportava al matrimoni, disposicions sobre la residència del nuvis, així com un seguit de clàusules que eren pactades per les dues famílies i que s'havien de respectar.[59] L'aportació econòmica de la núvia al matrimoni era el dot i estava compost d'una part en metàl·lic i una altra en aixovar. Aquest dot era entregat al nuvi, qui l'administrava segons la seva voluntat. Tanmateix, en cas de mort d'aquest o de divorci el nuvi havia de retornar íntegre aquest dot. Per la seva part, el nuvi aportava l'anomenat "preu de núvia" i que era fixat per la Torà en dos-cents *zuzim*, el valor dels quals era convertit a la moneda local; tanmateix aquesta quantitat rarament era satisfeta i segurament s'incloïa dins el dot quan aquest havia de ser retornat a la núvia.[60] A més del "preu de núvia" el nuvi aportava l'escreix, també anomenat esponsalici, una quantitat de diners

---

55. Guillem de Fontclara era germà de Caterina, mare d'Eulàlia, segons consta en un document de pagament localitzat a AHPB. Antoni Brocard, *Manuale comune [nonum]*, 1415, agost, 30-1416, març, 30, f. 51r-v.

56. AHPB, Antoni Brocard, *[Manuale] undecimum*, 1416, desembre, 2-1417, maig, 11, f. 48r (vegeu apèndix documental I, doc. 43).

57. E. CANTERA MONTENEGRO: *Aspectos de la vida...*, p. 113.

58. E. CANTERA MONTENEGRO: *Aspectos de la vida...*, p. 113.

59. A. RICH ABAT: *La comunitat jueva...*, p. 82-83.

60. A. RICH ABAT: *La comunitat jueva...*, p. 88.

equivalent a la meitat del dot entregat per la núvia. Tot aquest emolument, emperò, també era controlat pel marit, que no el retornaria fins que morís o en cas de divorci. La *ketuba* pretenia oferir protecció a la dona en cas de ruptura o mort del seu espòs, garantint-li que aquest compliria el seu compromís de retornar el dot i l'escreix quan es donés un dels dos supòsits.

Les ruptures matrimonials a causa de les conversions no foren una excepció, tal com ens mostra la documentació notarial referida al pagament i als requeriments de pagament d'aquests dots. Per exemple, d'Antígona, conversa, abans anomenada Astruga, que el 3 de setembre de 1392 nomenà procurador el seu pare Francesc Bertran, convers, abans anomenat Biona de Piera, ciutadà de Barcelona, perquè cobrés en nom seu a Isaac Mercadell, jueu de Calaf, marit seu quan era jueva, el dot, l'esponsalici i tot el que li pertanyés per a la seva provisió fins que es va convertir.[61] La reclamació del dot i l'esponsalici també era demanat per la dona en cas que el convers fos el marit i ella la que continués fidel al judaisme. Així ho mostra un cas exposat per Y. Baer en el qual un convers, el 19 d'octubre de 1391, es presentà davant l'oficial reial de Santa Coloma de Queralt per queixar-se que la seva dona es negava a convertir-se, havia trencat el matrimoni i no havia obtingut d'ella cap resposta.[62] Finalment, la dona respongué al seu marit, davant de l'autoritat reial, que ella era jueva i ell cristià i que per tant no podien seguir junts, però no el deixaria lliure fins que rebés d'ell l'espoli que li corresponia.

Aquestes qüestions econòmiques referents a les ruptures dels matrimonis jueus a causa de la conversió d'un dels seus membres no estaven exemptes de problemes i controvèrsies, ans al contrari. Si la separació d'un matrimoni jueu era per una altra causa diferent a l'apostasia, la maquinària legal rabínica comptava amb un gran nombre de precedents als quals acudir. La dissolució d'un matrimoni a causa de la conversió d'un dels membres no era quelcom nou, és cert, però fins al 1391 no es convertí en la principal causa amb gran nombre de casos. La confusió, per tant, entre els afectats devia de ser plausible. Una mostra d'això són les consultes efectuades als rabins —coneguts com a *responsa*— per qüestions relacionades amb els conversos, la majoria de les quals eren referides als matrimonis i a les herències.[63]

---

61. AHPB, Arnau Piquer, *Manual*, 1391, octubre, 16-1392, desembre, f. 129r.
62. Y. Baer: *Historia de los judíos...*, p. 564.
63. Vegeu M. Orfali Leví: *Los conversos españoles en la literatura rabínica. Problemas jurídicos y opiniones legales durante los siglos xii-xvi*, ed. Universidad Pontificia de Salamanca, Salamaca, 1982.

La gran diferència en les seves respostes depenia en la consideració que tenien envers els conversos, i aquesta solia oscil·lar entre els que els consideraven plenament apòstates i els que pensaven que encara que es convertiren no hi havia ninguna diferència entre ells i els jueus ja que "Israel, encara que hagi pecat, continua essent Israel". Tanmateix tot dependria dels casos particulars. La importància d'aquestes preguntes rau en el fet que són fetes des del punt de vista jueu. Per exemple, uns jueus preguntaren al rabí mallorquí Ben Sémah Duran sobre la validesa d'un matrimoni de conversos en el qual la dona havia decidit tornar al judaisme. La resposta del rabí fou que el matrimoni era vàlid ja que considerava que el convers forçat continuava essent jueu.[64] Així, des del punt de vista jueu, la muller retornaria al judaisme obertament, se separaria del seu marit i fugiria per tal de no ser castigada per apòstata, però legalment no es podria tornar a casar ja que el seu matrimoni amb el convers seria considerat vàlid. Per tant, en aquest cas, la muller no podria recuperar l'espoli.

Una altra problemàtica a la qual s'enfrontaren els matrimonis jueus que es convertiren fou la conservació, o no, de l'acta de matrimoni i el document notarial que acreditava el pagament del dot. Els jueus tenien els seus propis notaris, també jueus i localitzats al call, amb qui registraven legalment els seus contractes. Això no significa que utilitzessin exclusivament notaris jueus per a validar legalment els seus afers, també recorrien a notaris cristians, sobretot quan es tractava de relacions jurídiques entre jueus i cristians, ja que els documents hebreus en aquests casos resultaven insignificants en cas de conflicte.[65] El seu ús es generalitzà tant que en alguns casos es preferia acudir a un notari cristià per fer públic instrument en qüestions privades que només implicaven jueus. Un d'aquests afers privats eren les actes de matrimoni, com la que van signar els jueus Ferrer Vidal i Dolça a Barcelona en una data indeterminada.[66] Quan era un públic instrument davant de notari, tant jueu com cristià, aquest quedava registrat al protocol del notari i posteriorment cadascuna de les parts rebia una còpia de l'instrument. Durant els avalots de 1391 els calls barcelonins foren saquejats i alguns jueus perderen tots els instruments notarials que tenien, deliberadament destruïts pels cristians sobre els quals tenien drets de cobrament. Si el document havia estat registrat en una notaria

64. M. Orfali Levi: *Los conversos españoles...*, p. 28.

65. E. Feliu i Mabres: "Algunes puntualitzacions sobre diversos aspectes de la història dels jueus a la Catalunya medieval", *Catalan Historical Review*, 2, ed., Institut d'Estudis Catalans, 175-190 (2009), p. 182.

66. AHPB, Anònims segle xv, Plec de capítols matrimonials, segle xv, f. 78r-v.

cristiana, hom podia provar que l'instrument desaparegut existia. El problema esdevenia greu quan es tractava d'un document provinent d'una notaria jueva, ja que algunes d'aquestes també foren atacades per tal de deixar desproveïts els jueus de tot document que provés algun deute o compromís amb qui s'encarregà de fer desaparèixer les proves. Per tant, alguns matrimonis es quedaren sense cap còpia del seu compromís matrimonial i sense cap comprovant de pagament de dot i es veieren obligats a repetir-lo un cop la tempesta amainés. Un exemple d'això és el dels conversos Berenguer Cardona, abans anomenat Vital Rinioch, i la seva muller Clara, abans Astruga, que el 8 de març de 1418 feren instrument de pagament de les tres-centes lliures que Clara va pagar a Berenguer en concepte de dot quan encara eren jueus.[67]

Altres vegades les separacions familiars no eren degudes al trencament del matrimoni a causa de la no conversió d'un dels membres, sinó a la reticència dels fills a abraçar la fe cristiana. En alguns dels casos els pares no dubten a demanar ajuda al Consell barceloní per a forçar-los a convertir-se al cristianisme. Aquest va ser el cas de Felip de Rodes, convers barceloní, per qui el Consell de Barcelona, l'11 de setembre de 1439, demanà al baró Ramon de Cardona que permetés a Felip anar a Cardona i fer venir a Barcelona la seva filla jueva, enviudada feia poc, i els seus nets també jueus per tal de convertir-los a la fe catòlica.[68] El pare intenta fer ús del seu poder com a *pater familias* per tal de fer valer la seva voluntat. Per aquesta raó els fills que es neguen a convertir-se desobeint la voluntat dels seus pares solen instal·lar-se en altres ciutats lluny del nucli familiar. Aquest potser també va ser el cas de Caterina, d'entre vint-i-un i vint-i-cinc anys d'edat, conversa, anomenada Or quan era jueva, filla de Bodonya i Jafudà, ambdós jueus i habitants de Gurrea, al regne d'Aragó, que el 4 de gener de 1415, prometé a Beatriu, vídua de Francesc de Segalers, difunt, notari de Lleida, habitant de Barcelona, que durant sis anys treballaria per a ella com a serventa; Beatriu per la seva part promet ensenyar-li el seu ofici —no indica quin és— i mantenir-la i calçar-la durant aquest temps.[69] Viure fora del nucli familiar, les clàusules abusives del contracte per les quals no percep sou i el fet d'entrar a treballar de serventa a casa d'una cristiana de natura en lloc d'una família conversa, la qual cosa

---

67. AHPB, Tomàs Vives, *Quartum manuale*, 1416, juny, 23-1419, abril, 8, f. 99v (vegeu apèndix documental I, doc. 44).

68. AHCB, Consell de Cent, *Lletres Closes*, 1B:VI-6, f. 135v (vegeu apèndix documental I, doc. 53).

69. AHPB, Pere Pellisser, *Manuale*, 1414, juliol, 2-1415, juny, 26, f. 103r-v (vegeu apèndix documental I, doc. 38).

denota que no acudeix a contactes dels pares perquè cuidin d'ella, fa pensar que Caterina busca fugir dels seus pares a causa, potser, de la seva conversió.

El matrimoni

El seu nou estatus religiós obligà els conversos a abandonar els seus antics costums i rituals i adoptar els que la nova religió els imposava. Ja hem mencionat abans com la *ketuba* constituïa el primer pas —després de l'elecció de la parella i les primeres negociacions orals— en el matrimoni jueu. La cerimònia solia fer-se a la sinagoga o casa d'un dels cònjuges —normalment del marit—, on se situaven a sota d'un dosser nupcial (*huppah*), metàfora del sostre comú que anaven a compartir, i es procedia a recitar les set oracions de benedicció del matrimoni (*shevah berakhot*) per part de l'oficiant, qui sosté una copa de vi a la mà de la qual beuran els cònjuges en senyal de l'obligació de compartir.[70] A continuació el nuvi col·locava un anell al dit de la núvia, acte que demostrava davant els presents que la prenia per muller, i fermava la *ketuba*. Un cop signat, el nuvi trencava una vaixella de ceràmica o vidre en record de la pèrdua del Temple de Jerusalem. Finalment, es procedia al banquet.

Elecció de la parella

Com a cristians, els conversos es casarien ara mitjançant la cerimònia emprada per la societat cristiana. Deixant de banda el ritual religiós seguit pels jueus, els passos a seguir per contraure matrimoni en la societat cristiana diferien ben poc de la manera de fer jueva. El matrimoni era proposat pels pares, normalment motivat per interessos econòmics, i els cònjuges eren, en la immensa majoria dels casos, pertanyents al mateix estament social.[71] Tanmateix, en algunes ocasions, la documentació notarial ens mostra com els pares o germans premiaven el seu fill o germà perquè acceptés el matrimoni proposat. Aquestes compensacions per acceptar un matrimoni es realitzarien fins i tot entre membres familiars conversos i jueus. El 30 de gener de 1404, Vidal Bases, jueu de Solsona, fill de Jucef de Beses, jueu de la mateixa localitat, prometia en un instrument notarial al seu germà Joan Cardona, convers, mercader, ciutadà de Barcelona, que per raó del

---

70. E. Cantera Montenegro: *Aspectos de la vida...*, p. 115.
71. Teresa Vinyoles: *Les barcelonines a les darreries de l'Edat Mitjana*, ed. Fundació Salvador Vives Casajuana, Barcelona, 1976, p. 75.

matrimoni entre l'esmentat Joan i Elionor, proveiria els cònjuges i els seus fills en aliments durant tres anys.[72] Com veiem, aquests matrimonis corresponien a moviments estratègics que permetien el manteniment del patrimoni familiar i el seu escreix. D'altra banda, ens mostra com en alguns casos la conversió era utilitzada com un mitjà per reforçar el poder de tota la família —amb membres jueus i conversos— ja que podien actuar lliurement en la societat cristiana mitjançant els seus membres conversos que alhora establirien enllaços matrimonials amb altres influents famílies abans jueves i ara converses.

El patrimoni i la posició social eren similars entre les dues famílies que s'unien per enllaç matrimonial. D'aquesta manera les dues famílies augmentaven en riquesa i influència social. En altres casos, sempre per qüestions econòmiques, l'enllaç matrimonial venia determinat per interessos professionals i comercials compartits per les dues famílies. Un clar exemple és el de Joan de Pallars, convers, draper, ciutadà de Barcelona, fill de Ramon de Pallars, ciutadà de Tarragona, i la seva muller Blanca, i Sibil·la, filla de Ramon de Quer, corredor d'orella, i la seva muller Blanca, que realitzaren els capítols matrimonials davant notari el 5 de gener de 1415.[73] Poc després d'haver realitzat aquests capítols matrimonials, Joan de Pallars nomenà procurador el convers Joan de Subirats, corredor d'orella i ciutadà de Barcelona, perquè actués en nom seu realitzant totes les accions que trobés convenients en la societat sobre mercaderia de vels que Joan de Pallars tenia amb el seu cunyat Jaume de Quer, convers, mercader, ciutadà de Barcelona, germà de Sibil·la.[74] En aquest cas, les professions del nuvi i de la família de la núvia es complementaven, Joan feia els draps i Jaume els venia, i obtenien amb aquest enllaç matrimonial una propícia cohesió i estabilitat. Un altre exemple és el de Ramon Baró, convers, mercader de vels, oriünd d'Abrera i ciutadà de Barcelona, que contragué matrimoni amb Eulàlia, filla de Joan Oliver, corredor d'orella.[75]

En altres casos, les dues famílies pertanyien a la mateixa professió i la seva unió en feia augmentar l'acció i la influència. Dues de les més importants famílies de llibreters conversos, els sa Coma i els Bertran, s'uniren mitjançant vincle matrimonial tal com ens indica l'instrument de pagament del dot, fermat el 27 de maig de 1433, en el qual Joan sa Coma, convers, venedor de llibres, fill de Guillem sa Coma, vene-

---

72. J. Hernando Delgado: *Conversos i jueus: cohesió i solidaritat...*, p. 190.
73. AHPB, Bernat Pi, *Manual*, 1414, febrer, 8-1415, març, 3, 60v-61v.
74. AHPB, Bernat Pi, *Manual*, 1414, febrer, 8-1415, març, 3.
75. AHPB Jaume de Trilla, *Manual*, 1398, febrer, 21-1399, desembre, 4, f. 70r. 1399, gener, 13.

dor de llibres, ciutadans de Barcelona, reconeixia a Elionor, filla de Francesc Bertran, venedor de llibres i ciutadà de la mateixa ciutat, que havia rebut les tres-centes lliures del seu dot.[76] L'elevada suma del dot aportat pels Bertran ja ens dona una idea de com de fructífera podia ser la unió d'aquestes dues famílies. Un altre exemple és el de la ja esmentada família Quer. Al cas ja exposat anteriorment s'uneix el de Joan de Quer, convers, corredor d'orella, fill de Ramon de Quer, corredor d'orella, ciutadans de Barcelona, i Eulàlia, àlies Blanquina, filla de Jaume Ballester, també corredor d'orella i ciutadà de Barcelona, que realitzaren instrument dotal el 21 de novembre de 1403.[77] L'augment de la influència professional dels Quer mitjançant matrimonis estratègics no s'acabava aquí ja que uns anys després, el 8 de febrer de 1416, Clara, filla de Ramon de Quer, realitzaria el seu compromís matrimonial amb Mateu d'Avinyó, corredor d'orella com Ramon, i fill de Ramon Avinyó, també corredor d'orella.[78]

En tots els exemples que hem esmentat fins ara, el nuvi era el que compartia la mateixa professió que el sogre. Tanmateix, en altres casos el vincle professional es donava entre els pares dels cònjuges. És el cas de Jordi de Sant Joan, convers, peller, ciutadà de Barcelona, fill de Bartomeu Rainers, sastre, difunt, que el 22 de juny de 1415 realitzà compromís matrimonial amb Flor, conversa, filla d'Andreu Figuera, sastre, abans ciutadà de Mallorca i ara habitant de Barcelona.[79] Un altre exemple és el de Lenger Cisa, convers, giponer, fill de Berenguer Cisa, peller, difunt, que el 19 de gener de 1423 realitzà compromís matrimonial amb Aldolça, conversa, filla de Pere des Coll, peller, ciutadà de Barcelona.[80] En els dos exemples el pare del nuvi, que era qui compartia professió amb el sogre, ja era mort en el moment de concertar el matrimoni, i, per tant, molt probablement, corresponia al nuvi acceptar o proposar el matrimoni. També en els dos casos el nuvi era peller i el sogre sastre. En aquests casos, possiblement, els pares dels cònjuges tenien relació a causa del seu ofici i per tant ja es coneixien, i per altra banda la compatibilitat dels dos oficis feia atractiva la unió matrimonial.

Tanmateix, la rotunditat en la societat cristiana barcelonina en la elecció del matrimoni per part dels pares no era tan severa amb els

---

76. AHPB, Pere Soler, *Manual*, 1432, setembre, 15-1434, setembre, 22, f. 32r.

77. AHPB, Tomàs de Bellmunt, *Manuale decimum contractuum comunium*, 1403, juny, 15-1403, novembre, 23, f. 99r-v.

78. AHPB, Bernat Pi, *Manuale comune*, 1415, setembre, 3-1416, febrer, 20, f. 88v-89r.

79. AHPB, Joan Ferrer, *Octavum manuale*, 1415, maig, 13-1416, novembre, 3, f. 12r.

80. AHPB, Joan Pedrol, *Tercium manuale*, 1422, agost, 12-1423, novembre, 12, f. 70v.

nois com en les noies, tot i que els Usatges de Barcelona donaven plena potestat als pares per concertar els matrimonis tant dels fills com de les filles.[81] En cas que els pares haguessin mort abans que la seva filla hagués estat maridada se solia designar uns tutors a aquesta, els quals serien els que tindrien la potestat per a concertar-li un matrimoni. En el cas dels nois hi havia més llibertat, ja que en molts casos eren ells mateixos el que elegien la seva parella. Hem de tenir en compte, però, que el concepte del matrimoni com un instrument per a mantenir o promocionar la situació econòmica i social, i també assolir una estabilitat, estava imprès en la mentalitat de la societat. Per aquesta raó, quan un jove sense pares havia de buscar una noia per casar-se no era estrany que encomanés a un tercer la tasca de cercar-li una bona muller. El recurs a un tercer o tercers era fins i tot utilitzat per pares que, bé per manca de bons contactes o per altres raons, preferien la seva intervenció amb la finalitat de concertar un bon matrimoni per al seu fill. La figura del matrimonier no es donava solament a la societat cristiana, els solters jueus, sols o mitjançant els seus pares, també en feien ús quan no aconseguien pactar un bon matrimoni pel seu compte. Per exemple, el 5 de novembre de 1312, Momet Çabarra, jueu, fill de Mair Çabarra, amb consentiment del seu pare, prometia a Aaron Corren, jueu de Cardona, pagar-li cent sous per la seva feina en la concertació i el pacte del matrimoni entre l'esmentat Momet i Astruga, filla de Samuel Salvat, jueu de Barcelona.[82] Un altre exemple és el d'Isaac Samuel, jueu de Barcelona, que el 1377 rebria de Salamó Caravida, físic, jueu de la ciutat, una certa quantitat de diners "pro labore meo quem sustinui in tractando et perficiendo" el matrimoni entre Salamó i Astruga, filla de Salamó Mossé de Sa Verdum, difunt.[83] Per tant, no és d'estranyar que els conversos també acudiren a tercers per tal de tractar un tema de gran importància com era el matrimoni. Alguns dels capítols matrimonials utilitzats en aquest estudi ens mostren la intervenció en els pactes matrimonials de persones alienes a la família de cada cònjuge. Per exemple, en els capítols matrimonials acordats el 12 de juliol de 1418 entre els conversos Asbert Vilella, coraler, fill de Joan Vilella, mercader, i la seva muller Clara, ciutadans de Barcelona, i Violant, filla de Manel Jaume, físic i mestre en medicina, de Castelló d'Empúries, intervenen com a procuradors de la núvia els també conversos Joan Maçana, mercader, i Bernat Ramon de Vilamarí,

---

81. T. Vinyoles: *Les barcelonines a les darreries...*, p. 79.
82. David Romano: "Un casamentero judío (Cardona 1312)", *Sefarad*, ed. CSIC, 31:1, 1971, p. 103.
83. A. Rich Abat: *La comunitat jueva...*, p. 81.

teixidor de vels, ciutadans de Barcelona, els quals portaran a terme totes les negociacions amb el nuvi respecte als esmentats capítols.[84] La potestat atorgada pel pare de la núvia permet a aquests procuradors allargar o abreujar la data de l'enllaç matrimonial. En aquest cas, la núvia i el seu pare resideixen en una població allunyada de la ciutat del nuvi, que és on se signa el compromís matrimonial, i, per tant, els procuradors tenen plens poders per a negociar les clàusules o almenys verificar que siguin les pactades anteriorment. En altres casos, les persones alienes que intervenen en la signatura dels capítols matrimonials actuen juntament amb els cònjuges i els seus pares, que també hi són presents. És el cas dels capítols matrimonials signats el 5 de gener de 1415 entre Joan de Pallars, draper, ciutadà de Barcelona, fill de Ramon de Pallars, ciutadà de Tarragona, i la seva muller Blanca, i Sibil·la, filla de Ramon de Quer, corredor d'orella, i Blanca, la seva muller, en els quals a part dels cònjuges i els pares intervenen en la signatura Joan de Subirats, corredor d'orella, i Francesc Colomer, peller, ciutadans de la ciutat esmentada, per part del nuvi, i Joan de Quer, corredor, i Jaume de Quer, coraler, germans de Sibil·la, per part de la núvia.[85] En altres exemples també es donava el cas que en la signatura dels capítols actuessin, a part dels pares, els germans d'ambdues famílies. Per exemple, en els capítols matrimonials signats el 8 de febrer de 1416 entre Mateu d'Avinyó, corredor d'orella, fill de Ramon Avinyó, també corredor, i Joana, la seva muller, ciutadans de Barcelona, i Clara, filla de Ramon de Quer i Blanca, intervenen també Marc i Joan d'Avinyó, germans de Mateu, i Joan i Jaume de Quer, germans de Clara.[86]

EDAT DELS CÒNJUGES

Alguns dels documents estudiats ens mostren expressament l'edat dels cònjuges, tanmateix són poques les vegades en què consta aquesta dada.[87] En la societat cristiana de la baixa edat mitjana les dones es

---

84. AHPB, Tomàs Vives, *Quartum manuale*, 1416, juny, 23-1419, abril, 8, f. 117v-119r.

85. AHPB, Bernat Pi, *Manual*, 1414, febrer, 8-1415, març, 3, f. 60v-61v.

86. AHPB, Bernat Pi, *Manuale comune*, 1415, setembre, 3-1436, desembre, 2, f. 88v-89r.

87. 1396-02-22, AHPB, Joan Perella, *Quartus decimus liber comunis*, 1395, novembre, 2-1396, abril, 4, f. 37v-38. 1396-06-08, AHPB, Llorenç Masó, *Llibre comú*, 1394, gener, 27-1396, agost, 11, f. 89v-90r. 1408-02-04, AHPB, Francesc de Manresa, *Sextum manuale*, 1408, febrer, 4-1409, març, 9, f. 2r-v. 1415-10-15, AHPB, Bernat Pi, *Manuale comune*, 1415, setembre, 3-1416, febrer, 20, f. 21r-23r. 1418-08-12, AHPB, Tomàs Vives, *Quartum manuale*, 1416, juny, 23-1419, abril, 8, f. 118v.

casaven més joves que els homes.[88] L'edat dels nuvis no depenia úni-
cament de les circumstàncies econòmiques i socials, sinó que també
hi tenien un important paper les estratègies de concertació d'aliances
pròpies de les famílies de cada estament social.[89]

En els documents en què s'esmenta l'edat, els homes oscil·len entre
els divuit i els vint-i-cinc anys. Tanmateix hem de tenir en compte que
en la majoria dels documents notarials són els mateixos nuvis els
que fermen i dels quals a més en consta l'ofici, i aquests són, molt pro-
bablement, majors de vint-i-cinc anys. Cosa perfectament comprensible,
més en els primers anys després de 1391, per l'empobriment general
de la comunitat conversa a causa dels avalots d'aquell any. Molts joves
en edat de casar-se quedaren orfes de pare, o pares, amb una herència
que aniria principalment destinada a pagar els deutes i a procurar-se
un mitjà pel qual guanyar diners per mantenir-se.

Pel que fa a les dones, observem que en els casos en què es diu
l'edat, aquesta es mouria una mica per sota dels homes. Tanmateix,
tenint en compte que en la majoria dels casos els homes tenien vint-i-
cinc anys o més en el moment de contraure matrimoni, podem afirmar
que les dones converses eren més joves que els homes en el moment
de casar-se.

Respecte a casos de noies de curta edat que contrauen matrimoni
tan sols n'hem trobat un de possible entre els conversos barcelonins,
i és molt relatiu. Es tracta d'Eulàlia, filla de Bonjuha Davi, jueu de
Castelló d'Empúries, difunt, i de Caterina, barcelonina, de qui consta
una edat entre els dotze i els vint-i-cinc anys.[90]

Capítols matrimonials

Un cop pactat el matrimoni i negociades les condicions, es pro-
cedia a posar per escrit el compromís de casament, les condicions
pactades i la quantia del dot. Durant la baixa edat mitjana la núvia
havia d'aportar un dot al matrimoni, ja que s'entenia que aquesta es-
devenia una càrrega econòmica per al marit. Corresponia als pares

---

88.   Carme Batlle i Gallart, Teresa Vinyoles i Vidal: *Mirada a la Barcelona* medieval
des de les finestres gòtiques, ed. Rafael Dalmau, Barcelona, 2002, p. 143.
89.   Claudia Optiz: "Vida cotidiana de las mujeres en la Baja Edat Media (1200-
1500)" dins Georges Duby i Michelle Perrot (eds.): *Historia de las mujeres en occidente*.
Círculo de Lectores, Barcelona, 1994, p. 329.
90.   AHPB, Joan Perella, *Quartus decimus liber comunis*, 1395, novembre, 2-1396,
abril, 4, f. 37v-38.

—o bé a qui ells havien designat en cas que haguessin mort— dotar les seves filles donat que segons la llei sense dot no hi ha matrimoni legal.[91] El dot era, per tant, el punt més important en les negociacions matrimonials. Tant és així que molts matrimonis es conformaven tan sols amb un instrument dotal —és a dir, un document notarial on hi constava el compromís de la parella a casar-se, el dot aportat per la núvia i poca cosa més— on la principal dada era la quantitat aportada per la núvia, com i quan pagaria el dot, i les condicions del retorn d'aquest quan el marit morís.

La quantitat del dot pagat per la núvia ens indica el poder econòmic de les famílies que s'uneixen.

En els casos estudiats[92] el dot més alt correspon al pagat per Clara, filla de Ramon de Quer, corredor d'orella, i de Blanca, al seu promès Mateu d'Avinyó, corredor d'orella, fill de Ramon Avinyó, també

---

91. C. Batlle i Gallart, T. Vinyoles i Vidal: *Mirada a la Barcelona medieval...*, p. 147.

92. 1391-09-14, AHPB, Bernat Nadal, *Manual*, 1391, juny, 7- 1392, gener, 2, f. 51v. 1395-09-8, AHPB, Jaume Vidal, *Llibre comú*, 1394, gener, 24-1397, octubre, 24, f. 19v-20r. 1396-02-22, AHPB, Joan Perella, *Quartus decimus liber comunis*, 1395, novembre, 2-1396, abril, 4, f. 37v-38r. 1396-06-8, AHPB, Llorenç Masó, *Llibre comú*, 1394, gener, 27-1396, agost, 11, 89v-90r. 1399-01-13, AHPB, Jaume de Trilla, *Manual*, 1398, febrer, 21-1399, desembre, 4, f. 70r. 1399-01-25, AHPB, Jaume de Trilla, *Manual*, 1398, febrer, 21-1399, desembre, 4, f. 71r. 1399-02-20, AHPB, Jaume de Trilla, *Manual*, 1398, febrer, 21-1399, desembre, 4, 75r. 1399-03-15, AHPB, Arnau Piquer, *Manual*, 1399, gener, 2-1399, desembre, 24, f. 25r. 1399-04-07, AHPB, Arnau Piquer, *Manual*, 1399, gener, 2-1399, desembre, 24, f. 74v. 1399-06-28, AHPB, Jaume de Trilla, *Manual*, 1398, febrer, 21-1399, desembre, 4, f. 98r. 1403-07-31, AHPB, Pere de Pou, *Quintum Manuale*, 1400, desembre, 30-1404, novembre, 17, f. 112r. 1403-11-21, AHPB, Tomàs de Bellmunt, *Manuale decimum contractuum comunium*, 1403, juny, 15-1403, novembre, 23, f. 99r-v. 1404-05-03, AHPB, Pere Granyana, *Manuale quintum decimum*, 1403, desembre, 17-1404, desembre, 24, f. 36r. 1405-01-26, ACB, *Manuals notarials*, Canyelles, s/f. 1405-09-21, ACB, *Manuals notarials*, Canyelles, s/f. 1408-02-04, AHPB, Francesc de Manresa, *Sextum Manuale*, 1408, febrer, 4-1409, març, 9, f. 2r. 1413-05-30, AHPB, Pere Pellisser, *Manual*, 1413, abril, 3-1413, juny, 7, f. 38v. 1415-01-05, AHPB, Bernat Pi, *Manual*, 1414, febrer, 8-1415, març, 3, f. 60v-61v. 1415-06-22, AHPB, Joan Ferrer, *Octavum Manuale*, 1415, maig, 13-1416, novembre, 3, f. 12r. 1415-10-15, AHPB, Bernat Pi, *Manuale comune*, 1415, setembre, 3-1416, febrer, 20, f. 21r-23r. 1415-12-03, AHPB, Pere Pellisser, *Manual*, 1415, juliol, 2-1415, juny, 26, f. 58r. 1416-02-08, AHPB, Bernat Pi, *Manuale comune*, 1415, setembre, 3-1416, febrer, 20, f. 88v-89r. 1418-03-08, AHPB, Tomàs Vives, *Quartum Manuale*, 1416, juny, 23-1419, abril, 8, f. 99v. 1418-08-12, AHPB, Tomàs Vives, *Quartum Manuale*, 1416, juny, 23-1419, abril, 8, f. 118v. 1421-01-15, AHPB, Tomas Vives, *Manual*, 1420, maig, 14-1421, abril, 21, f. 30r. 1421-02-01, AHPB, Pere Roig, *Manual*, 1420, juny, 24-1421, abril, 1, s.f. 1423-01-19, AHPB, Joan Pedrol, *Tercium Manuale*, 1422, agost, 12-1423, novembre, 12, bossa. 1423-07-10, AHPB, Joan Pedrol, *Tercium Manuale*, 1422, agost, 12-1423, novembre, 12, 70v. 1423-10-22, AHPB, Joan Pedrol, *Tercium Manuale*, 1422, agost, 12-1423, novembre, 12, f. 96r. 1433-05-27, AHPB, Pere Soler, *Manual*, 1432, setembre, 15-1434, setembre, 22, f. 32r. 1423-11-27, AHPB, Joan Pedrol, *Tercium Manuale*, 1422, agost, 12-1423, novembre, 12, f. 112r. 1426-04-26, AHPB, Pere Roig, *Manual*, 1425, desembre, 22- 1426, juny, 10, s.f.

corredor, i de Joana, que fou de tres-centes trenta lliures barceloneses, segons consta als capítols matrimonials datats el 8 de febrer de 1416.[93] La segueix el pagat per Clara, abans anomenada Astruga, al seu futur marit Berenguer Cardona, corredor d'orella, el 12 d'agost de 1418.[94] D'igual quantia fou el pagat per Elionor, filla de Francesc Bertran, venedor de llibres, a Joan sa Coma, també venedor de llibres, fill de Guillem sa Coma, del mateix ofici, el 27 de maig de 1433.[95] El quart dot que destaca per la seva alta quantia és el pagat per Enfransina, filla de Berenguer Martí, mercader i coraler, a Manuel de Bellcaire, mercader, fill de Francesc de Bellcaire, mercader, ciutadà de Tortosa, i de Bonadona, jueva, difunta, el 26 d'abril de 1426.[96] Tots aquests matrimonis tenen com a factor comú que els caps de les dues famílies que componen la unió tenen el mateix ofici. És més, són famílies destacades dins de les professions esmentades. Aquestes unions, per tant, persegueixen enfortir i consolidar el poder econòmic d'ambdues famílies, i com que es tracta de destacats membres els dots són elevats.

A l'altra cara de la moneda trobem els dots més baixos, corresponents a les famílies més humils. La quantitat més baixa pagada per un dot que hem registrat, setze lliures i deu sous, és la corresponent a Elionor, filla de Joan Català, giponer, i Sança, promesa amb Joan, coraler, fill de Bernat Arnau, carnisser, difunt, i Llorença, datada el 31 de juliol de 1403.[97] El segon és el pagat per Joaneta, filla de Jaffudan i Bonafilla, jueus, difunts, a Pere Taberner, tintorer, fill de Gerard d'Esllada, tintorer, de setze lliures, tretze sous i quatre diners pagats el 14 de setembre de 1391.[98] El tercer, amb una quantitat de vint lliures i datat el 13 de gener de 1399, és el d'Eulàlia, filla de Joan Oliver, corredor d'orella, i de Dolça, difunts, a Ramon Baró, mercader de vels, oriünd de la vila d'Abrera.[99] Segueix el portat per Margarida, filla d'Abraham Cabrit, difunt, i de Vidala, jueus de Barcelona, a Agustí Amorós, fill de Francesc Fogassot, sastre, de vint lliures entre diners i béns mobles.[100] L'últim dot que destaca per la seva baixa quantia, vint-i-dos lliures, és el que es comprometé a pagar, el 4 de febrer de 1408, Caterina, de la

93. AHPB, Bernat Pi, *Manuale comune*, 1415, setembre, 3-1416, febrer, 20, f. 88v-89r.

94. AHPB, Tomàs Vives, *Quartum manuale*, 1416, juny, 23-1419, abril, 8, f. 118v.

95. AHPB, Pere Soler, *Manual*, 1432, setembre, 15-1434, setembre, 22, f. 32r.

96. AHPB, Pere Roig, *Manual*, 1425, desembre, 22-1426, juny, 10, s.f.

97. AHPB, Pere de Pou, *Quintum manuale*, 1400, desembre, 30-1404, novembre, 17, f. 112r.

98. AHPB Bernat Nadal, *Manual*, 1391, juny, 7-1392, gener, 2, f. 51v.

99. AHPB Jaume de Trilla, *Manual*, 1398, febrer, 21-1399, desembre, 4, f. 70r.

100. AHPB, Jaume de Trilla, *Manual*, 1398, febrer, 21-1399, desembre, 4, f. 98r.

qual no consten els pares, a Joan Boscà, coraler.[101] En aquests casos, a diferència dels dots més alts que hem comentat abans, les famílies dels dos cònjuges tenien professions diferents, en la seva majoria artesanes. A més, no es tracta de famílies que s'han dedicat a un mateix ofici durant generacions sinó que els pares i els fills han desenvolupat professions diferents. Un altre aspecte concordant en tres dels casos és l'orfandat de la núvia, tant de pare com de mare, fet que la deixava en una situació molt precària econòmicament en la gran majoria dels casos. Abans de morir, però, el pare solia incloure en el testament una quantia específicament destinada al dot de les filles que restaven per casar en el moment de la redacció del document. En altres casos també es preveia la possibilitat que la filla decidís ingressar en un monestir, llavors els diners del dot es destinaven a la donació obligatòria a l'orde on s'incorporaria la filla. En altres casos era el padrastre de la núvia el que es feia càrrec de pagar el dot. Aquest va ser el cas d'Eulàlia, filla de Bonjuha Davi, jueu de Castelló d'Empúries, difunt, i de Caterina, conversa, casada en segones núpcies amb Pere Ripoll, convers de Barcelona, que el 22 de febrer de 1396 promet, mitjançant instrument dotal, al seu promès Joan Bartomeu, coraler, ciutadà de Barcelona, aportar quaranta lliures.[102] En un altre instrument notarial redactat a continuació dels capítols matrimonial, Eulàlia reconeix que les quaranta lliures són cedides pel seu padrastre, ja que ella no disposa dels béns heretats del seu pare que li permetin pagar el dot. Malauradament, aquesta donació no va ser gratuïta, ja que Eulàlia renuncia a heretar res de la seva mare i cedeix a Pere Ripoll tots els drets dels béns del seu pare que en un futur rebria —segurament la casa familiar on viu la mare. Si tenim en compte que la capa inferior de la societat barcelonina, lliberts i pagesos, solien aportar un dot d'entre vint i vint-i-cinc lliures,[103] podem fer-nos una idea del nivell d'empobriment en què algunes famílies converses havien arribat arran de la devastació de 1391.

La resta dels dots, la major part, es distribuirien gairebé igualitàriament en dos franges: de trenta a seixanta lliures (deu casos) i de noranta a cent trenta-set lliures (vuit casos). La mitjana de la quantia dels dots estudiats és de vuitanta-dos lliures aproximadament, dada que ens mostra un nivell econòmic estable de les famílies converses

---

101.   AHPB, Francesc de Manresa, *Sextum manuale*, 1408, febrer, 4-1409, març, 9, f. 2r.

102.   AHPB, Joan Perella, *Quartus decimus liber comunis*, 1395, novembre, 2-1396, abril, 4, f. 38v.

103.   T. Vinyoles: *Les barcelonines a les darreries...*, p. 85.

entre els casos exposats. Cal destacar també un detall important. Si ens fixem en els dots més baixos i les seves dates veurem que es corresponen als primers deu anys després del avalots de 1391. Passat aquest temps, la quantia dels dots augmenta —els dots més alts es comptabilitzen a partir de 1416— i s'homogeneïtza entre les dues franges esmentades anteriorment. Aquesta dada bé podria indicar una important recuperació econòmica de les famílies converses després de la pràctica ruïna a la qual es veieren abocades a causa del saqueig de 1391 i el posterior pagament de la taxa de deu sous per lliura sobre el valor de cada immoble dels calls.

No hi ha una reglamentació específica de quan s'havia de fer efectiu el pagament del dot, per tant aquest podia produir-se abans o després de l'enllaç. De fet, no tots els instruments notarials fixen un termini d'entrega del dot. Dels instruments utilitzats en el present estudi en tan sols set casos la família de la núvia es compromet a pagar abans de l'enllaç. Elionor, filla de Berenguer Cardona, sastre, i de Clara, compromesa el 26 de gener de 1405 amb Joan Burgés Castanyer, teixidor de vels, fill de Berenguer Castanyer, del mateix ofici, difunt, i d'Elionor, promet pagar les cinquanta-cinc lliures del dot dos mesos abans de l'enllaç; per la seva part Joan deixa clar que es casarà amb ella dos mesos després d'haver rebut el dot.[104] El 21 de setembre de 1405, Clara, filla de Jaume Marc, garbellador d'espècies, i de Caterina, promet al seu futur marit Bernat Conill, fill de Yno Conill, sastre, i de Clara, que pagarà les quaranta-nou lliures i deu sous del dot un mes abans de la benedicció eclesiàstica del seu matrimoni.[105] Al mateix termini es compromet, el 15 de novembre de 1415, Clareta, filla de Joan Subirats, corredor d'orella, i de Sibil·la, àlies Salvada, amb el seu promès Ferran Amorós, fill de Ferran Amorós, botiguer, i de Gràcia.[106] Altres vegades el lapse de temps entre el pagament del dot i l'enllaç era més curt. Per exemple, el 3 de desembre de 1415, Violant, filla de Berenguer sa Cot, teixidor de vels, promet al seu futur marit, Felip Sabater, coraler, germà de Joan Sabater, que li entregarà el seu dot de cent deu lliures vuit dies abans de la benedicció eclesiàstica del seu matrimoni.[107] I en altres casos el pagament era gairebé simultani al matrimoni. El 12 d'agost de 1418, Violant, filla d'Emmanuel Jaume, físic i mestre en medicina, de Castelló d'Empúries, i Asbert Vilella, coraler, fill de

---

104. ACB, Manuals notarials, Canyelles, s.f., 1405, gener, 26.
105. ACB, Manuals notarials, Canyelles, s.f., 1405, setembre, 21.
106. AHPB, Bernat Pi, *Manuale comune*, 1415, setembre, 3-1416, febrer, 20, f. 21r-23r.
107. AHPB, Pere Pellisser, *Manual*, 1415, juliol, 2-1415, juny, 26, f. 58.

Joan Vilella, mercader, i de Clara, prometen casar-se durant el mes de setembre del mateix any, alhora que Violant es compromet a pagar el dot de cent deu lliures el mateix mes.[108] El mateix cas és el de Margarida, filla de Guillem Porta, difunt, i d'Eulàlia, que promet pagar les cinquanta-cinc lliures del dot al seu promès Gabriel Ballester, teixidor de vels, fill de Pere Ballester, també teixidor de vels, i de Joaneta, difunts, al mes de novembre, que és quan es casaran.[109] Tanmateix, aquests compromisos de pagament permetien en alguns casos una certa flexibilitat. Per exemple, el 5 de gener de 1415, Sibil·la, filla de Ramon de Quer, corredor d'orella, i de Blanca, promet pagar al seu promès Joan de Pallars, draper, fill de Ramon de Pallars, ciutadà de Tarragona, i de Blanca, les cent deu lliures del seu dot un mes abans de la cerimònia[110] però finalment no va ser pagat fins molt després d'aquesta, concretament el 15 de febrer de 1516.[111]

El més important, però, era la garantia que la família de la núvia pagués la quantitat estipulada com a dot. En la majoria dels casos ambdues parts en tenien prou amb el compromís fixat en l'instrument dotal i els capítols matrimonials. En altres, tanmateix, la família del nuvi preferia reforçar aquesta garantia mitjançant la signatura d'un instrument de deute corresponent a la quantitat del dot acordada, el mateix dia que es redacta l'instrument dotal. Segons els documents que mostrem a continuació, sembla que aquest plus de garantia es donava quan es tenia previsió de pagar el dot en un termini superior a un any. El 3 de maig de 1404, Berenguer Ferrer, coraler, i Estela, pares de Dolça, promesa de Pere Llombart, batxiller en medicina, habitant de Vilafranca de Conflent, paguen a aquest les quaranta lliures de dot de la seva filla que havien promès pagar-li mitjançant instrument de deute fermat el 8 de març de 1403, quan es van redactar els capítols matrimonials.[112] El 5 de gener de 1415, el mateix dia que se signen els capítols matrimonials, Ramon de Quer, corredor d'orella, pare de Sibil·la, signa al promès de la seva filla, Joan de Pallars, fill de Ramon de Pallars, un instrument de deute de cent deu lliures, corresponent al dot que porta Sibil·la.[113] El 15 de novembre de 1415, Clareta, filla de Joan Subirats, corredor d'orella, i de Sibil·la, àlies Salvada, i el seu

---

108.   AHPB, Tomàs Vives, *Quartum manuale*, 1416, juny, 23-1419, abril, 8, f. 118v.

109.   AHPB, Joan Balcebre, *Manual*, 1416, abril, 9-1417, desembre, 16, f. 96r.

110.   AHPB, Bernat Pi, *Manual*, 1414, febrer, 8-1415, març, 3, f. 60v-61v.

111.   AHPB, Bernat Pi, *Manuale comune*, 1415, setembre, 3-1416, febrer, 20, f. 95v.

112.   AHPB, Pere Granyana, *Manuale quintum decimum*, 1403, desembre, 17-1404, desembre, 24, f. 36r.

113.   AHPB, Bernat Pi, *Manual*, 1414, febrer, 8-1415, març, 3, f. 60v-61v.

promès Ferran Amorós, fill de Ferran Amorós, botiguer, i de Gràcia redacten capítols matrimonials en què es fixa un dot de cent lliures, al mateix temps que els pares de Clareta fermen instrument debitori d'aquesta quantitat, la qual prometen pagar un mes abans de la benedicció eclesiàstica.[114] El 8 de febrer de 1416, Mateu d'Avinyó, corredor d'orella, fill de Ramon Avinyó, també corredor, i de Joana, redactà capítols matrimonials amb la seva promesa, Clara, filla de Ramon de Quer, corredor d'orella, amb un dot de tres-centes trenta lliures de les quals Ramon en va fer instrument debitori i que prometé pagar un mes abans de la benedicció de l'enllaç.[115] Efectivament, Ramon pagà les tres-centes trenta lliures el dia acordat.[116] També feren instrument debitori, l'1 de febrer de 1421, Roderic de Prats i Francesc Queralt, procuradors de Maria, filla de mestre Benvenist, jueu, difunt, i de Gràcia, per tal de pagar les cinquanta-cinc lliures que Maria portava com a dot a Salvador Sanç, sastre.[117] En aquest cas van ser els procuradors de la núvia, òrfena de pare, els que signaren l'instrument debitori. Tanmateix, en altres casos era la vídua la que el signava sense cap mena de problema. Per exemple, el 10 de juliol de 1423, Eulàlia, mare de Margarida, i vídua de Guillem Porta, pare de Margarida, signà un instrument debitori de cinquanta-cinc lliures a Gabriel Ballester, teixidor de vels, promès de la seva filla, en concepte de dot d'aquesta, i mitjançant el qual es comprometia a pagar durant el mes de novembre.[118] També aquesta vegada el pagament s'efectuà en el termini acordat, concretament el 27 de novembre del mateix any.[119] El 26 d'abril de 1426 Manuel de Bellcaire, mercader, fill de Francesc de Bellcaire, mercader, ciutadà de Tortosa, i Bonadona, difunta, jueva, reconeix haver rebut de Francesca, muller seva, filla de Berenguer Martí, coraler i mercader, dos-centes vint lliures corresponents al dot d'aquesta i que el seu pare s'havia compromès a pagar mitjançant instrument debitori el 16 de desembre de 1421, dia que van redactar els capítols matrimonials.[120] Una altra manera de garantir el pagament del dot consistia a ingressar la quantitat acordada, o una part d'aquesta, en

---

114. AHPB, Bernat Pi, *Manuale comune*, 1415, setembre, 3-1416, febrer, 20, f. 21r-23r.

115. AHPB, Bernat Pi, *Manuale comune*, 1415, setembre, 3-1416, febrer, 20, f. 88v-89r.

116. AHPB, Bernat Pi, *Manual*, 1416, febrer, 20-1416, agost, 1, f. 59r.

117. AHPB, Pere Roig, *Manual*, 1420, juny, 24-1421, abril, 1, s.f.

118. AHPB, Joan Pedrol, *Tercium manuale*, 1422, agost, 12-1423, novembre, 12, f. 96r.

119. AHPB, Joan Pedrol, *Tercium manuale*, 1422, agost, 12-1423, novembre, 12, f. 97r.

120. AHPB, Pere Roig, *Manual*, 1425, desembre, 22-1426, juny, 10, s.f.

una taula de canvi. Així ho prometé fer, el 27 de maig de 1433, Francesc Bertran, venedor de llibres, pare d'Elionor, al promès d'aquesta, Joan sa Coma, venedor de llibres, acordant ingressar en una taula de canvi dos-centes cinquanta-sis lliures de les tres-centes que componien el dot de la seva filla.[121]

Altres vegades, el dot aportat per la núvia conversa no era monetari sinó que constava de diversos objectes i robes. Tanmateix, aquests dots podien arribar a quantitats més que acceptables. El 8 de setembre de 1395, Celestina, anomenada Perla quan era jueva, filla de Samuel Saprut, difunt, jueu de València, aportava com a dot seixanta lliures en diversos béns mobles per al seu matrimoni amb Bernat Conomines, anomenat Vidal Sadoch quan era jueu, habitant de Barcelona.[122] Una altra modalitat era pagar una part del dot en metàl·lic i l'altra en béns mobles. Eulàlia, àlies Blanquina, filla de Jaume Ballester, corredor d'orella, i Bertomeua, ciutadans de Barcelona, portava com a dot, el 21 de novembre de 1403, per al seu matrimoni amb Joan de Quer, també corredor, fill de Ramon de Quer, del mateix ofici, i de Blanca, noranta-tres lliures i deu sous, de les quals onze lliures eren objectes.[123] El 12 d'agost de 1418, Violant, filla d'Emmanuel Jaume, mestre en medicina, habitant de Castelló d'Empúries, promet donar en dot a Asbert Vilella, coraler, fill de Joan Vilella, mercader, i de Clara, ciutadans de Barcelona, cent deu lliures, vuitanta lliures en metàl·lic i les vint lliures restants en béns mobles.[124] Margarida, filla de Guillem Porta, difunt, i d'Eulàlia, ciutadans de Barcelona, portà com a dot, el 22 d'octubre de 1423, per al seu matrimoni amb Gabriel Ballester, teixidor de vels, fill de Pere Ballester, del mateix ofici, i de Joaneta, difunts, ciutadans de la mateixa ciutat, cinquanta-cinc lliures entre diners i béns mobles.[125]

En altres casos, la núvia aportava roba seva a més del dot. Aquesta es feia constar en l'instrument dotal perquè fos retornada juntament amb l'esponsalici. Per exemple, Clara, filla de Jaume Marc, garbellador de salses, donà, el 21 de setembre de 1405, juntament amb les quaranta-nou lliures i deu sous que portava com a dot, la seva roba i una cota que el seu pare manaria fer, sense que en constés el valor.[126]

---

121. AHPB, Pere Soler, *Manual*, 1432, setembre, 15-1434, setembre, 22, f. 32r.

122. AHPB, Jaume Vidal, *Llibre comú*, 1394, gener, 24-1397, octubre, 24, f. 19v-20r.

123. AHPB, Tomàs de Bellmunt, *Manuale decimum contractuum comunium*, 1403, juny, 15-1403, novembre, 23, f. 99r-v.

124. AHPB, Tomàs Vives, *Quartum manuale*, 1416, juny, 23-1419, abril, 8, f. 99v (vegu apèndix documental I, doc. 45).

125. AHPB, Joan Pedrol, *Tercium manuale*, 1422, agost, 12-1423, novembre, 12, f. 96r.

126. ACB, Manuals notarials, Canyelles.

La roba i la cota no s'inclouen dins del dot, ja que el nuvi pagà com a escreix vint-i-quatre lliures i quinze sous, és a dir, la meitat de les quaranta-nou lliures i deu sous que la núvia portà com a dot. Tanmateix es fa constar l'entrega d'aquesta per evitar problemes en el moment de recuperar-la.

Un aspecte interessant respecte als instruments dotals en el cas dels conversos és la repetició d'aquests a causa d'una pèrdua. Com va passar amb altres tipus de documents, molts instruments van ser extraviats o destruïts durant l'assalt als calls l'agost de 1391. Per tant, molts matrimonis conversos que s'havien unit en matrimoni quan encara eren jueus havien perdut la *ketuba* on constava el dot i l'escreix portats pels cònjuges. Donada l'especial rellevància que aquest document tenia dins del matrimoni, els conversos que es trobaren en aquesta situació consideraren summament sensat tornar a posar per escrit davant de notari els acords matrimonials als quals es comprometeren així com l'aportació econòmica de cada part. L'instrument dotal que fermen novament, però, és plenament cristià. L'exemple més clar és el de Berenguer Cardona, corredor d'orella, abans anomenat Vital Rinioch, i la seva muller Clara, anomenada Astruga quan era jueva, que el 8 de març de 1418 fermaren un instrument de pagament del dot aportat per Clara, tres-centes lliures, que foren pagades quan encara eren jueus.[127] Destaca el gran lapse de temps que passà fins que no feren nou instrument des de la desaparició del document fins a la redacció del nou. Bé és cert que, tot i la importància que tenia el dot en la constitució del matrimoni, en alguns casos podien passar anys fins que es fes instrument del seu pagament. Per exemple, el 15 de març de 1399, Pere Ocelló, coraler, ciutadà de Barcelona, reconeixia a Maria, muller seva, que en temps en què encara no estaven casats va rebre d'ella trenta lliures com a dot.[128] Un altre cas és el de Jordi de Sant Joan, peller, fill de Bartomeu Rayners, sastre, i de Blanca, difunts, ciutadans de Barcelona, que el 22 de juny de 1415 reconeixia a Flor, muller seva, filla d'Andreu Figuera, sastre, ciutadà de Mallorca ara habitant de Barcelona, i Caterina, difunta, que feia temps va rebre les vint-i-set lliures i deu sous del seu dot.[129]

---

127. AHPB, Tomàs Vives, *Quartum manuale*, 1416, juny, 23-1419, abril, 8, f. 99v (vegeu apèndix documental I, doc. 45).
128. AHPB, Arnau Piquer, *Manual*, 1399, gener, 2-1399, desembre, 24, f. 25r.
129. AHPB, Joan Ferrer, *Octavum manuale*, 1415, maig, 13-1416, novembre, 3, f. 12r.

RENÚNCIA A LA LLEGÍTIMA

Molts cops, el dot era l'únic patrimoni propi amb el qual comptava la dona ja que els pares l'obligaven a renunciar a qualsevol heretament d'ells —és a dir, la llegítima, per part seva. Quan es dotava la núvia mitjançant aquest procediment els pares feien una donació de la quantitat del dot a la seva filla fent constar que aquesta era la quantitat de la llegítima que per dret li tocaria cobrar quan ells moririen i que per tant renunciava a heretar res més per part d'ells. Això ens dona una clara idea de la delicada situació en la qual es trobava la dona moltes vegades a causa de la precarietat econòmica a la qual es veia abocada a causa del seu gènere. El 26 de gener de 1405, Elionor rebia cinquanta-cinc lliures per part dels seus pares, Berenguer Cardona, sastre, i Clara, en concepte de la seva futura llegítima per tal de pagar el dot.[130] El 21 de setembre de 1405, Clara rebia dels seus pares, Jaume Marc, garbellador de salses, i Clara, quaranta-nou lliures i deu sous pel mateix concepte.[131] El 5 de gener de 1415, Sibil·la, filla de Ramon de Quer, corredor d'orella, i Blanca, reconeixia als seus pares que el dot de cent deu lliures que aportava al seu matrimoni era la seva llegítima i que per tant ja no reclamaria res més en un futur.[132] El 15 d'octubre de 1415, Clareta, filla de Joan Subirats, corredor d'orella, i de Sibil·la, reconeix que les cent lliures que aporta del dot són la seva llegítima.[133] Un cas més particular —i que ja hem comentat anteriorment— és el d'Eulàlia, filla de Bonjuha Davi, de Castelló d'Empúries, jueu, difunt, i de Caterina, casada en segones núpcies amb Pere Ripoll, que va ser dotada amb quaranta lliures pel seu padrastre però que va ser obligada a renunciar a la seva llegítima i a tot el que pogués heretar del seu difunt pare, fent-ne donació al seu padrastre.[134]

Si parem compte en les quantitats aportades com a dot en els exemples que acabem d'exposar podem observar que aquestes van de les quaranta lliures a les cent deu. Per tant, aquesta renúncia no era deguda a una falta de liquiditat per part de la família de la núvia, sinó que més aviat era una manera de poder concentrar el patrimoni en mans del fill baró primogènit i evitar, per tant, que aquest caigués en mans de la família amb la qual unien la filla.

---

130. ACB, Manuals notarials, Canyelles.
131. ACB, Manuals notarials, Canyelles.
132. AHPB, Bernat Pi, *Manual*, 1414, febrer, 8-1415, març, 3, f. 60v-61v.
133. AHPB, Bernat Pi, *Manuale comune*, 1415, setembre, 3-1416, febrer, 20, f. 21r-23r.
134. AHPB, Joan Perella, *Quartus decimus liber comunis*, 1395, novembre, 2-1396, abril, 4, f. 37r-38v.

L'escreix era l'aportació econòmica del nuvi al matrimoni, que en el cas de Barcelona equivalia a la meitat del dot.[135] Si més no, hem trobat casos en què l'escreix era superior o inferior a la meitat del dot. Un cas clar d'escreix molt inferior al dot és el de Bonanat de Sant Joan, coraler, ciutadà de Barcelona, que prometia a Clareta, filla de Berenguer Cardona, corredor d'orella, ciutadà de la mateixa ciutat, en el compromís matrimonial realitzat per ambdós el 15 de gener de 1421, donar-li deu lliures d'escreix mentre que el dot aportat per aquesta era de cinquanta-cinc lliures.[136] Un altre exemple és el de Joan de Mero, sastre, abans anomenat Jassua Bensaloma, oriünd de la ciutat de Mallorca, fill de Salema, jueu, difunt, i d'Antònia, conversa, abans dita Mairona, ciutadà de Barcelona, que el 8 de juny de 1396 promet a Elionor, abans anomenada Goig, filla de Salomó de Marimon, convers, abans anomenat Abraham de Saragossa, i Eulàlia, conversa, abans anomenada Rafaela, ciutadà de la ciutat esmentada, aportar catorze lliures per un dot de trenta-sis lliures.[137] En canvi, en altres casos, l'escreix podia ésser superior a la meitat del dot i fins i tot igualar-lo. Aquest va ser el cas de Jordi de Sant Joan, peller, fill de Bartomeu Rainers, sastre, i Blanca, difunts, ciutadans de Barcelona, que en el compromís matrimonial realitzat el 22 de juny de 1415 amb Flor, filla d'Andreu Figuera, sastre, habitant de Barcelona, i de Caterina, difunta, promet aportar com a escreix la mateixa quantitat que la núvia aporta com a dot, vint-i-set lliures i deu sous, que són entre dot i escreix cinquanta-cinc lliures.[138] El més curiós d'aquest cas és que el nuvi fa constar en el document que aquest escreix el fa seguint els usos i costums de Barcelona.

En alguns casos, els pares del nuvi donen a aquest en vida l'herència que li pertocaria quan aquests morissin. Béns i diners que anirien destinats a la causa comuna del matrimoni però que romandrien finalment en propietat del marit quan els seus pares morissin i després, potser, de la vídua. Aquestes donacions es feien constar en els capítols matrimonials i oferien, per tant, una aportació econòmica extra del nuvi al matrimoni a més d'una garantia que pogués mantenir correctament l'esposa i li pogués retornar el dot en el moment oportú. En els capítols matrimonials el 21 de setembre de 1405 entre Bernat Conill, fill de Yno Conill, sastre, i de Clara, i Clara, filla de Jaume Marc, garbellador de salses, i Caterina, els pares del nuvi fan donació a aquest de tots els

---

135. C. BATLLE i T. VINYOLES: *Mirada a la Barcelona...*, p. 147.
136. AHPB, Tomàs Vives, *Manual*, 1420, maig, 14-1421, abril, 21, f. 30r.
137. AHPB, Llorenç Masó, *Llibre comú*, 1394, gener, 27-1396, agost, 11, f. 89v-90v.
138. AHPB, Joan Ferrer, *Octavum manuale*, 1415, maig, 13-1416, novembre, 3, f. 12r.

seus béns presents i esdevenidors, però mantenen la propietat i cedeixen l'usdefruit al matrimoni.[139] En el cas de Ferran Amorós, fill de Ferran Amorós, botiguer, i de Gràcia, que realitzà capítols matrimonials amb Clareta, filla de Joan Subirats, corredor d'orella, i de Sibil·la, els pares d'aquest li fan donació d'una casa situada al carrer del Vidre perquè visqui amb la seva esposa, a més de fer-li donació de la meitat de tots els seus béns; d'altra banda, Gràcia, la seva mare, promet donar-li el seu dot un cop mori, menys deu lliures de les quals ella en farà la seva voluntat.[140]

CONVIVÈNCIA

Per regla general els conversos noucasats establien el seu nucli familiar en una llar diferent als pares. Com ja hem vist anteriorment, alguns cops els pares feien donació al seu fill d'una casa on conviure. Tanmateix, en alguns casos aquesta donació anava acompanyada de l'obligació dels nuvis a conviure amb els pares de qui rebia la donació. En els capítols matrimonials, redactats el 12 d'agost de 1418, d'Asbert Vilella, coraler, fill de Joan Vilella, mercader, i de Clara, ciutadans de Barcelona, i de Violant, filla de Manel Jaume, mestre en medicina i físic, de Castelló d'Empúries, s'estableix que Joan, pare d'Asbert, fa donació a aquest d'una casa que té al carrer del Vidre a Barcelona, amb la condició que tant Joan com la seva muller Clara conviuran amb ell i la seva futura muller; d'altra banda, Joan promet mantenir durant un any el seu fill i la seva nora.[141] En altres casos, però, la parella s'establia a casa del pare del nuvi i era per tant la núvia la que abandonava la seva llar familiar un cop casada. El 21 de gener de 1403, Ramon de Quer, pare de Joan de Quer, estableix en els capítols matrimonials entre aquest i Eulàlia, filla de Jaume Ballester, corredor d'orella, que aquests han de conviure amb ell en la mateixa casa, i especifica d'altra banda que les coses que hi hagin dins de la cambra són propietat de Joan i la seva futura muller.[142] Un altre exemple és el de Bernat Conill, fill de Yno Conill, sastre, i Clara, filla de Jaume Marc, garbellador de salses, en el qual els pares de Bernat prometen al futur matrimoni mantenir-los a ells i els seus fills a més de

139. ACB, *Manuals notarials*, Canyelles.

140. AHPB, Bernat Pi, *Manuale comune*, 1415, setembre, 3-1416, febrer, 20, f. 21r-23r.

141. AHPB, Tomàs Vives, *Quartum manuale*, 1416, juny, 23-1419, abril, 8, f. 118v.

142. AHPB, Antoni Estapera, *Manual*, 1417, desembre, 30-1419, març, 18, f. 100r-v (vegeu apèndix documental, doc. 28).

cedir-los una cambra ja fornida de casa seva.[143] Aquests exemples, tot i ser excepcionals, ens mostren com els pares s'asseguraven que algú cuidaria d'ells un cop fossin majors alhora que mantenen plenament units els nuclis familiars, tant ascendent com descendent, convivint en un mateix sostre fins a tres generacions.

Un altre aspecte important de la convivència era, malauradament, els possibles maltractaments que la dona podia rebre del marit. Tant en la societat cristiana com en la jueva, la dona soltera estava sota la tutela del seu pare i un cop casada aquesta tutela passava al marit. Segons la llei jueva, la muller estava sotmesa a l'autoritat del marit, fins a tal punt que no entenia com a punibles les ferides i els colps que aquest li pogués infligir, ja que aquestes agressions eren considerades com una manera de rectificar en la muller un comportament inadequat.[144] En el cas de la llei cristiana catalana aquesta permetia el maltractament a la muller per part del seu marit en cas d'adulteri i de comportament "inadequat"; tanmateix, castigava el seu assassinat en qualsevol cas. Els conversos, però, es movien entre dues aigües, almenys els de primera generació. D'una banda, com a cristians, estaven públicament sota la llei cristiana; d'altra banda, de portes endintre, imperava la llei que sempre havien seguit i que formava part de la seva vida quotidiana. Però de la mateixa manera que el foc es combat amb foc, una llei ens pot protegir d'una altra llei que ens perjudica. D'aquesta manera un instrument notarial en el qual es manifesta i ferma un pacte entre dues parts ha de ser respectat sota la penalització pertinent. Així ho va fer Clara, conversa, que l'1 de desembre de 1397 va fer fermar al seu marit Francesc de Relat, convers, sastre, ciutadà de Barcelona, que no la fuetejaria, ni de nit ni de dia, ni en públic ni en privat.[145] El fet que es realitzés aquest instrument ens mostra com els maltractaments a la llar no eren un fet aïllat. Mitjançant aquest document la muller es protegia legalment de qualsevol agressió per part del seu marit.

Segons la llei, la dona no podia fugir del marit sota cap concepte o raó, donat que aquesta estava sota l'autoritat d'ell. Tanmateix, gràcies a un instrument notarial que es troba a l'AHPB sabem que això no sempre era així. Es tracta de la sentència d'una controvèrsia entre un matrimoni cristià de natura, Joan de Fontseca, espaser, ciutadà de Barcelona, i Antònia, que s'ha separat. Antònia afirma que "no està ab

143. ACB, *Manuals notarials*, Canyelles.

144. Enrique Cantera Montenegro: "La mujer judía en la España medieval", dins *Espacio, tiempo y forma*, serie III, Historia medieval, volum 2, 1989, p. 37-64, p. 39.

145. AHPB, Joan de Caselles, *Secundum manuale*, 1397, setembre, 18-1399, agost, 30, f. 24v (vegeu apèndix documental, doc. 14).

lo dit Johan, que lo dit Johan li devia donar aliments seorsum e que no podia ne devia ésser forsade de estar ab ell".[146] La sentència resol que Joan ha de pagar el dot que Antònia va aportar al matrimoni, a més d'unes robes seves, que ja són al seu poder. Antònia i Joan tenien una filla, Eulàlia, que va marxar amb la mare. Antònia es nega a portar-la a Antoni, i aquest respon que no enviarà diners per a l'alimentació de la nena. En aquest cas la dona surt ben parada, però no era comú.

Els fills

LA LACTÀNCIA

La primera preocupació dels pares quan tenien un fill era la supervivència d'aquest, i en aquest camp l'alimentació del nadó hi jugava un paper essencial. En la majoria dels casos era la mare la que alletava el seu fill però altres vegades els pares recorrien als serveis d'una dida. Les raons per fer-ho eren diverses: impossibilitat de la mare d'alletar el seu fill a causa de mort, malaltia, absència, escassetat de llet per garantir-ne una òptima nutrició; o bé el que els pares desitjaven era una llet de millor qualitat.[147] La tasca de la dida no es limitava a alletar el nadó sinó que a més s'encarregava de netejar-lo a ell i la seva roba i canviar-lo de roba quan fos necessari.[148] Normalment la dida es traslladava a casa dels pares del nadó per alletar-lo, tot i que no sempre era així i s'observaven altres opcions com que durant el dia la dida alletava el nen a casa d'ella i durant la nit ho feia a casa dels pares; o bé que el nadó estigués a casa de la dida, opcions certament minoritàries.

Degut a la importància que tenia l'alletament del nadó per a la seva supervivència, proliferaren per tot l'Europa medieval un seguit de tractats mèdics referents a la lactància. En ells també es recomanava les característiques que havia de tenir una dida per tal d'assegurar la

---

146. AHPB, Francesc Barau, *Secundum manuale*, 1414, juliol, 10-1415, desembre, 14, f. 13r-v (vegeu apèndix documental I, doc. 40).

147. Josep HERNANDO DELGADO: "L'alimentació làctia dels nadons durant el segle XIV. Les nodrisses o dides a Barcelona, 1295-1400, segons els documents dels protocols notarials", *Estudis Històrics i Documents dels Arxius de Protocols*, XIV, p. 39-158, 1996, p. 39.

148. En l'article citat anteriorment del doctor Josep Hernando Delgado s'inclou un contracte dels serveis d'una dida en el qual s'expressa clarament la tasca realitzada per aquesta: "manevo vobiscum pro lactrice et nutrice Margarite, filie vestre, prebendo ei lac et eius pannos abluendo et mudando, et alias de eadem procurando, et serviendo ei et vobis in aliis negotiis suis et vestris, licitis et honestis, eiusque partes purgando", p. 42.

qualitat de la llet.[149] Per exemple, l'anglès John Gaddesden, en la seva obra *Rosa Anglica* (1314), diu que la millor llet és la d'una dona jove, bruna i que tingui el seu primer fill, millor si aquest és un noi. També recomanava que els nadons beguessin amb moderació. Seguint l'estudi realitzat pel doctor Josep Hernando Delgado, la majoria de les dones que es dedicaven al didatge provenien de les zones rurals, ja que la seva dieta rica en cereals els conferia unes qualitats, sobretot físiques, que explicarien la preferència constant, però no exclusiva, d'aquestes dides.[150] Pel que fa al perfil dels contractants d'aquestes dides hem de tenir en compte que les dones de certa posició tenien per costum no criar elles mateixes els seus fills i recorrien als serveis d'una dida per a aquesta tasca.[151] No hem de pensar, però, que els serveis d'aquestes dones estaven reservats als estaments socioeconòmics més alts de la societat barcelonina, ja que no eren pocs els artesans i altres professionals que fent un gran sacrifici contractaven els serveis d'una dida.[152] Aquest fet també es donava a la resta del territori europeu durant la baixa edat mitjana on els artesans i botiguers que s'ho podien permetre preferien els serveis d'una dida per garantir la bona nutrició dels seus fills.[153]

Contractar els serveis d'una dida no era quelcom exclusiu dels cristians de natura. Els jueus també recorrien als seus serveis quan ho consideraven oportú. Els contractes de didatge jueus solien ser més detallistes que els cristians, a més d'incloure clàusules pròpies de la seva religió i costums. Les dides contractades pels jueus eren sempre jueves i maridades. Els seus contractes bé podien ser iniciativa del marit i ella ho consentia, o bé per iniciativa de la mateixa dida.[154] Tenint en compte això, era perfectament lògic que els conversos també utilitzessin els serveis d'una dida si ho consideraven oportú. El 14 de febrer de 1411, Sanxa, dona de Gabriel Coll, camperol, ciutadans de Barcelona, reconeix haver cobrat de Ferran Bertran, convers, mercader, ciutadà de Barcelona, divuit lliures i setze sous de moneda de Barcelona per les provisions d'un any per haver alletat Violant, filla de Ferran, de quinze mesos d'edat. Aquesta quantitat havia de ser pagada el pròxim 17 de març, que és quan compleix l'any.[155]

---

149. Valerie Fildes: *Breasts, Bottles and Babies. An History of Infant Feeding.* Edimburg University Press, Edimburg, 1986, p. 45-58.

150. J. Hernando Delgado: "L'alimentació làctia...", p. 43-45.

151. T. Vinyoles: *Les barcelonines a les darreries...*, p. 43.

152. J. Hernando Delgado: "L'alimentació làctia...", p. 46.

153. V. Fildes: *Breasts, Bottles and Babies...*, p. 49.

154. J. Hernando Delgado: "L'alimentació làctia...", p. 61.

155. AHPB, Joan Ferrer, *Tercium manuale*, 1409, novembre, 19-1411, maig, 6, f. 78v-79r (vegeu apèndix documental I, doc. 37).

Probablement molts dels conversos preferirien dides contractades. Sempre eren jueves ja que, tal com estableixen els Costums de Tortosa, les jueves i sarraïnes no podien ser dides de cristians.[156]

En altres casos, com també passava en el cas dels cristians de natura, hom llogava una esclava que acabava de ser mare a un altre particular perquè alletés el seu fill. Per exemple, el 14 de juny de 1401, Francesc de Pedralbes, convers, mestre en medicina, ciutadà de Barcelona, va llogar a Constança, muller de Francesc Miró, mercader, ciutadà de Barcelona, una esclava seva anomenada Lucia, tàrtara, durant dos anys per alletar el seu fill Nicolau de sis mesos, per cinquanta lliures.[157]

També hem observat com algunes de les particularitats dels contractes de didatge jueus es repeteixen en el cas dels conversos. Com per exemple, el compromís que la pròpia esposa fa al seu marit d'alimentar el fill comú. El 29 de juny de 1401, Eulàlia, filla de Bonanat Reguardós, sastre, de Caldes de Montbui, promet a Pere Llunes, sastre, convers, ciutadà de Barcelona, que des de l'1 de juliol fins a Pentecosta, alimentarà i cuidarà plenament el seu fill comú, Joan Leonard, de set mesos, que viurà amb ella.[158] D'altra banda, Pere Llunes promet pagar a Eulàlia vint-i-dos sous per a l'alimentació del nen.

Fins ara, els casos exposats feien referència a fills legítims procreats dins del matrimoni. Tanmateix, les relacions extramatrimonials eren una realitat i una de les conseqüències més directes era que aquesta relació acabés amb embaràs. Tot i que el bastard no era reconegut oficialment com a fill en molts casos el pare es feia càrrec de la seva supervivència fins i tot contractant els cars serveis d'una dida. El 2 d'abril de 1406, Guillem Gener, de la parròquia de Santa Eulàlia, rep de Berenguer Martí, mercader, convers, ciutadà de Barcelona, una quantitat no especificada per a la lactància de Vicença, bastarda de Berenguer, alletada per Guillemona, muller de Guillem.[159]

Com hem pogut observar, en tots els casos les dides contractades eren cristianes de natura. Hem de tenir en compte, però, que molts d'aquests contractes, com tants altres, es podien fer de viva veu i per tant no han arribat fins a nosaltres. Potser, degut a la seva cohesió, els conversos havien contractat dides converses però aquests contractes no ens han arribat. El que és segur és que els conversos no podien,

---

156. T. VINYOLES: *Les barcelonines a les darreries...*, p. 45.
157. AHPB, Pere Granyana, *Manuale*, 1400, desembre, 29-1402, gener, 30, f. 49v.
158. AHPB, Joan de Pericolis, *Manuale primum*, 1392, desembre, 5-1402, març, 1, f. 27v (vegeu apèndix documental I, doc. 20).
159. AHPB, Bernat SANS, *Manual*, 1406, març, 6-1406, setembre, 3, f. 15r (vegeu apèndix documental I, doc. 33).

almenys oficialment, contractar els serveis d'una dida jueva ja que segons els Costums de Tortosa, les jueves i sarraïnes no podien fer de dides de cristianes; de la mateixa manera que les cristianes no podien fer de dides de jueus i sarraïns.

Les vídues

Tant en la societat jueva com en la cristiana la viduïtat podria representar per a les dones un pedregós camí ple de dificultats econòmiques o bé el gaudi d'una posició de llibertat i independència que li permetés prendre les seves decisions. Els conversos, com a cristians que eren, es regien per la llei cristiana i, per tant, la dona es veié alliberada d'unes lleis, com per exemple el levirat,[160] que coartaven la seva llibertat un cop moria el seu marit. Durant els primers anys de les conversions la confusió portava a consultar amb els rabins què fer en aquests casos tot i ésser ja conversos. No oblidem que la vida quotidiana dels jueus venia fortament marcada per la religió i al convertir-se havien de renunciar a tot un seguit de costums que fins aquells moments constituïen el seu *modus vivendi*.

En el cas de les vídues converses observem que s'enfronten als mateixos problemes i avantatges que les vídues cristianes de natura. Una de les principals preocupacions era poder subsistir amb els béns i el capital que el marit li deixés, ja que en la majoria dels casos era el marit el que portava ingressos a la llar familiar. Com ja hem vist en l'apartat anterior, en els capítols matrimonials s'especifica un dot i un escreix, és a dir, l'esponsalici, que ha de ser cobrat per la muller un cop aquest hagués mort. Moltes vegades el cobrament d'aquesta quantitat s'acordava amb la condició que la vídua no es tornés a casar. Aquest requisit el feia constar el marit al testament. D'altra banda, la vídua podia cobrar l'esponsalici però veure com aquest s'anava esfumant a poc a poc a causa dels deutes del seu difunt marit. El 6 d'abril de 1409, Joana, vídua de Bernat de Calaf, convers, giponer, ciutadà de Barcelona, pagava a Joan Solzina, formenter i ciutadà de la mateixa ciutat, quaranta-vuit sous de forment que el seu marit havia deixat a deure, reconeixent que la quantitat la pagava dels béns del seu marit, que alhora constituïen el seu dot.[161] Anteriorment a aquest pagament, Joana efectuà dos pagaments més a causa dels deutes del seu marit: seixanta-sis sous i sis diners per unes fustes que el seu marit va com-

---

160. La llei jueva establia que si una dona enviudava abans de tenir descendència aquesta s'havia de casar amb el seu cunyat.

161. AHPB, Gabriel Terrassa, *Manuale quartum*, 1412, gener, 2-1413, juliol, 6, f. 15v.

prar abans de morir,[162] i una quantitat no determinada per un préstec a curt termini.[163] En aquest cas la vídua disposa dels diners i béns de l'herència del seu difunt marit, els quals administra i mou en el seu propi nom i amb plena llibertat. En altres casos la vídua veia reduïda la seva llibertat econòmica perquè el marit havia establert un administrador extern —un amic o familiar— que era qui controlava els diners i realitzava els pagaments. Aquest era el cas de Clara, vídua de Joan Montagut, convers, coraler, ciutadà de Barcelona, que el 25 d'agost de 1423 rep d'Antoni Rosar, convers, dauer i ciutadà de la ciutat esmentada, les cent trenta lliures, divuit sous i set diners corresponents al seu esponsalici.[164] A més de pagar el dot a la vídua, Antoni Rosar era l'administrador i tutor dels fills dels esmentats Joan Montagut i Clara, i actuava com a tal en dos pagaments més, un realitzat el 5 de gener de 1423[165] a Arnau Feu, coraler, de quaranta lliures que el difunt devia a causa d'un deute, un *mutui*; i l'altre realitzat el 8 de gener del mateix any[166] a Arnau Pera, coraler, de vuit lliures i cinc sous que Joan li devia. En tots els pagaments es fa constar que Antoni Rosar actua per voluntat de Clara, però el fet que l'últim pagament sigui precisament el del dot que a ella li pertoca ens porta a pensar que fou el difunt Joan qui nomenà administrador Antoni.

Aquesta no era una excepció, encara que en altres casos sembla que era la mateixa vídua la que deixava en mans d'un tercer el tràngol de pagar els deutes del seu difunt marit tot i mantenint-ne ella el control del capital. Aquest va ser el cas de Margarida, vídua d'Antoni Girgós, difunt, peller, ciutadà de Barcelona, que el 5 de gener de 1423, reconeix a Joan Ferrer, àlies Cabrit, que li ha tornat i ha fet còmput final de totes les quantitats de diners, béns i coses que Joan rebia i administrava en nom seu.[167] Fet l'inventari, Joan ha de tornar a Margarida cent dos sous i set diners.

D'altra banda, els documents notarials ens mostren com moltes vídues actuaven lliurement i en el seu propi nom cobrant i realitzant pagaments, venent i comprant censals morts i violaris, adquirint

---

162.   AHPB, Gabriel Terrassa, *Manuale quartum*, 1412, gener, 2 -1413, juliol, 6, f. 15r.

163.   AHPB, Tomàs Vives, 1420, maig, 14-1421, abril, 21, f. 11r, 1409, març, 7.

164.   AHPB, Joan Pedrol, *Tercium manuale*, 1422, agost, 12-1423, novembre, 12, f. 85r.

165.   AHPB, Joan Pedrol, *Tercium manuale*, 1422, agost, 12-1423, novembre, 12, f. 30v.

166.   AHPB, Joan Pedrol, *Tercium manuale*, 1422, agost, 12-1423, novembre, 12, f. 31r.

167.   AHPB, Joan Pedrol, *Tercium manuale*, 1422, agost, 12-1423, novembre, 12, f. 30v.

i prestant quantitats a curt termini, nomenant procuradors o essent nomenades elles i realitzant compres i vendes.

Com hem pogut veure al llarg d'aquest capítol les relacions familiars i d'amistat entre jueus i conversos, moltes vegades, no es trencaren malgrat la forta pressió de les autoritats. Pares i fills, germans, amics i socis professionals mantingueren els seus lligams i continuaren relacionant-se i ajudant-se. Pel que fa als matrimonis, tots van ser concertats entre conversos i es va marcar, per tant, una diferència amb Aragó i Castella, territoris en els quals els matrimonis per estratègia social i econòmica entre conversos i cristians de natura eren bastant comuns. En el cas de les formalitats legals respecte al matrimoni s'aprecia clarament com els conversos s'adapten plenament als contractes matrimonials cristians. Mostra d'aquesta gradual adaptació són també els contractes de didatge que els conversos contrauen amb dones cristianes de natura. Recordem que aquestes, normalment, realitzaven la seva tasca a casa dels pares del nadó i tenien per tant accés lliure a la intimitat de la família conversa, on qualsevol actitud considerada judaïtzant cridaria l'atenció. A l'últim, hem vist les vídues converses alliberades del costum del levirat i adquirir el mateix estatus i els mateixos drets que les vídues cristianes de natura.

ELS CONVERSOS EN EL TEIXIT PROFESSIONAL BARCELONÍ

Com avui, a l'edat mitjana era imprescindible desenvolupar un ofici —excepte, és clar, els nobles i eclesiàstics— per tal d'integrar-se en la societat. Tot aquell que no tenia "ofici ni benefici" en quedava fora. Treballar no era, ni és, solament una manera de guanyar-se la vida, sinó també una manera de relacionar-se amb la resta de la societat. En qualsevol activitat professional, comercial i financera, hom estableix al seu voltant un seguit de contactes professionals —proveïdors, clients, col·legues del mateix ofici— que poden donar lloc a relacions personals més intenses. Per tant, en aquest capítol no solament analitzarem les professions a les quals es dedicaven els conversos, també estudiarem les relacions que se'n derivaven: amb qui treballaven? Amb qui s'associaven? Quina era la seva clientela? Aquestes i altres preguntes són les que desvelarem tot seguit.

El món laboral convers. Aspectes generals

PROFESSIONS MAJORITÀRIES

La documentació notarial ens demostra que la societat conversa participava activament en la vida econòmica de la ciutat de Barcelona. I no sols això, sinó que la impulsava. Ja hem vist anteriorment com els jueus foren utilitzats durant la reconquesta per a reactivar l'economia a causa de la seva perícia en l'artesanat i el comerç. Doncs ara, un cop conversos, no tan sols continuen essent grans professionals reconeguts, sinó que a causa del seu nou estatus social tenen més llibertat per desenvolupar les seves activitats en una ciutat on el comerç exterior i l'artesania especialitzada eren la base de l'economia.

Segons la investigació feta per Anna Rich,[1] la gran majoria dels jueus barcelonins eren artesans. Tanmateix, la majoria d'aquest artesanat s'especialitzà en tres sectors clau de l'economia de la ciutat: teixidors de vels, coralers i dauers. Fora de l'artesania, la professió més copada per conversos era la de corredor d'orella. El gràfic que presentem a continuació ens demostra que aquesta tendència no canvià amb la conversió dels jueus.

GRÀFIC 1
Les principals activitats professionals dels jueus conversos
de Barcelona

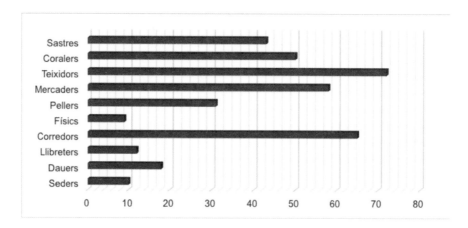

Les dades que ens aporta aquest gràfic han sigut extretes de la totalitat dels instruments que hem trobat a l'AHPB, no solament dels referents a contractes professionals, puix que són una minoria. El gràfic ens mostra clarament que l'artesanat continua essent l'activitat professional majoritària entre la societat conversa. Entre les professions estudiades, la majoritària era la de teixidor, de la qual hem localitzat setanta-dos individus. A aquesta professió la segueixen els corredors, amb seixanta-cinc, i els mercaders, amb cinquanta-vuit.

Si comparem el nostre gràfic amb el d'Anna Rich[2] constatem que les professions majoritàries continuen essent les mateixes, fet perfectament lògic considerant que les tendències comercials continuaren

---

1. A. Rich Abad: *La comunitat jueva de Barcelona...*, p. 139.
2. A. Rich Abad: *La comunitat jueva de Barcelona...*, p. 138.

essent les mateixes. Tanmateix, observem una diferència significativa: mentre que abans dels avalots la segona professió majoritària era la dels mercaders, després de les conversions aquest lloc va ser ocupat pels corredors. Una explicació a aquest canvi podria ser el fet que per a ser corredor no era necessari tant de capital per a invertir. A més, el mercader tenia tots els contactes necessaris per a realitzar aquest ofici. Una altra diferència és que hem trobat menys físics després de la seva conversió.

Pel que fa a l'artesanat en concret, observem que les professions majoritàries eren justament les més influents en l'economia de la ciutat: els teixidors i els coralers.

A part de les professions que contemplem en aquest estudi, hem trobat tota mena d'artesans. No hem d'oblidar que abans de la seva conversió els jueus residien en el call i per tant els seus artesans havien de proveir els seus iguals de tot el necessari per a la vida quotidiana tot respectant els preceptes religiosos.

Els mestres

En el món laboral medieval tot ofici artesà tenia el seu *cursus honorum*. Durant la infantesa, hom entrava d'aprenent en un taller per tal d'iniciar-se en un ofici. Passat el temps necessari per aprendre l'art d'un ofici, l'aprenent adquiria la categoria d'oficial. Finalment, una minoria d'aquests oficials esdevenien *mestres*, que era la cúspide del *cursus honorum* professional, càrrec de gran prestigi i influència social.

Els principals privilegis que tenien els mestres eren legitimar l'obertura d'un taller propi amb treballadors al seu càrrec i tenir un *senyal* propi que permetria diferenciar els seus productes, donant-los prestigi, dels d'un altre taller, puix el senyal era l'autèntica signatura de l'artesà i passaria de pares a fills.[3]

Per tal d'accedir al grau de mestre els aspirants havien de superar un examen, davant dels mestres del seu gremi. En aquest examen l'aspirant havia de demostrar el seu domini de l'ofici confeccionant una *obra mestra*.

Aquest examen solia ser molt difícil de superar. Amb aquesta duresa, els gremis s'asseguraven que qui obtingués el grau de mestre fos competent en el seu ofici, puix de la seva feina —com en el cas dels mestres corders i els mestres de cases— en depenia la seguretat de la

---

3. Pierre Bonnassie: *La organización del trabajo en Barcelona a fines del siglo xv*, ed. CSIC, Barcelona, 1995, p. 66-67.

societat.[4] Tanmateix, la necessitat d'un examen permetia als gremis controlar l'accés a un grau professional dotat de gran influència social i política. Una de les primeres mesures de control era el poder adquisitiu de l'aspirant, ja que l'examen de mestria tenia un preu elevat i, a més, s'havia de pagar els materials de l'obra mestra.

A l'AHPB hem trobat diversos instruments notarials que fan referència a mestres conversos:

Taula 4

Mestres conversos

Data	Mestre convers	Ofici
1399-4-28	Guillem Sanxo, cB	Coraler
1416-1-18	Francesc Bertran, cB	Coraler
1405-2-6	Ramon sa Vall, cB	Coraler
1398-1-24	Berenguer de Colliure, cB	Coraler
1399-1-20	Antoni Rosar, cB	Dauer
1399-1-20	Arnau Raudòs, cB	Dauer
1398-2-21	Lleonart Seset, cB	Dauer
1425-10-20	Francesc de Pedralbes, cB	Metge
1420-1-12	Manel Jaume, cB	Metge

cB= ciutadà de Barcelona

Com veiem, els únics mestres conversos que hem localitzat ho eren d'oficis dels quals tenien el monopoli (dauers), eren la majoria (coralers), o bé tenien gran fama professional (físics). Això demostra com des de la societat cristiana es vetava als conversos l'accés a càrrecs que els donarien cert poder i influència sobre els cristians de natura. D'altra banda, queda clar que els conversos no van perdre la seva hegemonia sobre els oficis de coraler i dauer, hegemonia que aconseguiren quan eren jueus.

Com ja hem vist en la primera part d'aquest estudi, quan a una ciutat es reactivava l'economia la burgesia cristiana feia tot el possible per desbancar els jueus.

Els conversos, pel fet de tenir els mateixos drets que un cristià de natura, representaven ara una competència perillosa, ja que la seva

---

4. P. Bonnassie: *La organización del trabajo...*, p. 21.

habilitat en les arts artesanes era àmpliament reconeguda. La burgesia cristiana barcelonina no podia, de moment, impedir que els conversos desenvolupessin les seves activitats professionals, tanmateix farien tot el que estigués en la seva mà per evitar que la seva presència els perjudiqués. Per tant, impedir-los l'accés al grau de mestre no permetia als conversos controlar els oficis mitjançant els gremis i les confraries.

Els aprenents

En aquest apartat explicarem, de manera general, les condicions dels aprenents que es preveuen en els contractes d'aprenentatge. Després, en el capítol corresponent a cada ofici que hem estudiat, mostrarem les particularitats de l'aprenentatge de cada activitat professional.

Com hem dit abans, tothom que volgués desenvolupar un ofici havia de fer primer un període d'aprenentatge. L'edat en què hom començava aquest aprenentatge era entre els vuit i deu anys i la seva duració variava depenent de l'ofici.[5] En el cas de Barcelona la duració del període d'aprenentatge anava des dels sis mesos en el cas dels garbelladors fins als vuit anys en el cas dels apotecaris.[6]

Els contractes d'aprenentatge ens donen molta informació sobre les condicions dels aprenents i els oficis als quals es refereixen. Tanmateix, hem de tenir clar que no sempre es feia un contracte per escrit.

L'estructura que componien els contractes d'aprenentatge podríem dividir-la en dues parts. La primera faria referència a les obligacions a les quals es comprometia l'aprenent envers el mestre. La segona recolliria els compromisos que el mestre pren a l'aprenent o el seu tutor en el cas que encara no hagi assolit l'edat mínima per a signar un document legal (dotze anys en el cas de les nenes i catorze en el cas dels nois).

En la primera part sempre consta el nom de l'aprenent i la població on resideix. Com que normalment eren menors, el document també inclou l'edat, el nom dels pares o tutors i el seu ofici, o bé el nom del procurador. A continuació segueix el pacte d'aprenentatge en el qual l'aprenent promet al seu mestre aprendre el seu ofici i viure amb ell durant el temps determinat en el mateix contracte. Promet servir i obeir el seu mestre, bonament i sempre que sigui decent, tant de dia com de nit, així com no perjudicar-lo ni a ell ni als seus béns. També es compromet a no fugir abans del temps estipulat. En cas

---

5. P. Bonnassie: *La organización del trabajo...*, p. 80.
6. P. Bonnassie: *La organización del trabajo...*, p. 80.

de fuga, l'aprenent dona permís al mestre de fer-lo buscar i tornar a la força. L'aprenent també es compromet a no absentar-se de la seva feina. En el cas que ho fes, es compromet a pagar-li una quantitat específica de diners, o el valor de la jornada, que eren dos sous,[7] o bé a recuperar els dies que ha faltat. Es comprometia a pagar tot el que trenqués. L'aprenent, per tal d'assegurar el compliment de les seves obligacions, obligava tots els seus béns. En el cas que no en tingués, presentava l'aval de dos fiadors.

En la segona part, el mestre es comprometia a ensenyar el seu ofici a l'aprenent *prout melius potero*. Prometia a l'aprenent alimentar-lo, tant en salut com en malaltia. En la majoria dels casos, els aprenents no percebien cap remuneració econòmica. El simple fet d'alimentar-lo i acollir-lo ja es considerava suficient, puix la seva família ja tenia una boca menys que alimentar. Tanmateix, el mestre sempre es compromet a donar-li alguna peça de roba, calçat, alguna quantitat de tela per a fer-se una gramalla o a vestir-lo decentment. En el cas de percebre un salari, aquest podia ésser cobrat per l'aprenent directament o bé es pagava als pares o tutors. També es podia donar el cas que el mestre prometés no donar als seus pares el salari que percebés. Segons l'ofici, el mestre es comprometia a donar a l'aprenent les eines necessàries per portar a terme la feina. Una altra clàusula era la prohibició a l'aprenent de practicar l'ofici après i d'ensenyar-lo sense el consentiment del mestre. Per tal d'assegurar el compliment dels seus compromisos, obligava els seus béns.

Al final del contracte s'estipulava una pena pecuniària que hauria de pagar la part contractual que no complís els seus compromisos. Seguidament es realitzaven els juraments i es presentaven fiadors si era necessari.

Finalment, el contracte dona constància dels testimonis.

ELS CONTRACTES DE TREBALL

En aquest apartat explicarem les condicions generals dels treballadors en l'edat mitjana barcelonina i l'estructura dels seus contractes més comuns.

Com tota documentació notarial, per tractar-se d'un document públic, els contractes laborals eren la garantia judicial que les dos o més parts implicades complirien els seus compromisos. Tanmateix,

---

7. J. M. MADURELL MARIMÓN: "La contratación laboral judaica y conversa en Barcelona (1349-1416)", *Sefarad*, 1956, p. 33-71, p. 34.

no sempre es formalitzava aquest contracte per escrit, puix d'aquesta manera el patró podia eludir certes obligacions a les quals estava subjecte.[8] En aquests casos, les parts implicades arribaven a un acord verbal en què es detallarien les obligacions de cadascú. Certament, hem pogut comprovar que entre la documentació cercada hem trobat menys contractes de treball que d'aprenentatge, fet que ens porta a pensar que molts d'ells es feien de paraula.

Respecte a les condicions dels treballadors assalariats sabem que, en general, treballaven tan sols els dies laborables i cobraven la seva setmanada el divendres, dia que tan sols es treballava fins al migdia.[9]

També s'ha demostrat que en cas que els treballadors assalariats no poguessin continuar les seves tasques a causa de la falta de material, els patrons estaven obligats a pagar al treballador la paga íntegra dels dies no treballats, amb el compromís que aquest no anés a treballar per un altre patró.[10] Tanmateix, no sabem certament si els patrons complien amb aquesta obligació, ja que desconeixem els pactes verbals als quals arribaven les dues parts i que no deixaven constància documental.

A Barcelona cada ofici tenia assignada una plaça pública on es reunia tot aquell qui busqués feina del seu ofici i on acudien els patrons per a contractar a qui necessitessin.[11] Però, seguint la lògica i tenint en compte les relacions personals que tota societat té, la majoria de feines es trobaven mitjançant cercles d'amistat, familiars o professionals. El pare coneixia algú que pogués ensenyar al seu fill el seu ofici, o bé aquest algú podia posar-lo en contacte amb un altre que necessités un aprenent o treballador. Si un treballador assalariat acabava la seva activitat amb un patró, segur que en coneixia un altre al qual pogués interessar la seva força productiva.

Hi havia diferents tipus de contracte laboral: el del treballador assalariat, que és el que tractarem a continuació, el de repartiment de beneficis i el de pagament per peça feta, contractes que tractarem al llarg d'aquest estudi amb casos concrets.

Com en el contracte d'aprenentatge, i deixant de banda els detalls particulars de cada cas, els contractes de treball també presentaven una estructura de dos parts en què cada part implicada definia les seves obligacions.

En la primera part apareix el nom del treballador, el seu lloc d'origen i el seu ofici, així com les mateixes dades del patró. En el cas

---

8. P. Bonnassie: *La organización del trabajo...*, p. 87.
9. J. M. Madurell Marimón: "La contratación laboral judaica"..., p. 39.
10. J. M. Madurell Marimón: La contratación laboral judaica"..., p. 39.
11. P. Bonnassie: *La organización del trabajo...*, p. 91.

que el treballador fos menor de vint-i-cinc anys, hi constava també el nom dels seus pares o tutors. El treballador es compromet a complir les tasques determinades en el contracte, a pagar el que trenqui i per la feina mal feta i a respectar la persona i els béns del seu patró. Promet no fugir i recuperar els dies que no treballa per causa de malaltia o fuga. Es compromet també a respectar el temps del contracte, estipulat en aquesta part, i a no treballar per a una altra persona. En el cas de ser menor d'edat, l'aprenent renuncia als beneficis legals que aquesta condició li aporta. Com en els contractes d'aprenentatge, obliga els seus béns per tal d'assegurar el compliment dels seus compromisos.

En la segona part, el patró determina el salari del treballador, així com la forma i els terminis de pagament. Es compromet a respectar el treballador, així com el temps del contracte. En el cas que el treballador visqui amb ell, el mestre es compromet a alimentar-lo i calçar-lo, així com a cuidar-lo en cas de malaltia. Es fixa també la quantia del sou i quan es pagarà. També es podia donar el cas que el treballador no rebés cap salari per la feina. Per tal d'assegurar el compliment dels seus compromisos obliga els seus béns.

Finalment, ambdues parts acceptaven totes les clàusules i signaven el document, fent constar el lloc de redacció i la data, i amb la presència de testimonis.

Els artesans

Els coralers

El corall esdevingué durant el segle xv un producte clau en l'expansió comercial marítima del Principat.[12] El corall era utilitzat com a peça de bijuteria en la composició de paternostres i joies, i en la nostra terra, a més, es considerava que tenia propietats de protecció envers les malalties, per aquesta raó sempre es protegia els nadons amb un collaret o polsera de corall. Tanmateix, el Principat no era el lloc on anava destinada la major part de la seva producció. El corall era un producte molt demandat en zones de l'interior de la mateixa Península Ibèrica i de la resta d'Europa. Tanmateix, els màxims consumidors de corall eren els regnes musulmans situats a l'orient del Mediterrani, la

---

12. Vegeu Damien Coulon: "Un element clef de la puissance commerciale catalane. Le trafic du corail avec l'Égypte et la Syrie (fin du xiv s.-debut du xv siècle)", *Al-Mansaq*, 1996-1997, p. 99-149. Tanmateix, l'autor aportà novetats sobre el tràfic de coral a Damien Coulon: *Barcelone et le grand commmerce d'ourient au Moyen Age. Un siècle de relations avec l'Égypte et Syrie-Palestine (ca. 1330-ca. 1430)*, ed. Institut Europeu de la Mediterrània, Madrid-Barcelona, 2004.

demanda dels quals desenvolupà entre els cristians, ja en l'antiguitat, l'art de pescar i treballar el corall.[13]

El corall, tan apreciat pels regnes musulmans i tan abundós en els territoris de la Corona d'Aragó, era canviat per productes exòtics de gran valor econòmic al Principat (per exemple, el pebre i altres espècies), o bé venut a preus molt elevats.[14] Com veiem, el corall tingué un paper primordial en l'equilibri de la balança comercial del Principat. Un quintar de corall *mija* tenia a Barcelona el preu de 3,7 lliures barceloneses, el mateix corall venut a Damasc podia assolir un preu de sis lliures, aconseguint un benefici del 64,4 %.[15]

Tal com s'observa en les comandes comercials, no hi havia vaixell que partís del port de Barcelona envers orient que no portés una important quantitat de corall,[16] amb unes cargues que de vegades superaven el valor de les de teixits.[17]

Les exportacions de corall del Principat experimentaren un gran increment a partir de 1380. Damien Coulon troba l'explicació a aquest fenomen en dos causes: d'una banda, el moment de crisi i les campanyes militars dificultaven molt el comerç a llarga distància; i d'altra banda, és significatiu el paper que van jugar els jueus en la seva especialització en el treball artesà del corall.[18] Evidentment, i tal com hem vist abans, els conversos van continuar dominant aquest sector artesanal.

El corall era extret per uns pescadors especialitzats, a les costes catalanes, destacaven Roses, Empúries, Cotlliure, Palamós i Cadaqués. Tanmateix, aquests bancs s'anaven esgotant i a partir de 1420, els pescadors catalans anaren a cercar-lo a les costes sardes, on encara avui es pesca.[19]

Existia una jerarquia tipològica del corall dependent de la seva manufactura i qualitat. El més car eren els *botons de corall*, que degut a la manufactura per polir-los i arrodonir-los assolien un preu d'entre cinc i deu lliures barceloneses la lliura de pes. Els seguien les *branques de corall*, amb un preu d'entre 2,3 i 3,6 lliures barceloneses la lliura de pes. La tercera varietat era el corall *tor* que tenia un preu de poc més d'una lliura la lliura de pes, tanmateix si aquest era *bastart* es pagava

13. Claude Carrère: *Barcelona 1380-1462, un centre econòmic en època de crisi*, ed. Curial, Barcelona, 1977, p. 431.
14. D. Coulon: *Barcelone et le grand...*, p. 362.
15. D. Coulon: *Barcelone et le grand...*, p. 476.
16. C. Carrère: *Barcelona 1380-1462, un centre econòmic...*, p. 434.
17. D. Coulon: *Barcelone et le grand...*, p. 364.
18. D. Coulon: *Barcelone et le grand...*, p. 362-363.
19. C. Carrère: *Barcelona 1380-1462, un centre econòmic...*, p. 391.

a menys d'una lliura. La següent varietat era el corall *torjat,* amb un preu entre les quaranta i les vuitanta lliures el quintar. A sota de tot es trobava els *mijans* i els *trocs de poc valor* que es pagaven entre les 3,7 i les 20,5 lliures barceloneses el quintar. La varietat més utilitzada en el comerç exterior era el *torajat.*[20]

Com veiem, el corall treballat assoleix preus molt alts comparat amb el no treballat. Els catalans eren perfectament conscients de l'important paper que tenia el corall en el comerç exterior, per aquesta causa es prengueren mesures per a evitar que els artesans del corall ensenyaren llurs tècniques als països consumidors, puix sembla que els països musulmans desconeixien les tècniques de polir i arrodonir l'apreciat mineral.[21] Alguns jueus conversos havien intentat anar a altres països i aprofitar els beneficis econòmics que els hauria aportat el seu art de treballar el corall, tanmateix els consellers els van perseguir, els van detenir i van obligar-los a tornar. Aquest fet va provocar que el 1447 el Consell de Barcelona determinés que tot aquell que anés a terres sarraïnes amb la intenció de treballar el corall, o a ensenyar les seves tècniques, perdria els béns i la vida.[22]

Com veiem, l'artesania del coral era duta a terme per una mà d'obra molt especialitzada i el producte resultant era un dels elements clau del comerç exterior barceloní. Tenint en compte que la gran majoria dels coralers eren conversos, podríem pensar que aquests, pel fet de dominar un ofici tan necessari, gaudien de poder i influència en la societat urbana i el seu govern. Res més lluny de la realitat. Ja hem vist com —tret dels oficis de coraller, dauer i físic— s'impedeix als conversos aconseguir el grau de mestre en oficis on poden tenir certa influència. En el cas dels coralers, un ofici en què sí que hi ha mestres conversos, mai havien tingut representació en el Consell de Cent. Tampoc es van reunir en un barri concret del seu ofici ni van influir en cap decisió important de la ciutat. Tot fa pensar que, degut a la gran afluència de conversos, es va impedir a aquest gremi la més mínima mostra de poder.

D'altra banda, els que controlaven la gran part del tràfic de corall eren els mercaders. Els pescadors de corall, abans de sortir a la mar, tancaven un tracte amb un mercader que es prometia a comprar la càrrega.[23]

---

20. D. Coulon: *Barcelone et le grand...,* p. 374-375.
21. C. Carrère: *Barcelona 1380-1462, un centre econòmic...,* p. 434.
22. C. Carrère: *Barcelona 1380-1462, un centre econòmic...,* p. 434.
23. C. Carrère: *Barcelona 1380-1462, un centre econòmic...,* p. 392.

Sabem, però, que els coralers compraven corall brut per a treba-llar-lo i vendre'l als mercaders a un preu més elevat. Així ho mostren dos pagaments fets per Joan Anciau, mercader i ciutadà de Tolosa, a Pere Bertomeu, convers, coraler, ciutadà de Barcelona. En el primer pagament, fet el 24 de maig de 1401,[24] Joan Anciau pagà a Pere Ber-tomeu cinquanta-cinc lliures i cinc sous barcelonesos d'aquelles cent lliures que li deu per uns botons de corall. La resta fou pagada el 26 de novembre de 1404.[25] Un altre exemple el trobem en una cessió de deute feta el 16 el març de 1406[26] per Joan Maçana, convers, coraler i ciutadà de Barcelona, per tal de pagar el que deu a Guillem Sanxo, convers, mercader, ciutadà de la ciutat esmentada. Joan Maçana cedeix a Guillem Sanxo els drets de cobrament sobre les cent vint lliures barceloneses que Jaume Teixidor, mercader de Barcelona, li deu per uns botons de corall.

L'aprenentatge

Durant l'aprenentatge, hom havia de dominar les tres tasques de l'art del coral: foradar, arrodonir i tallar el coral; la més difícil era la d'arrodonir.[27] El temps d'aprenentatge, com en tots els oficis, varia se-gons cada contracte. Si més no, els contractes d'aprenentatge de coraler estudiats per Madurell ens mostren una mitjana entre un i dos anys.

En el cas que hem trobat a l'AHPB, a més dels ja mostrats per Madurell, el temps d'aprenentatge va ser de deu mesos. El 19 de febrer de 1416,[28] Lluís Borrosa, convers, coraler, ciutadà de Barcelona, con-tractà, durant deu mesos, com a aprenent Jaume de Sors, de quinze anys d'edat, fill de Lluís de Sors, teixidor de vels de seda, ambdós conversos i ciutadans de la ciutat esmentada. Durant l'aprenentatge, Jaume viurà a casa del seu mestre, el qual es compromet a alimentar-lo i a proporcionar-li calçat i vestit. Un cop passats aquests deu mesos, Jaume rebrà dos florins d'or d'Aragó com a sou.

---

24. AHPB, Pere Granyana, *Manuale*, 1400, desembre, 29-1402, gener, 30, f. 89v.
25. AHPB, Pere Granyana, *Manuale quintum decimum*, 1403, desembre, 17-1404, desembre, 24, f. 89v.
26. AHPB, Bernat Sans, *Manual*, 1406, març 6-1406, setembre, 3, f. 8r.
27. J. M. MADURELL MARIMÓN: "La contratación laboral judaica...", p. 35.
28. AHPB, Tomàs Vives, *Manual*, 1415, juliol, 30-1416, maig, 11, f. 23r-v.

Els contractes de treball

Mitjançant els contractes de treball podem observar les relacions tant personals com professionals dels conversos que s'hi dedicaven. A l'AHPB hem localitzat cinc contractes de treball de conversos que ens ensenyaran quines eren les seves relacions.

Com ja hem vist, la manufactura del coral estava estretament vinculada al comerç exterior. Per aquesta causa, hi havia mercaders que contractaven coralers perquè treballessin per a ells durant un temps determinat per tal de polir el seu coral. Aquest és el cas de Llorenç Massana,[29] convers, mercader, ciutadà de Barcelona, que el 7 de desembre de 1401 contractà durant dos anys Joan Boscà, convers, coraler, ciutadà de València i habitant de Barcelona, perquè treballés el seu coral per tal de vendre'l. Per aquests dos anys Joan Boscà rebrà 232 sous barcelonesos. En el mateix contracte Joan Boscà promet a Llorenç Massana que durant aquest temps no jugarà al joc dels daus.

Un altre exemple és el de Joan Massana,[30] convers, mercader, ciutadà de Barcelona, que al setembre de 1404 contracta, durant sis mesos, Arnau de Feudo, convers, coraler, perquè faci botons de coral.

En altres casos eren corredors d'orella els que contractaven un coraler perquè treballés per a ells i poder vendre la seva producció a algun mercader. És el cas de Pere de Casasàgia,[31] convers, corredor d'orella, i del seu fill Francesc, també convers i corredor d'orella, ciutadans de Barcelona, que el 15 de maig de 1400 contractaren durant un any Simó Vicens, convers, coraler, habitant de Barcelona, perquè treballés el seu coral, cobrant per aquest any treballat onze florins d'or d'Aragó.

Com veiem, els mercaders i corredors contractaven els coralers en lloc de fer una societat. El fet d'estar contractats denota una dependència del coraler envers el mercader o corredor, ja que una societat els igualaria i repartiria els beneficis. També sobta el compromís de l'esmentat Joan Boscà de no jugar als daus mentre duri el contracte amb Joan Massana. Aquesta exigència del contractant envers el contractat també es podria considerar una mostra que, en negocis, el mercader estava per sobre del coraler.

---

29. AHPB, Tomàs de Bellmunt, *Manual*, 1401, juliol, 8-1402, gener, 26, f. 28v (vegeu apèndix documental I, doc. 30).
30. AHPB. Bernat Sans, *Manual*, 1404, agost, 14-1404, setembre, 27, f. 19v-20r.
31. AHPB. Bernat Sans, *Manual*, 1400, març, 31-1400, setembre, 25, f. 28v-29r.

També resulta significatiu el fet que tots aquests contractes es van fer entre conversos, fet que demostra un cohesió social entre ells.

En altres casos, eren els mestres coralers que contractaven coralers perquè fessin una part específica del procés del treball del coral. Un cas concret que hem trobat a l'AHPB ens mostra quin era el volum diari de treball d'aquest ofici. El 9 de desembre de 1391,[32] Guillem Sanxo, convers, coraler, ciutadà de Barcelona, contractà durant sis mesos Pere Rovira, convers, fill de Baruch Toro, jueu, difunt, ciutadà de la mateixa ciutat, perquè arrodonís quaranta "botons de coral menut", o tres-cents botons *migenets* al dia, per un sou de cinquanta sous barcelonesos cada mes.

Altres vegades, calia buscar coralers fora de Barcelona. És el cas d'Agustí Amorós,[33] convers, coraler, ciutadà de Barcelona, que el 24 d'agost de 1409 contractà Bertran Guinart, coraler, ciutadà d'Arlet, durant un any perquè treballés amb ell en l'art del coral. Com que ve de fora, Agustí Amorós es compromet, a més de pagar-li dotze florins d'or d'Aragó per l'any treballat, a tindre'l a casa, a alimentar-lo i a donar-li calçat i dues camises.

Els dauers

Entre les diversions lúdiques, el joc dels daus era, sens dubte, la més popular i estesa entre la població barcelonina. A les tavernes del port, quan venien els vaixells de mercants o de soldats, l'ambient s'omplia de soroll de daus repicant contra les taules. Tanmateix, el joc dels daus sempre era relacionat amb les baralles per qüestions de diners, vi, tavernes i prostitutes.[34] Per això, el joc dels daus anava sempre acompanyat de la consideració de vici perniciós. Tant és així que en alguns casos, a causa potser de qüestions professionals o familiars, hom podia veure's en l'exigència de signar un document notarial en què es comprometés a no jugar als daus. Aquest va ser el cas de Joan Esglésies,[35] convers, coraler, ciutadà de Barcelona, que el 7 d'abril de 1408, promet a Pere Marquès, àlies Salvador, sotsbatlle de Barcelona, que durant un any no jugarà als daus, sots pena de deu lliures barceloneses cada cop que hi jugui. D'aquestes deu lliures, cinc lliures serien per a la persona denunciant i cinc per a l'oficial reial que el detingués.

---

32.   AHPB. Bernat Nadal, *Manual*, 1391, juny, 7-1392, gener, 2, f. 89v-90r.
33.   AHPB. Francesc de Manresa, *Manual*, 1409, març, 10-1410, maig, 31, f. 65v.
34.   A. Garcia Espuche, P. Sánchez, E. Sarrà, J. B. de Heradia Bercero, N. Miró i Alaix: *Jocs, trinquets i jugadors. Barcelona 1700*, ed. Ajuntament de Barcelona, 2009, p. 23.
35.   Vegeu apèndix documental, doc. 55.

Potser per aquesta penyora moral, els jueus, abans dels fets de 1391, van monopolitzar la indústria de la confecció de daus. El cert és que de tots els documents trobats a l'AHPB on hi apareix un dauer, aquest és sempre convers.

Per a la fabricació dels daus s'utilitzava l'os que es troba al genoll de la vedella. Degut a la seva forma petita i redona —anomenat en la documentació *bala*— i a la seva constitució, era el material idoni.

Els aprenents

Durant els anys d'aprenentatge, hom havia d'aprendre les dues tasques fonamentals pròpies de l'ofici de dauer: *trencar*, és a dir, fer quadrats els ossos, i foradar.

Segons els documents estudiats, l'aprenentatge durava dos anys, encara que hom entenia que l'aprenent ja dominaria les tècniques als sis mesos de formació. Això, si més no, és el que es desprèn d'un contracte d'aprenentatge datat el 3 de novembre de 1422 en el qual Antoni Rosar, convers, dauer, ciutadà de Barcelona, contractà Gabriel Bosc, fill de Joan Bosc, giponer, ciutadà de la ciutat esmentada, durant dos anys com a aprenent.[36] El contracte estipula que el pare de Gabriel serà el que cobrarà el sou en nom del seu fill. El sou serà per feina feta: dos diners i un òbol barcelonesos per dau durant els primers sis mesos i tres diners barcelonesos per cada dau l'any i mig restant. En aquest cas l'aprenent no viurà amb el mestre i, per tant, no està obligat a alimentar-lo.

Tanmateix, podem trobar contractes d'aprenentatge de més durada, fet que perjudicava l'aprenent, que es veia obligat a cobrar un sou més baix que si fos considerat treballador. Aquests casos se solien donar en aprenents de molt poca edat, puix la seva família no s'havia de preocupar d'alimentar-lo. Aquest és el cas de Ramon d'Abellar,[37] de deu anys d'edat, fill de Joan de Bellaria, porter del rei, ambdós conversos i ciutadans de Barcelona, que fou contractat el 5 de desembre de 1398 com a aprenent per Antoni Rosar, convers, dauer, ciutadà de la mateixa ciutat, durant quatre anys. Durant aquest temps Ramon viurà a casa d'Antoni, que l'alimentarà, el vestirà i el calçarà segons la seva condició i els usos de Barcelona. Joan de Bellaria, pare de Ramon, cobrarà per la feina del seu fill tres florins d'or d'Aragó per cada any, en total dotze florins.

---

36. AHPB, Joan Pedrol, *Tercium manuale*, 1422, agost, 12-1423, novembre, 12, f. 16.
37. AHPB, Jaume de Trilla, *Manual*, 1398, febrer, 21-1399, desembre, 4, f. 65r.

Sembla que durant l'aprenentatge hom cobrava la feina feta. Tanmateix, trobem casos en què tan sols es gratificava l'aprenent amb l'aliment, l'allotjament i el vestit. És el cas de Joanet,[38] convers, fill de Joana, denominada Mireta abans de la seva conversió i vídua d'Isaac Isacon, ciutadans de Barcelona, que el 15 de gener de 1393 fou contractat d'aprenent pels dauers Francesc de Cortilles i Joan de Gualbes, conversos i ciutadans de la mateixa ciutat, durant dos anys. Durant aquest temps Joanet tan sols rebria sostre, aliment, calçat i vestit.

Els contractes de treball

Segons els documents estudiats, sembla que era comú que els treballadors de l'ofici de dauer cobressin per feina feta, és a dir, per cada dau trencat i/o foradat. També és comú que els contractes no durin més d'un any i que cada treballador s'encarregui únicament d'una de les dues tasques. Pel que fa al sou, hem observat que les dues tasques es pagaven pràcticament igual.

Per realitzar la tasca de foradar, Francesc Terrades,[39] dauer, fill de Francesc Terrades, mercader de vels, conversos i ciutadans de Barcelona, que va ser contractat el 26 de juny de 1399 pel dauer Joan Figuera, convers, ciutadà de la mateixa ciutat, cobrava quatre diners per cada bala que foradés.

En canvi, per realitzar la tasca de trencar, Joan Escales,[40] convers, dauer, ciutadà de Barcelona, que fou contractat, durant un any, el 10 d'abril de 1398, per Antoni Rosar, convers, mestre de daus, cobrava a quatre diners i un òbol barcelonesos. Aquest contracte també resulta interessant per dues clàusules que inclou. En la primera, Joan Escales es compromet a recuperar els dies que falti, sempre que la seva absència no sigui per malaltia. La segona clàusula interessant es troba al final del contracte: Antoni Rosar es compromet a pagar una pena de vint sous barcelonesos si no pot donar feina a Joan durant el temps que duri el contracte. Aquesta és una variant de la clàusula a la qual ens hem referit en el primer capítol quan hem tractat les clàusules generals dels contractes de treball, és a dir, la clàusula per la qual el patró es comprometia a pagar al seu treballador el sou sencer en cas que no pogués proporcionar-li feina durant el temps que durés el contracte. Com que en el present contracte Joan cobrava per feina feta, i no amb

---

38. AHPB. Pere Vives, *Manual*, 1392, novembre, 28-1395, gener, 14, f. 10.
39. AHPB, Jaume de Trilla, *Manual*, 1398, febrer, 21-1399, desembre, 4, f. 103v.
40. AHPB, Jaume de Trilla, *Manual*, 1398, febrer, 21-1399, desembre, 4, f. 1r.

un sou fix prèviament convingut, la solució va ser estipular una pena per tal d'assegurar el compliment d'aquesta obligació del patró.

En alguns casos, el dauer contractat podia cobrar més del que normalment es pagava per la seva feina. Tanmateix, aquest augment solia anar lligat a un compromís extra per part del treballador.

És el cas de Joan de Conomines,[41] abans de la seva conversió anomenat Samuel Vidal, convers, dauer i probablement fill o pare de Nicolau Conomines, mestre dauer, que, el 3 d'octubre de 1391, va ser contractat durant un any per Joan sa Rilla, dauer, ciutadà de Barcelona, per a foradar daus a un preu de cinc diners barcelonesos per dau. Un diner més que Francesc Terrades. Tanmateix, aquest atractiu sou tenia una contrapartida. Joan de Conomines es comprometé a viatjar a qualsevol part del món que Joan sa Rilla li digués per a treballar en el seu ofici. Joan sa Rilla, per la seva part, es compromet a proveir de feina Joan de Conomines durant l'any de contracte.

En altres exemples, dos dauers podien repartir-se la feina de quadrar i foradar, però sense formar una societat, sinó que cada part es comprometia a fer la seva feina com si d'un contracte laboral es tractés.

Així ho mostra un instrument notarial, fet el 23 d'agost de 1399, pel qual Francesc de Cortilles,[42] convers, dauer, abans ciutadà de Barcelona i ara veí de Molins de Rei, acordava amb Antoni Rosar, convers, dauer, ciutadà de Barcelona, que durant un any quadraria ossos per tal de fer daus. Francesc de Cortilles treballaria els ossos a Molins de Rei i després els enviaria a Barcelona perquè Antoni els foradés i els vengués. Antoni, per la seva part, estava obligat a informar Francesc del preu al qual va vendre els daus i a donar-li la part de benefici corresponent. Aquest document també és interessant perquè intervenen els cònsols de l'ofici de dauer, els quals prometen a Francesc de Cortilles que li entregaran part dels ossos que arribin a Barcelona per al seu ofici. Això significa que Barcelona no podia assolir tota la demanda d'ossos per a fer daus i calia portar-ne de fora.

Sembla que Francesc de Cortilles era molt itinerant, puix després d'estar residint a Molins de Rei, el trobem el 15 d'octubre de 1403[43] com a habitant de València.

---

41. AHPB, Bernat Nadal, *Manual*, 1391, juny, 7-1392, gener, 2, f. 54r.
42. AHPB, Jaume de Trilla, *Manual*, 1398, febrer, 21-1399, desembre, 4, f. 115r.
43. AHPB, Gabriel Terrassa, *Primum capibrevium*, 1401, maig, 31-1403, novembre, 17, s.f.

Les societats

Amb la finalitat de compartir riscos i poder fer front a grans en-càrrecs, dos o més persones podien constituir una societat. Les parts interessades acudien al notari per posar per escrit com seria aquesta societat, la inversió que faria cada part i com es repartirien els beneficis.

Així ho van fer Joan des Valls, convers, abans de la seva conversió anomenat Leo Salomó, dauer i ciutadà de Barcelona, i Joan de Gualbes, convers, abans anomenat Jucefus Sentou, dauer, ciutadà de la mateixa ciutat, que, el 10 de març de 1393,[44] van formar una societat, durant un any, sobre la manufactura de daus. De les despeses i dels beneficis de la societat, Joan des Valls tenia les sis tretzenes parts i Joan de Gualbes les set tretzenes parts. El contracte preveu que en cas que en un futur hi hagués problemes entre els dos socis, i no es posaven d'acord, exposarien el cas davant un tercer, Pere sa Badia, convers, i es comprometien a acatar la seva sentència. En cas que Pere sa Badia morís o estigués absent, el contracte preveu com a substitut Francesc Serra, convers.

Com veiem, totes les parts que conformaven aquesta societat eren conversos. A l'igual que en el cas dels coralers en els contractes de treball amb mercaders, els dauers també prefereixen altres conversos en contractes que impliquen un compromís i un tracte continuat.

ELS TEIXIDORS

A diferència dels altres dos oficis estudiats, el dels teixidors sí que tenia un pes important en la societat barcelonina. Els vels i les teles confeccionats pels teixidors de Barcelona eren exportats cap a zones de l'interior i cap a Orient, on eren molt apreciats. Fins i tot, sortien de Barcelona cap a aquests indrets, completament carregats de teixits.[45]

La reputació de les teles teixides a Barcelona era tal que el 14 de maig de 1349 Pere el Cerimoniós, per tal de mantenir aquesta repu-tació, va manar al veguer de Barcelona que abans de donar llicències per a l'exercici de l'ofici de teixidor, s'assegurés bé de la suficiència dels candidats.[46]

44. AHPB, Pere Vives, *Manual*, 1392, novembre, 28-1395, gener, 14, f. 10r.

45. C. Carrère: *Barcelona 1380-1462, un centre econòmic...*, p. 439.

46. M. Riu i Riu: "Organización gremial téxtil catalana en el siglo xiv", dins *VII Congreso de historia de la Corona de Aragón*, vol. II, Barcelona, 1962, p. 547-559, p. 551.

El pes d'aquest col·lectiu es va deixar notar, de manera especial, durant la meitat del segle xv. La crisi econòmica que la societat barcelonina estava patint afectà de ple els teixidors, puix els teixits vinguts d'Anglaterra i d'altres indrets envaïen el seu mercat i els posava en dificultats. Els teixidors van demanar el 1422 al govern municipal de Barcelona, en aquell moment controlat per la Biga, que apliqués mesures proteccionistes per tal d'impedir l'entrada massiva de teixits estrangers.[47] Tanmateix, aquestes mesures anaven en contra dels interessos del partit de la Biga i els seus afins, que aconseguien importants ingressos en la importació de teixits de luxe, i van refutar la petició dels teixidors. Aquestes mesures empenyeren l'artesanat tèxtil a la ruïna econòmica, i van produir-se constants enfrontaments entre els partits de la Biga i la Busca, que eren els que defensaven els interessos de l'artesanat.[48]

Cada teixidor es podia especialitzar en la confecció de cada producte: teixidor de llana, de lli, de draps de senyals, de vels... Bona part dels conversos teixidors es dedicaren a la confecció de vels, i dins d'aquests a la producció més luxosa: els vels de seda.

Veient la importància d'aquest ofici dins de la societat barcelonina, considerant que la majoria dels conversos es dedicaven a l'ofici de teixidor, i tenint en compte la seva perícia en els oficis artesans, podríem suposar que, dins del col·lectiu dels teixidors, els conversos podrien tenir un mitjà per integrar-se en la societat cristiana i poder accedir a llocs de rellevància dins de l'artesanat barceloní. Tanmateix, tal com hem vist en el primer capítol de la segona part, tan sols hem localitzat un jueu convers teixidor de draps, Francesc Alamany, que va aconseguir el grau de mestre.

En els oficis de dauer i de coraler, el fet que els conversos aconseguiren la mestria no es considerava cap problema, puix eren sectors que ja eren controlats per ells abans de la seva conversió, i no tenien cap pes específic. Però l'ofici de teixidor era una altra cosa, i els cristians de natura no permeteren que els conversos, que representaven una competència perillosa, tingueren poder dins del gremi.

Tot i això, la documentació notarial ens mostra molta activitat per part dels teixidors conversos, i ens dona molts de detalls sobre l'organització d'aquest ofici, en particular, i sobre la situació dels conversos, en general.

---

47. C. Batlle: *La crisis social y económica...*, p. 301.
48. C. Batlle: *La crisis social y económica...*, p. 302 i ss.

Els contractes d'aprenentatge

L'ofici de teixidor de vels, com que era el majoritari entre la població jueva conversa, ha sigut del que més contractes d'aprenentatge hem trobat a l'AHPB, amb un total de dotze.

Dels tres oficis que hem estudiat, aquest és l'únic del qual hem trobat presència femenina. Dels dotze documents que hem localitzat, tres tenen com a aprenent a una nena, i en tres més apareix com a teixidora ensenyant una dona.

Pel que fa al temps que durava l'aprenentatge es pot parlar d'un període de dos a tres anys. Els dotze casos que presentem en aquest estudi van des dels deu anys fins a un any. Concretament, hem localitzat un contracte amb una durada de deu anys, un altre de cinc anys, dos de quatre anys, un de tres anys, cinc amb una durada entre dos i tres anys, i dos d'un any. D'aquests, els documents de deu, cinc i un any fan referència a casos especials.

Els dos contractes de més durada tenen com a nexe comú que l'aprenenta era una nena òrfena de pare i que la seva llar familiar era fora de Barcelona. Els conversos, com a cristians que eren, ja no es regien per les lleis pròpies de l'aljama com quan eren jueus, sinó per les lleis comunes als ciutadans cristians barcelonins. Dins d'aquestes lleis també es trobaven les referents als drets de cobrar l'esponsalici per part de les vídues. Les dones, al quedar vídues, el seu estatus judicial era equivalent al de l'home, per tant adquirien tots els drets i es constituïen com a persones jurídiques pròpies i independents.[49] Al morir el marit, la dona tenia dret a cobrar l'esponsalici, perquè no quedés desemparada. Tanmateix, en alguns casos la vídua era privada d'aquest dret, i si no tenien altres recursos econòmics, estaven abocades a la misèria.[50] Si a aquesta situació li sumem el fet de tenir un o més fills al càrrec que alimentar el resultat és angoixant.

Una de les maneres que hi havia per poder assegurar l'alimentació d'aquests fills era posar-los d'aprenents en un ofici, generalment amb més anys de durada del que era habitual. En el cas de les nenes, el més comú, entre els cristians de natura, era que algú les contractés com a serventes, ja des de molt petites i durant molts anys. En la

---

49.   Sobre la situació de les dones a Barcelona durant l'edat mitjana vegeu: T. M. Vinyoles: *Les barcelonines a les darreries de l'edat mitjana: 1370-1410*, ed. Rafael Dalmau, Barcelona, 1976.

50.   C. Opitz: "Vida cotidiana de las mujeres en la Baja Edat Media (1250-1500)", dins G. Duby (dir.): *Historia de las mujeres en occidente*, vol. 2, ed. Círculo de Lectores, Barcelona, 1994, p. 379.

majoria dels casos, les nenes eren col·locades fora de la ciutat natal. Tanmateix, en els dos casos que exposem a continuació, les nenes en qüestió van ser contractades com a aprenents en un dels millors oficis al qual podien accedir les dones: el de teixidores.

El contracte d'aprenentatge que té una durada de cinc anys coincideix també amb el de l'aprenenta amb menor edat dels dotze casos estudiats. Es tracta de Caterina,[51] amb nou d'anys d'edat, filla de Joana, conversa, vídua de Joan Cebrià, ciutadans de Girona, que el 24 d'abril de 1403 va ser contractada com a aprenenta de teixidora per Clara, muller de Joan Sanxo, teixidors de vels, conversos i ciutadans de Barcelona, per a un període de cinc anys. Durant aquest temps, Caterina viurà amb Clara, la qual promet alimentar-la i proveir-la de vestit i calçat. Per aquests cinc anys, Caterina rebrà un sou de cinc florins d'or d'Aragó. D'aquests cinc florins, Joana, mare de Caterina, ja en cobra un per anticipat. Queda a la nena la misèria de quatre florins per cinc anys de feina.

Per tal de mostrar la importància del fet que la nena sigui òrfena de pare en els contractes d'aprenentatge, compararem el contracte que acabem de mostrar amb un d'una nena que té el pare viu i que, estant com a aprenenta menys temps de la meitat del que va estar Caterina, cobrava la mateixa quantitat.

És el cas de Cirieta,[52] filla de Jaume Saulet, habitant de Sant Vicenç dels Horts, que, el 5 de març de 1403, fou contractada com a aprenenta de teixidora per Bernat Terrades, convers, teixidor de vels, ciutadà de Barcelona, per un període de dos anys i tres mesos. Durant aquest temps, Cirieta viurà amb Bernat, que es compromet a alimentar-la del mateix menjar que ell s'alimenti. Això també ens mostra que el menjar que normalment s'oferia als aprenents no era el mateix que menjava el patró. Per aquest període de dos anys i tres mesos, Cirieta cobraria cinc florins d'or d'Aragó, dels quals tres li serien pagats el següent mes de setembre i els dos restants el setembre del pròxim any.

Com veiem, les condicions i el sou són molt diferents entre un contracte i l'altre.

Pel que fa al contracte de més durada, el de deu anys, també es tracta d'una nena òrfena de pare, però en aquest cas qui ferma el

---

51. AHPB, Pere Joan Martí, *Manuale*, 1402, març, 14-1403, agost, 2, f. s.f. (vegeu apèndix documental I, doc. 27).
52. AHPB, Pere Joan Martí, *Manuale*, 1402, març, 14-1403, agost, 2, s.f. (vegeu apèndix documental I, doc. 24).

contracte és el seu avi patern. Es tracta d'Isabel,[53] de la qual no es precisa l'edat, neta de Joan de Llobera, peller, ciutadà de Barcelona, i filla de Joan Serra, difunt, torner de la ciutat esmentada, i de la filla de Joan de Llobera, que l'11 de novembre de 1440 fou contractada com a aprenenta, per a un període de deu anys, per Simó Castell, convers,[54] teixidor de vels, i la seva muller Clara, ciutadans de Barcelona. Durant aquest temps, Isabel viurà amb Simó i Clara, que prometen alimentar-la, vestir-la i calçar-la durant els deu anys expressats, per tal d'aprendre l'ofici de teixidora i servir-los. Per aquests deu anys, Isabel rebrà un sou de quaranta-cinc florins d'or d'Aragó, que seran pagats al final del temps esmentat. Observem, en aquest cas, una milloria del sou respecte dels casos anteriors, puix Isabel cobraria quatre florins i mig per any, gairebé el mateix que Caterina per cinc anys d'aprenentatge.

Els altres dos documents de més durada que hem localitzat a l'AHPB, i que mostrem a continuació, són de quatre anys.

El 28 de juliol de 1406,[55] Joanet, d'onze anys d'edat, fill de Pere Fuster, convers, sabater i ciutadà de Barcelona, és contractat com a aprenent de teixidor, per un període de quatre anys, per Gerard de Maçanet, convers, teixidor de vels i ciutadà de la ciutat esmentada. Durant aquest temps, Joanet viurà amb Gerard, el qual es compromet a alimentar-lo i calçar-lo. Per aquests quatre anys, Joanet cobrarà tres florins d'or d'Aragó: un florí la pròxima festa de Sant Miquel (29 de setembre), i la resta passats els dos primers anys dels quatre que dura el contracte. Aquest contracte també té una particularitat. Joanet es compromet a recuperar els dies que no treballi per causa de malaltia.

El següent contracte d'aprenentatge de la mateixa durada ja va ser estudiat per Madurell.[56] Es tracta de Pere Font, àlies Gomis, de tretze anys d'edat, fill de Miquel Gomis, convers, peller i ciutadà de Barcelona, que el 3 d'abril de 1398 fou contractat com a aprenent de teixidor de vels de seda, per a un període de quatre anys, per Joan

---

53. AHPB, Joan Pedrol, *Undecimum manuale omnium intrumentorum*, 1439, desembre, 2-1442, abril, 16, f. 54r (vegeu apèndix documental I, doc. 54).

54. En aquest document no es diu que Simó Castell sigui convers, tanmateix sabem que ho era ja que apareix en els registres d'ordinacions de l'ADB com a pare de Joan Castell, tonsurat el 26 de desembre de 1438. Vegeu J. Hernando i Delgado: *Conversos i jueus...*, p. 206.

55. AHPB, Joan Ferrer, *Primum manuale*, 1405, juliol, 14-1408, agost, 4, f. 11v (vegeu apèndix documental I, doc. 34).

56. J. M. Madurell Marimón: "La contratación laboral...", 1957, p. 19. Tanmateix, hem transcrit novament el document degut a la poca claredat de la transcripció de Madurell. AHPB, Jaume de Trilla, *Manual*, 1398, febrer, 21-1399, desembre, 4, f. 25r (vegeu apèndix documental I, doc. 57).

Castell, teixidor de vels de seda i ciutadà de la ciutat esmentada. Durant aquest temps, Pere viurà amb Joan, el qual es compromet a alimentar-lo i calçar-lo. Passats dos anys, Joan, o el seu pare en nom seu, rebrà trenta sous barcelonesos com a sou dels quatre anys. Observem com el sou dels aprenents varia molt d'un cas a un altre.

En altres casos, l'aprenent rebia una peça de roba com a complement del seu sou per l'aprenentatge. Aquesta roba es comptabilitzava a banda del compromís del patró a vestir l'aprenent, i es feia constar de manera independent en el contracte. Va ser el cas de Pericó Palau,[57] fill de Jaume Marc, convers, garbellador d'espècies i ciutadà de Barcelona, que el 9 de febrer de 1400 va ser contractat, per a un període de tres anys, per Francesc Oliver, convers, teixidor de vels de seda i ciutadà de la mateixa ciutat, per tal d'aprendre el seu ofici. Durant aquest temps, Pericó viurà amb el seu patró, el qual promet alimentar-lo i calçar-lo de peus i cames. Pericó rebrà com a sou d'aquests tres anys, quinze sous i una túnica.

El següent contracte de més durada és el de Joan, fill de Jaume Sala, convers, corredor d'orella i ciutadà de Barcelona, que el 13 de novembre de 1414 va ser contractat com a aprenent, per a un període de dos anys i mig, per Ramon Ballester, convers, teixidor de vels i ciutadà de la mateixa ciutat, per aprendre el seu ofici. Durant aquest temps, Joan viurà amb Ramon, que es compromet a alimentar-lo i calçar-lo. El sou per aquest temps són sis florins d'or d'Aragó, que Joan cobrarà al final del seu aprenentatge, més dos florins que Ramon li dona en la redacció del contracte.

En altres casos, l'aprenent podia ser orfe de pare i mare, i no tenir cap tutor que s'encarregués d'ell. Si no hi havia ningú que obligués els seus béns per a garantir el compliment d'un contracte, l'aprenent ho tenia molt difícil per a trobar un patró que el volgués contractar. La solució era que l'aprenent, sempre que fos major de catorze anys, presentés un fiador que respongués amb els seus béns les possibles eventualitats del contracte. Un contracte publicat per Madurell[58] ens mostra com es duia a terme aquesta possibilitat. El 3 de juliol de 1392, Pere Ballester, convers, major de catorze anys, fill de Taroç Abraham i de Bonadona, difunts, jueus de Barcelona, sense curadors ni tutors que s'encarreguin d'ell, promet a Joan sa Cot i al seu fill Jaume sa Cot, conversos, teixidors de vels, ciutadans de Barcelona, que durant dos anys i tres mesos conviurà amb ells per aprendre l'ofici de teixidor de

---

57. AHPB, Guillem Andreu, *Octavum manuale*, 1398, març, 3-1400, març, 13, f. 145r.
58. J. M. Madurell Marimón: *"La contratación laboral..."*, 1957, p. 12-13.

vels. Pere Ballester presenta com a fiador Lluís de Gualbes, convers, abans anomenat Davi Jaques, ciutadà de la mateixa ciutat. Lluís accepta en el present contracte ser el fiador de Pere. Joan i Jaume sa Cot prometen alimentar i calçar Pere, que no rebrà cap sou.

El contracte d'aprenentatge de més curta durada —tret dels dos casos especials d'un any— que hem localitzat és el de Ferrer,[59] amb dinou anys d'edat, fill d'Antoni Rosar, convers, dauer, ciutadà de Barcelona, que el 13 de novembre de 1392 va ser contractat com a aprenent, per a un període d'un any i deu mesos, per Ferrer de Vilamajor, convers, teixidor de vels i ciutadà de la ciutat esmentada. Durant aquest temps, Ferrer viurà a casa del seu patró, que promet alimentar-lo i calçar-lo. Tenint en compte l'edat de l'aprenent, una raó de la poca durada de l'aprenentatge podria ser que aquest ja havia començat d'aprenent amb un altre patró i ara es disposava a finalitzar el seu aprenentatge, encara que no necessàriament.

Un altre exemple de contracte de poca durada i d'aprenent amb més edat és el de Francesc Sunyer,[60] amb una edat compresa entre els vint i els vint-i-cinc anys, convers, ciutadà de Barcelona, que, el 24 d'abril de 1403, prometé viure durant un any amb Isabel, muller de Domènec Senil, teixidor de vels, ciutadà de la ciutat esmentada, per tal d'aprendre l'ofici de teixidor de vels. Durant aquest temps, Isabel es compromet a alimentar i calçar Francesc. A més li donarà dos parells de sandàlies de drap de la terra i un parell de camises i bragues de lli. L'explicació més plausible per justificar la poca durada del contracte és que Francesc volgués millorar la seva tècnica, puix que era massa gran per a no tenir après un ofici, i en el cas que volgués aprendre'n un de nou, un any era insuficient.

A l'últim, mostrem un contracte que està a cavall entre un contracte d'aprenentatge i un de treball a feina feta. El 13 de març de 1393,[61] Pere de Casaldàguila, convers, abans anomenat Baró Astruh, promet a Bernat sa Cot, convers, ciutadà de Barcelona, que durant un any viurà amb ell per aprendre l'ofici de teixidor de vels. Durant aquest període, Pere es proveirà amb els seus mitjans d'aliment i altres coses necessàries. Acabat aquest any d'aprenentatge, treballarà un altre any amb Bernat teixint teles i vels, i cobrarà per aquesta feina el que tres o quatre teixidors li haurien dit que deuria cobrar. Promet també

---

59. AHPB, Joan Pedrol, *Manuale quartum notularum omnium intrumentorum*, 1423, novembre, 13-1426, juny, 25, f. 54r.

60. AHPB, Francesc de Manresa, *Manual*, 1401, setembre, 21-1403, juliol, 4, f. 135v-136r (vegeu apèndix documental I, doc. 26).

61. AHPB, Bernat Nadal, *Undecimum manuale*, 1393, gener, 23-1393, juliol, 4, f. 26v.

que durant aquest segon any treballarà tan sols per a Bernat, i per a ningú més. Bernat, per la seva part, promet a Pere que durant els dos primers mesos no li pagarà res; passats dos mesos li pagarà dotze diners barcelonesos per cada dotzena de teles mitjaneres que ell i els altres teixeixin, divuit diners per cada dotzena de teles tocades i divuit diners per cada peça de vels d'escuma.

Aquest document ens mostra una altra mena de relació professional que, sense abandonar l'estructura i la legalitat del contracte d'aprenentatge, permetia la flexibilitat en els negocis de la Barcelona medieval.

Com hem vist al llarg d'aquests contractes, els conversos aprenents de teixidor, com els dels oficis anteriorment estudiats, feien el seu aprenentatge a casa d'altres conversos, mostrant així la seva cohesió.

Els contractes de treball

En comparació amb els contractes d'aprenentatge de teixidor que hem pogut recollir, hem trobat pocs contractes de treball del mateix ofici, concretament quatre.

D'aquests quatre contractes, tres fan referència a la mateixa família, els Oliver, i ja foren recollits per Madurell en el seu estudi.

En el primer contracte, datat el 9 de novembre de 1391,[62] l'aprenent viu amb el patró i rep un sou fix cada mes. Es tracta de Joan Oliver, d'entre quinze i vint-i-cinc anys d'edat, que amb el consentiment del seu pare, Guillem Oliver, convers, també teixidor i ciutadà de Barcelona, promet a Pere sa Pila, convers, mercader de vels, ciutadà de la mateixa ciutat, que durant un any treballarà per ell teixint vels, cobrant un florí d'or d'Aragó cada mes. Durant aquest temps, Joan viurà amb el seu patró, i aquest es compromet a alimentar-lo tots els dies excepte els diumenges i festius, dies en que segurament Joan estarà a casa de la seva família.

El mateix dia, Pere sa Pila també contracta, durant un any, Joan Aules,[63] convers i teixidor de vels, fill de Guillem Oliver i germà de Joan Oliver, perquè teixeixi per a ell vels de seda. Joan també es compromet a plegar els vels i a nuar-los, i que en el cas que ell no ho fes ho faria el seu pare. Per cada vel teixit, plegat i nuat, Joan cobrarà deu diners. Ja ens havíem referit abans al compromís del mestre envers el treballador de pagar-li els dies que no treballi per culpa seva, i del

---

62. J. M. MADURELL MARIMÓN: "La contratación laboral...", 1957, p. 7-8.
63. J. M. MADURELL MARIMÓN: "La contratación laboral...", 1957, p. 8-9.

compromís del treballador de recuperar els dies que no treballi. En aquest contracte es planteja una altra solució: Pere es compromet a pagar a Joan dos sous per cada dia que aquest no treballi per culpa seva; Joan, per la seva part, es compromet a pagar a Pere dos sous per cada dia que per culpa pròpia no treballi per a ell, excepte si és per malaltia.

Aquests dos contractes ens permeten observar, com passava amb els coralers, les relacions entre els artesans i els distribuïdors (mercaders). Tanmateix, a diferència dels coralers, els teixidors tenien una relació més igualitària amb els mercaders.

L'últim document de la família Oliver ens mostra cooperació i coordinació de pare i fill dintre del mateix ofici. El 10 de març de 1399,[64] Francesc Gisbert, convers, ciutadà de Barcelona, contractà durant dos anys Guillem Oliver i el seu fill Joan Oliver, per a teixir per a ell vels de seda. Guillem teixiria els vels de seda gruixuda, i cobraria vint sous per cada vel. Guillem s'encarregaria de teixir els vels de seda prima i cobraria dos sous per cada vel d'obra plana i dos sous i dos diners per cada vel amb el *cap obrat*.

L'últim document que presentem en mostra més detalls sobre la cohesió dels conversos. En aquest cas el treballador, convers, ve de Lleida a Barcelona i és acollit per un altre convers. És el cas de Francesc Senant,[65] convers, teixidor de vels, menor de dinou anys, ciutadà de Lleida, ara habitant de Barcelona, que el 14 d'abril de 1402 fou contractat, durant sis mesos, per Berenguer Soler, convers, teixidor de vels, ciutadà de Barcelona. Durant aquest temps, Francesc viurà amb el seu patró i treballarà la meitat de cada mes fent les vores dels vels i la resta del mes teixint. Berenguer Soler, per la seva part, l'accepta com a *discipulum* i es compromet a donar-li feina mentre duri el contracte, i si no ho fa, es compromet a pagar-li tres sous barcelonesos. Veiem que en aquest cas la indemnització és major. Francesc cobrarà per cada dotzena de vores quinze sous, i per altres vores vint-i-quatre sous, i per teixir, set sous la dotzena de vels.

Igual que en els contractes d'aprenentatge, veiem com en els contractes de treball de teixidors totes les parts contractuals eren converses.

---

64. J. M. Madurell Marimón: "La contratación laboral...", 1957, p. 20.
65. AHPB, Bernat Sans, *Manuale intrumentorum contractuum [comunium] decimum*, 1402, octubre, 32-1403, abril, 24, f. 90v-91r.

Les societats

L'únic document que hem trobat a l'AHPB sobre societat entre teixidors conversos és el que ja va publicar Madurell,[66] en el seu esmentat article. Aquesta societat va ser constituïda per dos conversos.

Bernat sa Cot, convers, ciutadà de Barcelona, i Joan de Sant Hilari, oriünd de la ciutat de València, teixidor de vels de seda, constitueixen societat entre ells l'11 d'agost de 1393. En aquesta societat Bernat sa Cot inverteix vint-i-set lliures les quals hauran de ser emprades per fer vels d'obra castellana. El benefici d'aquestes vint-i-set lliures es partirà a parts iguals entre els dos socis. Bernat haurà de pagar a Joan quinze sous per cada lligar[67] valencià que faci aquest, i haurà de deixar utilitzar a Joan dos telers que té, un per teixir *obra valenciana* i l'altre per teixir obra plana. Durant el temps que duri la societat, Bernat haurà de donar a Joan dos sous per cada vel d'obra plana que faci, la resta serà per a Bernat. Joan es compromet a ensenyar a Bernat a fer vels d'*opera valenciana*.

Els pellers

La documentació ens mostra una quantitat considerable de conversos que es dedicaven a l'artesania de la pell. La seva manufactura en aquest art ja era apreciada per la societat cristiana quan encara eren jueus. De fet, existia una estreta relació laboral entre blanquers jueus i cristians per tal que aquests últims augmentessin la seva producció. Els blanquers cristians demanaven als pellers jueus que treballessin en diumenge, i altres festes en què els cristians tenien prohibit obrar, pells per a ells, acció que estava penada pel Consell.[68] Una altra relació era la venda per part de pellers cristians a jueus de cuir blanc no adobat correctament, fet que segons les autoritats podia produir frau.[69] És d'estimar que els pellers jueus treballessin correctament aquesta pell i li donessin sortida comercial. La conversió al cristianisme eximí els pellers conversos de les prohibicions esmentades encara que no queda clar si també de les sospites que mantinguessin els mateixos tractes amb cristians de natura.

---

66. J. M. Madurell Marimón: "La contratación laboral...", 1957, p. 16-17.
67. Peça d'adorn per al cap o per al vestit femení.
68. El Consell va fer una ordenació respecte a això el 16 de gener de 1395, fet que per altra banda demostra la presència jueva a la ciutat de Barcelona. AHCB, Consell de Cent, *Ordenacions*, 1B.IV-2.
69. AHCB, Consell de Cent, *Ordenacions*, 1B.IV-2, 1395, gener, 16.

Malgrat que no hem trobat cap mestre peller convers, sí que hem observat com s'introduïren en les esferes d'aquest negoci mitjançant altres vies. Una d'elles era el control de les imposicions de la pell que dues vegades van ser comprades per pellers conversos: el 1411 per Antoni Xertell[70] i el 1416 per Joan des Far.[71]

Com passava amb els cristians de natura, observem també en la família conversa la implicació de la muller en l'ofici del marit. Treballaven plegats, com hem vist en exemples anteriors, o bé es comprometien plegats en l'adquisició dels materials necessaris per a l'ofici. El 7 d'abril de 1412 Joan des Far, peller, convers, i la seva muller Eulàlia reconegueren a Jaume Ferrer, pebrer, que li devien seixanta-una lliures per cinc draps i mig de llana, necessaris per al seu ofici de pelleria.[72] El matrimoni promet pagar-li la quantitat acordada en diversos terminis, d'aquesta manera podrien pagar el deute del benefici que obtindrien del material adquirit. Aquests draps eren utilitzats per folrar les peces de pell, no tan sols per conferir-los comoditat sinó també estètica. Els draps de llana que s'esmenten al document eren de color vermell, morat, negre i verd.

En alguns casos els pellers compraven els complements, també de pell, necessaris per a les seves obres, ja confeccionats. És el cas del peller Abraham Brunell, jueu de la vila del Molar, al Tarragonès, que pagà, l'1 de setembre de 1402, per mans del seu fill Pere de Passavant, convers, també peller, a Bartomeu Vives, corredor convers, procurador de Nadal de Requesens, mercader de Tivissa, sis lliures i dotze sous per vint-i-quatre cordons de pell assaonada que aquest li havia venut.[73] Aquest document no tan sols ens serveix per fer-nos una idea dels preus de la pell, sinó que ens mostra les relacions laborals en aquest ofici entre jueus, conversos i cristians de natura. Ja ens hem referit a les relacions entre pellers cristians i jueus abans de les conversions. Així que també hem d'esperar similars negocis entre pellers conversos i jueus, els quals establien profitoses relacions comercials.

---

70. AHPB, Gabriel Terrassa, *Tercius liber manuale*, 1410, juliol, 11-1411, desembre, 31, f. 34v; AHPB, Francesc Fuster, *Octavum decimum manuale*, 1409, juny, 25-1411, abril, 23, f. 185r.

71. AHCB, Consell de Cent, *Manuals*, 1B.XIII-13, f. 91v.

72. AHPB, Bernat Pi, *Tercium manuale comune*, 1411, octubre, 12-1412, maig, 26, f. 84r-v.

73. AHPB, Pere de Pou, *Quintum manuale*, 1400, desembre, 30-1404, novembre, 17, f. 85r.

L'aprenentatge

El temps requerit per aprendre l'ofici de peller fluctua entre els dos i els quatre anys. Tan sols hem trobat un contracte amb una duració d'un any. Es tracta del signat el 25 de setembre de 1402, en el qual Francesc de Pujol, de quinze anys d'edat, convers, fill de Samuel Falena, jueu de Barcelona, difunt, sense curadors ni tutors, promet a Antoni Xartell, peller, també convers, que conviurà amb ell durant un any per tal d'aprendre el seu ofici; com que no té tutors ni curadors, Pere Oliver, convers, giponer, actua com a fiador del noi; Antoni per la seva part promet a Francesc alimentar-lo i pagar-li sis lliures i un sou barcelonesos per aquest any.[74]

Dels contractes de dos anys de duració destaca el d'un convers vingut de Saragossa que entrà com a aprenent per a un peller possiblement cristià de natura. Es tracta de Joan Dosrius, convers de Saragossa, que el 18 de març de 1418 promet a Bernat Vila, peller de Barcelona, que estarà amb ell durant dos anys per tal d'aprendre l'art de la pelleria; Bernat promet que li pagarà cinc florins d'or per aquests dos anys, a més de donar-li —a part de l'acostumat aliment— el primer any calçat i vestit, el segon un gipó, dues camises noves, dues bragues i dues calces.[75] Cal aclarir que no hem trobat cap document en el qual Bernat de Vila aparegui com a convers, tanmateix hem de tenir en compte que a partir de la segona onada de conversions en massa arran de la Disputa de Tortosa l'adjectiu *convers* comença a desaparèixer a excepció dels individus forasters. Per tant, en el cas que Berenguer fos convers es confirmaria un altre cop la solidaritat dels conversos barcelonins amb altres nouvinguts a la ciutat, així com els vincles que els conversos mantenien en altres ciutats i que facilitaven la seva mobilitat. En el cas que Berenguer fos cristià de natura, ens permetria valorar la integració dels conversos dins de la societat cristiana.

Un altre exemple molt semblant a l'anterior és el de Jaume Ferrer, de disset anys, fill de Jaume Ferrer, teixidor de vels de seda, que sabem que era convers pel seu parentesc, que el 21 de juliol de 1418, i durant dos anys, fou aprenent d'Àngel Alberger, peller de Barcelona; durant aquest temps Jaume rebé com a sou divuit florins d'or.[76] En

---

74. AHPB, Pere de Pou, *Quintum manuale*, 1400, desembre, 30-1404, novembre, 17, f. 89r.

75. AHPB, Francesc de Manresa, *Manual*, 1414, juliol, 31-1415, novembre, 7, f. 59v.

76. AHPB, Tomàs Vives, *Quartum manuale*, 1416, juny, 23-1419, abril, 8, f. 114r.

aquest exemple cap dels dos contractants consta com a convers, però tot i que en el cas de Jaume sí que hem pogut verificar per altres documents la seva condició, no ha sigut així amb Àngel.

Els corredors d'orella

Després del de teixidor, l'ofici en què hem registrat el major nombre de conversos era el de corredor d'orella. Aquest era el que s'ocupava principalment de gestionar les operacions de compravenda i de préstec, actuant com a intermediari entre les parts implicades.[77] A Barcelona la presència de conversos en aquest ofici era tan nombrosa que es van fer lleis per fixar un nombre màxim de neòfits que s'hi poguessin dedicar. Segons les *Rúbriques de Bruniquer* el govern de la ciutat de Barcelona demanava el 1618 de reduir el nombre de conversos que es dedicaven a l'ofici de corredor d'orella, fent la petició que, dels seixanta corredors que hi havia a la ciutat, cinquanta fossin cristians de natura i deu conversos.

Tot i el seu nombre dins l'ofici, els conversos estaven sotmesos al control dels cristians de natura tant des del Consolat i els seus propis companys de professió com des del Consell de Cent. Una de les normes de l'ofici a la ciutat de Barcelona, ja des del segle XIV, dictaminava que l'activitat de corredoria havia de ser portada a terme per dos corredors; i dins d'aquesta regla hi havia els casos especials: un corredor novell havia d'anar acompanyat per un associat experimentat; un estranger havia de fer societat amb un natural, i un convers havia d'associar-se amb un cristià de natura.[78] Aquestes associacions tenien una durada mínima d'un any, passat aquest període els socis podien ampliar-ne el termini.

De fet, el 8 de juliol de 1401, el Consell de Cent va decidir aplicar uns filtres en aquest ofici per tal de portar un cert control: s'ordenà que cap persona fos admesa en l'ofici de corredor públic de la ciutat sense que abans el consolat de l'ofici no tingués informació sobre els orígens i la fama del candidat.[79]

Amb el pas del temps, el Consell regulà encara més l'ofici de corredor. El 28 de novembre de 1426 s'aprovaren noves ordenacions que ens donen molta informació. A partir d'aquest moment, no tan sols els nouvinguts en aquest ofici han d'aportar informació sobre la seva per-

---

77. Definició extreta d'Alcover-Moll, *Diccionari català, valencià, balear*, versió *on-line* <http://dcvb.iecat.net/>.
78. C. Carrère: *Barcelona 1380-1462...*, volum I, p. 103.
79. AHCB, Consell de Cent, *Registre d'ordinacions*, 1B.IV-2, f. 103r.

sona, sinó que tots els corredors en actiu estan obligats a identificar-se. De fet el Consell mana que d'aquí a vuit dies tots els corredors de la ciutat han d'acudir davant els cònsols per donar el seu nom i saber qui són. També han de fer jurament d'usar bé i legalment l'ofici i de tenir secrets els contractes en què intervindran en poder del veguer. Es torna a remarcar que cap corredor pot actuar com a tal si abans no ha estat acceptat pel consolat. Segons les noves ordenacions, els corredors poden intervenir en qualsevol contracte mentre sigui lícit, tanmateix no poden intervenir en contractes de familiars seus fins al grau de fill de cosí germà.

Els contractes en què intervenien els corredors eren registrats en un llibre anomenat Registre rubricat, titulat per l'escrivent del consolat i escrit pel corredor o pel mateix escrivent si aquest no sap escriure. Cada corredor tenia el seu llibre. Els contractes eren registrats un cop finalitzats. Si això no era possible cada corredor havia de presentar-se cada dilluns al consolat per registrar els seus contractes, en cas que el dilluns fos feriat s'hi havia d'anar el següent dia que no ho fos. Cada corredor havia de conservar el seu llibre per tal que pogués ser consultat per qualsevol part contractual. Així mateix, el consolat ha de portar el registre dels contractes de tots els corredors.

Els corredors tenien vetades certes activitats per tal de respectar la competència d'altres oficis i evitar el frau. Per aquesta raó no podien mercadejar ni fer canvis, tampoc podien fer ni regir tint.

Per la mateixa raó s'impedia a certs professionals entrar a formar part de l'ofici. No podien ser corredors aquells que tinguessin un hostal on venguessin mercaderies, i qui era comprador o collidor d'imposicions. S'establí deu lliures de multa per a aquells que incompliren aquesta norma.

A fi d'evitar problemes entre les parts implicades i litigis innecessaris els corredors no podien demanar el preu del que subhastaven ni prometre una xifra màxima a un client. Tampoc podien comprar res fins que la subhasta hagués acabat i hi hagués un preu entre comprador i venedor.

Les taxacions dels salaris d'aquest ofici eren escrites en una taula que es trobava penjada a la llotja.

Com podem observar, no hi ha cap referència als conversos en aquestes ordenacions. Tanmateix el nombre de neòfits que es dedicaven a aquest ofici continuà creixent, i això despertà les antipaties de la resta de la societat. El 1461 el Consell de Barcelona prohibí als conversos desenvolupar aquesta activitat.[80] Fou respectada realment aquesta prohibició? És molt probable que degut a la integració dels conversos en l'ofici de corredor, com veurem més avant, aquest intent de veto no s'apliqués plenament. De fet, la ciutat de Lleida establí la mateixa mesura el 1437 i va ser revocada per la reina.

Totes aquestes normes havien de ser respectades per tots els corredors. Hem de tenir en compte que la seva era una figura imprescindible en l'entramat econòmic de la ciutat i un abús o frau en la seva activitat podia significar la ruïna econòmica de la vila, puix que la confiança per realitzar negocis cauria en picat. Per tant, tot aquell que no complia les ordenacions o intervenia en un contracte il·lícit, era requerit pels cònsols, o pels defenedors de les mercaderies. Aquest fixava una pena i fins que aquesta no era complida el culpable quedava suspès de l'exercici.

Respectaven els corredors, concretament els conversos, aquestes normes? La documentació ens revela que, almenys en la referent a no mercadejar, aquestes prohibicions eren eludides quan es presentava l'ocasió. Evidentment els corredors no es dedicaven plenament a mercadejar però, tal com ens mostra la documentació, en alguna ocasió realitzaven operacions de compravenda aprofitant els coneixements que el seu ofici els conferia.

Analitzant les compres a deute en què participaven corredors conversos veiem com aquests compraven mercaderies amb la clara intenció de vendre-les després a un preu més elevat. Les compres a deute eren un tipus d'instrument de compravenda en el qual el comprador prometia al venedor pagar la quantitat acordada pel preu del producte objecte de la venda en un termini limitat. Aquest tipus d'instrument era utilitzat majoritàriament per artesans i mercaders amb la intenció de pagar quelcom comprat amb els beneficis que obtindrien posteriorment amb la seva venda.

Així, el 13 d'octubre de 1419, Jaume Sala, convers, corredor d'orella, i el seu fill Jaume Sala, també corredor, compraren a Pere Grau, cristià de natura, mercader, ciutadà de Barcelona, un drap de llana *de Merino* valorat en vint lliures, que prometen pagar el mes de febrer de l'any vinent.[81]

---

80. Rafael Narbona: "Los conversos de Valencia (1391-1482)", dins Flocel Sabaté, Claude Denjean (eds.): *Cristianos y judíos en contacto en la Edad Media: polémica, conversión, dinero y convivencia*, ed. Milenio, Lleida, 2009, p. 101-146, p. 106.
81. AHPB, Pere Pellisser, *Manual*, 1419, juliol, 31-1421, març, 18, f. 28v.

Un altre exemple en el qual intervenen pare i fill és el de Martí de Guimerà, convers, corredor d'orella, i el seu fill Rafael de Guimerà, coraler, que el 18 de febrer de 1429 compraren al mercader Joan de Clotes, cristià de natura, un drap de llana de la terra de color blau valorat en nou lliures.[82] Prometen pagar al cap de quatre mesos, és a dir al maig, tanmateix el 28 de febrer ja han satisfet la quantitat requerida.

També hi havia casos en els quals s'implicava tota la família, i no tan sols pare i fill. Per exemple, el 30 de gener de 1426, Domènec ses Déus, corredor d'orella, la seva muller Blanca i el fill d'ambdós, Joan ses Déus, teixidor de vels, tots conversos i ciutadans de Barcelona, compren al mercader barceloní Guillem Servent un drap de llana valorat en nou lliures, i prometen pagar vint-i-dos sous aquest mateix mes i la resta més endavant.[83] Per tal de donar garanties al venedor, tota la família obliga els seus béns, a més de l'esponsalici de Blanca. Difícilment una família posaria en perill el seu patrimoni pel simple fet de lluir una peça de roba. En canvi, aquestes operacions prenen sentit si l'objectiu és obtenir un benefici immediat en la revenda de l'objecte.

Els exemples que hem vist fins ara corresponen a petites operacions amb un benefici relativament modest. En altres casos, el corredor arriscava més en la seva inversió obtenint un benefici molt més generós. En operacions d'aquest tipus el corredor comptava amb la col·laboració d'un soci, un mercader o bé algú relacionat professionalment amb l'objecte en què es pretén invertir. Per exemple, el 6 d'octubre de 1401, el corredor Guillem Pujol comprà juntament amb el mercader Pere de Casasagia, ambdós conversos de Barcelona, mitja carreta de pebre valorada en trenta-cinc lliures a Antoni Xarc, mercader i ciutadà de la mateixa ciutat.[84] Prometen pagar d'ací a tres mesos. Com veiem, la inversió és més generosa en aquest cas. Potser Pere tenia previst viatjar a altres indrets per mercadejar, i Guillem li va proposar comprar amb ell la mitja carreta de pebre per tal d'obtenir un sucós benefici venent-la en un mercat exterior.

Clients i objectes de venda. Activitat dels corredors conversos

Què venien els corredors conversos? Qui eren els seus clients? El fet de ser conversos condicionava la seva activitat professional? Si

82. AHPB, Bartomeu Agell, *Primum manuale*, 1428, novembre, 27-1430, maig, 11, f. 27r.

83. AHPB, Joan Pedrol, *Manuale quartum notularum omnium instrumentorum*, 1423, novembre, 13-1426, juny, 25, f. 125r.

84. AHPB, Bernat Nadal, *Manual*, 1401, agost, 5-1402, gener, 23, f. 35r.

observem els instruments notarials en què es registrava la seva activitat professional podem constatar que els clients dels corredors conversos eren en la seva majoria cristians de natura.[85] Això demostra una gran integració professional dels conversos en aquest ofici. Per tant, dubtem que les prohibicions de desenvolupar l'activitat a qui no fos cristià de natura foren efectives. Fins i tot el papa Benet XIII utilitzà els serveis d'un corredor convers. El 5 de juny de 1410, Bernat Pinós, corredor convers, reconeixia haver cobrat tretze lliures de Joan Nadal, de la vila de Reus, procurador del papa Benet XIII, pels seus serveis de corredor en unes vendes no especificades.[86]

El papat no fou l'única clientela il·lustre dels corredors conversos. El 19 de juliol de 1414 el mateix Bernat Pinós reconeixia haver cobrat seixanta florins d'or, d'una quantitat major, de Joan de Pla, doctor en lleis, conseller del rei a Barcelona, i abans tresorer seu, pels seus serveis de corredor en la venda de diversos censals propietat del comte de Cardona, per interès de la cúria.[87] El comte també utilitzà els serveis d'un altre corredor convers per als seus propis negocis. El 17 de novembre de 1414, el corredor convers Jaume Sala reconeixia haver cobrat de Pere Gisbert, procurador del comte de Cardona, sis lliures i dotze sous que li restaven per cobrar de les tretze lliures que el comte li devia per la venda de diversos censals.[88]

---

85. 1392-04-04, AHPB, Francesc de Pujol, *Manuale quintum*, 1391, desembre, 14-1392, juliol, 19, f. 48v. 1392-08-26, AHPB, Arnau Piquer, *Manual*, 1391, octubre, 16 - 1392, desembre, 24, f. 183r. 1393-07-17, AHPB, Bernat Nadal, *Duodecimum Manuale*, 1393, juliol, 24-1393, novembre, 19, f. 10r. 1399-09-26, AHPB, Pere Granyana, *Quartus liber comunis*, 1391, desembre, 16-1393, juliol, 13, f. 14r-v. 1402-10-04, AHPB, Bernat Sans, *Manuale instrumentorum cantractuum [comunium] decimum*, 1402, octubre, 31-1403, abril, 24. 1409-09-25, AHPB, Pere Claver, *Llibre comú*, 1401, desembre, 8-1402, octubre, 27, f. 22v. 1409-10-02, AHPB, Pere Claver, *Llibre comú*, 1401, desembre, 8-1402, octubre, 27, f. 25r. 1409-10-28, AHPB, Pere Granyana, *Manual*, 1408, desembre, 22-1410, febrer, 26, f. 70r. 1410-06-05, AHPB, Gabriel de Terrassa, *Secundus liber Manuale*, 1407, novembre, 7-1410, juliol, 8, f. 89r. 1410-12-10, AHPB, Pere Granyana, *Manuale nonum decimum*, 1410, febrer, 26-1411, gener, 26, f. 75v. 1413-05-27, AHPB, Bernat Pi, *Manual*, 1413, gener, 28-1413, juliol, 21, f. 65r 1414-06-05, AHPB, Marc Canyís, *Manuale*, 1414, desembre, 14-1422, desembre, 22, f. 22v. 1414-07-19, AHPB, Pere Pellisser, *Manuale*, 1414, juliol, 2-1415, juny, 26, f. 13r-v. 1414-11-17, AHPB, Pere Pellisser, *Manuale*, 1414, juliol, 2-1415, juny, 26, f. 72r. 1415-11-05, AHPB, Pere Castelló, Plec de documentació diversa, 1416-1453, f. 2v-3r. 1416-00-00-00, AHPB, Antoni Brocard, *[Manuale] undecimum*, 1416, desembre, 2-1417, maig, 11, f. 1r. 1416-01-15, AHPB, Bernat Pi, *Manuale comune*, 1415, setembre, 3-1416, febrer, 20, f. 68r. 1416-06-23, AHPB, Bernat Pi, *Manual*, 1416, febrer, 20-1416, agost, 1, f. 75v. 1418-06-18, AHPB, Joan Balcebre, *Manual*, 1418, febrer, 17-1419, agost, 25, f. 29v. 1418-11-03, AHPB, Joan Franc, major, *Septimum Manuale*, 1418, gener, 3-1418, desembre, 28, s.f.

86. AHPB, Gabriel Terrassa, *Secundus liber manuale*, 1407, novembre, 22-1410, juliol, 8, f. 89v.

87. AHPB, Pere Pellisser, *Manuale*, 1414, juliol, 2-1415, juny, 26, f. 13r-v.

88. AHPB, Pere Pellisser, *Manuale*, 1414, juliol, 2-1415, juny, 26, f. 72 r-v.

Com veiem, les quantitats cobrades i els personatges no són menys-preables. Fet que demostra la no marginalitat dels corredors conversos respecte de la resta de la societat.

Respecte als objectes de venda veiem una plena activitat dels corredors conversos en el mercat d'esclaus. Moltes vendes es refereixen a esclaves, la majoria d'un alt valor. Per exemple, el 18 de juny de 1418, Llorenç de Salt, peller convers, comprà a Miquel de Rodes i Jaume Pou, mercaders cristians de natura, una esclava pel preu de setanta lliures; actuà com a corredor el convers Berenguer de Cardona.[89] Un altre exemple, el 10 de desembre de 1410, Elionor, vídua d'Arnau Guillem, pescador, comprà a Joan Segre, apotecari, una esclava sarraïna anomenada Margarida, de vint-i-cinc anys d'edat, pel preu de cinquanta-una lliures; actuà com a corredor el convers Pere Molins.[90] També el cas de Pere Guardiola, convers, que el 27 de maig de 1413 actuà com a corredor en la venda d'una esclava tàrtara, de vint-i-nou anys, valorada en cinquanta lliures.[91] Com veiem, en aquest mercat tampoc se'ls discrimina per la seva condició de conversos. Ans al contrari, la seva activitat és desenvolupada amb la mateixa llibertat com ho fan els corredors cristians de natura.

Societats

La constitució d'una societat en el cas d'una professió no artesana com la dels corredors proveeix els seus membres d'un seguit d'avantatges i seguretats que optimitzen els seus beneficis. El corredor no produeix cap article, no té aprenents i treballadors al seu càrrec que en cas d'absència puguin continuar la producció, sinó que presta un servei: intervé com a mediador entre qui desitja vendre quelcom i algú que necessita aquest objecte de venda. La seva persona és la principal eina de treball i, per tant, la seva activitat deixa de produir-se en cas de malaltia o absència. L'associació amb un altre corredor era la manera més productiva de cobrir aquests problemes, a més de la cobertura de la confraria, és clar.

Analitzem un exemple pràctic per entendre-ho millor. L'1 de desembre de 1391, els corredors conversos Jaume Pujades i Guillem Sunyer constitueixen una societat de corredoria amb un any de duració,

---

89. AHPB, Joan Balcebre, *Manual*, 1418, febrer, 17-1419, agost, 25, f. 29v.

90. AHPB, Pere Granyana, *Manuale nonum decimum*, 1410, febrer, 26-1411, gener, 26, f. 75v.

91. AHPB, Bernat Pi, *Manual*, 1413, gener, 28-1413, juliol, 21, f. 65r.

en la qual els beneficis es repartiran meitat per meitat.[92] El primer avantatge per als seus membres és la possibilitat d'ampliar la seva àrea d'actuació fora de la ciutat de Barcelona, ja que mentre un dels socis ha d'absentar-se l'altre pot seguir atenent els assumptes de la ciutat. Tanmateix, les principals clàusules del contracte fan referència a com procedir en cas de malaltia o absència d'un dels dos membres: si la convalescència és igual o menor a quinze dies, els beneficis obtinguts pel soci actiu seran repartits igualment al cinquanta per cent; en cas d'una durada major, el soci actiu no està obligat a repartir els seus guanys propis. Veiem, doncs, com el fet de quedar econòmicament vulnerable en cas de malaltia és un element clau dins de la constitució de la societat. Vulnerabilitat que queda coberta gràcies a la societat.

Els lleoners

L'ofici de custodi dels lleons del rei és sens dubte el més curiós dels desenvolupats pels conversos. Abans de les conversions, els jueus eren els encarregats de cuidar i alimentar els lleons, i altres bèsties, que el monarca tenia al Palau Menor de la ciutat comtal. Com observà Anna Rich, el lleoner era el responsable del benestar dels animals que tenia al seu càrrec; i no sols això, tota l'aljama estava implicada en aquesta responsabilitat.[93] Després de la destrucció del call i les conversions en massa, van ser els conversos els que s'encarregaren de la guàrdia i custòdia de les feres reials. El 26 d'agost de 1392[94] i el 5 de novembre[95] del mateix any el convers Joan de Verdejó, lleoner del rei, cobrà una certa quantitat per la provisió de les feres que custodiava al Palau Menor. Els lleoners posteriors a Joan de Verdejó que hem localitzat als protocols notarials no apareixen amb el qualificatiu de conversos. Això pot ser degut al fet que ja se suposava que aquest ofici era encomanat a conversos i per tant no era necessari fer constar la seva condició religiosa, o bé tal ofici passà a mans de cristians de natura. Sigui com sigui, la documentació ens mostra que durant el 1401 i el 1402 el lleoner reial fou Antoni Barceló;[96] entre 1412 i 1414, Nicolau Capissa,[97] i entre 1416 i 1419, Joan de la Roca.[98]

---

92. AHPB, Bernat Nadal, *Decimum manuale*, 1392, juliol, 11-1393, gener, 23, f. 81v.

93. A. RICH ABAD: *La comunitat jueva...*, p. 187.

94. AHPB, Pere Claver, *Llibre comú*, 1391, desembre, 7-1393, agost, 20, f. 109r-v.

95. AHPB, Pere Claver, *Llibre comú*, 1391, desembre, 7-1393, agost, 20, f. 134r.

96. AHPB, Pere Pellisser, *Manual*, 1415, juliol, 2-1415, juny, 26, f. 94v. 103/2, f. 30r.

97. AHPB, Pere Claver, *Llibre comú*, 1401, desembre, 8-1402, octubre, 27, f. 7r, 40v, 46v.

98. AHPB, Joan de Pericolis, *Manuale sextum*, 1411, octubre, 27-1415, agost, 27, f. 33r, 66/8, f. 18r-v.

El sou diari del cuidador era de sis diners, quantitat marcada pel rei, i eren pagats per mans d'alguna autoritat de la ciutat, normalment el batlle, el sotsbatlle i el mostassaf. Aquests diners provenien de la col·lecta dels terços de la cúria del batlle. Tot això és el que es dedueix a partir dels documents extrets dels instruments notarials referents al cobrament dels lleoners anteriorment esmentats i els que mostrem a continuació. El 2 d'agost de 1402, Bernat Coaner, fill i hereter de Domènec Coaner, de la casa del rei i receptor dels beneficis de la vicaria, de la batllia i d'altres oficials reials de Barcelona, reconeix a Lluís d'Averçon, abans batlle de Barcelona, que mitjançant una carta escrita per mà del seu difunt pare Domènec Coaner, dit Lluís, quan era batlle, va pagar a Bernat de Vilar, en aquell temps sotscol·lector dels terços de la cúria, cinquanta-cinc sous destinats a la provisió dels lleons del rei i altres feres que es trobaven en el Palau Menor del rei.[99] El 16 de juny de 1402, el lleoner Nicolau Capissa nomenava procurador seu Guillem Salavert, causídic de Barcelona, perquè cobrés en nom seu al sotsbatlle de la dita ciutat el que li devia com a sou.[100] Pel que fa al sou de sis diners diaris, queda clar en el document que mostrem a continuació. El 30 de juliol de 1414, Bartomeu Oronic, mercader de Barcelona, procurador de Joan de la Roca, custodi dels lleons i altres feres del rei, reconeix haver cobrat de Guillem Agustí, de la casa reial, deu lliures i deu sous, a raó de sis diners diaris, que eren deguts a Joan per la custòdia dels lleons.[101]

El lleoner no tan sols s'encarregava d'alimentar i cuidar les feres, també era el responsable d'alimentar les cabres que els servien d'aliment. El 25 de maig de 1395 els reis donen llicència a Joan de Verdejó, convers, custodi dels lleons del rei, per a pasturar per tot el terme barceloní les cent cabres necessàries per alimentar les feres.[102]

Els metges

De tots els camps professionals, el de la medicina és potser en el qual els jueus van tenir més reconeixement i influència en la societat. El profund coneixement per part dels jueus de la ciència mèdica els va permetre entrar en contacte amb la cort reial i la cúria papal. El

99. AHPB, Pere Claver, *Llibre comú*, 1401, desembre, 8-1402, octubre, 27, f. 70r-v (vegeu apèndix documental I, doc. 22).
100. AHPB Pere Claver, *Llibre comú*, 1401, desembre, 8-1402, octubre, 27, f. 46v.
101. AHPB, Pere Pellisser, *Manuale*, 1414, juliol, 2-1415, juny, 26, f. 18r-v.
102. ACA, Registres de Cancelleria, registre 1910, f. 46v.

mateix Benet XIII —l'antisemitisme del qual ja hem tractat en el capítol 1—tenia un metge jueu que després es convertí al cristianisme.

La base de la medicina emprada per les tres religions monoteistes europees durant l'edat mitjana provenia de la tradició mèdica grega. Tanmateix, les preferències dins d'aquesta variaren entre una i altra. Els musulmans preferiren els tractats mèdics enciclopedistes, en els quals es trobava tot el saber mèdic. En canvi, els metges cristians (almenys fins als segles XI-XII) escrigueren llibres mèdics especialitzats en un tema concret —oftalmologia, ginecologia... Els metges jueus combinaren totes dues tendències.[103] Tanmateix, aquesta no va ser l'única causa del seu domini mèdic. Les tres cultures —islàmica, jueva i cristiana— convisqueren durant molts segles en la Península Ibèrica i van produir-se intercanvis culturals que les enriquien intrínsecament. Recordem com els jueus van ser imprescindibles per a les monarquies cristianes en l'administració dels territoris que aquestes anaven conquerint als musulmans degut a la seva alta cultura i el domini de la llengua àrab. El domini de la llengua i un elevat nivell intel·lectual, juntament amb els llargs períodes de pacífica convivència en territori musulmà en moments d'intolerància cristiana, permeteren als jueus un intercanvi de coneixements amb els metges islàmics que es convertí en el vehicle cultural entre les tres societats. Per tant, els metges jueus absorbiren tot el coneixement mèdic que tenien a l'abast, completant el seu propi transmès generació rere generació pel Talmud. Aquest llibre fonamental de la religió jueva contenia importants preceptes higiènics que evitaven la transmissió i proliferació de malalties.[104] La fama dels metges jueus dins la societat cristiana els precedia, fet que els facilitava unes relacions molt cordials no solament com a professionals sinó com a individus. Per tant, la seva clientela no provenia només dels calls i l'alta societat, sinó també de la resta de la societat cristiana que es pogués permetre els serveis d'un metge jueu.

Efectivament la majoria dels metges jueus es convertiren l'estiu de 1391. Si la seva condició religiosa no significava cap problema entre els pacients cristians quan eren jueus, és lícit pensar que tampoc ho va ser després de la seva conversió. Per tant, van continuar exercint la seva activitat professional, sense que s'establís cap prohibició al respecte. En el cas de València la presència de conversos en l'exercici va anar

103. R. BARKAI: "Perspectivas para la historia de la medicina judía española", *Espacio, Tiempo y Forma*, sèrie III, 1993, p. 475-492.

104. M. MARTÍNEZ LOSCOS: "Orígenes de la medicina en Aragón, los médicos árabes y judíos", *Revista de Historia Jerónimo Zurita*, 1954, p. 7-60.

augmentant.[105] Tanmateix, els avalots de 1391 posaren en verdader risc la continuació de la seva activitat a alguns metges conversos. D'una banda, alguns havien perdut el document que els donava llicència per a exercir legalment la medicina. Per tal de ser metge hom havia d'estudiar tres cursos de l'Estudi General i superar un examen davant un tribunal. D'altra banda, en convertir-se, els jueus canviaren el seu antic nom hebreu per un de cristià i canviaren de domicili. Això va fer que en alguns casos es dubtés sobre la professionalitat i identitat de qui havia sigut metge jueu i ara s'havia convertit. En aquest cas, l'única manera d'aconseguir un altre cop la llicència, sense passar pel tribunal que l'acreditava com a tal, era demostrar mitjançant testimonis i documentació que hom era qui deia ser i que efectivament havia exercit l'activitat mèdica legalment. Per exemple, el 16 d'octubre de 1394, el metge convers barceloní Arnau de Rosans aconseguí la llicència reial per a l'exercici de la medicina després de demostrar, mitjançant testimonis i proves documentals, trenta-cinc anys d'activitat al Call Major.[106] També va ser el cas de Rafael de Fontclara, metge convers de Girona després afincat a Barcelona, abans anomenat Bonjuha Bisuldí, que el 25 de maig de 1395 aconseguí la seva llicència després de demostrar quaranta anys d'experiència.[107] Pel que fa als jueus que no es convertiren però que volgueren exercir la medicina ho pogueren fer sense cap impediment sempre que obtingueren la llicència. El 15 de maig de 1395, Ferrer Saladí, jueu de Falset, obtenia llicència reial per exercir la medicina.[108]

ECONOMIA I SOCIETAT

Dins de la societat jueva, els professionals de la medicina gaudien d'un gran prestigi social i d'un poder econòmic destacat, dos factors que combinats havien permès a alguns dels seus integrants ocupar importants càrrecs polítics dins l'aljama.[109] Un cop convertits, els metges conversos seguiren mantenint aquest estatus social i econòmic dins la societat conversa, però d'una manera més reduïda.

Els dots aportats per alguns d'aquests professionals, que normalment se situen al voltant de les cent lliures, ens indiquen el manteniment d'un nivell econòmic després de la conversió. Elvira, filla de

---

105. R. NARBONA: "Los conversos de Valencia...", p. 121-146.
106. ACA, Registres de Cancelleria, reg. 1909, f. 115rv.
107. ACA, Registres de Cancelleria, reg. 1910, f. 46v.
108. ACA. Registres de Cancelleria, reg, 1910, f. 39r.
109. A. RICH ABAD: La comunitat jueva..., p. 170-178.

Rafael de Fontclara, mestre físic, convers de Barcelona, aportà un dot de dos mil sous per al seu matrimoni amb el també convers Andreu sa Claposa, managuer.[110] Semblant quantitat, cent deu lliures, aportà Violant, filla de Manel Jaume, mestre físic, convers d'Empúries, que contragué matrimoni amb Albert Vilella, coraler, convers barceloní.[111] Més modest fou el dot, quaranta lliures, que rebé el convers Pere Llombart, batxiller en medicina, habitant de Vilafranca de Conflent, per part de la seva futura esposa Dolça, filla de Berenguer Ferrer, coraler.[112] Observem també com, en els exemples descrits, les famílies de metges conversos s'entronquen amb famílies artesanes, i no amb comerciants que en un passat jueu els havien dotat de poder polític. Es percep, per tant, un manteniment econòmic i social, però no tan destacat com quan pertanyien a la comunitat jueva.

Aquest poder dins de la societat conversa, tanmateix, va ser assolit per alguns professionals mèdics sense necessitat d'aliances familiars. Potser el cas més clarificador és el de Francesc de Pedralbes, mestre físic. El 1421, el mestre físic convers Francesc de Pedralbes ocupava el càrrec de majordom en la confraria de la Santa Trinitat, el més alt dins d'aquesta institució conversa.[113] Francesc provenia de la poderosa família Falcó de Barcelona, que ja es dedicava a la medicina abans de les conversions. Si observem el seu entorn social, mitjançant els documents notarials, veiem que es relacionava majoritàriament amb mercaders, és a dir, persones amb un pes econòmic i social important. El seu germà, Berenguer de Cortil, i el seu gendre, Joan de Rabat, eren mercaders.[114] Degut a un conflicte, el 27 de gener de 1421, entre el seu germà Berenguer i Nicolau Sanxo, coraler, convers, trobem Francesc actuant com a àrbitre juntament amb el mercader convers Joan de Quer.[115] També destaca el seu posicionament econòmic ja que a part de capital també posseïa terres.[116] La seva influència social s'expandeix igualment amb la seva descendència, puix que quatre dels seus vuit fills entraren a formar part de l'estat clerical.[117] Qui més destacà, però,

---

110. AHPB, Pere Granyana, *Manuale undecimum*, 1398, juny, 8-1399, juliol, 12, f. 74v.

111. AHPB, Tomàs Vives, *Quartum manuale*, 1416, juny, 23-1419, abril, 8, f. 118v.

112. AHPB, Pere Granyana, *Manuale quintum decimum*, 1403, desembre, 17-1404, desembre, 24, f. 36r.

113. AHPB, Marc Canyís, *Manuale*, 1414, desembre, 14-1422, desembre, 22, f. 88r-v (vegeu apèndix documental I, doc. 48).

114. AHPB, Gabriel Terrassa, *Manuale quartum*, 1412, gener, 2-1413, juliol, 6, f. 15r.

115. AHPB, Bernat Sans, *Manual*, 1420, desembre, 21-1421, març, 6, f. 19r-v.

116. AHPB, Joan Pedrol, *Manuale quartum notularum omnium instrumentorum*, 1423, novembre, 13-1426, juny, 25, f. 107v.

117. J. HERNANDO DELGADO: "Conversos, jueus...", p. 206-207.

entre la seva progènie fou el seu fill Francesc de Pedralbes, també mestre físic. L'any 1453 morí el canceller de l'Estudi General Pere Pau, i segons els estatuts i les ordenances corresponia al rei nomenar-ne el substitut. El monarca elegí Francesc de Pedralbes, que ja era metge reial, per ostentar el càrrec de canceller.[118] Tanmateix, Francesc mai ocuparia aquesta insigne posició ja que a partir de la mort de Pere Pau s'inicià un conflicte entre l'Estudi General i el monarca sobre la potestat d'elegir canceller. Tot i que el monarca ja havia designat Francesc com a canceller, el 20 de juliol de 1453 es reuniren al portal de la Boqueria els membres de l'Estudi General d'Arts i Medicina per tal d'elegir mitjançant eleccions qui seria el successor de Pere Pau en el càrrec de canceller.[119] Segons els membres de l'Estudi l'elecció del nou canceller els pertany a ells segons els seus privilegis i estatuts, i ometen per tant les rectificacions que hi va fer el monarca amb les quals es donava al canceller l'autoritat per delegació reial i atorgaven al rei la potestat per designar la persona idònia per ostentar el càrrec. Els membres de l'Estudi elegiren finalment Gabriel Garcia, metge de la reina, com a nou canceller. La reina confirmaria i ratificaria Gabriel en el seu càrrec; el mateix mes, però, el rei Alfons revocaria aquest nomenament i nomenaria canceller Jaume Quintà, metge del rei, fent ús dels edictes promulgats pel rei Martí que concedien la potestat d'elecció al monarca. Els fets ens fan plantejar una pregunta: el fet que Francesc de Pedralbes fos convers va ser la raó per la qual els membres de l'Estudi es van rebel·lar contra l'elecció del monarca? Dona la casualitat que és justament en el seu nomenament quan s'inicia la disputa sobre a qui corresponia l'elecció del canceller, donant a entendre que els membres de l'Estudi no estaven d'acord amb l'elecció feta pel monarca. D'altra banda, resulta sospitós que quan el rei es decideix a fer ús del seu dret en aquest afer i reafirmar la seva autoritat no estableix Francesc de Pedralbes, la seva primera elecció, com a canceller sinó que atorga el càrrec a un altre metge personal seu. Per tant, és molt probable que malgrat el reconeixement que els conversos tenien per part dels cristians de natura dins del camp de la medicina aquests evitarien que ocupessin càrrecs amb poder sobre ells.

Altres exemples ens mostren com metges conversos continuen mantenint contacte amb importants famílies jueves, fins i tot d'altres ciutats, un fet que evidencia per tant el contacte dels físics conversos

---

118.   ACA, *Registres de Cancelleria*, reg. 2600, f. 153v-154r.

119.   M. Ribera i Blanco: "Mestres d'Arts i Medicina, els pretors dels remeis i doctors en medicina (1401-1565)", *Gimbernat: Revista Catalana d'Història de la Medicina i de la Ciència*, 122 (2007), p. 19-24.

amb cercles de destacada importància social. És el cas del convers barceloní Benet Bondia, batxiller en medicina, que el 1401 demanà un préstec a Regina, vídua de Bondia Falcó, jueus de Girona.[120] Els Falcó de Girona era una de les famílies més influents d'aquesta ciutat tant econòmicament com socialment, alguns membres de la qual havien arribat a dirigir l'aljama durant el segle xv.[121] Malgrat que la seva relació és merament contractual, és evident que els contactes entre individus i importants famílies de diferents poblacions originats abans de les conversions continuen actius després d'aquestes.

Altres professionals de la medicina optaren per marxar de Barcelona cap a altres indrets després dels fets de 1391. Per exemple, el 1398 localitzem a València Elionor, vídua de mestre Joan Cabrit, mestre en medicina.[122] Molt probablement, Joan Cabrit era família de mestre Saltell Cabrit, mestre en medicina, que morí durant l'assalt al call. En el cas de Saltell tornem a observar un important poder adquisitiu, ja que tenia una casa al carrer de Sant Honorat del Call Major de Barcelona —situada més concretament on actualment s'accedeix al Palau de la Generalitat pel carrer esmentat— valorada en 230 lliures.[123] En el moment que es registraren les cases del Call Major per part de Jaume Colom —és a dir, durant l'agost de 1393—, Saltell ja era mort i la casa estava sota la propietat de la seva vídua Aterita. Com passà amb quasi la totalitat de les propietats del call en mans de jueus i conversos, la casa fou venuda per la vídua de Saltell l'octubre del mateix any per tal de pagar la taxa amb què la comissió del call l'havia gravada. El comprador, un jurista anomenat Pere Pasqual que ja havia adquirit les cases adjacents, la va comprar per cent lliures, un preu molt inferior del que havia sigut taxada.[124] Aquesta venda ens demostra que Saltell va fer testament deixant clar que llur casa passà a pertànyer a la seva esposa. Tanmateix, anys més tard, el 4 d'agost de 1408, la comissió del call tornaria a actuar en contra del patrimoni dels Cabrit, cobrant un deute de cent tres sous i sis diners degut al difunt Saltell, procedint en aquest cas com si es tractés d'un difunt intestat.[125] Com podem veure,

---

120. AHPB, Pere Claver, *Llibre comú*, 1401, maig, 25-1401, novembre, 20, f. 26v-27r.

121. Sílvia Planas: "Convivència, pervivència i supervivència: apunts per a la història de les dones converses de Girona", dins Flocel Sabaté, Claude Denjean (eds.): *Cristianos y judíos en contacto en la Edad Media: polémica, conversión, dinero y convivencia*, ed. Milenio, Lleida, 2009, p. 451-466.

122. AHPB, Joan de Pericolis, *Manuale primum*, 1392, desembre, 5-1402, març, 1, f. 48v.

123. ADB, Mensa Episcopal, taula III, Cens de Robres.

124. AHPB, Arnau Piquer, 1392, desembre, 29-1393, desembre, 23, f. 151r-v.

125. AHPB, Joan Ferrer, *Primum manuale*, 1405, juliol, 14-1408, agost, 4, f. 91r.

el metge Saltell tenia una destacada posició econòmica però aquesta es reduí notablement a causa dels avalots i la posterior actuació de la comissió.

En el cas dels Cabrit, si considerem Joan Cabrit familiar de Saltell Cabrit, l'exercici de la medicina seguia de generació en generació. Tanmateix, l'elecció de l'ofici de físic, almenys entre els conversos, era una decisió individual i eren estranyes les "dinasties" mèdiques. En la immensa majoria dels casos, els fills dels físics desenvolupaven un altre ofici, de la mateixa manera que el pare d'un físic es dedicava normalment a una professió diferent. Per exemple, Joan Pujol, fill del físic convers Pere Pujol, era coraler.[126] També era el cas del convers Pericó Jaume, fill del mestre en medicina Manel Jaume, que el 22 de gener de 1420 entrà com a aprenent de teixidor de vels a l'obrador del convers Guillem Badorc.[127] Aquesta absència de castes mèdiques per part de conversos també s'observa en el cas de València.[128]

Els metges, algunes vegades, contractaven servents que els ajudessin en les seves tasques —com ara netejar i endreçar els estris, fer encàrrecs, entre d'altres. El servent vivia normalment a casa del seu cap, passaven molt de temps plegats i establien uns vincles personals. En el cas dels metges conversos —com succeïa amb els aprenents dels oficis artesanals— aquests servents eren també de condició conversa. Per exemple, el 19 de gener de 1394, el físic convers[129] Lluís de Jonqueres contractà com a servent durant tres anys Pericó Ballester, convers abans anomenat Jucef Taroç, fill del jueu Taroç Abraham, difunt; Pericó viuria amb Lluís i rebria menjar, calçat i vestit durant tot aquest temps.[130] Veiem, doncs, com es manté també en cas dels metges conversos el costum de contractar individus de la seva mateixa condició, confirmant una cohesió dins del grup.

Els llibreters

Un altre dels oficis on destacava la presència de professionals conversos era el de llibreter, en el qual importants nissagues familiars tingueren molt de pes durant tot el segle XV. Potser el gran interès per

---

126. AHPB, Marc Canyís, *Manuale*, 1414, desembre, 14 1422, desembre, 22, f. 5v.

127. AHPB, Francesc Ferrer, *Manuale comune primum*, 1416, octubre, 20-1426, febrer, 4, f. 54r-v.

128. R. NARBONA: "Los conversos de Valencia...", p. 121-146.

129. En el present document no consta que Lluís de Jonqueres sigui convers, tanmateix la seva condició consta a AHPB, Pere Pellisser, *Manuale*, 1414, juliol, 2-1415, juny, 26, f. 121r.

130. AHPB, Pere Vives, *Manual*, 1392, novembre, 28-1395, gener, 14, f. 80v-81r.

la cultura per part del poble jueu va tenir quelcom a veure en la seva força dins d'aquest sector on la seva presència ja era destacada abans de la seva conversió.[131]

L'ofici de llibreter, a diferència d'altres sectors, comprenia tot un ventall d'activitats en què cada professional es dedicava a algunes d'elles però molt rarament a totes. Així el llibreter era aquell que venia llibres en una botiga; també el que els enquadernava i relligava; o bé el que els venia, comprava, taxava, importava o exportava; també era el que venia tot el material relacionat amb l'art de l'escriptura, és a dir, llibres en blanc, papers, pergamins, tintes, plomes, entre d'altres.[132] Els conversos, com veurem més avall, solien dedicar-se majoritàriament a l'enquadernació —perícia de la qual gaudien de gran prestigi—, a la compravenda de llibres i al proveïment de material.

Compravenda de llibres

Un dels professionals conversos que més destacava en la venda de llibres era Guillem sa Coma. La seva tasca era, més concretament, la de *curritor librorum*, és a dir, corredor de llibres. Quan hom volia vendre uns llibres solia recórrer a aquest professional perquè li trobés compradors que paguessin una quantitat raonable. El 4 de desembre de 1415, el llibreter convers Guillem sa Coma va actuar com a corredor en tres vendes efectuades per part de Berenguer Senyol; un estudiant de Barcelona compra un llibre anomenat *Les Clementines* per sis lliures i sis sous; Antoni Buçot adquireix un llibre anomenat *Decret* per vint-i-set lliures i deu sous; finalment, Francesc Felip, llicenciat en lleis, compra dos volums de les *Decretals*, per trenta-set lliures i quatre sous.[133] El corredor havia d'aconseguir el màxim preu possible en la compra, puix els seus honoraris eren un percentatge de la quantitat assolida. Per exemple, Guillem cobrà trenta-un sous de Berenguer Senyol per la corredoria dels llibres que hem esmentat en l'exemple anterior.[134] En alguns casos aquests encàrrecs deriven en problemes econòmics.

---

131. Vegeu J. M. Millàs Villincrosa: "Los judíos barceloneses y las artes del libro", *Sefarad*, XVI, 1956, p. 129-136. També J. M. Madurell Marimón: "Encuadernadores y libreros barceloneses judíos y conversos (1322-1458)", *Sefarad*, XXI, 1961, p. 300-338; XXII, 1962, p. 345-372; XXIII, 1963. Guillem Andreu, *Octavum manuale*, 1398, març, 2-1400, març, 1303.

132. J. Hernando Delgado: "Del llibre manuscrit al llibre imprès. La confecció del llibre a Barcelona durant el segle xv. Documentació notarial", *Arxiu de Textos Catalans Antics*, XXI, 2002, p. 257-603.

133. AHPB, Pere Pellisser, *Manual*, 1415, juliol, 2-1415, juny, 26, f. 58v-59r.

134. AHPB, Pere Pellisser, *Manual*, 1415, juliol, 2-1415, juny, 26, f. 59r.

Per exemple, el 5 de gener de 1421, el mateix Guillem sa Coma no va poder pagar una lletra de canvi de Montpeller que li reclamaven dos mercaders florentins, adduint que encara no havia pogut vendre els llibres que Bernat Feura li havia encarregat que vengués.[135]

Els llibreters també s'encarregaven del procés invers al que acabem d'exposar, és a dir, quan hom buscava un llibre per comprar encarregava a aquest professional que li'l busqués. Entre els clients dels llibreters conversos que realitzaven aquest servei hi havia personatges destacats de la ciutat de Barcelona. Per exemple, el 1419 Pere Pons de Fonollet, canonge de la Seu de Barcelona, va encarregar a Ferran de Fonollet, corredor d'orella, convers, habitant de Perpinyà, que li busqués dos llibres: un es titulava *Doctrinal* i l'altre *Cant d'Orga*, valorats pel mateix corredor en vuitanta-vuit sous.[136] Com veiem, el document diu que el convers Ferran de Fonollet era corredor d'orella; tanmateix va ser ell mateix qui va estimar el preu dels volums —coneixement que tan sols pot obtenir qui es dedica plenament en el negoci—, fet que ens indueix a pensar que potser era corredor de llibres i l'escrivent va errar en qualificar-lo de corredor d'orella, o bé que es tractés d'un corredor d'orella que actuava com a intermediari d'un corredor de llibres.

La documentació notarial registra compres de llibres per part de llibreters conversos, que potser eren un encàrrec o bé van ser efectuades per iniciativa pròpia amb la intenció de vendre'ls després. El més interessant d'aquesta documentació són els títols dels llibres, a qui es compraven i qui seria el seu destinatari final, així com el preu. Tot i que els títols eren variats, en alguns casos queda clar a quin consumidor anava dirigit. Per exemple, el 6 d'octubre de 1403 Ramon Bertran, convers, corredor de llibres, va pagar al procurador de Pere Oller, mercader, ciutadà de Girona, cinc florins d'or per dos llibres: un anomenat *Egidius Ormis*, i l'altre *Ars Ypocratis*, obra essencial de l'art de la medicina.[137] Tanmateix, la temàtica dels llibres comprats per llibreters conversos no es limitava al caire pràctic, literari i filosòfic, també eren adquirits llibres de temàtica jurídica, religiosa i eclesiàstica. El 27 de setembre de 1429 Francesc Bertran, llibreter convers, comprà, per nou lliures i set sous, a Honorat Pasqual, clergue beneficiat a l'església de Sant Pere de les Puelles, procurador de Bartomeu Saura, estudiant d'arts, oriünd de Peníscola, un llibre titulat *Cisé*, l'encapça-

---

135. AHPB, Bernat Sans, *Manual*, 1420, desembre, 21-1421, març, 6, f. 5v.

136. AHPB, Pere Bartomeu Valls, *Primum manuale*, 1416, octubre, 21-1420, abril, 15, f. 61r-v.

137. AHPB, Tomàs de Bellmunt, *Manuale decimum contractuum comunium*, 1403, juny, 15-1403, novembre, 23, f. 72v.

lament del qual era *Boniffacius,* i que tractava sobre el papa Bonifaci, concretament sobre el quart any del seu pontificat; el document ens aporta una breu descripció del llibre: les cobertes eren de pergamí de cuir vermell, amb quatre gafets i cantoneres de llautó, amb una rosa al mig dels posts també de llautó, constava de cent dotze folis i tenia la benedicció apostòlica.[138] Aquest exemple també ens serveix per mostrar com els conversos no tenien cap mena d'impediment —ni per part del clergat ni per la societat seglar— per adquirir lliurement llibres eclesiàstics.

Moltes vegades els llibres cercats no es trobaven a Barcelona i per tant calia buscar-los en altres territoris, com va ser el cas que hem exposat anteriorment de Ferran de Fonollet. A més hem de tenir en compte que la gran majoria dels llibres eren escrits en llatí, fet que internacionalitzava el seu consum, per tant un llibre situat al regne de França podia ser comprat per un barceloní lletrat. Tanmateix, el gruix del comerç llibreter a la ciutat de Barcelona es limitava als territoris catalans. Aquesta dispersió obligava els llibreters a desplaçar-se contínuament per tal d'adquirir els exemplars cercats o bé a nomenar un procurador que anés a buscar els llibres ja comprats prèviament. Per exemple, el 23 de gener de 1417, el llibreter convers Francesc Bertran, ciutadà de Barcelona, nomenà procuradors Francesc Cervià i Joan Fuster, notaris, Antoni Urger, senyor, i Narcís Genís, teixidor de draps de lli, tots ciutadans de Girona, perquè reclamessin en nom seu a Jaume Guerau, servent del bisbe de Girona, dos llibres: un anomenat *Galcet* i l'altre *Lletres d'Ovidi d'Amor.*[139] Recordem que en aquesta època els llibres tenien un elevat valor econòmic, per tant és molt probable que aquests foren comprats al mateix bisbe per part de Francesc Bertran, fet que ens mostra un cop més com els llibreters conversos es relacionaven professionalment amb individus de la jerarquia eclesiàstica. Aquest no fou l'únic cas en què Bertran nomenà procuradors perquè recollissin en nom seu llibres comprats fora de Barcelona. El 22 d'agost de 1424, nomenà procurador Joan Mateu, mercader, ciutadà de Peralada, perquè recollís en aquesta ciutat uns llibres que li havien d'entregar.[140] Entre els procuradors nomenats per llibreters conversos es troben destacats membres de la societat seglar i religiosa. El 20 de novembre de 1419,

---

138. AHPB, Francesc Ferrer, *Manuale comune secundum,* 1426, febrer, 18-1432, gener, 22, s.f.

139. AHPB, Francesc Ferrer, *Manuale comune primum,* 1416, octubre, 20-1426, febrer, 4, s.f. (vegeu apèndix documental I, doc. 42).

140. AHPB, Francesc Ferrer, *Manuale comune primum,* 1416, octubre, 20-1426, febrer, 4, s.f.

Francesc Bertran, llibreter convers, nomenà procurador Joan d'Aredia, membre de l'orde de la milícia dels cavallers de Sant Joan de Jerusalem, concretament de la comandància de Lentí i Palerm, a Sicília, perquè cobrés certes quantitats a ell degudes i recollís certes coses que no especifica què són però que segurament eren llibres.[141]

Com hem vist en els exemples anteriors, Francesc Bertran es constituí com una de les figures més dinàmiques de la ciutat en el sector de la llibreteria, i dominà sobretot la compravenda. Sembla que, almenys en la cronologia que abraça el present estudi, la seva condició de convers no va significar un impediment en la seva important carrera com a llibreter.

A causa dels seus continus desplaçaments, els llibreters conversos també eren nomenats procuradors per altres persones. També en aquest cas trobem personatges destacats de la societat. Per exemple, el 5 de març de 1415, el notari barceloní Gabriel Canyelles nomenà procurador el llibreter convers Joan des Pla.[142] Més eloqüent és l'exemple de Lorenzo d'Arèdia, cavaller domiciliat al regne d'Aragó, que el 15 de juliol de 1419 nomenà procurador el ja conegut llibreter Francesc Bertran.[143]

ENQUADERNACIÓ

L'enquadernació era la vessant artesanal dels llibreters, perícia en la qual els conversos ja havien obtingut el reconeixement quan eren jueus. Els clients que sol·licitaven els seus serveis eren, evidentment, persones dotades de la cultura necessària per poder llegir; i les obres que es manaven enquadernar eren de caire literari i religiós. El 9 de gener de 1427, el llibreter convers Joan des Pla cobrà vint-i-vuit sous d'Agnès, vídua del notari barceloní Antoni de Banyaloca, per enquadernar l'obra *Rerum Senilium Libri*, de Francesco Petrarca.[144]

Pel que fa als llibres religiosos, el 22 de gener de 1405, el llibreter convers Joan des Pla cobrà onze florins d'or dels marmessors de la difunta Valença per enquadernar un missal que l'esmentada difunta va donar en benefici a l'altar de Sant Antoni.[145] De la quantitat total, tres

---

141. AHPB, Francesc Ferrer, *Manuale comune primum*, 1416, octubre, 20-1426, febrer, 4, s.f.

142. AHPB, Pere Pellisser, *Manuale*, 1414, juliol, 2-1415, juny, 26, f. 134v.

143. AHPB, Llorenç de Casanova, *Manual*, 1419, abril, 28-1419, juliol, 19, f. 32v. Citat per J. HERNANDO DELGADO: "Del llibre manuscrit...", p. 300, doc. 7.

144. AHPB, Guillem Jordà, *Primum manuale*, 1425, novembre, 27-1428, abril, 29, s.f. Citat per J. HERNANDO DELGADO: "Del llibre manuscrit...", p. 302, doc. 53.

145. AHPB, Gerard Basset, *Primum manuale*, 1404, setembre, 23-1405, juny, 15, f. 5r-v. El nom de la difunta no apareix en el present instrument sinó en un d'anterior (vegeu apèndix documental I, doc. 32).

florins eren en concepte de la mà d'obra emprada per tal d'enquadernar el missal i els vuit florins restants corresponen al material emprat: dos oripells, quatre pergamins de pell de vedell, uns tancadors de seda i argent, i els giradors. A part dels detalls tècnics sobre l'enquadernació de l'època i de llurs preus, aquest document ens serveix per mostrar com d'inexactes poden ser algunes consideracions sobre l'odi que la societat barcelonina professava contra els conversos exclusivament per raons religioses: donaria hom com a ofrena a una capella un missal lligat per un convers, si la seva condició religiosa era tan insultant i deshonrosa? De fet, fins i tot els jueus lligaven llibres religiosos fins a principis del segle xv, quan va ser definitivament prohibit.

PROVEÏMENT DE MATERIAL D'ESCRIPTURA

A part de les tasques esmentades, els llibreters eren també els que es dedicaven a proveir de tot allò necessari per a l'escriptura. Particulars, com per exemple notaris i mercaders, i institucions acudien a les botigues dels llibreters per tal d'adquirir llibres en blanc, paper, pergamins, entre d'altres, indispensables per al seu ofici. El subministrament d'aquest material és l'activitat on és més palesa la presència de llibreters conversos. En la documentació recollida pel doctor Josep Hernando[146] relativa a llibreters i impressors s'observa com des de 1405 fins a 1448 els llibreters conversos acaparen aquesta activitat. Si analitzem la taula que mostrem les planes següents, extreta de l'estudi esmentat, observem com els principals clients dels llibreters conversos en el subministrament de material eren institucions municipals i reials.

En l'àmbit municipal destaca la Taula de Canvi a la qual els conversos Guillem Mascaró i Francesc sa Calm proveïren diverses vegades de llibres, paper i altres materials. També institucions religioses de la ciutat acudien a llibreters conversos. Joan des Pla proveí el monestir de Santa Maria de Pedralbes dues vegades de llibres, mans de paper, registres, saltiris i plomes. Altres clients barcelonins lligats als quefers del govern municipal, però com a particulars, acudien també als conversos. Així Joan de Camportells, llibreter convers, vengué al recaptador del dret a la llotja de mar, i també al clavari i defensor del dret de la mercaderia, llibres i paper. El convers Llorenç Costa també serví el mateix material a aquest últim, i Francesc Mascaró proveí el recaptador de l'impost de la farina.

---

146. J. HERNANDO DELGADO: "Del llibre manuscrit...".

TAULA 5

Material venut per llibreters conversos

Data	Llibreter convers	Ofici específic	Material	Destinatari	Preu	Localització
1405/09/02	Guillem Mascaró	Lligador de llibres	20 mans de paper per a 3 llibres 26 mans de paper per a 2 manuals i un llibre 3 cordovans Claus i tancadors 45 mans de paper 1 llibre	Taula de Canvi de Barcelona	15 ll. i 6 s.	AHPB, Bernat Nadal, *Manual*, 1405, maig, 14-1405, setembre, 2, f. 96r. Citat per J. HERNANDO DELGADO, "Del llibre manuscrit...", p. 324.
1406/03/09	Guillem Mascaró	Lligador de llibres	Paper, cordovà, tancadors, llibres	Taula de Canvi de Barcelona	4 ll., 18 s. i 6 d.	AHPB, Bernat Nadal, *Manual*, 1406, gener, 26-1406, juny, 26, f. 29r-v. J. HERNANDO DELGADO, "Del llibre manuscrit...", p. 326.
1406/12/07	Guillem Mascaró	Lligador de llibres	Paper, cordovà, tancadors, llibres	Taula de Canvi de Barcelona	95 s.	AHPB, Bernat Nadal, *Manual*, 1406, novembre, 27-1407, abril, 27, f. 7r-v. J. HERNANDO DELGADO, "Del llibre manuscrit...", p. 328.
1408/07/31	Francesc sa Calm	Lligador de llibres	Paper, cordovà, tancadors, llibres	Taula de Canvi de Barcelona	16 ll. i 7 s.	AHPB, Joan Nadal, *Manual, Manual*, 1408, abril, 3-1408, setembre, 20, f. 64r-v. J. HERNANDO DELGADO, "Del llibre manuscrit...", p. 333.
1410/05/23	Francesc sa Calm	Lligador de llibres	Paper, cordovà, tancadors, llibres	Taula de Canvi de Barcelona	8 ll., 8 s. i 6 d.	AHPB, Joan Nadal, *Manual*, 1410, maig, 9-1410, octubre, 16, fol. 13r. J. HERNANDO DELGADO, "Del llibre manuscrit...", p. 335-336.

Data	Llibreter convers	Ofici específic	Material	Destinatari	Preu	Localització
1415/12/31	Joan de Camportells	Lligador de llibres	24 mans de paper 3 llibres amb 4 mans i mitja de paper	Recaptador del dret de la llotja de la mar de Barcelona	49 s.	AHPB, Joan Bages, *Manuale secundum*, 1415, desembre, 30-1417, octubre, 12, f. 2r. J. HERNANDO DELGADO, "Del llibre manuscrit...", p. 343.
1416/04/07	Francesc sa Calm	Llibreter	3 registres i enquadernació Paper, cèdules i enquadernació	Conseller i tresorer del rei	49 s.	AHPB, Tomàs Vives, *Manual* 1415, juliol, 30-1416, maig, 11, s.n. J. HERNANDO DELGADO, "Del llibre manuscrit...", p. 345.
1417/01/29	Joan de Camportells	Lligador de llibres	5 llibres 28 mans de paper	Defensor i clavari del dret de la mercaderia	77 s. i 8 d.	AHPB, Joan Bages, *Manuale secundum*, 1415, desembre, 30-1417, octubre, 12, f. 62r. J. HERNANDO DELGADO, "Del llibre manuscrit...", p. 349.
1417/02/06	Llorenç Costa	Lligador de llibres	1 registre de paper 1 llibre de paper	Defensor i clavari del dret de la mercaderia	10 s. 5 s.	AHPB, Joan Bages, *Manuale secundum*, 1415, desembre, 30-1417, octubre, 12, f. 65r. J. HERNANDO DELGADO, "Del llibre manuscrit...", p. 349.
1417/07/10	Salvador Sabater	Llibreter	6 llibres de paper 1 llibre Mitja raima de paper	Procurador reial de Sardenya	100 s.	AHPB, Pere Roig, *Manual*, 1417, juliol, 8-1417, novembre, 6, s.n. J. HERNANDO DELGADO, "Del llibre manuscrit...", p. 350.
1418/05/24	Guillem sa Coma	Llibreter	Llibres	Marmessoria de Domènec Pons, canonge de Barcelona	8 s.	ACB, Gabriel Canyelles, *Decimum octavum manuale*, 1417, desembre, 29-1418, desembre, 17, f. 70v. J. HERNANDO DELGADO, "Del llibre manuscrit...", p. 352.
1427/09/03	Salvador Sabater	Llibreter	Paper i pergamins	Antoni de Banyaloca, notari de Barcelona	40 s.	AHPB, Guillem Jordà, *Primum manuale*, 1425, novembre, 27-1428, abril, 29, s.n. J. HERNANDO DELGADO, "Del llibre manuscrit...", p. 366.

Data	Llibreter convers	Ofici específic	Material	Destinatari	Preu	Localització
1430/04/27	Salvador Sabater	Llibreter	Paper i pergamins per a llibres Lligadura i enquadernació	Tresoreria reial	49 s. i 8 d.	AHPB, Guillem Basset, *Decimum manuale*, 1429, setembre, 1-1432, agost, 27, s.n. J. HERNANDO DELGADO, "Del llibre manuscrit...", p. 369.
1432/05/23	Francesc Mascaró	Llibreter	1 raima de paper i pergamins 3 cèdules i 3 registres 2 registres	Tresoreria reial	88 s.	AHCB, Arxiu Notarial, XI. 18: *Fragment de llibre*, 1427, juliol, 11 i 1432, abril, 26-1432, octubre, 1. J. HERNANDO DELGADO, "Del llibre manuscrit...", p. 372.
1437/01/23	Joan des Pla	Llibreter	1 registre 1 registre de 3 mans 1 llibre d'una mà de paper 2 mans de paper 2 saltiris 3 mans de paper	Monestir de Santa Maria de Pedralbes	31 s. i 2 d.	AHPB, Gerard Basset, *Primum manuale monasterii Beate Marie de Petralba* 1436, desembre, 19-1439, març, 9, s.n. J. HERNANDO DELGADO, "Del llibre manuscrit...", p. 376-377.
1437/08/07	Joan des Pla	Llibreter	1 llibre de 4 mans de paper 1 llibre per a registre 1 llibre d'una mà de paper 9 mans de paper	Marmessoria de Bartomeu Colell, rector de Piera	27 s. i 6 d.	AHPB, Joan Ubac, *Primus liber apocharum diversarum manumissoriarum*, 1424-1449, s.n. J. HERNANDO DELGADO, "Del llibre manuscrit...", p. 380.
1438/05/16	Joan des Pla	Llibreter	1 llibre de 4 mans de paper 1 llibre d'una mà de paper Paper	Monestir de Santa Maria de Pedralbes	24 s. i 8 d.	AHPB, Gerard Basset, *Manuale negotiorum monasterii Beate Marie de Petralba, territorii Barchinone, ordinis Sancte Clare*, 1436, desembre, 19-1439, febrer, 17, s.n. J. HERNANDO DELGADO, "Del llibre manuscrit...", p. 381.

Data	Llibreter convers	Ofici específic	Material	Destinatari	Preu	Localització
1441/01/31	Francesc Mascaró	Llibreter	15 llibres 2 mans de paper	Recaptador de l'impost de la farina	36 s.	AHPB, Joan Franc, *Tricesimum manuale*, 1440, desembre, 29-1441, desembre, 22, s.n. J. HERNANDO DELGADO, "Del llibre manuscrit...", p. 386.
1446/12/22	Pere Mascaró	Llibreter	1 llibre de 4 mans de paper 1 llibre de 2 mans de paper 3 raimes de paper 1 llibre d'una mà de paper 5 pergamins 4 registres Adaptar 2 registres amb 6 mans de paper	Tresoreria reial	119 s.	AHPB, Nicolau Bernat, *Manuale primum comune*, 1446, març, 1 -1448, maig, 4, s.n. J. HERNANDO DELGADO, "Del llibre manuscrit...", p. 402.
1447/01/04	Pere Mascaró	Llibreter	1 llibre de 4 mans de paper 1 llibre de 2 mans de paper 2 raimes de paper 1 llibre d'una mà de paper 5 pergamins 4 registres Adaptar 2 registres amb 6 mans de paper	Tresoreria reial.	100 s.	AHPB, Nicolau Bernat, *Manuale primum comune*, 1446, març, 13-1448, maig, 4, s.n. J. HERNANDO DELGADO, "Del llibre manuscrit...", p. 403.

Deixant l'àmbit local, el principal client dels llibreters conversos en el subministrament era la casa del rei, de la qual comptabilitzem sis operacions. Els Mascaró en realitzaren tres, les més quantioses, en les quals serviren pergamins, papers, llibres, cèdules i registres. Salvador Sabater en realitzà dues, una de les quals era dirigida al procurador reial de Sardenya. La restant fou realitzada per Francesc sa Calm, en la qual proveí la casa del rei de paper i de registres i cèdules enquadernades.

A part de les institucions, també existia una clientela privada. Salvador Sabater proveí de paper i pergamins el notari Antoni de Banyaloca —el mateix per a qui Joan des Pla va enquadernar un obra de Petrarca. Guillem sa Coma subministrà els llibres necessaris a la marmessoria de Domènec Pons, canonge de Barcelona; i Joan des Pla els de la marmessoria de Bartomeu Colell, rector de Piera.

Com hem pogut veure en els tres àmbits d'activitat de l'ofici de llibreter en què actuaven els conversos, aquests estaven en contacte amb persones d'un estatus social i econòmic destacat; a més, mantenien un continu tracte amb institucions seglars i religioses. Aquestes relacions socioprofessionals establiren llaços que potser van ser de gran utilitat en les posteriors actuacions de la Inquisició castellana en territori barceloní; recordem si no com alguns jueus van ser ajudats per cristians de natura durant els avalots de 1391.

Contractes d'aprenentatge

Ja ens hem referit anteriorment al fet que entre els conversos, també en el cas dels cristians de natura, es varen consolidar importants nissagues familiars de llibreters. Això ens indica la tendència de continuació generacional en aquest ofici, i, per tant, la majoria dels fills i nebots de llibreters s'iniciarien com a aprenents dins l'àmbit familiar sense necessitat d'un contracte notarial. Hem de tenir en compte, doncs, un seguit de contractes familiars que existien malgrat que no en tinguem constància física. Pel que fa als aprenents de llibreter externs a l'àmbit familiar cap d'ells provenia d'una família de llibreters, fet que reforça la tesi que en el cas dels llibreters conversos aquests eren formats pels seus familiars si aquests es dedicaven a l'ofici.

Pel que fa a l'origen dels aprenents, en els casos exposats a continuació tots eren de la ciutat de Barcelona excepte un que era originari de Lleida. Es tracta de Manuel des Valls, fill de Manuel des Valls, de nou anys d'edat, oriünd de Lleida, que, el 31 de gener de 1401, entrà com a aprenent de Joan des Pla, llibreter convers de Barcelona, per un període de quatre anys en els quals Joan promet alimentar-lo i calçar-lo.[147]

Els contractes d'aprenentatge de llibreter tenen les mateixes condicions generals que la resta dels contractes que hem vist fins ara: l'aprenent promet conviure amb el mestre i servir-lo, a més d'adquirir el compromís de no fugir del seu costat en el temps que duri el contracte, recuperar els dies que falti a la feina i pagar tots els desperfectes que ocasioni; el mestre per la seva part prometia ensenyar l'ofici al seu deixeble, així com encarregar-se de l'alimentació, el vestit i el calçat, a més de cuidar-lo. En alguns casos, els aprenents podien cobrar una certa quantitat per la feina feta al llarg de la seva formació, tanmateix aquest fet es donava quan els aprenents ja eren més experimentats. Aquest va ser el cas de Bartomeu Sastre, de disset anys d'edat, fill de Francesc Sastre, sastre, ciutadà de Barcelona, que el 21 de novembre de 1447 signà un contracte d'aprenentatge per dos anys amb el llibreter convers Pere Mascaró, durant aquest temps Mascaró promet a Bartomeu que l'alimentarà i calçarà, i li dona a més un sou de vint florins d'or pels dos anys.[148] L'edat d'aquest aprenent, juntament amb la durada del període d'aprenentatge, ens indica que possiblement ja havia rebut alguna mena d'instrucció en l'ofici o en un altre d'afí. Un altre exemple és el de Francesc Benet Castanyer, amb quinze anys d'edat, fill de Francesc Castanyer, peller, que el 27 d'agost de 1454 prometé al llibreter convers[149] Antoni Ramon que conviuria amb ell durant tres anys per tal d'aprendre el seu ofici; a part de l'aliment, Francesc Benet rebria de Ramon una soldada de tres florins d'or per aquest temps.[150] Hi ha casos en què l'aprenent cobra la soldada amb una edat no tan avançada però potser també havia assolit un aprenentatge que el feia valedor d'aquesta. Per exemple, Bonanat des Coll, de catorze anys d'edat, fill d'Antoni des Coll, coraler, que el 21 de juny de 1414 va prometre a Joan de Camportells, convers,[151] llibreter ciutadà de Barcelona, que conviuria amb ell durant dos anys per tal d'aprendre el seu ofici; Joan

---

147. ACB, Gabriel Canyelles, *Tercium manuale*, 1402, març, 30-1403, abril, 24, f. 162r-v, citat per J. HERNANDO DELGADO: "Del llibre manuscrit...".

148. AHPB, Antoni Vilanova, *Manual*, 1447, agost, 30-1448, febrer, 20, s.n. per J. HERNANDO DELGADO: "Del llibre manuscrit...".

149. La seva condició de convers consta en el *registra ordinatorum* de l'ADB quan el seu fill Joan és tonsurat el 6 de gener de 1442. Vegeu J. HERNANDO DELGADO: "Conversos, jueus...", p. 206.

150. AHPB, Bartomeu Costa, major, *Nonum manuale*, 1454, juny, 12-1455, novembre, 21, s.n., citat per J. HERNANDO DELGADO: "Del llibre manuscrit...".

151. La seva condició de convers consta a AHPB, Antoni Brocard, *[Manuale] undecimum*, 1416, desembre, 2-1417, maig, 11, f. 23v (data instrument, 1417-01-21).

per la seva part es comprometré a proveir-lo d'aliment i calçat, a més de pagar-li quinze florins d'or pel temps esmentat.[152]

La durada del període d'aprenentatge solia ser de dos a tres anys en el cas dels deixebles de com a mínim catorze anys d'edat, que devia ésser l'edat idònia per iniciar-se en l'aprenentatge després d'haver après a escriure.[153] Tanmateix, existeix una estreta relació entre l'edat dels aprenents i els anys de formació. Observem que en els dos casos en què els aprenents perceben una remuneració són també en els que la durada del contracte era més inferior, dos anys excepte el de Francesc Benet Castanyer, degut a la seva edat i segurament a una formació ja iniciada. A aquests els segueix un altre contracte de tres anys de durada signat el 30 de maig de 1411 per Joan Ramon, de catorze anys d'edat, fill de Francesc Ramon, corredor d'animals, ciutadà de Barcelona, per a ser aprenent del llibreter convers Joan des Pla.[154] Els contractes de més durada, però, corresponen a deixebles menors de catorze anys, i a més durada menor és l'edat. El contracte amb més anys de formació és el realitzat, el 18 de gener de 1458, per Antoni Bussot, sabater, ciutadà de Barcelona, que lliurà el seu fill, Antoni Bussot, de vuit anys d'edat, al llibreter convers Guillem sa Coma perquè aprengués el seu ofici durant un període de cinc anys.[155] Aquest contracte té la particularitat que el mestre es compromet a ensenyar al deixeble a llegir i escriure, eines indispensables per desenvolupar l'ofici. Els següents contractes de més durada, quatre anys, són: el del lleidatà Manuel des Valls, de nou anys d'edat, que ja hem citat anteriorment; i el de Bonanat de Casasagia, de nou anys d'edat, fill de Francesc de Casasagia, convers, corredor d'orella, que el 14 de setembre de 1406 entrà com a aprenent del llibreter convers Joan des Pla.[156]

Cap dels contractes que acabem d'estudiar, excepte aquest últim, ens indiquen que alguna o ambdues parts contractuals siguin conversos. Pel que fa als mestres llibreters, sabem de la seva condició religiosa per altres instruments notarials que així ho indiquen; tanmateix, en el cas dels aprenents no disposem d'aquestes dades. Tret del cas de Bonanat de Casasagia i, molt probablement, el de Joan Ramon pel fet

152. ACB, Julià Roure, *Manuale nonum*, 1412, desembre, 26-1414, desembre, 11, s.n., citat per J. Hernando Delgado: "Del llibre manuscrit...".

153. J. Hernando Delgado: "Del llibre manuscrit...", p. 272.

154. ACB, Gabriel Canyelles, *Undecimum manuale comune*, 1410, desembre, 29-1411, desembre, 24, f. 105v-106r, citat per J. Hernando Delgado: "Del llibre manuscrit...".

155. AHPB, Pere Soler, *Manuale nonum*, 1456, febrer, 14-1459, octubre, 3, s.n., citat per J. Hernando Delgado: "Del llibre manuscrit...".

156. ACB, Gabriel Canyelles, *Sextum manuale*, 1405, novembre, 23-1406, desembre, 24, f. 122v-123r, citat per J. Hernando Delgado: "Del llibre manuscrit...".

que el el seu pare era coraler, la documentació no ens assegura que la resta dels aprenents siguin conversos. Així doncs, tant podria ser que efectivament fossin conversos com que fossin cristians de natura. Si la segona opció fos la correcta significaria que la reputació professional dels llibreters conversos era tal que passava per sobre dels prejudicis socials a causa del seu origen religiós; o bé que aquests prejudicis no eren tan grans com se sol creure.

COMERÇ I FINANCES
DELS CONVERSOS BARCELONINS

Els conversos i el món del crèdit

Diners, préstec i usura. Tres termes que acompanyaran indefecti-blement la figura del jueu fins als nostres dies. És evident el paper que jugaren els jueus en el món del crèdit durant l'edat mitjana, alguns d'ells tenien força emolument —aconseguit gràcies a la seva capacitat amb el comerç— que prestaven sobretot a reis i nobles, al marge de les càrregues ètiques sobre la usura que afectaven la societat cristiana. Va ser precisament aquesta actuació al marge de la moralitat cristiana la que va fer que prompte es guanyessin la fama d'usurers escanya-pobres i es convertissin en el blanc de totes les ires populars quan la situació ho requerís. Tanmateix, era certament així? Si analitzem amb una mica de profunditat el paper dels jueus dins del mercat del crèdit no tardarem a adonar-nos que el moment d'esplendor de la comunitat jueva com a prestataris es redueix sobretot a la baixa edat mitjana. Jaume I promogué la presència jueva en el repoblament de Mallorca i València, enriquí amb el tracte favorable de la monarquia i esdevin-gueren grans terratinents i prestamistes.[1] Els estudis fets per Anna Rich[2] en referència als jueus de Barcelona i els realitzats per Marsilla[3] sobre el crèdit a València, ens mostren una baixa participació dels jueus com a prestamistes en el mercat del crèdit a partir del segle XIV. Tot i això, l'aura de la usura i de l'habilitat de fer diners a partir de la desgràcia de la gent envoltà els jueus constantment. Resulta evident

---

1. Joan BADA ELIAS: "L'expulsió dels jueus, 1492", *Butlletí de la Societat Catalana d'Estudis Històrics*, XX, 2009, p. 51-68.
2. A. RICH ABAD: *La comunitat jueva...*
3. Juan V. GARCÍA MARSILLA: *Vivir a crédito en la Valencia medieval. De los orígenes del sistema censal al endeudamiento del municipio*, ed. PUV, València, 2002.

que els poders de l'edat mitjana s'esforçaren per crear una imatge irreal dels jueus que despertés antipatia davant del poble per tal de poder-la utilitzar a la seva conveniència en moments de crisi.[4] Aquesta imatge pejorativa seria traslladada també als conversos, que ara participarien en el mercat del crèdit jugant a les mateixes regles que els cristians de natura. Quin seria el seu paper en aquest nou escenari? Això és el que ens proposem explicar en aquest capítol. Abans, però, fem una ullada general al món del crèdit medieval per tal de comprendre millor la implicació dels conversos en el mercat del crèdit.

L'augment de la intensitat i el volum del comerç al segle XIII va fer indefectible la creació d'instruments de finançament que possibilitaren una activitat comercial molt profitosa. De la lletra de canvi s'evolucionà cap a mètodes més concrets de crèdit en els quals un prestamista deixava diners a un prestatari per les més diverses raons. En un principi, proliferaren els préstecs a curt termini en què el prestatari havia de retornar la quantitat rebuda en un lapse de temps al voltant de l'any. L'instrument més comú creat després de la lletra de canvi fou el *mutuum*. Aquest instrument seria un préstec pròpiament dit en el qual hom deixava una quantitat de diners a un altre per *bono et plene amore*, és a dir, aparentment sense cobrar cap lucre ni interès. Seguidament va aparèixer un altre tipus d'instrument de préstec anomenat "comanda en dipòsit" en què hom deixava en dipòsit una certa quantitat de diners en mans d'un altre el qual l'havia de retornar quan el propietari ho requerís, camuflant per tant qualsevol referència a un préstec monetari i a un cobrament d'interessos. En tots dos instruments el prestamista cobrava un interès i un lucre molt superior al permès sense que aquests apareigueren en els instruments. A mitjans del segle XIV s'estengué l'ús del crèdit a llarg termini —els denominats censals morts i violaris— en el qual el prestatari venia al prestamista el dret de cobrar una pensió durant una vida (violari) o diverses (censal mort). Aquesta modalitat s'estengué tant que acabà per substituir els instruments de curt termini. També en aquesta modalitat hom amagava un interès i un lucre prohibits aleshores per l'Església. La moralitat per part de l'Església sobre la licitud de cobrar un interès sobre els diners prestats suposaria una mesura de control sobre el flux financer, sempre sotmès a un seguit de normes que condemnarien la usura. La primera condemna a la usura per part de l'Església es produí en el concili de Nicea celebrat l'any 325, tot i que només es referia als préstecs entre

---

4. Ángel Sáenz-Badillos: "El pensamiento judío durante la Edad Media", dins *Variaciones sobre la historia del pensamiento económico mediterráneo*, ed. Caja Rural Intermediterránea, p. 117-131.

clergues.[5] Tanmateix, aquesta condemna prompte s'entendria a tota la societat i van crear-se dos bàndols on els partidaris i els retractors sobre la licitud de cobrar un interès per les quantitats prestades enfrontarien les seves opinions durant tota l'edat mitjana. Una de principals raons de la condemna a la usura esgrimida pels seus detractors era que quan hom prestava uns diners a un altre i esperava percebre més del que li havia deixat el que feia en realitat era comerciar amb un bé que no li era propi i que tan sols pertanyia a Déu: el temps.[6] Un dels autors que més ha tractat el tema de la moralitat en els préstecs és el doctor Josep Hernando[7] qui defineix molt bé les postures i raons que aporten els detractors i favorables al préstec mitjançant els censals morts i violaris (l'instrument de préstec més comú). Els que condemnaven aquests instruments no veien en ells res més que un préstec amb el qual es practicava usura i que per tant anava en contra de la llei natural, la divina i la positiva. Per a ells el sistema seguit pels censals morts i els violaris era el mateix que en qualsevol altre préstec: deixar uns diners per un temps a canvi d'uns interessos. A més comerciaven amb diners, un bé improductiu la naturalesa del qual era ésser un mitjà i no un objecte de compravenda. En la part contrària es trobaven els que eren favorables a aquests contractes. Per a ells es tractaria d'una simple compravenda on l'objecte de venda no era el diner sinó el dret per part del comprador de percebre del venedor el dret de cobrar una pensió; el preu era just ja que aquest depenia del que els compradors estaven disposats a pagar.

Com veiem, les càrregues morals i les possibles acusacions d'usura per part de les autoritats feien que els prestamistes no gaudissin de bona fama entre la societat. Al marge d'aquesta moral que tan sols afectava préstecs entre cristians, els jueus trobaren una oportunitat per poder fer moure el seu capital. Tanmateix, a partir del segle XIV es popularitzà en l'àmbit europeu el crèdit a llarg termini —sota els instruments de censal mort i violaris— com a forma predilecta per aconseguir capital mitjançant el préstec. Aquests instruments de préstec solien tenir uns interessos al voltant del deu per cent i fins i tot inferiors, i resultaven

---

5. Diana Wood: *El pensamiento económico medieval,* ed. Crítica, Barcelona, 2003, p. 224.

6. D. Wood: *El pensamiento...*

7. Vegeu: Josep Hernando Delgado: "Les controvèrsies teològiques sobre la licitud del crèdit a larg termini", dins Manuel Sánchez Martínez (coord.): *El món del crèdit a la Barcelona medieval,* ed. Arxiu Històric de la Ciutat de Barcelona, 2007, p. 213-238. *De la usura al interés. Crédito y ética en la Baja Edad Media,* dins *Aragón en la Edad Media. Sociedad, culturas e ideologías en la España Bajomedieval,* ed. Universidad de Zaragoza, Saragossa, 2000, p. 55-74.

molt més barats que els préstecs realitzats pels jueus —els quals eren a curt termini.[8] Indefectiblement, els jueus foren gradualment apartats com a prestamistes dins del mercat del crèdit, però sense abandonar mai la seva presència.

En els últims anys abans de les conversions del 1391, els préstecs realitzats per jueus barcelonins foren veritablement minsos.[9] La situació empitjorà a partir de la seva conversió ja que l'assalt als calls i el posterior saqueig, la pèrdua d'instruments de deute que mai cobrarien, i la infame taxa de deu sous per lliura que van ser obligats a pagar, deixarien bona part de la població jueva barcelonina en una precària situació econòmica. Alguns jueus i conversos acudirien al rei per tal d'aconseguir una moratòria en el pagament dels seus deutes i així poder recuperar-se econòmicament. Un exemple és el de Salomó Gracià, jueu de Barcelona, al qual el rei reconeixia, el 20 de juny de 1394, com a damnificat de la destrucció del call i l'eximia de les seves obligacions i contractes durant un any.[10]

El préstec a curt termini

Els dos contractes de préstec a curt termini més utilitzats durant l'edat mitjana eren principalment el denominat *mutuum* i la modalitat de préstec en comanda. El préstec en *mutuum* consistia en el fet que una persona deixava a una altra una certa quantitat de diners, davant notari i amb dos o tres testimonis, per *bono et plene amore*, durant un temps determinat o no. És a dir, el prestamista deixava al deutor una quantitat de diners de manera desinteressada i sense ànim de lucre. Això no era res més que una manera de poder esquivar les acusacions d'usura que d'aquest préstec es podrien succeir. Tant en el préstec per *mutuum* com en el de comanda, existia un interès segurament pactat verbalment i inclòs dins de la quantitat endeutada, o bé imposant un seguit de multes per incompliment del lapse de temps pactat.[11] El temps per tornar el crèdit era molt curt, entre un mes i un any majoritàriament, i l'interès solia ser entre el deu i el trenta per cent.[12] Els seus

---

8. Dins del mercat creditici els jueus dominaven els préstecs a curt termini, sobretot mitjançant els instruments de comanda; era pràcticament inexistent la seva presència en els préstecs a llarg termini.

9. A. Rich Abad: *La comunitat jueva...*

10. ACA, Registres de Cancelleria, reg. 1909, f. 214r-v.

11. J. V. García Marsilla: *Vivir a crédito...*, p. 41.

12. Manuel Sánchez Martínez: "Algunas consideraciones sobre el crédito en la Cataluña medieval", dins Manuel Sánchez Martínez (coord.): *El món del crèdit a la Barcelona medieval*, ed. Arxiu Històric de la Ciutat de Barcelona, 2007, p. 13.

orígens els trobem en el dret romà i era un tipus de contracte que, per la seva senzillesa, era molt comú a l'Europa medieval.

L'altra modalitat, el préstec en comanda, era un tipus de contracte encara més utilitzat que el *mutuum* en la Barcelona baixmedieval. Com veurem a continuació, almenys entre els conversos barcelonins, la fórmula de la comanda era molt més predilecta a l'hora de contreure préstecs a curt termini. En aquest tipus de contracte la filosofia dels diners canvia respecte a l'anterior i se'ls considera un objecte com podria ser un plat o una cadira. En aquest cas, el prestamista deixava al deutor una certa quantitat de diners que eren del prestamista però que ara quedarien sota la custòdia del deutor fins que fossin reclamats pel primer. Aquesta fórmula era encara menys detallista que el *mutuum*, constava solament el nom dels implicats i la quantitat endeutada, que seria retornada quan el prestamista la reclamés. Aquesta opacitat era intencionada ja que permetia ocultar l'interès i el lucre que d'aquest crèdit es derivessin.[13]

Els conversos i el món del crèdit a curt termini

Els fets de 1391 i les conseqüències que comportaren a la comunitat jueva barcelonina varen fer que aquests jueus ara conversos i adherits a la societat cristiana veieren com el seu paper dins del món del crèdit canviava considerablement. D'entrada, a l'abandonar la seva condició de jueus i adquirir la de cristians degueren abandonar també tots els avantatges —principalment el vint per cent d'usura que els era permès— que la seva passada condició religiosa els permetia. Ara, al ser plenament cristians, havien de jugar amb les mateixes regles que els cristians de natura, ultra considerant que tots els ulls estarien pendents de les seves accions.

Un altre punt que hem de tenir en compte era el general empobriment que la comunitat conversa patí arran dels robatoris i de les destrosses efectuades durant l'assalt al call, la posterior taxa de deu sous per lliura imposada per la comissió del call que portà la majoria dels conversos barcelonins a malvendre les seves cases quedant-se tan sols la meitat de l'emolument per aconseguir un hàbitat i obrador nou, la pèrdua de gran part dels documents que demostraven els deutes que els cristians de natura havien contret amb ells i que ara eren incobrables, a més de la demora de cinc anys concedida pel rei als cristians de natura per a pagar els deutes reconeguts amb conversos

---

13. J. V. García Marsilla: *Vivir a crédito...*, p. 56.

quan aquests encara eren jueus. El panorama no pintava gaire bé per a la comunitat conversa econòmicament parlant. Si ens fixem en el gràfic que mostrem a continuació podrem observar clarament que dels 233 préstecs a curt termini en els quals participen conversos i que hem enregistrat per al present estudi en 95 casos apareixen com a prestamistes i en un 138 en són deutors.[14]

---

14.   Préstecs en comanda: 1391-08-23, AHPB, Bernat Nadal, *Manual*, 1391, juny, 7-1392, gener, 2, f. 36r. 1391-08-31, AHPB, Bernat Nadal, *Manual*, 1391, juny, 7-1392, gener, 2, f. 41v. 1391-09-04, AHPB, Bernat Nadal, *Manual*, 1391, juny, 7-1392, gener, 2, 44v. 1391-11-11, AHPB, Pere Claver, *Llibre comú*, 1391, desembre, 7-1393, agost, 20, f. 88v-89r. 1391-11-14, AHPB, Bernat Nadal, *Manual*, 1391, juny, 7-1392, gener, 2, f. 74v. 1391-12-06, AHPB, Bernat Nadal, *Manual*, 1391, juny, 7-1392, gener, 2, f. 88r. 1392-01-10, AHPB, Bernat Nadal, *Manual*, 1392, gener, 4-1392, juliol, 11, s.f. 1392-01-17, AHPB, Pere Claver, *Llibre comú*, 1391, desembre, 7-1393, agost, 20, f. 16v. 1392-01-17, AHPB, Pere Claver, *Llibre comú*, 1391, desembre, 7-1393, agost, 20, f. 16v. 1392-01-21, AHPB, Ponç Amorós, *Quartus liber comunis*, 1391, desembre, 16-1393, juliol, 13, f. 22v. 1392-05-13, AHPB, Bernat Nadal, *Manual*, 1392, gener, 4-1392, juliol, 11, f. 69v-70r. 1392-05-17, AHPB, Bernat Nadal, *Manual*, 1392, gener, 4-1392, juliol, 11, f. 72r. 1392-07-03, AHPB, Bernat Nadal, *Manual*, 1392, gener, 4-1392, juliol, 11, f. 90v. 1392-07-31, AHPB, Bernat Nadal, *Manual*, 1392, gener, 4-1392, juliol, 11, 103v-104r. 1392-09-12, AHPB, Arnau Piquer, *Manual*, 1391, octubre, 16-1392, desembre, 24, s.f. 1392-10-17, AHPB, Arnau Piquer, *Manual*, 1391, octubre, 16-1392, desembre, 24 , s.f. 1392-10-20, AHPB, Francesc de Pujol, *Manual*, 1392, agost, 9-1392, novembre, 29, f. 34v. 1394-07-03, AHPB, Llorenç Masó, *Llibre comú*, 1394, gener, 27-1396, agost, 11, f. 23r. 1394-07-07, AHPB, Llorenç Masó, *Llibre comú*, 1394, gener, 27-1396, agost, 11, f. 23v. 1395-05-09, AHPB, Bernat Nadal, *Manual*, 1394, novembre, 14-1395, maig, 9, f. 99r. 1395-08-01, AHPB, Joan Perella, *Quartus decimus liber comunis*, 1395, novembre, 2-1396, abril, 4, f. 162r. 1395-08-27, AHPB, Llorenç Masó, *Llibre comú*, 1394, gener, 27-1396, agost, 11, f. 58r. 1395-10-1, AHPB, Llorenç Masó, *Llibre comú*, 1394, gener, 27-1396, agost, 11, f. 67r. 1395-11-30, AHPB, Llorenç Masó, *Llibre comú*, 1394, gener, 27-1396, agost, 11, 81r. 1395-12 20, AHPB, Joan de Pericolis, *Manuale primum*, 1392, desembre, 5-1402, març, 1, f. 42v. 1396-02-15, AHPB, Llorenç Masó, *Llibre comú*, 1394, gener, 27-1396, agost, 11, f. 81r. 1396-02-22, AHPB, Llorenç Masó, *Llibre comú*, 1394, gener, 27-1396, agost, 11, f. 82r. 1396-03-23, AHPB, Pere Pellisser, *Manual*, 1396, març, 3-1397, novembre, 21, f. 5v. 1396-07-29, AHPB, Pere Pellisser, *Manual*, 1396, març, 3-1397, novembre, 21, f. 15r. 1397-06-27, AHPB, Pere Granyana, *Manuale undecimum*, 1398, juny, 8-1399, juliol, 12, f. 11r. 1397-07-08, AHPB, Pere Pellisser, *Manual*, 1396, març, 3-1397, novembre, 21, f. 42r. 1397-07-9, AHPB, Pere Pellisser, *Manual*, 1396, març, 3-1397, novembre, 21, f. 29v. 1397-08-21, AHPB, Bernat Nadal, *Manual*, 1397, agost, 1-1398, gener, 4, f. 19r. 1397-09-11, AHPB, Bernat Nadal, *Manual*, 1397, agost, 1-1398, gener, 4, f. 26r. 1397-10-18 AHPB, Joan de Caselles, *Secundum Manuale*, 1397, setembre, 18-1399, agost, 30, f. 10r. 1397-10-29, AHPB, Joan de Caselles, *Secundum Manuale*, 1397, setembre, 18-1399, agost, 30, f. 29v. 1397-11-11, AHPB, Bernat Nadal, *Manual*, 1397, agost, 1-1398, gener, 4, f. 41r. 1397-11-26, AHPB, Bernat Nadal, *Manual*, 1397, agost, 1-1398, gener, 4, f. 74v. 1397-12-07, AHPB, Francesc Fuster, *Manuale decimum*, 1397, novembre, 7-1399, febrer, 14, f. 12v. 1397-12-22, AHPB, Francesc Fuster, *Manuale decimum*, 1397, novembre, 7-1399, febrer, 14, f. 15v. 1398-01-24, AHPB, Bernat Nadal, *Manual*, 1398, gener, 4-1398, maig, 9, f. 33. 1398-02-12, AHPB, Bernat Nadal, *Manual*, 1398, gener, 4-1398, maig, 9, f. 33. 1398-02-21, AHPB, Jaume de Trilla, *Manual*, 1398, febrer, 21-1399, desembre, 4, f. 1r. 1398-03-08, AHPB, Jaume de Trilla, *Manual*, 1398, febrer, 21-1399, desembre, 4, f. 5r.

1398-03-18, AHPB, Jaume de Trilla, *Manual*, 1398, febrer, 21-1399, desembre, 4, 8r. 1398-03-28, AHPB, Guillem Andreu, *Octavum Manuale*, 1398, març, 2-1400, març, 13, f. 6r. 1398-04-01, AHPB, Guillem Andreu, *Octavum Manuale*, 1398, març, 2-1400, març, 13, f. 8r. 1398-06-18, AHPB, Guillem Andreu, *Octavum Manuale*, 1398, març, 2-1400, març, 13, f. 25r. 1398-08-30, AHPB, Guillem Andreu, *Octavum Manuale*, 1398, març, 2-1400, març, 13, f. 41r. 1398-09-09, AHPB, Arnau Piquer, *Manual*, 1390, agost, 13-1391, octubre, 12, f. 189v-190r. 1398-10-03, AHPB, Jaume de Trilla, *Manual*, 1398, febrer, 21-1399, desembre, 4, f. 49v. 1398-10-21, AHPB, Guillem Andreu, *Octavum Manuale*, 1398, març, 2-1400, març, 13, f. 46r. 1398-11-22, AHPB, Jaume de Trilla, *Manual*, 1398, febrer, 21-1399, desembre, 4, f. 62r. 1398-12-11, AHPB, Jaume de Trilla, *Manual*, 1398, febrer, 21-1399, desembre, 4, f. 66v. 1398-12-20, AHPB, Jaume de Trilla, *Manual*, 1398, febrer, 21-1399, desembre, 4, f. 76v. 1399-01-20, AHPB, Jaume de Trilla, *Manual*, 1398, febrer, 21-1399, desembre, 4, f. 71v. 1399-01-20, AHPB, Jaume de Trilla, *Manual*, 1398, febrer, 21-1399, desembre, 4, f. 72r. 1399-02-01, AHPB, Jaume de Trilla, *Manual*, 1398, febrer, 21-1399, desembre, 4, f. 74v. 1399-02-15, AHPB, Jaume de Trilla, *Manual*, 1398, febrer, 21-1399, desembre, 4, f. 76r. 1399-02-17, AHPB, Jaume de Trilla, *Manual*, 1398, febrer, 21-1399, desembre, 4, f. 76v. 1399-02-17, AHPB, Jaume de Trilla, *Manual*, 1398, febrer, 21-1399, desembre, 4, f. 76v. 1399-02-27, AHPB, Jaume de Trilla, *Manual*, 1398, febrer, 21-1399, desembre, 4, f. 78r. 1399-03-07, AHPB, Guillem Andreu, *Octavum Manuale*, 1398, març, 2-1400, març, 13, f. 75r. 1399-03-21, AHPB, Guillem Andreu, *Octavum Manuale*, 1398, març, 2-1400, març, 13, f. 79r. 1399-03-22, AHPB, Jaume de Trilla, *Manual*, 1398, febrer, 21-1399, desembre, 4, f. 88r. 1399-03-30, AHPB, Jaume de Trilla, *Manual*, 1398, febrer, 21-1399, desembre, 4, f. 88v. 1399-04-05, AHPB, Tomàs de Bellmunt, *Manuale [secundum] intrumentorum comunium*, 1399, abril, 30-1399, novembre, 28, f. 46v. 1399-04-15, AHPB, Joan de Caselles, *Secundum Manuale*, 1397, setembre, 18-1399, agost, 30, f. 109r. 1399-05-10, AHPB, Jaume de Trilla, *Manual*, 1398, febrer, 21-1399, desembre, 4, f. 94v. 1399-06-13, AHPB, Bernat Nadal, *[Manuale comune] XXV*, 1399, abril, 4-1399, setembre, 22, f. 44v-45r. 1399-06-21, AHPB, Guillem Andreu, *Octavum Manuale*, 1398, març, 2-1400, març, 13, f. 100r. 1399-06-26, AHPB, Jaume de Trilla, *Manual*, 1398, febrer, 21-1399, desembre, 4, f. 103v. 1399-07-17, AHPB, Jaume de Trilla, *Manual*, 1398, febrer, 21-1399, desembre, 4, f. 109v. 1399-08-05, AHPB, Pere Granyana, *Manuale duodecimum*, 1399, juliol, 14-1400, desembre, 21, f. 6v. 1399-08-30, AHPB, Jaume de Trilla, *Manual*, 1398, febrer, 21-1399, desembre, 4, f. 116r. 1399-10-03, AHPB, Guillem Andreu, *Octavum Manuale*, 1398, març, 2-1400, març, 13, f. 118v. 1399-11-09, AHPB, Jaume de Trilla, *Manual*, 1398, febrer, 21-1399, desembre, 4, f. 128v. 1399-11-20, AHPB, Arnau Piquer, *Manual*, 1399, gener, 2-1399, desembre, 24, f. 126v. 1399-12-05, AHPB, Guillem Andreu, *Octavum Manuale*, 1398, març, 2-1400, març, 13, f. 130r. 1400-01-05, AHPB, Pere Granyana, *Manuale duodecimum*, 1399, juliol, 14-1400, des. 21, f. 33r. 1400-03-03, AHPB, Guillem Andreu, *Octavum Manuale*, 1398, març, 2-1400, març, 13, f. 151r. 1400-04-13, AHPB, Bernat Nadal, *Manual*, 1400, març, 3-1400, agost, 12, f. 29r. 1400-0709, AHPB, Tomàs Rossell, *Primus liber comunis*, 1400, març, 1-1401, abril, 7, f. 13r. 1401-03-13, AHPB, Pere de Pou, *Quintum Manuale*, 1400, desembre, 30-1404, novembre, 17, f. 16r. 1402-04-13, AHPB, Berenguer Alemany, *Manuale*, 1401, juny, 16-1405, agost, 11, f. 28r. 1402-04-22, AHPB, Mateu Ermengol, *Llibre comú*, 1399, setembre, [18]-1400, maig, 21, f. 86v. 1402-04-30, AHPB, Berenguer Alemany, *Manuale*, 1401, juny, 16-1405, agost, 11, f. 27r. 1403-04-03, AHPB, Pere Joan Martí, *Manuale*, 1400, març, 14-1403, agost, 2, s/f. 1403-05-29, AHPB, Mateu Ermengol, *Primum capibrevium*, 1400, maig, 24-1403, juny, 16, f. 162rv. 1403-06-23, AHPB, Francesc de Manresa, *Manual*, 1401, setembre, 21-1403, juliol, 4, f. 139v. 1404-01-02, AHPB, Pere Granyana, *Manuale quintum decimum*, 1403, desembre, 17-1404, desembre, 24, f. 6v. 1404-03-03, AHPB, Pere de Pou, *Quintum Manuale*, 1400, desembre, 30-1404, novembre, 17, f. 151r. 1404-05-13, AHPB,

Francesc de Manresa, *Manual*, 1403, desembre, 26-1404, agost, 23, f. 56v-57r. 1404-12-3, AHPB, 82/7, f. 40r. 1405-02-16, AHPB, Pere Granyana, *Manuale sextum decimum*, 1404, desembre, 27-1406, desembre, 24, f. 13r. 1405-04-08, AHPB, Pere Granyana, *Manuale sextum decimum*, 1404, desembre, 27-1406, desembre, 24, f. 23r. 1405-04-08, AHPB, Pere Granyana, *Manuale sextum decimum*, 1404, desembre, 27-1406, desembre, 24, 23r. 1405-04-15, AHPB, Pere Granyana, *Manuale sextum decimum*, 1404, desembre, 27-1406, desembre, 24, f. 96v. 1405-10-03, AHPB, Pere Granyana, *Manuale sextum decimum*, 1404, desembre, 27-1406, desembre, 24, f. 113r. 1405-10-20, AHPB, Pere Granyana, *Manuale sextum decimum*, 1404, desembre, 27-1406, desembre, 24, f. 58r. 1406-09-30, AHPB, Pere Granyana, *Manuale sextum decimum*, 1404, desembre, 27-1406, desembre, 24, f. 135v-136r. 1407-01-08, AHPB, Francesc de Manresa, *Sextum Manuale*, 1408, febrer, 4-1409, març, 9, f. 86r. 1408-02-06, AHPB, Francesc de Manresa, *Manual*, 1409, març, 10-1410, maig, 31, 3r-v. 1408-04-06, AHPB, Antoni Coscó, *Secundum Manuale*, 1408, oct, 1-1429, maig, 5, f. 8r. 1408-12-08, AHPB, Francesc de Manresa, *Sextum Manuale*, 1408, febrer, 4-1409, març, 9, f. 114r-v. 1408-12-08, AHPB, Francesc de Manresa, *Sextum Manuale*, 1408, febrer, 4-1409, març, 9, f. 114rv. 1409-04-03, AHPB, Francesc Barau, *Primum Manuale*, 1408, octubre, 10-1412, octubre, 29, f. 3v. 1409-05-04, AHPB, Francesc de Manresa, *Sextum Manuale*, 1408, febrer, 4-1409, març, 9, f. 36r. 1409-10-18, AHPB, Francesc de Manresa, *Manual*, 1409, març, 10-1410, maig, 31, f. 65r-v. 1409-11-28, AHPB, Francesc de Manresa, *Manual*, 1409, març, 10-1410, maig, 31, f. 85r-v. 1410-02-06, AHPB, Francesc de Manresa, *Manual*, 1409, març, 10-1410, maig, 31, f. 106r. 1410-04-14, AHPB, Gabriel Terrassa, *Secundus liber Manuale*, 1407, novembre, 22-1410, juliol, 8, f. 79r. 1410-04-25, AHPB, Francesc de Manresa, *Manual*, 1409, març, 10-1410, maig, 31, f. 130r. 1410-04-02, AHPB, Francesc de Manresa, *Manual*, 1409, març, 10-1410, maig, 31, f. 131r. 1410-05-06, AHPB, Francesc de Manresa, *Manual*, 1409, març, 10-1410, maig, 31, f. 131r. 1410-05-16, AHPB, Francesc de Manresa, *Manual*, 1409, març, 10-1410, maig, 31, f. 135v. 1410-10-21, AHPB, Gabriel Terrassa, *Tercius liber Manuale*, 1410, juliol, 11-1411, desembre, 31, f. 16r. 1412-01-30, AHPB, Bernat Pi, *Tercium Manua-le comune*, 1411, octubre, 12-1412, maig, 26, f. 56v. 1412-03-26, AHPB, Antoni Brocard, *Manuale comune secundum*, 1411, juny, 17-1412, abril, 16, f. 89v. 1412-04-06, AHPB, Antoni Brocard, *Manuale comune secundum*, 1411, juny, 17-1412, abril, 16 f. 97v. 1412-04-20, AHPB, Joan Franc, major, *Primum Manuale*, 1410, desembre, 21-1413, gener, 21, f. 79r. 1412-05-0, AHPB, Bernat Pi, *Manual*, 1412, juny, 3-1413, gener, 22, f. 3rv. 1412-05-11, AHPB, Bartomeu Guamir, *Manuale Quartum*, 1412, març, 12-1413, maig, 9, f. 33rv. 1412-11-24, AHPB, Gabriel Terrassa, *Manuale Quartum*, 1412, gener, 2-1413, juliol, 6, f. 54rv. 1412-12-19, AHPB, Gabriel Terrassa, *Manuale Quartum*, 1412, gener, 2-1413, juliol, 6, f. 61v. 1412-12-3, AHPB, Gabriel Terrassa, *Manuale Quartum*, 1412, gener, 2-1413, juliol, 6, F. 56v. 1413-05-08, AHPB, Joan Franc, major, *Secundum Manuale*, 1413, gener, 23-1414, febrer, 16, f. 34v. 1413-05-11, AHPB, Joan Franc, major, *Secundum Manuale*, 1413, gener, 23-1414, febrer, 16, f. 35r. 1413-08-16, AHPB, Francesc Barau, *Primum Manuale*, 1412, novembre, 25-1414, juliol, 7, f. 36r. 1413-12-29, AHPB, Marc Joan, *Manuale comune sextum*, 1413, octubre, 31-1414, gener, 30, s/f. 1414-07-06AHPB, Bernat Pi, *Manual*, 1414, febrer, 8-1414, setembre, 3, f. 76v-77r. 1414-11-05, AHPB, Pere Pellisser, *Manuale*, 1414, juliol, 2-1415, juny, 26, f. 62r. 1414-11-13, AHPB, Pere Pellisser, *Manuale*, 1414, juliol, 2-1415, juny, 26, f. 69r. 1415-03-05, AHPB, Francesc de Manresa, *Manual*, 1414, juliol, 31-1415, novembre, 7, f. 57v. 1415-09-02, AHPB, Antoni Brocard, *Manuale comune [nonum]*, 1415, agost, 30-1416, març, 30, f. 6r. 1415-10-21, AHPB, Bernat Pi, *Manuale comune*, 1415, setembre, 3-1416, febrer, 20, f. 15r. 1415-11-09, AHPB, Antoni Brocard, *Manuale comune [nonum]*, 1415, agost, 30-1416, març, 30, f. 44v. 1416-01-21, AHPB, Bernat Pi, *Manuale comune*, 1415, setembre, 3-1416, febrer, 20, f. 72v. 1416-01-31, AHPB, Antoni Brocard, *Manuale comune [nonum]*, 1415, agost, 30-1416, març, 30, f. 76v. 1416-

02-11, AHPB, Pere Pellisser, *Manual*, 1415, juliol, 2-1415, juny, 26, f. 98r. 1416-03-19, AHPB, Pere Pellisser, *Manual*, 1415, juliol, 2-1415, juny, 26, f. 128v. 1416-05-21, AHPB, Pere Rovira, *Manuale septium*, 1415, setembre, 2-1417, juliol, 20, f. 52v-53r. 1416-06-12, AHPB, Bernat Pi, *Manual*, 1416, febrer, 20-1416, agost, 1, f. 64v. 1416-11-17, AHPB, Tomàs Vives, *Quartum Manuale*, 1416, juny, 23-1419, abril, 8, f. 27r. 1416-12-07, AHPB, Antoni Brocard, *[Manuale] undecimum*, 1416, desembre, 2-1417, maig, 11, f. 6r. 1417-01-2, 1AHPB, Antoni Brocard, *[Manuale] undecimum*, 1416, desembre, 2-1417, maig, 11, f. 23v. 1417-02-22, AHPB, Bernat Pi, *Manual*, 1416, febrer, 20-1416, agost, 1, f. 3v. 1418-01-24, AHPB, Francesc Ferrer, *Manuale comune primum*, 1416, octubre, 20-1426, febrer, 4, s/f. 1418-03-03, AHPB, Antoni Estapera, *Manual*, 1417, desembre, 30-1419, març, 18, f. 14r. 1418-06-16, AHPB, Joan Franc, major, *Septimum Manuale*, 1418, gener, 3-1418, desembre, 28, f. 14r. 1418-07-13, AHPB, Tomàs Vives, *Quartum Manuale*, 1416, juny, 23-1419, abril, 8, f. 113v. 1419-01-27, AHPB, Pere Bartomeu Valls, *Primum Manuale*, 1416, octubre, 21-1420, abril, 15, f. 78v. 1419-09-16, AHPB, Jaume Isern, *Manual*, 1418, desembre, 31-1419, novembre, 20, f. 75v. 1420-01-26, AHPB, Pere Granyana, *Vicesimum octavum Manuale*, 1419, desembre, 26-1421, maig, 2, f. 8v. 1420-04-11, AHPB, Gerard Basset, *Manual*, 1419, desembre, 11-1420, maig, 30, f. 35r. 1420-05-09, AHPB, Llorenç de Casanova, *Manual*, 1420, maig, 7-1420, agost, 23, f. 3v. 1421-01-31, AHPB, Pere Bartomeu Valls, *Secundum Manuale*, 1420, abril, 16-1421, setembre, 16, f. 49v. 1421-03-06, AHPB, Pere Granyana, *Vicesimum octavum Manuale*, 1419, desembre, 26-1421, maig, 2, f. 86v. 1421-04-12, AHPB, Vicenç Bofill, *Manual*, 1420, abril, 16-1422, novembre, 24, s/f. 1421-04-1, 7AHPB, Pere Bartomeu Valls, *Secundum Manuale*, 1420, abril, 16-1421, setembre, 16, f. 64v. 1422-12-11, AHPB, Vicenç Bofill, *Quartum Manuale comune*, 1422, novembre, 26-1425, setembre, 15, s/f. 1424-06-08, AHPB, Joan Pedrol, *Manuale Quartum notularum omnium instrumentorum*, 1423, novembre, 13-1426, juny, 25, f. 35r. 1424-10-05, AHPB, Joan Pedrol, *Manuale Quartum notularum omnium instrumentorum*, 1423, novembre, 13-1426, juny, 25, f. 93v. 1426-12-11, AHPB, Pere Devesa, *Manuale primum instrumentorum*, 1426, novembre, 5-1429, maig, 1, f. 4v-5r. 1436-11-14, AHPB, Joan Ferrer, *Manual*, 1436, març, 12-1437, novembre, 26, f. 58r. 1436-12-19, AHPB, Joan Ferrer, *Manual*, 1436, març, 12-1437, novembre, 26, f. 65v. 1437-06-03, AHPB, Joan Ferrer, *Manual*, 1436, març, 12-1437, novembre, 26, f. 103v. Préstecs en *Mutuum:* 1391-02-17, AHPB, Joan Eiximenis, *Manuale*, 1391, juliol, 27-1393, setembre, 23, f.35v. 1391-08-16, AHPB, Bernat Nadal, *Manual*, 1391, juny, 7-1392, gener, 2, f. 36r. 1391-11-24, AHPB, Joan Eiximenis, *Manuale*, 1391, juliol, 27-1393, setembre, 23, f. 20v. 1391-12-05, AHPB, Joan Eiximenis, *Manuale*, 1391, juliol, 27-1393, setembre, 23. f. 22v. 1395-07-19, AHPB, Bernat Nadal, *Manual*, 1395, maig, 10-1395, novembre, 13, f. 38r. 1399-08-05, AHPB, Pere Granyana, *Manuale duodecimum*, 1399, juliol, 14-1400, desembre 21, f. 7r. 1402-07-19, AHPB, Francesc de Manresa, *Manual*, 1401, setembre, 21-1403, juliol, 4, f. 42r. 1408-09-03, AHPB, Francesc de Manresa, *Sextum Manuale*, 1408, febrer, 4-1409, març, 9, f. 76v. 1408-12-05, AHPB, Bartomeu Guamir, *Manuale secundum*, 1408, novembre, 3-1410, novembre, 19, f. 5r-v. 1409-12-07, AHPB, Joan Ferrer, *Tercium Manuale*, 1409, novembre, 19-1411, maig, 6, f. 7v. 1413-11-10, AHPB, Bernat Pi, *Manual*, 1413, juliol, 24-1414, febrer, 7, f. 53r. 1416-11-24, AHPB, f. 36v. 1420-03-05, AHPB, Gerard Basset, *Manual*, 1419, desembre, 11-1420, maig, 30, f. 26r. 1420-08-03, AHPB, Llorenç de Casanova, *Manual*, 1420, maig, 7-1420, agost, 23, f. 32v. 1421-04-21, AHPB, Tomàs Vives, *Manual*, 1420, maig, 14-1421, abril, 21, f. 42v.

GRÀFIC 2

Conversos deutors i prestamistes dins el crèdit a curt termini

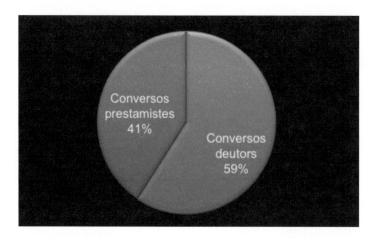

Per tant, observem una gran quantitat de conversos que necessiten finançament a curt termini, però també una part que té prou excedent monetari per poder-lo invertir en el mercat del crèdit. També hem de tenir en compte que gran part dels diners aconseguits mitjançant un préstec d'aquestes característiques era destinada a fer petites inversions o per al propi negoci —tema que tractarem en profunditat més endavant— i que, per tant, a més de la necessitat d'endeutament d'aquests conversos aquesta demanda de crèdit també ens indica un paper actiu en l'economia per la seva part.

Queda clar, doncs, que una part important dels conversos acudia al mercat del crèdit com a demandants i no com a prestamistes. Van passar de ser grans proveïdors de crèdit a ser demandants. En el gràfic de la pàgina següent podem veure quin percentatge de conversos, jueus i cristians de natura actuaven com a prestamistes en els crèdits a curt termini en què intervenien conversos.

En noranta-cinc casos els conversos actuarien com a prestamistes mentre que en vuitanta-nou eren cristians de natura els qui realitzaven el préstec. Pel que fa a la presència jueva com a font de crèdit en la societat conversa veiem que era pràcticament inexistent amb tan sol un cas. Observem, doncs, com tot i perdre quota els conversos continuen tenint una presència considerable, tot i que els cristians de natura guanyaren terreny. Si filem més prim i agrupem els contractes de préstec a curt termini, relacionant prestamistes i deutors segons la seva condició religiosa veurem clarament qui eren majoritàriament els proveïdors de crèdit dels conversos (gràfic plana següent). Observem com en vuitanta-nou dels casos eren cristians de natura els que prestaven diners a conversos que ho necessitessin i en quaranta-sis casos foren altres conversos els que els proveïren de crèdit. D'altra banda, tan sols quaranta-set cristians de natura van demanar crèdit a conversos.

GRÀFIC 3

Condició religiosa dels prestamistes en deutes a curt termini

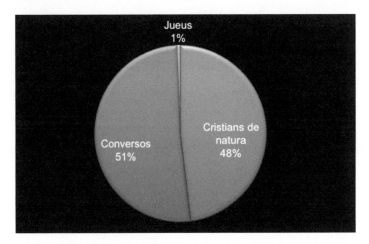

Durant l'edat mitjana quan hom necessitava una quantitat de diners no gaire alta —ja fos per necessitat vital o per realitzar una petita inversió— el primer pas era acudir al cercle familiar per tal d'evitar el lucre excessiu dels prestamistes aliens. En cas de no aconseguir-ho, el futur deutor acudia a les seves amistats més pròximes. Si ningú del seu cercle comptava amb un excedent de numerari per poder-li prestar, hom buscava algú fora del seu cercle íntim que li pogués prestar la quantitat desitjada. Llavors, hom feia ús dels serveis d'un corredor perquè el posés en contacte amb algú que li pogués prestar els diners.

Gràfic 4

Préstecs en què participen conversos

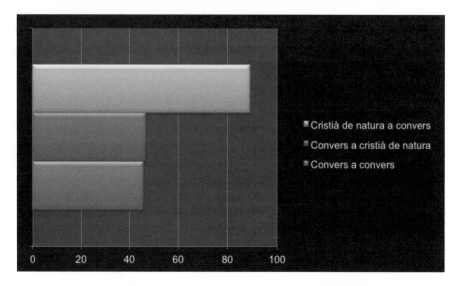

- Cristià de natura a convers
- Convers a cristià de natura
- Convers a convers

Observem aquí un clar canvi de tendència de la relació dels conversos amb el crèdit respecte a quan eren jueus. Segons els estudis realitzats per Anna Rich[15] sobre la comunitat jueva de Barcelona, els jueus solien demanar pocs crèdits a cristians de natura, majoritàriament a llarg termini —censals morts i violaris— i d'altes quantitats que eren utilitzades, en la seva majoria, per a proveir-se de numerari que posteriorment prestarien. Ara, en canvi, comptabilitzem un gran nombre de conversos com a deutors de préstecs a curt termini —majoritàriament en el model de comanda dipòsit— i molt pocs, com veurem més endavant, a llarg termini. Ens trobem, llavors, amb un considerable nombre de conversos que necessiten crèdit immediatament —les raons ja les esbrinarem més endavant— els proveïdors dels quals resulten ser majorment els cristians de natura, que eludeixen completament els jueus i recorren poques vegades als seus correligionaris conversos.

D'altra banda, és palès també el gir de cent vuitanta graus que es produeix en el paper dels cristians de natura en els contractes a curt termini en el qual participen conversos respecte dels mateixos contractes quan eren jueus. En els contractes a curt termini en els quals

15.   A. Rich Abad: *La comunitat jueva...*

participaven jueus i cristians de natura abans de 1391, els cristians apareixien en gran nombre com a demandants de crèdit.[16]

Tanmateix observem com hi ha un gran nombre de pagaments fets a conversos durant els primers anys després dels avalots de 1391. La majoria d'aquests deutes eren de cristians de natura i segurament corresponien a préstecs fets pels conversos quan encara eren jueus i per tant abans de 1391. Aquesta dada ens indica com, tot i la demora concedida pel rei al pagament de deutes a conversos, aquests intenten cobrar el més ràpid possible les quantitats degudes per tal d'aconseguir emoluments que els permetin estabilitzar la seva precària economia ocasionada pels avalots i les seves conseqüències.

ELS PRESTAMISTES

Un cop hem analitzat generalment el paper dels conversos en el mercat del deute a curt termini, profunditzarem ara en qui eren els prestamistes que actuaven en els contractes de deute on hi havia involucrats conversos. Per tal de facilitar l'anàlisi de les dades hem dividit els prestamistes en funció de la condició religiosa del seu deutor. Tenim per tant tres grups: prestamistes cristians de natura que presten a conversos, prestamistes conversos que presten a cristians de natura i conversos que presten a conversos. Les dades que hem utilitzat han sigut la professió dels prestamistes i la seva assiduïtat en el mercat del crèdit. Hem de tenir en compte que en el cas dels conversos no sempre se'ns indica en els documents notarials quina era la seva professió, ja que la menció a la seva condició de convers ja se suposava suficient per tal d'identificar-los.[17]

PRÉSTECS FETS PER CRISTIANS DE NATURA A CONVERSOS

Comencem, doncs, amb els prestamistes cristians de natura que deixaven diners a conversos. Com podem observar en el gràfic que mostrem a continuació, la professió majoritària dels prestamistes cristians de natura era la de mercader (quaranta-un casos). Aquesta era seguida per la d'oficials reials (cinc casos). Veiem, doncs, com els conversos barcelonins acudien principalment a mercaders cristians de natura per tal de proveir-se de crèdit. Els mercaders eren grans proveïdors de

---

16. A. RICH ABAD: *La comunitat jueva...*

17. La referència a l'ofici dels participants en un document notarial, igual que a la filiació, es feia amb la intenció de poder identificar posteriorment la persona que fermava el document i que no hi hagués cap dubte de qui era.

crèdit tant a la Corona d'Aragó com a la resta d'Europa, ja que eren els que disposaven de grans quantitats d'emolument per a invertir en crèdits. En l'estudi sobre el crèdit a la València medieval fet per Marsilla es pot observar clarament com els mercaders dominen el mercat del crèdit per les mateixes raons.[18] Els mercaders veien en el crèdit una inversió en la qual podien guanyar diners d'una manera relativament segura, tot i que havien de comptar que tindrien una part del capital aturat durant un cert temps, i, per tant, hi participaven activament.[19] El que sobta, però, és que en el cas de Barcelona els mercaders solien invertir en censals morts i violaris; tanmateix, i com veurem en l'apartat corresponent als préstecs de llarg termini, quan el deutor és convers prefereixen utilitzar el format de comanda.

Gràfic 5

Oficis dels prestamistes cristians de natura

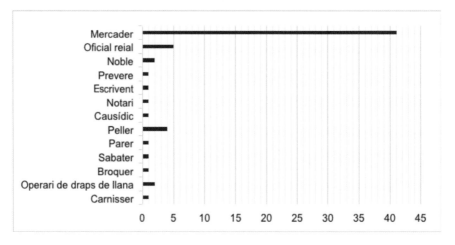

Com ja hem indicat abans, el model de préstec mitjançant comanda era el preferit pels prestamistes quan el deutor era de la mateixa religió, puix que el seu format permetia amagar el vertader lucre cobrat. La necessitat de crèdit per part dels conversos devia veure's com una bona oportunitat per poder invertir petites quantitats en préstecs per tal de treure'n un atractiu rendiment. Els crèdits a curt termini tenien l'avantatge que el prestamista recuperava la seva inversió en un

---

18. Vegeu J. V. García Marsilla: *Vivir a crédito...*
19. Claude Carrère: *Barcelona 1380-1462. Un centre econòmic en època de crisi*, 2 volums, ed. Curial, Barcelona, 1978.

temps relativament curt i de seguida en cobrava els beneficis. Per tant, a diferència dels censals i els violaris, el capital invertit quedava poc temps aturat i de seguida tornava al cicle de negoci.[20]

Pel que fa a la continuïtat dels prestamistes cristians de natura en el mercat del crèdit convers, hem observat que en la majoria dels casos aquests prestamistes realitzen un o dos préstecs; són, per tant, inversions esporàdiques i cal descartar una dedicació continuada en el mercat del crèdit convers. En el cas de les comandes sí que detectem algunes repeticions de prestamistes cristians de natura que deixen diners a conversos. En canvi, en el cas dels *mutuum* tots els cristians de natura prestamistes tan sols realitzen un préstec cadascun. D'altra banda, tots els prestamistes que realitzaren més d'un contracte de deute eren mercaders. Qui més va realitzar préstecs fou Martí de Leredo,[21] amb un total de quatre contractes de comanda. El segueixen amb tres cadascun Berenguer Martí[22] i Joan Navarro.[23] Aquestes dades també ens indiquen que els conversos no tenien una predilecció per un prestamista en particular, ans al contrari, ja que la varietat de prestamistes cristians de natura és ben palesa.

Pel que fa a les quantitats demanades hi trobem un ampli ventall que va des dels trenta-tres sous que Martí d'Eredo, mercader, ciutadà de Barcelona, prestà a Pere Soler, convers, coraler, ciutadà de Barcelona;[24] fins a les 250 lliures que el mercader Jaume de Premià, ciutadà de Barcelona, prestà en comanda als corredors conversos Jaume Pujades i Guillem Sunyer.[25]

Les quantitats més altes prestades, seguides de la que va fer Jaume de Prixana, foren les realitzades per Berenguer Martí, mercader barceloní,

20. Les inversions en censals morts i violaris fetes per part de mercaders feia que una considerable part del capital quedés aturat i apartat del mercat, impedint per tant crear activitat econòmica. Vegeu C. Carrère: *Barcelona 1380-1462...*

21. AHPB, Pere Granyana, *Manuale quintum decimum*, 1403, desembre, 17-1404, desembre, 24, f. 6v. AHPB, Pere Granyana, *Manuale sextum decimum*, 1404, desembre, 27-1406, desembre, 24, f. 23r. AHPB, Pere Granyana, *Manuale sextum decimum*, 1404, desembre, 27-1406, desembre, 24, f. 23r. AHPB, Pere Granyana, *Manuale sextum decimum*, 1404, desembre, 27-1406, desembre, 24, f. 96v.

22. AHPB, Bernat Nadal, *Manual*, 1391, juny, 7-1392, gener, 2, f. 88r; AHPB, Bernat Nadal, *Manual*, 1391, juny, 7-1392, gener, 2, f. 44v; AHPB, Bernat Nadal, *Manual*, 1391, juny, 7-1392, gener, 2, f. 41v.

23. AHPB, Antoni Brocard, *Manuale comune secundum*, 1411, juny, 17-1412, abril, 16, f. 89v, 1412/03/26, AHPB, Antoni Brocard, *Manuale comune secundum*, 1411, juny, 17-1412, abril, 16, f. 97v, 1412/04/06, AHPB, Antoni Brocard, *[Manuale] undecimum*, 1416, desembre, 2-1417, maig, 11, f. 6r, 1416/12/07.

24. AHPB, Pere Granyana, *Manuale sextum decimum*, 1404, desembre, 27-1406, desembre, 24, f. 23r. 1405-04-8.

25. AHPB, Bernat Nadal, 1397, agost, 1-1398, gener, 4, f. 41r. 1397-11-11.

totes com a comanda dipòsit: 178 lliures, deu sous i vuit diners prestats a Gabriel Desvall, seder, convers, abans dit Jucefde Prades, fill de Lluís d'Averoc, convers, abans anomenat Vidal de Prades, seder, ciutadans de Barcelona;[26] i les 137 lliures i quatre sous que prestà als conversos Bernat Guanter, abans anomenat Bonhjuha Dellell, i Berenguer Martí, abans Astruc Bonjuha Dellell, fill seu, seders i ciutadans de Barcelona.[27] Destaquen encara tres préstecs en comanda més. Un de cent lliures realitzat per Pere Català, sastre del rei, ciutadà de Barcelona, a Pere de Passavant, convers, corredor d'orella, ciutadà de la mateixa ciutat.[28] I un altre de noranta-cinc lliures fet per Garcia d'Estela, tintorer, ciutadà de Barcelona, a Pere Marcel, convers, llautoner, ciutadà de la mateixa ciutat.[29]

Totes aquestes quantitats eren segurament destinades a fer inversions de certa envergadura, molt probablement comandes marítimes. Com hem vist, tret de Garcia d'Estela, les quantitats més altes van ser prestades per mercaders i oficials reials. Cal destacar les antigues relacions que aquests conversos tenien amb la corona i els seus oficials abans de la seva conversió. Aquest fet explicaria que acudeixin a ells per demanar importants sumes, tal com ja passava amb els jueus abans de 1391.

A l'altre extrem trobem les quantitats més baixes, demanades normalment per tal de cobrir una necessitat de supervivència o per tal de cobrir unes despeses inesperades en el propi negoci. El préstec més baix realitzat per un cristià de natura a un convers que hem recollit en aquest estudi, com hem dit abans, va ser el de Martí d'Eredo, mercader barceloní, al coraler convers Pere Soler, ciutadà de Barcelona, de trenta-tres sous.[30] El segueix el fet per Arnau Martí, broquer, ciutadà de Barcelona a Gonsalb Trenxer, convers, coraler, ciutadà de la mateixa ciutat, de trenta-set sous en comanda.[31]

Dins d'aquests préstecs de poca quantitat ens ha sobtat un seguit de préstecs en comanda que ronden al voltant dels quaranta sous i que van ser demanats a cristians de natura majorment per coralers. Gon-

---

26. AHPB, Bernat Nadal, *Manual*, 1391, juny, 7-1392, gener, 2, f. 44v. 1391-09-04.
27. AHPB, Bernat Nadal, *Manual*, 1391, juny, 7-1392, gener, 2, f. 88r. 1391-12-06.
28. AHPB, Pere Granyana, *Manuale nonum decimum*, 1410, febrer, 26-1411, gener, 26, f. 94r, 1410-04-02.
29. AHPB, Guillem Andreu, *Octavum manuale*, 1398, març, 2-1400, març, 13, f. 118v, 1399-10-03.
30. AHPB, Pere Granyana, *Manuale sextum decimum*, 1404, desembre, 27-1406, desembre, 24, f. 23r. 1405-04-08.
31. AHPB, Pere Granyana, *Manuale duodecimum*, 1399, juliol, 14-1400, desembre, 21, f. 33r, 1400-01-05.

salb Trenxer va rebre, el 5 de gener de 1400, trenta-set sous en préstec comanda per part d'Arnau Martí, broquer, ciutadà de Barcelona.[32] A aquest exemple el segueixen, per quantitat, quatre préstecs més, tots ells a coralers. Quaranta sous prestats per Guillem Larc, mercader, a Pere Soler, convers, coraler, l'11 de desembre de 1398.[33] Tres mesos després, el mateix Pere Soler, juntament amb el sabater convers Jaume Bonac, demanarien un préstec en comanda al mercader Pere Magri.[34] El mateix cas es repeteix amb un altre coraler, Joan Garcia. L'11 de maig de 1411, el convers coraler Joan Garcia demanà en préstec comanda a Guillem dels Arcs, causídic, quaranta-quatre sous.[35] Un any després, el mateix Joan demanaria la mateixa quantitat a un altre cristià de natura, el mercader Joan Pujol.[36]

Ja hem indicat abans que aquests préstecs de quantitats tan baixes se solien fer en cas d'una imperiosa necessitat de supervivència, ja fos pel bàsic fet de comprar menjar o per intentar tapar el dèficit econòmic del taller d'un artesà, per exemple. És a dir, evidenciarien una situació paupèrrima. Tanmateix, aquests coralers, tal com evidencia la documentació notarial, tenien una activa participació en els negocis de la seva professió i no sembla que la seva situació econòmica fos delicada. Segurament, aquest tipus de deute estava relacionat amb la seva professió.

Situació geogràfica del deute

La immensa majoria dels prestamistes cristians de natura que prestaren diners a curt termini a conversos barcelonins eren ciutadans de Barcelona i, per tant, estaven ubicats en aquesta ciutat. Tanmateix, hi ha casos en què els conversos barcelonins acudien a cristians de natura que vivien fora de la ciutat de Barcelona. D'entre aquests una part estaven instal·lats molt a prop de Barcelona. És el cas de Pericó Puig, carnisser, ciutadà de Manresa, que, el 5 de març de 1415, prestà en comanda catorze lliures i set sous a Simó Sala, mercader, convers, ciutadà de Cervera, i a Jaume Sabater, també convers, mercader barce-

---

32. AHPB, Pere Granyana, *Manuale duodecimum*, 1399, juliol, 14-1400, desembre, 21, f. 33r.

33. AHPB, Jaume de Trilla, *Manual*, 1398, febrer, 21-1399, desembre, 4, f. 66v.

34. AHPB, Jaume de Trilla, *Manual*, 1398, febrer, 21-1399, desembre, 4, f. 78r. 1399-02-27.

35. AHPB, Bartomeu Guamir, *Manuale quartum*, 1412, març, 12-1413, maig, 9, f. 33r-v, 1412-05-11.

36. AHPB, Joan Franc, major, *Secundum manuale*, 1413, gener, 23-1414, febrer, 16, f. 34v. 1413-05-08.

loní.[37] Un altre cas és el d'Antoni Riera, mercader, ciutadà de Cardona, que prestà cinquanta-cinc sous a Gonsalb Trenxer, convers, coraler, i al seu fill Lluís Tranxer, teixidor de vels, ambdós ciutadans de Barcelona.[38] En altres casos, hom acudia a poblacions molt més allunyades de Barcelona, possiblement fent ús dels seus contactes professionals. Per exemple, trobem el prestamista Pere Mateu, veí de Girona,[39] i també Joan de Valdemia, també veí de la mateixa ciutat.[40] Altres vegades, hom acudia a poblacions encara més allunyades com per exemple Perpinyà.[41] Aquests nuclis allunyats de Barcelona on els conversos es proveïen de crèdit destaquen per albergar importants comunitats jueves que mantenien contacte, abans de 1391, amb famílies jueves de Barcelona. Així, molt probablement, els conversos que acudien a aquestes poblacions en cerca de crèdit aprofitaven els contactes amb els seus antics correligionaris, o bé eren contactes propis que en un passat havien fet.

PRÉSTECS DE CONVERS A CONVERS

En el cas dels préstecs a curt termini entre conversos, la modalitat que predomina clarament és la de comanda dipòsit (quaranta-dos casos) enfront del *mutuum* (sis casos). D'altra banda, i com ja havíem apuntat abans, els préstecs entre conversos són inferiors als de cristià de natura a convers. Això evidencia com de tocada havia quedat, econòmicament parlant, la societat conversa a causa de l'espoli a què fou sotmesa.

Primerament, i com ja hem dit abans, hem de tenir present que en molts casos l'ofici dels conversos no ens és donat ja que s'entén que amb l'esmentat qualificatiu ja n'hi havia prou per identificar-los. A diferència dels prestamistes cristians, i contradient el que a priori podríem pensar, el perfil socioeconòmic majoritari de prestamistes conversos que presten a altres conversos correspon a oficis artesans, i són minoritaris per tant els mercaders i els corredors d'orella (quatre casos cadascun en comandes i en *mutuum*).[42] Els oficis majoritaris

37.   AHPB, Francesc de Manresa, *Manual*, 1414, juliol, 31-1415, novembre, 7, f. 57v.

38.   AHPB, Vicenç Bofill, *Manual*, 1420, abril, 16-1422, novembre, 24, s.f. 1421-04-12.

39.   AHPB, Pere Rovira, *Manuale septium*, 1415, setembre, 2-1417, juliol, 20, f. 52v-53r. 1416-05-21.

40.   AHPB, Arnau Piquer, *Manual*, 1399, gener, 2-1399, desembre, 24, f. 126v. 1399-11-20.

41.   AHPB, Mateu Ermengol, *Primum capibrevium*, 1400, maig, 24-1403, juny, 16, f. 162r-v. 1403-05-29.

42.   Mercaders: AHPB, Llorenç Masó, *Llibre comú*, 1394, gener, 27-1396, agost, 11, f. 81r. 1396-02-15. Francesc de Manresa, *Manual*, 1409, març, 10-1410, maig, 31,

dels prestamistes conversos proveïdors de crèdit d'altres conversos són dauers (vuit casos),[43] pellers (sis casos)[44] i teixidors de vels (cinc casos).[45]

Ens trobem, per tant, amb un artesanat convers amb prou excedent monetari per poder destinar-lo al mercat del crèdit a curt termini amb altres conversos com a demandants. D'altra banda, l'absència d'un nombre de mercaders prou significatiu que actuessin com a prestamistes d'altres conversos ens porta a pensar en uns mercaders més interessats a destinar el seu capital a la realització de negocis i no córrer riscos en préstecs a correligionaris amb una economia si no precària, amb prou risc per dubtar de les seves garanties.

Segons les dades recollides en aquest estudi, sembla que no hi havia cap prestamista convers que s'especialitzés en préstecs a altres conversos i ho convertís en una activitat continuada.[46] La immensa majoria d'aquests prestamistes realitzen un o dos préstecs a altres conversos. Només hi ha una excepció, el dauer convers Arnau Raudòs, que realitzà tres préstecs amb quantitats superiors als cinquanta sous: un de seixanta-dos sous al també dauer Bernat de Cadevila, l'1 de febrer

---

f. 106r. 1410-02-06. Pere Pellisser, *Manuale*, 1414, juliol, 2-1415, juny, 26, f. 62r. Gerard Basset, *Manual*, 1419, desembre, 11-1420, maig, 30, f. 26, 1420-03-05. Corredors d'orella: AHPB, Bernat Nadal, *Manual*, 1391, juny, 7-1392, gener, 2, f. 74v, 1391-11-14; Pere Granyana, *Manuale sextum decimum*, 1404, desembre, 27-1406, desembre, 24, f. 135v-136r, 1405/10/20; Bernat Pi, *Manuale comune*, 1415, setembre, 3-1416, febrer, 20, f. 15r, 1415/10/21; Bernat Pi, *Manual*, 1416, febrer, 20-1416, agost, 1, f. 64v, 1416/06/12.

43. AHPB, Jaume de Trilla, *Manual*, 1398, febrer, 21-1399, desembre, 4, f. 1r. 1398/02/21. Jaume de Trilla, *Manual*, 1398, febrer, 21-1399, desembre, 4, f. 72r, 1399/01/20. Jaume de Trilla, *Manual*, 1398, febrer, 21-1399, desembre, 4, f. 74v, 1399-02-01. Jaume de Trilla, *Manual*, 1398, febrer, 21-1399, desembre, 4, f. 76r, 1399-02-15. Jaume de Trilla, *Manual*, 1398, febrer, 21-1399, desembre, 4, f. 76v, 1399/02/17. Jaume de Trilla, *Manual*, 1398, febrer, 21-1399, desembre, 4, f. 94v, 1399-05-10. Pere de Pou, *Quintum manuale*, 1400, desembre, 30-1404, novembre, 17, f. 51r, 1404-03-03. Gabriel Terrassa, *Manuale quartum*, 1412, gener, 2-1413, juliol, 6, f. 42v, 1421-04-21.

44. AHPB, Llorenç Masó, *Llibre comú*, 1394, gener, 27-1396, agost, 11, f. 25r, 1395-10-01. Pere Pellisser, *Manual*, 1396, març, 3-1397, novembre, 21, f. 15r, 1396-07-29. Pere Pellisser, *Manual*, 1396, març, 3-1397, novembre, 21, 29v, 1397-07-09. Bernat Pi, *Tercium manuale comune*, 1411, octubre, 12-1412, maig, 26, f. 56v, 1412-01-30. Antoni Brocard, *Manuale comune [nonum]*, 1415, agost, 30-1416, març, 30, f. 76v, 1416-01-31. Joan Pedrol, *Manuale quartum notularum omnium instrumentorum*, 1423, novembre, 13-1426, juny, 25, f. 35r, 1424/06/08.

45. AHPB, Guillem Andreu, *Octavum manuale*, 1398, març, 2-1400, març, 13, f. 25, 1398-06-18. Guillem Andreu, *Octavum manuale*, 1398, març, 2-1400, març, 13, f. 46r, 1398/10/21. Jaume de Trilla, *Manual*, 1398, febrer, 21-1399, desembre, 4, f. 116r, 1399-08-00. Jaume de Trilla, *Manual*, 1398, febrer, 21-1399, desembre, 4, f. 128v, 1399-11-09. Joan Ferrer, *Tercium manuale*, 1409, novembre, 19-1411, maig, 6, f. 36r, 1405/10/03.

46. Amb això no volem dir, però, que aquests conversos no es dediquessin de manera permanent al món del crèdit en general; conclusió a la qual arribarem més endavant quan tractem els préstecs de convers a cristià de natura.

de 1399;[47] cent deu sous a Pere Mut, cordoner convers, habitant de Barcelona, el 17 de febrer de 1399;[48] i seixanta-sis sous a Pere Larmona, teixidor de vels de seda, el 20 de gener de 1399.[49] En general, els conversos que prestaven a altres conversos ho feien de manera esporàdica i ocasional, potser motivats per raons de solidaritat.

Gràfic 6

Oficis dels prestamistes conversos que presten a conversos

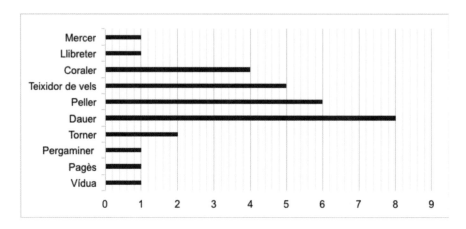

Tal com podem observar en el gràfic que mostrem a continuació, els deutors conversos demandants de crèdit a altres conversos pertanyien en la seva immensa majoria a l'artesanat i eren pocs els mercaders[50] i corredors[51] que recorrien als seus correligionaris per tal d'aconseguir finançament. Dins de l'artesanat destaquen, i molt, els coralers, en total tretze casos.

---

47. AHPB, Bernat Nadal, *Decimum manuale*, 1392, juliol, 11-1393, gener, 23, f. 91v.
48. AHPB, Llorenç Masó, *Llibre comú*, 1394, gener, 27-1396, agost, 11, f. 23v.
49. AHPB, Bernat Nadal, *Manual*, 1394, novembre, 14-1395, maig, 9, f. 99r.
50. AHPB, Jaume de Trilla, *Manual*, 1398, febrer, 21-1399, desembre, 4, f. 116r; Pere Pellisser, *Manual*, 1415, juliol, 2-1415, juny, 26, f. 128v; Bernat Pi, *Manual*, 1416, febrer, 20-1416, agost, 1, f. 64v.
51. AHPB, Bernat Nadal, *Manual*, 1391, juny, 7-1392, gener, 2, f. 74v; Jaume de Trilla, *Manual*, 1398, febrer, 21-1399, desembre, 4, f. 76r; Bernat Pi, *Tercium manuale comune*, 1411, octubre, 12-1412, maig, 26, f. 56v; Bernat Pi, *Manuale comune*, 1415, setembre, 3-1416, febrer, 20, f. 72v.

GRÀFIC 7

Professions de deutors conversos prestataris d'altres conversos

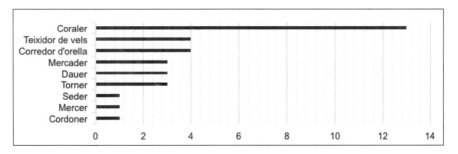

Pel que fa a l'assiduïtat dels deutors conversos a demanar crèdit a altres conversos, observem que la majoria dels deutors demanen —o més aviat aconsegueixen— esporàdicament crèdit dels seus correligionaris. Tan sols destaca el cas del coraler convers Gonsalb Trenxer, que demanà diners a altres conversos —sempre diferents prestamistes— fins a tres cops: catorze lliures a Bernat Canals, peller de Barcelona;[52] onze lliures i vuit sous a Daniel Alella, mercader;[53] i set lliures i setze sous a Francesc Bertran, corredor d'orella,[54] tots ciutadans de Barcelona.

Tret de dos casos —Guillem de Blancs, ciutadà de València,[55] i Nicolau Gener, ciutadà de Tarragona[56]— tots els conversos prestamistes de conversos barcelonins eren ciutadans de Barcelona. El circuit del crèdit entre conversos, doncs, quedaria tancat a la ciutat de Barcelona. Segons el que hem vist fins ara, en cas de necessitat de crèdit els conversos acudirien als seus correligionaris de la seva mateixa ciutat; si no ho aconseguien recorrien als cristians de natura, també barcelonins, però no a conversos d'altres ciutats tot i tenir-hi contacte. Aquest fet podria indicar una urgència en la necessitat del crèdit. El que importava era aconseguir els diners.

Pel que fa a les quantitats la majoria dels deutes són iguals o inferiors als dos-cents sous, i dins d'aquests gran part ronden els cin-

52. AHPB, Antoni Brocard, *Manuale comune [nonum]*, 1415, agost, 30-1416, març, 30, f. 6r.

53. AHPB, Pere Pellisser, *Manuale*, 1414, juliol, 2-1415, juny, 26, f. 69r.

54. AHPB, Pere Granyana, *Manuale sextum decimum*, 1404, desembre, 27-1406, desembre, 24, f. 58r.

55. AHPB, Llorenç Masó, *Llibre comú*, 1394, gener, 27-1396, agost, 11, f. 67r.

56. AHPB, Jaume de Trilla, *Manual*, 1398, febrer, 21-1399, desembre, 4, f. 49v.

quanta sous. El deute més baix registrat va ser demanat pel coraler convers Guillem de Tous a Blanca, conversa, vídua de Gabriel Saiol, ciutadà de Barcelona, i constava de nou sous i sis diners.[57] Pel que fa als casos amb més quantitat prestada hem registrat cinc deutes en comanda superiors als mil sous, i els més quantiosos són: cinc mil sous prestats per Mateu d'Avinyó, convers, corredor d'orella, als seus cunyats Joan i Jaume de Quer, mercaders de la mateixa ciutat,[58] i dos préstecs de tres mil sis-cents sous realitzats pel pagès convers Rafael de Montesa, ciutadà de Barcelona, a Joan Torró i Guillem Pelegrí, conversos de la ciutat.[59]

En resum, tant els prestamistes conversos que prestaven diners a altres conversos, com aquests conversos pertanyien en la seva immensa majoria a l'artesanat barceloní. Ens trobaríem, per tant, amb alguns membres artesans conversos barcelonins amb prou capacitat econòmica —i prou capacitat de risc— que proveirien de crèdit els seus correligionaris. D'altra banda, trobem un grup d'artesans conversos que necessitarien finançament i que acudirien en primera instància als seus correligionaris, que alhora també serien artesans. Els motius de la seva demanda de crèdit —quantitats menors als dos-cents sous en la seva majoria— estarien molt probablement relacionats amb la continuïtat i recuperació del seu ofici.

PRÉSTECS FETS PER CONVERSOS A CRISTIANS DE NATURA

A diferència del que succeïa amb els préstecs de conversos a conversos, en el cas dels préstecs a curt termini realitzats per conversos i dirigits a cristians de natura els mercaders i corredors eren els principals proveïdors (nou i cinc casos respectivament). Els segueixen de prop els dauers, quatre casos, i els sastres, tres casos. Els altres prestamistes conversos amb una professió artesana actuen tan sols un cop com a proveïdors de crèdit a cristians de natura.

---

57. AHPB, Tomàs Vives, *Quartum manuale*, 1416, juny, 23-1419, abril, 8, f. 113v.
58. AHPB, Bernat Pi, *Manual*, 1416, febrer, 20-1416, agost, 1, f. 64v.
59. AHPB, Jaume de Trilla, *Manual*, 1398, febrer, 21-1399, desembre, 4, f. 103v.

GRÀFIC 8

Oficis de conversos prestamistes de cristians de natura

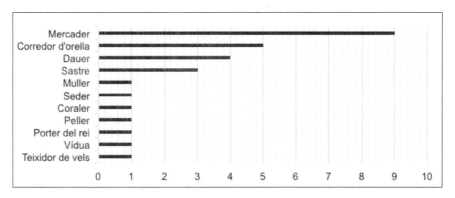

Trobem, per tant, un reduït nombre de mercaders i corredors conversos que dediquen part del seu capital a la inversió en deute a curt termini tenint com a deutors cristians de natura. La diferència d'aquesta tendència en comparació amb els préstecs realitzats per conversos a altres conversos potser la trobem en les garanties de retornar el crèdit i en la tranquil·litat moral de cobrar un interès i un lucre elevat a qui mai va ser correligionari seu. Ja hem dit abans que el crèdit era entès com una inversió de la qual es podia treure un benefici i per això es corria un risc comprometent part del capital.

També hem fet referència que la situació econòmica de molts conversos, en els seus inicis, era precària i per tant el risc d'impagament era probablement alt en molts d'aquests casos. D'altra banda, un cert nombre de conversos tindria prou excedent de capital per realitzar inversions en deute privat, sempre però reduint els riscos en la possible mesura.

D'altra banda, tot i la seva conversió, els costums seguits pels conversos quan encara eren jueus eren difícils d'ignorar de la nit al dia. Recordem que segons el deuteronomi, cap jueu podia cobrar un interès a un altre jueu, tal com passava entre cristià i cristià. Òbviament, i com també passava entre cristians, els prestamistes jueus cobraven un interès als seus correligionaris però sempre dins uns límits. Els jueus barcelonins,[60] com també els valencians,[61] preferien realitzar préstecs a cristians de natura que als seus correligionaris, tot i tenint en compte que el mercat dels cristians de natura era molt més ampli que el jueu.

---

60. Vegeu A. Rich Abad: *La comunitat jueva...*
61. Vegeu J. V. Garcia Marsilla: *Vivir a crédito...*

Tal com podem observar en el gràfic que mostrem a continuació, la varietat d'oficis dels deutors cristians de natura en préstecs fets per conversos era molt heterogènia. Tot i que unitàriament mercaders i corredors van ser els que més préstecs van demanar, els artesans —dins del segment dels cristians de natura— van ser els que més van acudir als conversos en cerca de crèdit. Per tant, el perfil del deutor era artesà i —com veurem a continuació— amb necessitat de poca quantitat d'emolument. Juntament amb ells es trobarien els pagesos, els quals acudirien a la ciutat en cerca de crèdit i anirien a raure als conversos, segurament a aquells que quan eren jueus es dedicaven al crèdit de manera més assídua.[62]

A l'altre extrem trobem oficials reials, eclesiàstics, nobles i mercaders que acudirien als conversos en cerca d'altes quantitats de crèdit. Les sumes prestades a aquest segment de la població —com veurem més avant— eren molt elevades i segurament els prestamistes conversos que accedien a prestar aquestes quantitats eren els que en temps que eren jueus eren proveïdors habituals de crèdit a la corona, l'Església i la noblesa. Per tant, alguns pocs conversos continuen mantenint les seves parcel·les de poder dins del món del crèdit.

També en aquest cas els préstecs realitzats per conversos a cristians de natura eren de caràcter ocasional. Tanmateix, destaquen dos casos en els quals s'aprecia una certa continuïtat en el mercat del crèdit a curt termini.

Un d'ells era el ja conegut dauer Antoni Rosar, al qual també hem vist com a proveïdor més o menys assidu als préstecs a conversos. Entre 1399 i 1401 realitzà quatre préstecs en comanda a cristians de natura, tots ells de baixa quantitat, vint-i-set sous i sis diners a Miquel Verdaguer, mestre de cases;[63] un de seixanta-cinc sous a Nicolau Puig, pagès, i la seva muller Saurina;[64] cinquanta-cinc sous a Nicolau Puig, rajoler,[65] i quaranta-quatre sous a Jaume Pineda, sastre.[66]

---

62. Tant en el cas de Barcelona com en el de València, els jueus concentraven els crèdits dels camperols i aquesta va esdevenir, en certa manera, una de les seves especialitats. Per a més informació consulteu les obres citades en les dues notes anteriors.

63. AHPB, Pere de Pou, *Quintum manuale*, 1400, desembre, 30-1404, novembre, 17, f. 16r. 1401-03-13.

64. AHPB, Jaume de Trilla, *Manual*, 1398, febrer, 21-1399, desembre, 4, f. 88v. 1399-03-30.

65. AHPB, Jaume de Trilla, *Manual*, 1398, febrer, 21-1399, desembre, 4, f. 72r. 1399-01-20.

66. AHPB, Jaume de Trilla, *Manual*, 1398, febrer, 21-1399, desembre, 4, f. 109v. 1399-07-17.

GRÀFIC 9

Oficis dels deutors cristians de natura en préstecs fets per conversos

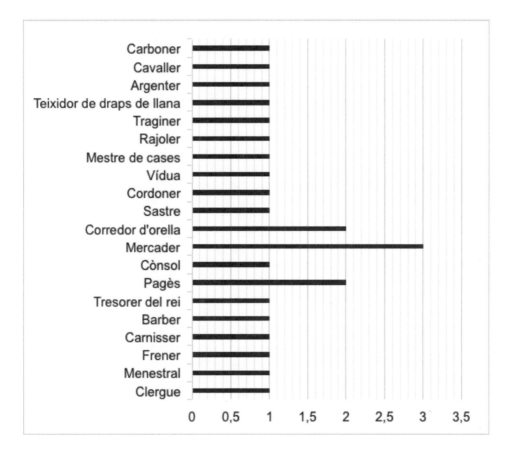

L'altre cas, encara més clar, és el corresponent als germans mercaders Jaume i Joan Sabater, provinents d'una família de mercaders conversos amb molta activitat a la ciutat de Barcelona que havien aconseguit fer fortuna tot i les dificultats. Les quantitats invertides en préstecs a curt termini per aquests dos germans eren més elevades que les realitzades per Antoni Rosar —i que l'artesanat en general— però tampoc era un emolument destacable, amb alguna excepció. Jaume Sabater centrà la seva activitat creditícia entre 1408 i 1410, i realitzà fins a quatre préstecs a diferents personatges cristians de natura. La quantitat més petita, vint-i-set sous i sis diners, la prestà en comanda a Antoni Puigsestene, menestral barceloní;[67] set lliures i catorze sous a Pere Granell, hostaler;[68] i sis lliures i dotze sous a Joan de Gleiros, carboner.[69] El 5 de novembre de 1411 realitzà un préstec a Antic Vidal, de la parròquia de Sant Martí de Provençana de Barcelona, de cinquanta florins d'or d'Aragó.[70] Pel que fa al seu germà Joan també concentrà la seva activitat en els mateixos anys, realitzant quatre préstecs. Norantatres sous a Alfons Rius, mestre de cases, ciutadà de Barcelona;[71] catorze lliures i disset sous a Berenguer de Plegamans, ciutadà de la mateixa ciutat;[72] seixanta sous i sis diners a Bernat Borràs, de Sant Martí de Provençals,[73] i seixanta-quatre sous a Gabriel Coll, pagès de Barcelona.[74]

La majoria dels préstecs a curt termini realitzats per conversos a cristians de natura eren menors de cent sous (setze casos), seguits pels que es trobaven entre els cent i dos-cents sous (set casos) i els de dos-cents a tres-cents vint (set casos). La quantitat més baixa prestada va ser de catorze sous prestats per la conversa Clara Seda, soltera i habitant de Barcelona, a Palmer de Ferrera, ciutadà de la mateixa ciutat.[75] A aquests els segueixen préstecs també modestos dirigits principalment a artesans i vídues, i són molt minoritaris els mercaders. És en les quantitats superiors a cinc-cents sous quan apareixen els mercaders i oficials reials com a deutors de conversos. Els préstecs de més quantia, dos de dotze mil sous, corresponen al fet per Jaume Sabater, mercader, al clergue Antic Vidal[76] —del qual ja hem parlat unes línies més amunt—, i el realitzat pel convers Marc de Rosanes, corredor d'orella, a Joan Salanja, ciutadà de Barcelona i de professió indeterminada, el 21 de juny de 1399.[77] A aquesta quantitat la segueix la de quatre mil vuit-cents sous prestada pel convers Garriga al cònsol Garcia el

---

67. AHPB, Francesc de Manresa, *Sextum manuale*, 1408, febrer, 4-1409, març, 9, f. 3r-v. 1408-02-06.
68. AHPB, Francesc de Manresa, *Sextum manuale*, 1408, febrer, 4-1409, març, 9, f. 114v. 1408-12-08.
69. AHPB, Francesc de Manresa, *Manual*, 1409, març, 10-1410, maig, 31, f. 130r. 1410-04-25.
70. AHPB, Pere Pellisser, *Manuale*, 1414, juliol, 2-1415, juny, 26, f. 62r. 1414-11-05.
71. AHPB, Francesc de Manresa, *Sextum manuale*, 1408, febrer, 4-1409, març, 9, f. 114r-v. 1408-12-08.
72. AHPB, Francesc de Manresa, *Manual*, 1409, març, 10-1410, maig, 31, f. 85v. 1409-11-28.
73. AHPB, Francesc de Manresa, *Manual*, 1409, març, 10-1410, maig, 31, f. 131r. 1410-05-06.
74. AHPB, Francesc de Manresa, *Manual*, 1409, març, 10-1410, maig, 31, f. 135v. 1410-05-16.
75. AHPB, Joan Ferrer, *Tercium manuale*, 1409, novembre, 19-1411, maig, 6, f. 7v.
76. AHPB, Pere Pellisser, *Manuale*, 1414, juliol, 2-1415, juny, 26, f. 62r. 1414-11-05.
77. AHPB, Guillem Andreu, *Octavum manuale*, 1398, març, 2-1400, març, 13, f. 100r.

Negre.[78] D'aquestes quantitats passem a altres de més baixes: sis-cents setze sous prestats en comanda pel convers Bernat Llança, teixidor de seda, a Arnau Torroella, corredor d'orella, i la seva muller Eulàlia,[79] i sis-cents sous prestats pel mercader convers Jaume Alós al també mercader Guillem Martorell.[80]

Es tracta, per tant, de quantitats modestes dirigides majoritàriament als artesans cristians de natura, i algunes excepcions, amb quantitats destacables, dirigides a oficials reials i mercaders.

Pel que fa a la situació geogràfica del deute, sí que s'observa en aquest cas més diversitat geogràfica per part dels deutors que en els altres casos tractats: Sant Martí de Provençals,[81] Sant Andreu del Palomar,[82] Sant Julià,[83] dos a Sant Boi,[84] Cornellà[85] i Castelló d'Empúries.[86] Veiem, doncs, com es manté el costum per part dels forasters de demanar crèdit als jueus —ara conversos— en cas de necessitat i quan encara no havien establert una xarxa de relacions prou àmplia per conèixer altres prestamistes.[87] Malgrat tot, la majoria dels cristians de natura que demanaven préstecs a curt termini a conversos estaven ubicats a la ciutat de Barcelona.

En resum, els conversos barcelonins participaren àmpliament en el mercat del crèdit a curt termini. Tanmateix, en termes generals, acudien a aquest mercat per tal de proveir-se de crèdit, sense obviar, però, que una part significativa de conversos tenia prou excedent econòmic per poder-lo invertir en aquestes operacions. Analitzant les dades segons la naturalesa dels prestamistes i prestataris hem pogut arribar a la conclusió que els conversos amb necessitats de liquiditat acudeixen principalment a cristians de natura per tal d'aconseguir emolument.

---

78.   AHPB, Guillem Andreu, *Octavum manuale*, 1398, març, 2-1400, març, 13, f. 6r. 1398-03-28.

79.   AHPB, Joan de Caselles, *Secundum manuale*, 1397, setembre, 18-1399, agost, 30, f. 29v. 1397-10-29.

80.   AHPB, Antoni Estapera, *Manual*, 1417, desembre, 30-1419, març, 18, f. 14r, 1418-03-03.

81.   AHPB, Pere Pellisser, *Manuale*, 1414, juliol, 2-1415, juny, 26, f. 62r.

82.   AHPB, Bernat Sans, *Manuale instrumentorum decimum*, 1402, octubre, 31-1403, abril, 24, f. 33v-34r.

83.   AHPB, Llorenç Masó, *Llibre comú*, 1394, gener, 27-1396, agost, 11, f. 82r.

84.   AHPB, Pere Joan Martí, *Manuale*, 1400, març, 14-1403, agost, 2, s.f. AHPB, Pere Claver, *Llibre comú*, 1391, desembre, 7-1393, agost, 20, f. 89r.

85.   AHPB, Llorenç Masó, *Llibre comú*, 1394, gener, 27-1396, agost, 11, f. 58r.

86.   AHPB, Guillem Andreu, *Octavum manuale*, 1398, març, 2-1400, març, 13, f. 6r.

87.   J. V. GARCÍA MARSILLA: "Feudalisme i crèdit a l'Europa medieval", dins Manuel SÁNCHEZ MARTÍNEZ (coord.): *El món del crèdit a la Barcelona medieval*, Barcelona Quaderns d'Història, edita Arxiu Històric de la Ciutat de Barcelona, p. 120.

Una minoria acudeix als seus correligionaris, ignorant els jueus, en la seva immensa majoria de la mateixa ciutat de Barcelona i descartant acudir a prestamistes conversos d'altres ciutats. Hem vist en capítols anteriors com els contactes entre conversos barcelonins i conversos i jueus d'altres indrets continuaren malgrat les conversions i la desaparició de l'aljama. Tanmateix, en cas de necessitat de crèdit no s'acudeix a ells. Sembla que la successió que segueixen els conversos era la següent: en cas de necessitat de crèdit hom acudia als seus contactes de més confiança (familiars i amistats converses), en cas de negativa recorrien directament als prestamistes cristians de natura. Aquest fet ens podria indicar la urgència de percebre aquests diners i la impossibilitat d'esperar a aconseguir-los de prestamistes conversos forans. Les quantitats demanades per conversos —en cap cas desorbitades— semblen ser en la majoria dels casos destinades a fer petites inversions en el comerç i en el propi negoci. A causa de les pèrdues percebudes arran dels avalots, la conseqüent pressió fiscal i la demora en els pagaments dels crèdits per ells concedits en un passat a cristians de natura, els conversos necessitaven capitalitzar-se per tal de tornar a reprendre les seves activitats. Aquests crèdits no els sortien barats, puix que la modalitat de préstec més utilitzada era la de comanda dipòsit, i, per tant, la que més facilitats tenia per ocultar un elevat interès i lucre.

Pel que fa als conversos prestamistes, la major part presta el seu capital a cristians de natura. Una explicació podria ser que aquests tenien més garanties —almenys els primers anys després de 1391— que els conversos de retornar els crèdits. Els crèdits a curt termini eren vistos com inversions que revertien beneficis en un temps relativament curt. Els pocs contractes de préstec amb mercaders conversos com a prestamistes i una majoria d'artesans que dediquen el seu excedent a aquest mercat, ens porten a pensar que els mercaders prioritzaven les inversions en altres negocis —per exemple el comerç internacional— per tal de dinamitzar millor els seus diners i aconseguir un rendiment més alt. Aquests mercaders, per tant, invertirien en crèdits quan el seu excedent econòmic fos prou gran per permetre'ls realitzar operacions de comerç còmodament i alhora prestar capital. D'altra banda, una minoria d'aquests conversos prestamistes que havien mantingut els seus contactes amb personatges i institucions claus en la societat cristiana tenia prou excedent econòmic per continuar esdevenint proveïdors de crèdit amb unes quantitats importants.

El crèdit a llarg termini: els censals morts i els violaris

Tal com hem dit a l'inici d'aquest capítol, la forma de crèdit més estesa durant la baixa edat mitjana era la dels censals morts i els violaris. Els jueus sempre havien estat marginats d'aquest mercat, i apareixen principalment com a deutors de cristians. En el cas de Barcelona, durant el segle XIV, els jueus deutors de crèdit a cristians ho feien mitjançant els contractes de censal mort i violari i amb quantitats elevades.[88] El mateix cas trobem a la ciutat de València on la presència jueva en els contractes a llarg termini és pràcticament nul·la i majoritàriament apareixen com a deutors.[89] Veurem al llarg d'aquest capítol si un cop convertits els jueus aquestes pautes es mantenen o canvien.

Abans d'entrar en matèria, però, cal definir què eren els censals morts i els violaris i quina era la seva estructura. Tant un contracte com l'altre eren en la seva essència instruments de compravenda en què un venedor (deutor) venia a un comprador (prestamista) el dret a cobrar una pensió anual a canvi d'una quantitat de diners; el venedor pot extingir el contracte sempre que torni al comprador el preu que aquell va pagar per la pensió.[90]

La diferència substancial entre el censal mort i el violari era que mentre en el primer el contracte tenia una duració indeterminada, el violari solia durar una o dues vides.[91] Respecte a la seva estructura era molt similar una de l'altra. Per tal de definir l'estructura dels violaris i censals morts seguirem la mostrada per Daniel Rubió i Manuel.[92] El primer que es feia constar era el nom del venedor de la pensió, seguit de la seva professió i el seu lloc de residència. Seguidament s'identificava el comprador de la pensió de la mateixa manera que el venedor. A continuació el venedor expressava les causes que l'impel·lien a fer la venda —aquests motius no sempre s'expressaven— així com la seva autoritat a realitzar el present contracte. En haver identificats els implicats i el motiu de la venda es definia la quantitat de la pensió que hom venia, seguida algunes vegades amb l'interès o for que el comprador percebria (sempre mostrat amb tant per mil). A continuació de la quantitat es definia si es tractava d'un censal mort o d'un violari

---

88. A. Rich Abad: *La comunitat jueva...*, p. 276.
89. J. V. García Marsilla: *Vivir a crédito...*, p. 323 i 328.
90. Arcadi García Sanz: "Origen y fin del fuero de las pensiones censales a sueldo por libra", *Ausa*, 4, 1961-1963, p. 125-126.
91. Daniel Rubió i Manuel: "El circuit privat del censal a Barcelona", dins Manuel Sánchez Martínez (coord.): *El món del crèdit a la Barcelona Medieval*, Barcelona Quaderns d'Història, edita Arxiu Històric de la Ciutat de Barcelona, p. 241.
92. D. Rubió i Manuel: "El circuit privat del censal...", p. 244-247.

—X sous de *censuale mortuum*, o bé X sous de *violario*. En el cas del censal mort hom deixava clar que la renda es venia sense cap firma, fadiga, terç, foriscapi o qualsevol altre dret. Pel que fa al violari es referia a la mateixa causa utilitzant la clàusula *in nuda perceptione*, i indicant a continuació les vides que duraria el contracte —generalment dues. A continuació s'indicaven els béns que el venedor obligava per garantir el pagament, seguit de les dates en què es realitzaria el pagament de la pensió —generalment eren dies destacats com Nadal, cap d'any, etc. En haver definits aquests punts, el venedor es comprometia a acomplir un seguit de condicions: pagar la pensió el dia i lloc acordat, pagar una pena per cada dia de retard, així com fer-se càrrec dels costos que el comprador podria tenir en cas de reclamar el deute, i acceptar sotmetre's a una autoritat pública competent en cas de conflicte; a més en el cas dels violaris s'exigia al venedor pagar els endarreriments un cop finides les dues vides, no donat per liquidat el contracte fins que es cobressin. S'establia llavors el preu de la venda de la pensió, i es donaven fiadors. Seguidament ambdues parts feien renúncies i oferien garanties: renúncia al diner no comptat, a la llei sobre la meitat del just preu, al *dolo malo* i a la *actioni in factum*. A continuació el comprador feia donació al venedor de la quantitat pactada com a preu i es reiterava la renúncia a litigar sobre el contracte i en cas de fer-ho s'estipulava una pena. El venedor obligava la seva persona i acceptava l'execució judicial sobre béns i persones que estipulaven les clàusules del contracte. Alhora renunciava a totes les lleis que protegien els deutors solidaris i a les dilacions en els pagaments de les pensions. S'estipulava escriptura de terç per tal de tenir una garantia addicional. Finalment es feia jurament sobre els quatre evangelis. En alguns dels contractes s'incloïa com a clàusula la promesa de fer carta de gràcia, fet que permetia al venedor extingir el seu deute retornant la quantitat percebuda.

Els conversos i el crèdit a llarg termini

Hem pogut enregistrar cinquanta instruments de deute a llarg termini entre censals morts i violaris.[93] Això ens demostra com els con-

---

93. 1391-11-20, AHPB, Ponç Amorós, *Tercius liber comunis*, 1390, novembre, 28-1391, desembre, 15, 191v. 1392-01-22, AHPB, Joan Eiximenis, *Manuale*, 1391, juliol, 27-1393, setembre, 23, f. 29v. 1392-01-28, AHPB, Arnau Piquer, *Manual*, 1391, octubre, 16-1392, desembre, 24, f. 40v. 1392-08-14, AHPB, Pere Granyana, *Manuale sextum*, 1392, gener, 2-1392, desembre, 21, f. 38r. 1396-06-22, AHPB, Pere Granyana, *Manuale undecimum*, 1398, juny, 8-1399, juliol, 122, f. 179r-181r. 1406-06-26, AHPB, Francesc de Manresa, *Sextum Manuale*, 1408, febrer, 4-1409, març, 9, f. 68r. 1408-10-05, AHPB,

versos s'adapten a la seva nova situació religiosa i social, introduint-se en aquest tipus de mercat del deute.

Francesc de Manresa, *Sextum Manuale*, 1408, febrer, 4-1409, març, 9, f. 84v-85r. 1410-04-14, AHPB, Gabriel Terrassa, *Secundus liber Manuale*, 1407, novembre, 22-1410, juliol, 8, f. 78r. 1412-12-12, AHPB, Bartomeu Guamir, *Manuale Quartum*, 1412, març, 12-1413, maig, 9, f. 98v. 1413-01-02, AHPB, Marc Joan, *Manuale comune sextum*, 1413, octubre, 31-1414, gener, 30, s.f. 1413-12-16, AHPB, Marc Joan, *Manuale comune sextum*, 1413, octubre, 31-1414, gener, 30, s.f. 1414-07-18, AHPB, Marc Canyís, *Manuale*, 1414, desembre, 14-1422, desembre, 22, f. 5v. 1415-06-19, AHPB, Pere Pellisser, *Manuale*, 1414, juliol, 2-1415, juny, 26, f. 190r. 1415-12-10, AHPB, Joan Ferrer, *Octavum Manuale*, 1415, maig, 13-1416, novembre, 3, f. 53v. 1415-12-10, AHPB, Joan Ferrer, *Octavum Manuale*, 1415, maig, 13-1416, novembre, 3, f. 53v. 1416-120-7, AHPB, Antoni Brocard, *[Manuale] undecimum*, 1416, desembre, 2-1417, maig, 11, f. 5v-6r. 1417-10-30, AHPB, Joan Franc, major, *Quintus liber vendicionum*, 1417, juliol, 5-1418, maig, 2, f. 57r-61r. 1417-11-03, AHPB, Francesc Ferrer, *Manuale comune primum*, 1416, octubre, 20-1426, febrer, 4, s.f. 1417-11-26, AHPB, Tomàs Vives, *Quartum Manuale*, 1416, juny, 23-1419, abril, 8, f. 83r-v. 1418-05-04, AHPB, Antoni Brocard, *Manuale comune Quartum decimum*, 1418, abril, 30-1418, novembre, 14, f. 3v. 1418-11-24, AHPB, Francesc Ferrer, *Manuale comune primum*, 1416, octubre, 20-1426, febrer, 4, s.f. 1418-11-29, AHPB, Francesc Ferrer, *Manuale comune primum*, 1416, octubre, 20-1426, febrer, 4, s.f. 1418-12-30, AHPB, Marc Canyís, *Manuale*, 1414, desembre, 14-1422, desembre, 22, f. 43r-v. 1419-01-31, AHPB, Marc Canyís, *Manuale*, 1414, desembre, 14-1422, desembre, 22, 43v-44r. 1419-06-17, AHPB, Llorenç de Casanova, *Manual*, 1419, abril, 28-1419, juliol, 19, f. 18r. 1419-06-28, AHPB, Llorenç de Casanova, *Manual*, 1419, abril, 28-1419, juliol, 19, f. 22v. 1419-07-01, AHPB, Llorenç de Casanova, *Manual*, 1419, abril, 28-1419, juliol, 19, f. 23r. 1419-07-08, AHPB, Llorenç de Casanova, *Manual*, 1419, abril, 28-1419, juliol, 19, f. 26r. 1419-07-08, AHPB, Llorenç de Casanova, *Manual*, 1419, abril, 28-1419, juliol, 19, f. 26v. 1419-10-20, AHPB, Jaume Isern, *Manual*, 1418, desembre, 31-1419, novembre, 20, f. 89r-v. 1420-01-09, AHPB, Francesc Ferrer, *Manuale comune primum*, 1416, octubre, 20-1426, febrer, 4, s.f. 1420-01-18, AHPB, Francesc Ferrer, *Manuale comune primum*, 1416, octubre, 20-1426, febrer, 4, s.f. 1420-05-09, AHPB, Llorenç de Casanova, *Manual*, 1420, maig, 7-1420, agost, 23, f. 3r. 1420-05-25, AHPB, Llorenç de Casanova, *Manual*, 1420, maig, 7-1420, agost, 23, f. 9r. 1420-08-06, AHPB, Llorenç de Casanova, *Manual*, 1420, maig, 7-1420, agost, 23, f. 34r. 1421-01-10, AHPB, Francesc Ferrer, *Manuale comune primum*, 1416, octubre, 20-1426, febrer, 4, s.f. 1421-03-06, AHPB, Pere Granyana, *Vicesimum octavum Manuale*, 1419, desembre, 26-1421, maig, 2, f. 86v. 1421-08-08, AHPB, Pere Granyana, *Vicesimum nonum Manuale*, 1421, maig, 3-1422, juliol, 28, f. 22v, 1422-05-13, AHPB, Marc Canyís, *Manuale*, 1414, desembre, 14-1422, desembre, 22, f. 100v 1423-10-29, AHPB, Pere Agramunt, *Manual*, 1422, octubre, 28-1423, desembre, 2, s.f. 1424-02-23, AHPB, Francesc Ferrer, *Manuale comune primum*, 1416, octubre, 20-1426, febrer, 4, s.f. 1424-03-6, AHPB, Francesc Ferrer, *Manuale comune primum*, 1416, octubre, 20-1426, febrer, 4, s.f. 1424-07-04, AHPB, 116-1, s.f. 1425-02-28, AHPB, Francesc Ferrer, *Manuale comune primum*, 1416, octubre, 20-1426, febrer, 4, s.f. 1425-04-03, AHPB, Joan Pedrol, *Manuale Quartum notularum omnium instrumentorum*, 1423, novembre, 13-1426, juny, 25, f. 72v-73r. 1425-11-07, AHPB, Pere Roig, *Manual*, 1424, juny, 8-1425, novembre, 10, s.f. 1425-11-08, AHPB, Pere Roig, *Manual*, 1424, juny, 8-1425, novembre, 10, s.f. 1426-05-10, AHPB, Joan Pedrol, *Manuale Quartum notularum omnium instrumentorum*, 1423, novembre, 13-1426, juny, 25, s.f. 1427-03-18, AHPB, Pere Roig, *Manual*, 1427, gener, 18-1427, agost, 28, s.f. 1437-06-19, AHPB, Joan Ferrer, *Manual*, 1436, març, 12-1437, novembre, 26, f. 105v-106r.

Respecte a la preferència dels conversos de comprar o vendre una de les dues modalitats de crèdit a curt termini observem en el gràfic següent que pràcticament ho fan en la mateixa proporció obtenint una mica més d'avantatge els violaris (54 %). Hem de tenir en compte, però, que la majoria d'aquests contractes de deute al segle xv incloïen la clàusula de remissió del deute i la posterior carta de deute, per tant la idea dels deutors conversos no era la de limitar-se a pagar la pensió venuda sinó retornar el deute tan prompte com fos possible. D'altra banda, hem de tenir present que aquests tipus de deute no es contractaven amb la finalitat d'aconseguir quantitats destinades a la subsistència, ja que el lapse de temps tan llarg amb el qual el comprador tindria compromès el seu capital el feia ser cautelós a l'hora d'elegir el seu deutor i assegurar-se que aquest tingués possibilitats de retornar el deute.[94] D'altra banda, no tothom podia vendre un censal mort o violari ja que hom havia de demostrar una certa solvència mitjançant propietats immobiliàries.

Gràfic 10

Proporció de censals morts i violaris en els quals participen conversos

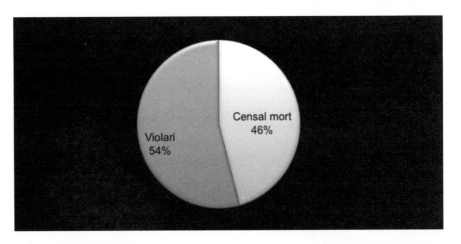

Tanmateix, quin era el paper dels conversos en el mercat del crèdit a llarg termini? La seva irrupció en aquest tipus de préstecs era amb intenció d'invertir o bé de proveir-se de liquiditat? Analitzant els contractes recopilats per al present estudi —i que mostrem en els dos

---

94. J. V. García Marsilla: *Vivir a crédito...*, p. 206.

gràfics següents— queda clar que els conversos acudeixen majoritària-ment a aquest mercat en cerca de crèdit.

GRÀFIC 11

Deutors en censals morts i violaris segons la seva condició religiosa

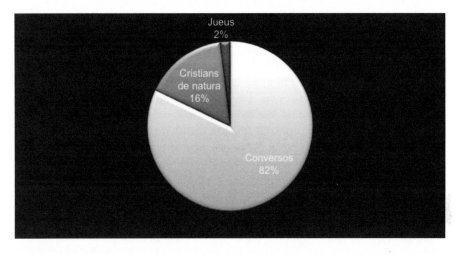

GRÀFIC 12

Prestamistes de censals morts i violaris segons la seva condició religiosa

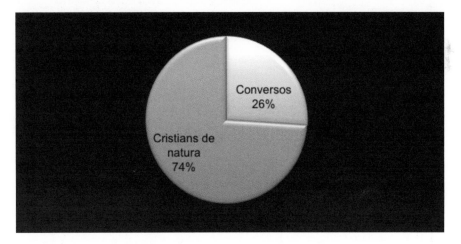

Com podem veure, els conversos representen el 82 % dels deutors de crèdits a llarg termini, mentre que els cristians de natura actuen en un 74 % dels casos com a prestamistes.

El més segur és que els conversos acudiren a aquest mercat atrets pels relativament baixos interessos que aquests oferien. La popularit-zació dels censals morts i violaris en el mercat del crèdit medieval suposà una marginació parcial dels jueus en aquest àmbit precisament degut a aquest baix interès (entorn al 10 %).[95] D'altra banda, hem de tenir en compte que els jueus de la segona meitat del segle XIV ja no tenien aquella capacitat creditícia que els era pròpia en temps de Pere el Cerimoniós, i s'evidencia un acusat declivi.[96] De fet, l'únic jueu enregistrat en un contracte a llarg termini en el nostre estudi ho fa com a deutor. Es tracta de Jacob des Quart, jueu, batàner de fulls d'or, habitant de Barcelona, que, el 29 d'octubre de 1423, vengué a Maria, muller de Narcís Bru, notari de Barcelona, cent deu sous de pensió de censal mort pel preu de cinquanta-cinc lliures, aportant nombrosos béns mobles com a garantia; censal que redimiria el 2 de març de 1424.[97]

GRÀFIC 13

Contractes de deute a llarg termini segons la condició religiosa dels participants

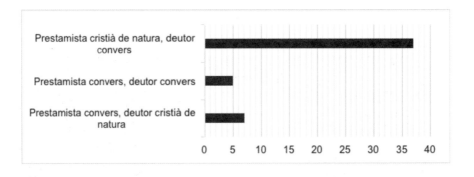

95. M. Kriegel: *Les juifs à la fin du Moyen Age dans l'Europe Méditerranéenne*, ed. Hachette, París, 1979, p. 99-100.
96. D. Rubió i Manuel: "El circuit privat del censal...", p. 249.
97. AHPB, Pere Agramunt, *Manual*, 1422, octubre, 28-1423, desembre, 2, s.f.

Passem ara a analitzar qui eren els principals proveïdors de deute a conversos i a qui prestaven els conversos en aquests tipus de contractes. Com podem veure en el gràfic 13 els cristians de natura (trenta-set dels casos) eren els que majoritàriament proveïen de crèdit els conversos en el mercat del crèdit a llarg termini. En els casos que els conversos actuaven com a prestamistes ho feien majoritàriament —però per poc— com a proveïdors de diner a cristians de natura. Com podem observar, es repeteix aquí la tendència que ja havíem vist en el mercat del deute a curt termini.

PRÉSTECS A LLARG TERMINI DE CRISTIÀ DE NATURA A CONVERS

Com podem observar en el gràfic següent, les vídues[98] (sis casos), els mercaders[99] (cinc casos) i els eclesiàstics[100] (tres casos), eren els principals proveïdors de crèdit a conversos en el cas dels préstecs a llarg termini. El perfil socioeconòmic dels prestamistes cristians de natura a conversos coincideix amb el perfil general dels prestamistes d'aquest tipus de deute en el mercat entre cristians de natura. Les vídues eren les prestamistes per excel·lència ja que veien en el mercat de crèdit a llarg termini una manera d'invertir diners sense complicar-se gaire, tan sols calia esperar el dia assenyalat per cobrar la pensió. Els eclesiàstics eren també predilectes a aquest paper ja que les donacions fetes pels fidels als monestirs i parròquies els concedien un excedent de capital que els permetia invertir en aquest mercat sense córrer gaires riscos.

---

98. AHPB, Arnau Piquer, *Manual*, 1391, octubre, 16-1392, desembre, 24, f. 40v, 1392-01-28; Francesc de Manresa, *Sextum manuale*, 1408, febrer, 4-1409, març, 9, f. 68r, 1406-06-26; Francesc Ferrer, *Manuale comune primum*, 1416, octubre, 20-1426, febrer, 4, s.f., 1424-02-23, 1424-03-06; Pere Roig, *Manual*, 1424, juny, 8-1425, novembre, 10, s.f., 1425-11-07; Joan Ferrer, *Manual*, 1436, març, 12-1437, novembre, 26, f. 105v-106r, 1437-06-19.

99. AHPB, Ponç Amorós, *Tercius liber comunis*, 1390, novembre, 28-1391, desembre, 15, f. 191v, 1391-11-20; Antoni Brocard, *Manuale comune quartum decimum*, 1418, abril, 30-1418, novembre, 14, f. 3v, 1418-05-04; Pere Granyana, *Vicesimum octavum manuale*, 1419, desembre, 26-1421, maig, 2, f. 86v, 1421-03-06; Pere Granyana, *Vicesimum nonum manuale*, 1421, maig, 3-1422, juliol, 28, f. 22v, 1421-08-08; Joan Pedrol, *Manuale quartum notularum omnium instrumentorum*, 1423, novembre, 13-1426, juny, 25, f. 142v, 1426-05-10.

100. AHPB, Marc Canyís, *Manuale*, 1414, desembre, 14-1422, desembre, 22, f. 5v, 1414-07-18; Antoni Brocard, *[Manuale] undecimum*, 1416, desembre, 2-1417, maig, 11, f. 5v-6r, 1416-12-07; Marc Canyís, *Manuale*, 1414, desembre, 14-1422, desembre, 22, f. 43r-v, 1418-12-30.

Gràfic 14

Professions dels prestamistes cristians de natura compradors de crèdit a llarg termini a conversos

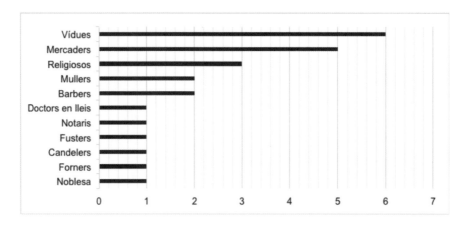

Els mercaders, com en els préstecs a curt termini, invertien en aquest mercat per la mateixa causa que ho feien amb els préstecs a curt termini, aconseguir un benefici sense córrer gaires riscos.

L'artesanat quedava pràcticament relegat en aquest mercat, tal com passava també en aquest tipus de préstecs entre cristians de natura, ja que normalment es tractava de quantitats majors que els préstecs a curt termini i amb un lapse de temps superior, fet que els obligaria a prescindir d'un capital durant un indeterminat temps.

Pel que fa als venedors conversos de censals morts i violaris trobem bastant varietat d'artesans entre els quals destaquen els coralers[101] i els pellers.[102] Tanmateix, els grans consumidors d'aquesta modalitat de deute eren els corredors. Tot i que el gràfic ens mostra fins a divuit vendes de pensions per part d'aquest col·lectiu gran part d'elles es deuen a diverses vendes realitzades per un corredor. Aquesta necessitat de crèdit per part d'aquest col·lectiu potser es devia a les inversions que aquests

---

101.　AHPB, Marc Canyís, *Manuale*, 1414, desembre, 14-1422, desembre, 22, f. 5v, 1414-07-18; Antoni Brocard, *[Manuale] undecimum*, 1416, desembre, 2-1417, maig, 11, f. 5v-6r, 1416-12-07; Francesc Ferrer, *Manuale comune primum*, 1416, octubre, 20-1426, febrer, 4, s.f., 1418-11-29; Pere Granyana, *Vicesimum octavum manuale*, 1419, desembre, 26-1421, maig, 2, f. 86v, 1421-03-06.

102.　AHPB, Pere Roig, *Manual*, 1424, juny, 8-1425, novembre, 10, s.f., 1425-11-07, 1425-11-08; Joan Pedrol, *Manuale quartum notularum omnium instrumentorum*, 1423, novembre, 13-1426, juny, 25, f. 142v, 1426-05-10.

feien aprofitant els contactes derivats del seu ofici —tot i que aquesta pràctica estava prohibida. D'altra banda, destaca l'escassa presència dels mercaders en aquest mercat. Però, com hem vist en l'apartat dels préstecs a curt termini, aquests preferien endeutar-se mitjançant els contractes de comanda dipòsit.

Gràfic 15

Professions dels deutors conversos en préstecs a llarg termini realitzats per cristians de natura

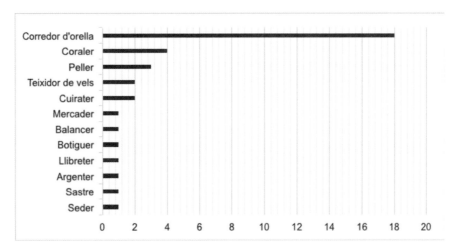

Així que, numèricament, els artesans serien els que configurarien el perfil socioeconòmic dels deutors conversos en els préstecs a llarg termini. Si als deutes a llarg termini els sumem els deutes contrets a curt termini els coralers eren el col·lectiu més endeutat dins de la societat conversa.

La majoria dels compradors cristians de natura de préstecs a llarg termini a conversos eren prestamistes ocasionals. Tanmateix s'observa una major assiduïtat d'aquests que en els préstecs a curt termini. El cristià de natura que més préstecs d'aquesta mena va realitzar a conversos fou Lluís Bosc, ciutadà de Barcelona: el 9 de gener de 1420 comprà al convers Joan de Vall, corredor d'orella, i al cavaller Joan Guardiola, una pensió de vuitanta sous de violari pel preu de vint-i-vuit lliures, que percebria durant la vida de l'esmentat Lluís i la seva muller

Elionor;[103] el 10 de gener de 1421, Joan de Vall tornaria a vendre una altra pensió a Lluís, aquest cop de trenta-tres sous i per un preu d'onze lliures i onze sous, que percebria durant la vida de Lluís i Elionor;[104] i el 9 de maig de 1420, compraria una pensió venuda pel convers Arnau Roger, també corredor, de noranta-quatre sous i un òbol, que percebria durant el mateix temps.[105]

Els altres prestamistes que repeteixen ho fan com a molt un cop més. Algunes vegades, el segon préstec que concedeixen és per al convers que ja els n'havia demanat un anteriorment. Un exemple és el de Constança, muller de Pere Dusai, ciutadà de Barcelona, que comprà dos pensions de violari al convers Marc de Rosanes, corredor d'orella, una de nou lliures pel preu de seixanta-tres lliures i una altra de cinc lliures pel preu de trenta-cinc lliures.[106] Un altre és el de Joan Folquet, barber, que comprà dues pensions al ja conegut convers Joan de Vall: una de trenta-tres sous per onze lliures i onze sous, durant la vida de Folguet i de Pere Duran, apotecari; i una altra de vint sous per set lliures, durant la vida de Folguet i de Pere Codina, mercader.[107] El següent cas té un altre cop Joan de Vall com a venedor de dos pensions de violari, aquest cop a Joaneta, vídua de Berenguer sa Nou, peller, ciutadà de Barcelona: setze sous i sis diners pel preu de cinc lliures, quinze sous i sis diners, i una altra de vint sous i sis diners pel preu de set lliures, tres sous i sis diners, totes a percebre durant la seva vida i la de la seva germana Beatriu.[108]

En altres casos, el prestamista cristià inverteix més d'un cop al mercat del crèdit a llarg termini amb diferents conversos com a deutors. És el cas de Francesc de Conomines, que el 10 de desembre de 1415 comprà al convers Arnau Roger, corredor d'orella, a Blanca, la seva muller, i a Andreu Roger, coraler, fill d'ambdós, una pensió de dotze lliures de censal mort pel preu de cent seixanta-nou lliures.[109] El 29 de novembre de 1418, comprà al convers Felip Sabater, coraler,

103. AHPB, Francesc Ferrer, *Manuale comune primum*, 1416, octubre, 20-1426, febrer, 4, s.f.

104. AHPB, Francesc Ferrer, *Manuale comune primum*, 1416, octubre, 20-1426, febrer, 4, s.f.

105. AHPB, Llorenç de Casanova, *Manual*, 1420, maig, 7-1420, agost, 23, f. 3r.

106. AHPB, Marc Joan, *Manuale comune sextum*, 1413, octubre, 31-1414, gener, 30, s.f., 1413-01-02, 1413-12-16. Al segon préstec li segueix una venda simulada de diversos objectes per part de Marc de Rosanes.

107. AHPB, Francesc Ferrer, *Manuale comune primum*, 1416, octubre, 20-1426, febrer, 4, s.f., 1418-11-24, 1420-01-18.

108. AHPB, Francesc Ferrer, *Manuale comune primum*, 1416, octubre, 20-1426, febrer, 4, s.f., 1424-02-23, 1424-03-06.

109. AHPB, Joan Ferrer, *Octavum manuale*, 1415, maig, 13-1416, novembre, 3, f. 53v.

una pensió de cinquanta sous de censal mort pel preu de vint-i-dos lliures.[110] L'últim cas és el de Maria de Mitjavila, religiosa del monestir de Santa Clara de Barcelona. El 18 de juliol de 1414 comprà a Joan Pujol, coraler, fill de Pere Pujol, físic, i a la seva muller Clara, tots conversos, una pensió de setanta-un sous, cinc diners i un òbol pel preu de cinquanta lliures.[111] El 30 de desembre de 1418, l'esmentada Maria comprà als conversos Berenguer Cardona, corredor d'orella, la seva muller Clara i Joan Cardona, teixidor de vels, fill seu, una prensió de trenta-quatre sous, tres diners i un òbol, a pagar durant la vida del matrimoni i el seu fill.[112]

Pel que fa a l'assiduïtat dels deutors conversos a acudir a aquest mercat el convers Joan de Vall va ser el que més va recórrer a aquest tipus de deute, fins a sis vegades. Als casos ja coneguts hem d'afegir la venda feta per Joan a Ramon Grau, doctor en lleis, de divuit sous i deu diners de pensió de violari pel preu de sis lliures i dotze sous, que Ramon percebria durant la seva vida i la del seu successor o fins que Joan morís.[113] Els altres casos més destacables s'endeutaren fins a tres cops: el corredor d'orella Marc de Rosanes[114] i el també corredor Arnau Roger.[115]

Les quantitats demanades en préstec a llarg termini per conversos eren, en la seva majoria, xifres altes. De la totalitat dels documents de censals morts i violaris venuts a cristians de natura utilitzats en el present estudi, set se situen en la franja dels cinc mil-mil sous, i vuit entre els mil sous i els cinc-cents sous. Entre cinc-cents sous i dos-cents sous hem registrat dotze contractes i entre els dos-cents sous i els cent sous, sis. Tan sols dos van ser inferiors als cinquanta sous. Per tant, la majoria dels contractes (quinze) se situarien entre els cinc mil sous i els cinc-cents sous. Com podem veure, els conversos que acudien a prestamistes cristians de natura per endeutar-se amb un contracte a llarg termini ho feien per quantitats força elevades. Molt probablement aquests

---

110. AHPB, Francesc Ferrer, *Manuale comune primum*, 1416, octubre, 20-1426, febrer, 4, s.f.
111. AHPB, Marc Canyís, *Manuale*, 1414, desembre, 14-1422, desembre, 22, f. 5v.
112. AHPB, Marc Canyís, *Manuale*, 1414, desembre, 14-1422, desembre, 22, f. 43r-v.
113. AHPB, Francesc Ferrer, *Manuale comune primum*, 1416, octubre, 20-1426, febrer, 4, s.f.
114. AHPB, Marc Joan, *Manuale comune sextum*, 1413, octubre, 31-1414, gener, 30, s.f., 1413-01-02, 1413-12-16; Bartomeu Guamir, *Manuale quartum*, 1412, març, 12-1413, maig, 9, f. 98v, 1412-12-12.
115. AHPB, Joan Ferrer, *Octavum manuale*, 1415, maig, 13-1416, novembre, 3, f. 53v., 1415-12-10; Llorenç de Casanova, *Manual*, 1420, maig, 7-1420, agost, 23, f. 3r, 1420-05-09.

diners serien utilitzats per a inversions de certa envergadura ja fos en el propi ofici o en una operació comercial.

La quantitat més alta pel preu d'un censal venut per un convers a un cristià fou de 4.420 sous, venuda, el 4 de maig de 1418, per Pere Cervelló, botiguer, la seva muller Isabel, filla i heretera de Guillem Marc, difunt, balancer, i Clara, vídua de Guillem i mare d'Isabel, al mercader Pere Torrent a canvi d'una pensió de 270 sous.[116] La segueix la ja esmentada venda realitzada pel corredor convers Arnau Roger a Francesc de Conomines, i que constava de dotze lliures de censal mort pel preu de 3.380 sous.[117] A aquestes les segueixen dues més. La comprada, el 10 de desembre de 1415, per un artesà cristià de natura, Joan Rossell, candeler, al ja esmentat corredor convers Arnau Roger, per 2.200 sous a canvi d'una pensió de set lliures de censal mort.[118] I la comprada per un altre artesà cristià de natura, Joan de Comasola, fuster, a Berenguer Cardona, corredor d'orella, la seva muller Clara, el seu fill Gabriel Cardona, teixidor de vels, i la muller d'aquest, Isabel, per dos mil sous a canvi de cent disset sous i vuit diners de pensió de censal mort.[119] Com podem veure, tret de la pensió venuda pel botiguer Pere Cervelló, les pensions amb el preu més alt van ser venudes per corredors d'orella.

Pel que fa als crèdits amb el preu més baix corresponen al corredor convers Joan de Vall. El primer, de setze sous i sis diners de pensió de violari, venut el 23 de febrer de 1424, a Joaneta, vídua de Berenguer sa Nou, peller barceloní, per cent quinze sous i sis diners.[120] L'altre fou el venut, el 28 de febrer de 1425, a Ramon Grau, doctor en lleis, que constava de divuit sous i deu diners de pensió de violari pel preu de cent vint sous.[121]

Entremig d'aquests dos límits hi ha un important nombre de contractes entre els mil i dos-cents sous principalment venuts per artesans conversos i segurament destinats a la sostenibilitat dels seus obradors.

L'interès en la majoria dels contractes se situa entre el 13 % i el 15 %, seguit d'una franja important en què l'interès se situava entre

---

116. AHPB, Antoni Brocard, *Manuale comune quartum decimum*, 1418, abril, 30-1418, novembre, 14, f. 3v.
117. AHPB, Joan Ferrer, *Octavum manuale*, 1415, maig, 13-1416, novembre, 3, f. 53v.
118. AHPB, Joan Ferrer, *Octavum manuale*, 1415, maig, 13-1416, novembre, 3, f. 53v.
119. AHPB, Joan Franc, major, *Quintus liber vendicionum*, 1417, juliol, 5-1418, maig, 2, f. 57r-61r.
120. AHPB, Francesc Ferrer, *Manuale comune primum*, 1416, octubre, 20-1426, febrer, 4, s.f.
121. AHPB, Francesc Ferrer, *Manuale comune primum*, 1416, octubre, 20-1426, febrer, 4, s.f.

el 7 % i el 8 %. L'instrument de deute a llarg termini en el qual un cristià actuà com a prestamista d'un convers amb l'interès més tard va ser una pensió de violari de trenta-tres sous que Marc sa Closa, convers, corredor d'orella, ciutadà de Barcelona, va vendre a Vicença, muller de Gabriel Delmer, mercader, ciutadà de Barcelona, pel preu de set lliures i catorze sous amb un interès del 21,42 %.[122] Pel que extraiem de les nostres dades la quantitat influïa substancialment en l'interès. Exceptuant el cas anterior, l'interès en els préstecs de quantitats modestes estava generalment entre el 16 % i el 13 %, era majoritari un interès del 14,28 %. En canvi, en les quantitats altes, l'interès baixa considerablement situant-se al voltant del 7 %. Per exemple, la quantitat més alta prestada per un cristià de natura a un convers que s'ha registrat va ser de 221 lliures amb un interès del 6,10 %.[123] Un altre exemple: Arnau Roger, corredor d'orella, la seva muller Blanca i Andreu Roger, fill d'ambdós, conversos, pagaven un interès del 7,14 % per la quantitat de 169 lliures que Francesc Coromines, cristià de natura, els prestà.[124] L'interès més baix enregistrat per nosaltres era del 5,88 % per una quantitat de cent lliures.[125]

Tanmateix, l'interès no es calculava només tenint en compte la quantitat, sinó altres factors, encara que aquests també anaven lligats a la capacitat dels deutors de demanar una quantitat elevada. Per establir l'interès de cada préstec es tenia en compte el risc que es corria d'impagament, a més de la incapacitat del deutor de trobar una oferta millor. Tots els individus que demanaven en préstec quantitats altes tenien també un posició econòmica alta. És a dir, tenien emolument però el tenien segurament invertit. A més, aquest capital que demanaven anava destinat majoritàriament a inversions, esperant aconseguir un benefici considerablement més alt que l'interès que pagaven per ells.

En termes generals, podem afirmar que no s'observa cap relació entre la condició de convers del deutor i l'interès pagat per aquest. La quantitat de l'interès venia determinada totalment per causes econòmiques i de garantia de retorn.

Pel que fa a la localització geogràfica del deute, la immensa majoria dels contractants eren de la ciutat de Barcelona. Només un venedor convers era de fora, es tracta de Pere Febrer, convers, habitant de Vi-

---

122. AHPB, Pere Roig, *Manual*, 1427, gener, 18-1427, agost, 28, s.f.

123. AHPB, Antoni Brocard, *Manuale comune quartum decimum*, 1418, abril, 30-1418, novembre, 14, f. 3v.

124. AHPB, Joan Ferrer, *Octavum manuale*, 1415, maig, 13-1416, novembre, 3, f. 53v.

125. AHPB, Joan Franc, major, *Quintus liber vendicionum*, 1417, juliol, 5-1418, maig, 2, f. 57r-61r.

lafranca del Penedès.[126] A la part dels compradors trobem tres casos: Joana, vídua de Pere Febrer, de Vilafranca del Penedès;[127] Joaneta, filla de Joan de Coll, difunt, de Sabadell,[128] i Galcerà Alamany, donzell del senyor del castell de Malmercat.[129] Per tant, el mercat del deute en el qual els conversos demanaven préstecs a llarg termini a cristians de natura es concentrava a la ciutat de Barcelona.

PRÉSTECS A LLARG TERMINI DE CONVERS A CONVERS

Al llarg del nostre estudi han sigut pocs els instruments de préstecs a llarg termini en els quals hi consten conversos com a prestamistes d'altres conversos (cinc). D'aquests cinc instruments localitzats, quatre foren realitzats pel mercader convers Bernat sa Closa. Dos d'aquests foren vendes de pensió de violari realitzades pel ja conegut corredor convers Arnau Roger: seixanta-vuit sous i vuit diners per 550 sous,[130] i cinquanta-cinc sous per 360 sous.[131] Les altres dues foren vendes fetes pel llibreter convers Francesc Bertran: cent dos sous i deu diners de pensió de censal mort per 1.650 sous,[132] i 250 sous de pensió de censal mort per 250 florins d'or d'Aragó.[133] Aquest últim constitueix el preu més alt pagat per una pensió en la qual intervenen conversos. L'altre préstec que resta és el corresponent a la pensió de quaranta sous de censal mort pel preu de quaranta lliures que, el 26 de novembre de 1417, Pere Vives, llibreter convers, vengué al també llibreter convers Guillem sa Coma.[134]

Com veiem, tots els préstecs a llarg termini fets entre conversos es fan sempre a deutors amb alta solvència contrastada. Per tant, els

126. AHPB, Ponç Amorós, *Tercius liber comunis*, 1390, novembre, 28-1391, desembre, 15, f. 191v.

127. AHPB, Marc Joan, *Manuale comune sex*tum, 1413, octubre, 31-1414, gener, 30, s.f.

128. AHPB, Bartomeu Guamir, *Manuale quartum*, 1412, març, 12-1413, maig, 9, f. 98v.

129. AHPB, Joan Eiximenis, *Manuale*, 1391, juliol, 27-1393, setembre, 23, f. 29v.

130. AHPB, Llorenç de Casanova, *Manual*, 1419, abril, 28-1419, juliol, 19, f. 26v. 1419-07-08.

131. AHPB, Llorenç de Casanova, *Manual*, 1419, abril, 28-1419, juliol, 19, f. 26v. 1419-07-08.

132. AHPB, Llorenç de Casanova, *Manual*, 1419, abril, 28-1419, juliol, 19, f. 22v. 1419-06-28.

133. AHPB, Llorenç de Casanova, *Manual*, 1419, abril, 28-1419, juliol, 19, f. 23v. 1419-07-01.

134. AHPB, Tomàs Vives, *Quartum manuale*, 1416, juny, 23-1419, abril, 8, f. 83r-v.

conversos tan sols deixaven diners a llarg termini als seus correligionaris quan tenien plenes garanties que aquests tornessin la quantitat prestada.

Pel que fa a l'interès cobrat per aquests préstecs es troben regits per l'oferta i la demanda del moment, i les garanties de retorn. Tanmateix, cal destacar el cas de Francesc Bertran, llibreter, convers, ciutadà de Barcelona, que el 28 de juny de 1419 va vendre una pensió de censal mort de cent dos sous i deu diners a Bernat sa Closa, convers, merca-der, ciutadà de Barcelona, pel preu de vuitanta-dues lliures i deu sous, amb un interès del 29,9 %.[135] Com veiem, es tracta d'un interès molt alt tenint en compte la quantitat demanada i la demostrada solvència del deutor.

Tots els contractes foren realitzats per ciutadans de Barcelona, i es constata un cop més que en cas de no trobar crèdit per mans de conversos aquests no acudien a altres indrets sinó que ho demanaven a cristians de natura de la pròpia ciutat.

Préstecs a llarg termini de convers a cristià de natura

També foren pocs els conversos que compraren pensions a altres cristians (sis casos). La majoria d'aquests compradors conversos eren personatges amb un alt poder adquisitiu, molt influents en el seu camp professional. Altre cop qui domina l'escena és el mercader convers Bernat Saclosa. El 17 de juny de 1419, comprà a Pasqual Ledos, se-nyor del castell de la Vall de Lou, i a la seva muller Joana, 480 sous de pensió de violari pel preu de 3.360 sous.[136] El 25 de maig de 1420, compra a Pere Ros, sastre, vint-i-dos sous de violari per set lliures i catorze sous.[137] El 6 d'agost del mateix any, comprà a Pere Gil, operari de la llana, i a la seva muller Bartomeua, trenta-dos sous de pensió de violari per deu lliures i deu sous.[138] El segueix en assiduïtat el llibreter convers Joan de Pla, que realitzà dues compres de pensions a cristians de natura. La primera, el 4 de juliol de 1424, a Joan Carreres, notari barceloní, constava d'una pensió de censal de quaranta-tres sous, sis diners i un òbol pel preu de trenta lliures.[139] La segona, el 3 d'abril de 1425, fou comprada a Francesc Gener, imaginer, i eren quinze sous i set

---

135.   AHPB, Llorenç de Casanova, *Manual*, 1419, abril, 28-1419, juliol, 19, f. 22v.
136.   AHPB, Llorenç de Casanova, *Manual*, 1419, abril, 28-1419, juliol, 19, f. 18r.
137.   AHPB, Llorenç de Casanova, *Manual*, 1420, maig, 7-1420, agost, 23, f. 9r.
138.   AHPB, Llorenç de Casanova, *Manual*, 1420, maig, 7-1420, agost, 23, f. 34r.
139.   AHPB, Joan de Fontcoberta, *Manual*, 1419, març, 4-1425, octubre, 22, s.f.

diners de pensió de violari per cent deu sous.[140] Els altres compradors de pensions conversos només ho fan una vegada.

Pel que fa a l'interès cobrat s'observa que estava en la mitjana normal del 14,28 % en les quantitats modestes, i fins i tot casos en què l'interès era menor, i menys del 10 % en les quantitats més altes. Per tant, en el cas en què els conversos actuaven com a prestamistes de cristians de natura tampoc trobem cap relació entre el factor religiós i social i l'interès cobrat.

En resum, els conversos barcelonins acudiren al mercat del crèdit, en la seva majoria, en cerca de crèdit tant a llarg com a curt termini. Era en el mercat a curt termini —i majoritàriament mitjançant els contractes de comanda en dipòsit— on realitzaven gran part de les seves operacions.

Els préstecs a llarg termini eren un mercat minoritari per als conversos, els quals tan sols acudien en cerca de liquiditat. Una minoria —una elit econòmica dins de la societat conversa— tindria prou capital per tal de prestar en el mercat a llarg termini, i tan sols prestaria als seus correligionaris en casos que aquests tinguessin una sòlida solvència i formessin part d'aquesta elit.

Tant en el mercat del deute a llarg termini com en el de curt, hi havia conversos que prestaven capital a cristians de natura, fet que ens mostra dues coses malgrat la seva davallada econòmica: d'una banda, que tot i les dificultats els conversos no abandonaren part de la seva capacitat prestamista en el mercat del crèdit —tanmateix es veié notòriament reduïda la seva presència com a prestamistes—; d'altra banda, una part de la societat conversa —mercaders, però també una part important de l'artesanat— es recuperà relativament ràpid de la davallada econòmica en la qual estaven immersos, i aconseguí prou excedent de capital per tal d'invertir-lo en el mercat del crèdit.

Pel que fa al paper dels mercaders conversos en el món del préstec, la seva presència es veié reduïda respecte a abans de les conversions. Sembla que aquest col·lectiu prefereix invertir el seu excedent monetari en negocis comercials —amb una rendibilitat més alta— que amb préstecs, als quals invertirien quan l'excedent fos prou notable com per no perjudicar les seves operacions comercials.

---

140. AHPB, Joan Pedrol, *Manuale quartum notularum omnium instrumentorum*, 1423, novembre, 13-1426, juny, 25, f. 72v-73r.

Els conversos i el comerç exterior

Tal com bé diu Carrère, Barcelona fou un important centre de comerç en els convulsos anys de crisi econòmica de finals del segle xiv i principis del xv.[141] La riquesa de Barcelona es basava principalment en el comerç internacional —que alhora permetia el correcte desenvolupament de l'artesanat de la ciutat— i les activitats especulatives, estretament vinculades al capital estranger, la marina i la indústria tèxtil.[142] Tot i això el gran comerç internacional jugava un paper cabdal en la prosperitat de Barcelona.

Ja des del germen d'aquest comerç exterior al segle xiii, els jueus participaren profusament en els viatges comercials cap a l'exterior. Històricament s'ha destacat la facilitat que aquests tenien per desplaçar-se per la Mediterrània, ja que eren normalment ben rebuts als territoris orientals; a més, el coneixement de la llengua àrab d'alguns d'ells els permetia molta facilitat a l'hora de fer negocis amb autòctons d'aquelles terres.[143] Tanmateix, la documentació ens mostra que eren pocs els jueus que es desplaçaven cap a terres llunyanes per comerciar, i preferien majoritàriament participar en aquest comerç com a inversors encomanants.[144]

Aquest comerç internacional tingué la seva època de plenitud, segons Pierre Vilar,[145] entre 1250 i 1350. L'expansió propiciada per Alfons el Magnànim reforçaria i ampliaria el comerç exterior, gràcies sobretot a una relativa seguretat d'aquestes rutes i a una poderosa flota i al proteccionisme. Tanmateix, una economia basada en el comerç exterior necessita un manteniment de les relacions internacionals i una fluïdesa del crèdit; factors que la pròpia política del rei Alfons acabà comprometent. Altres factors influirien no tant sobre el comerç però sí sobre la producció dels béns que s'exportarien.

El comerç exterior i l'agricultura eren els dos pilars de l'economia barcelonina. A causa de la pesta que assolà Europa a mitjans del segle xiv i la conseqüent davallada demogràfica, un dels dos motors —l'agricultura— que sostenien l'economia de Barcelona s'atura abruptament. Aquí pren importància la tesi de Salrach,[146] segons la qual

141.   Vegeu: C. Carrère: *Barcelona 1380-1462...*

142.   Mario del Treppo: *Els mercaders catalans i l'expansió de la Corona catalano-aragonesa*, ed. Curial, Barcelona, 1976.

143.   Á. Sáenz-Badillos: "El pensamiento judío...".

144.   A. Rich Abad: *La comunitat jueva...*

145.   Pierre Vilar: *Cataluña en la España moderna*, ed. Curial, Barcelona, 1962.

146.   Juan Salrach: "La Corona de Aragón", dins *Historia de las Españas medievales*, ed. Crítica, Barcelona, 2002, p. 306-342.

malgrat la baixada demogràfica produïda per la pesta el desequilibri entre població i producció alimentària no es va ajustar. El cultiu intensiu de productes destinats a la indústria i el comerç en detriment del consum alimentari es traduiria en manca d'aliments en la població i malestar general.

Així, el comerç amb Orient —la denominada ruta de les espècies— i amb Sicília es convertiria en el principal motor de l'economia barcelonina. Els draps barcelonins van ser, seguits pel coral, el producte més exportat cap aquestes terres. De fet, tota la indústria drapera catalana es va articular amb la idea que el seu principal mercat seria l'exterior. El volum de producció era tan important que un terç de la població urbana es dedicava professionalment a alguna fase de la producció de draps, ultra tota la població rural encarregada de l'obtenció de matèria primera i el filat. La major part d'aquesta producció, setanta per cent, anava destinada al comerç exterior, els beneficis del qual permetien que el sistema basat en aquesta indústria es mantingués. Tal era la importància d'aquest sector que a principis del segle xv el setanta-cinc per cent dels ingressos fiscals de Barcelona provenien del sector de la draperia.[147] La presència barcelonina en el comerç exterior va ser tan gran que en la seva època de plenitud se situà tan sols darrere dels genovesos i venecians.

Malgrat tot, el declivi del comerç exterior a meitat i finals del segle xv va evidenciar el perill que entranya el fet de basar tota l'economia en un sol sector. La pèrdua de la competitivitat de la draperia catalana en els mercats internacionals provocà un baixada dels preus seguida d'una baixada dels salaris i de llocs de treball —el 1425, com a evidència de la baixa demografia, s'introduirien esclaus en llocs productius de la draperia on abans no hi tenien presència.[148] En conseqüència, el malestar social anà en augment produint esclats socials i crisis, en un context on els enfrontaments entre la Busca i la Biga eren continus, on cada partit intentaria imposar les seves mesures per solucionar el problema econòmic —mesures que beneficiaven el partit que les proposava en detriment de l'altre.[149]

---

147. Claude Carrère: "La draperie en Catalogne et en Aragon au xve siècle", dins S. Olschki (ed.): *Produzione, commercio e consumo dei panni di lana (nei secoli xii-xviii)*, L. Florència, 1976, p. 481-482, p. 475.

148. Tesi defensada per Claude Carrère per tal d'explicar la davallada del comerç exterior barceloní.

149. Sobre la crisi social i econòmica al segle xv, vegeu C. Batlle: *La crisis social y económica...*

Segons Eduard Feliu,[150] a partir del 1415 i amb més intensitat a partir de 1428 començà el declivi del comerç exterior barceloní quan va reduir-se la seva presència en la ruta cap a Orient. Les causes es trobarien en la inestabilitat produïda per la caiguda de l'imperi de Tamerlan i la creixent pirateria en la zona oriental.

ACTIVITAT COMERCIAL DELS CONVERSOS BARCELONINS

Tal com ens mostren els instruments de comanda marítima que hem localitzat a l'AHPB els conversos barcelonins participaren activament en el comerç exterior.[151] La seva activitat en aquests negocis ja

---

150. Eduard FELIU: "La crisis catalana de la Baja Edad Media: estado de la cuestión", *Hispania*, 2004, p. 435-466.

151. 1392-10-17, AHPB, Bernat Nadal, *Decimum Manuale*, 1392, juliol, 11-1393, gener, 23, f. 56r. 1395-05-06, AHPB, Bernat Nadal, *Manual de comandes marítimes*, 1393, setembre, 10-1397, octubre, 1, f. 81rv. 1395-05-12, AHPB, Bernat Nadal, *Manual de comandes*, 1393, setembre, 1-1397, octubre, 1, f. 77v-78r. 1395-05-18, AHPB, Bernat Nadal, *Manual de comandes marítimes* 1393, setembre, 10-1397, octubre, 1, f. 82v. 1396-06-03, AHPB, Bernat Nadal, *Manual de comandes marítimes*, 1393, setembre, 10-1397, octubre, 1, f. 121v. 1396-06-31, AHPB, Bernat Nadal, *Manual de comandes marítimes*, 1393, setembre, 10-1397, octubre, 1, f. 118r. 1397-02-26, AHPB, Bernat Nadal, *Manual de comandes marítimes*, 1393, setembre, 10-1397, octubre, 1, f. 153v-154r. 1397-06-16, AHPB, Bernat Nadal, *Manual de comandes*, 1393, setembre, 10-1397, octubre, 1, f. 188r. 1397-06-16, AHPB, Bernat Nadal, *Manual de comandes marítimes*, 1393, setembre, 10-1397, octubre, 1, f. 185v. 1397-06-16, AHPB, Bernat Nadal, *Manual de comandes marítimes*, 1393, setembre, 10-1397, octubre, 1, f. 185v. 1397-12-03, AHPB, Bernat Nadal, *Secundus liber comandarum*, 1397, desembre, 3-1403, agost, 16, f. 2v. 1397-12-03, AHPB, Bernat Nadal, *Secundus liber comandarum*, 1397, desembre, 3-1403, agost, 16, f. 2v. 1398-06-13, AHPB, Bernat Nadal, *Secundus liber comandorum*, 1397, desembre, 3-1403, agost, 16, f. 12v. 1398-07-30, AHPB, Bernat Nadal, *Secundus liber comandorum*, 1397, desembre, 3-1403, agost, 16, f. 14r. 1399-09-09, AHPB, Bernat Nadal, [*Manuale comune*] XXV, 1399, abril, 4-1399, setembre, 22, f. 89v. 1401-10-06, AHPB, Bernat Nadal, *Secundus liber comandorum*, 1397, desembre, 3-1403, agost, 16, f. 88v. 1401-10-06, AHPB, Bernat Nadal, *Secundus liber comandorum*, 1397, desembre, 3-1403, agost, 16, f. 88v. 1403-04-06, AHPB, Arnau Lledó, *Llibre comú*, 1394, juny, 1-1400, octubre, 13, f. 29v-30r. 1403-10-28, AHPB, Arnau Lledó, *Llibre comú*, 1394, juny, 1-1400, octubre, 13, f. 43v. 1403-10-28, AHPB, Arnau Lledó, *Llibre comú*, 1394, juny, 1-1400, octubre, 13, f. 43v. 1404-10-25, AHPB Bernat Nadal, *Secundus liber comandarum*, 1397, desembre, 3-1403, agost, 16, f. 194r-v. 1404-12-15, AHPB, Bernat Nadal, *Manuale instrumentorum contractuum*, 3, octubre, 1404-10, agost, 1410, f. 8v. 1408-09-03, AHPB, Arnau Lledó, *Liber quartus comandarum de viagio*, 1407, agost, 20-1417, novembre, 28, f. 9r-10v. 1408-09-18, AHPB, Arnau Lledó, *Liber quartus comandarum de viagio*, 1407, agost, 20-1417, novembre, 28, f. 14r. 1408-09-23, AHPB, Arnau Lledó, *Llibre de comandes*, 1407, agost, 20-1417, novembre, 28, f. 12v. 1409-03-17, AHPB, Bernat Nadal, *Manuale instrumentorum contractuum quintum*, 1404, octubre, 3-1410, agost, 9, f. 65v. 1409-06-08, AHPB, Bernat Nadal, *Manuale instrumentorum contractuum*, 3, octubre, 1404-10, agost, 1410, f. 69r-v. 1409-06-08, AHPB, Bernat Nadal, *Manual instrumentorum contractuum*, 3, octubre, 1404-10, agost, 1410, f. 70v. 1409-08-21, AHPB, Arnau Lledó, *Llibre de comandes*, 1407, agost, 20-1417, novembre, 28, f. 22r. 1409-08-30, AHPB, Arnau

era dinàmica quan eren jueus, i un cop conversos continuen les seves activitats en aquest camp. En la major part dels casos els conversos actuen com a comanadors, és a dir, inverteixen els seus diners en una empresa iniciada per un altre que serà el que finalment es traslladarà cap a les zones on es disposen a mercadejar. En aquest aspecte, no es manifesta cap variació en el paper dels conversos en aquesta mena de comerç, ja que els jueus barcelonins també solien actuar com a comanadors, sense córrer més riscos que els monetaris. Així, el comanador obtindria les tres quartes parts del benefici en l'operació i el comendatari una quarta part, conegut com a *quart diner*.[152] D'altra banda, en cas que la inversió no sortís bé qui perdia molt més era el comanador ja que perdia el capital invertit.

D'altra banda, també trobem conversos que s'impliquen com a comendataris per realitzar negocis a ultramar i traslladar-se fins allà per mercadejar. El 30 de desembre de 1401, el mercader convers Joan Cardona realitzava un viatge cap a Siracusa amb diversos cristians de natura com a comanadors.[153] El 29 de maig de 1415, el mateix Joan Cardona viatjaria fins a Sicília amb la mateixa finalitat.[154] El 17 de març de 1409, Gabriel i Joan Almunia, mercaders conversos, ho farien cap a Aigües Mortes i Avinyó.[155] Un altre convers que actuà

Lledó, *Llibre de comandes*, 1407, agost, 20-1417, novembre, 28, f. 26r. 1409-08-12, AHPB, Arnau Lledó, *Llibre de comandes*, 1407, agost, 20-1417, novembre, 28, f. 22r. 1411-10-23 AHPB, Antoni Brocard, *Manuale comune secundum*, 1411, juny, 17-1412, abril, 16, f. 42r. 1411-10-26, AHPB, Antoni Brocard, *Manuale comune secundum*, 1411, juny, 17-1412, abril, 16, f. 43v. 1412-04-11, AHPB, Antoni Brocard, *Manuale comune secundum*, 1411, juny, 17-1412, abril, 16, f. 94r. 1413-12-30, AHPB, Tomàs de Bellmunt, *Manual de comandes*, 1406, abril, 17–1414, gener, 9, f. 90r. 1413-12-30, AHPB, Tomàs de Bellmunt, *Manual de comandes*, 1406, abril, 17-1414, gener, 9, f. 90v. 1415-05-29, AHPB, Tomàs de Bellmunt, *Manual de comandes*, 1414, gener, 18-1417, gener, 21, f. 22v-23r. 1415-05-29, AHPB, Tomàs de Bellmunt, *Manual de comandes*, 1414, gener, 19-1417, gener, 21, f. 23r-v. 1415-05-29, AHPB, Tomàs de Bellmunt, *Manual de comandes*, 1414, gener, 18-1417, gener, 21, f. 23v. 1415-05-29, AHPB, Tomàs de Bellmunt, *Manual de comandes*, 1414, gener, 18-1417, gener, 21, f. 23v. 1415-05-31, AHPB, Tomàs de Bellmunt, *Manual de comandes*, 1414, gener, 18-1417, gener, 21, f. 24r. 1415-05-31, AHPB, Tomàs de Bellmunt, *Manual de comandes*, 1414, gener, 18-1417, gener, 21, f. 24r-v. 1415-09-31, AHPB, Tomàs de Bellmunt, *Manual de comandes*, 1414, gener, 18-1417, gener, 21, f. 27r. 1416-04-30, AHPB, Pere Pellisser, *Manual*, 1415, juliol, 2-1415, juny, 26, f. 161r.

152. Glòria Polonio Luque: "Jueus i conversos en el comerç internacional barceloní de la baixa edat mitjana (1349-1450)", *Tamid: Revista Catalana Anual d'Estudis Hebraics*, 2013, p. 27-50.

153. J. Hernando Delgado: "Conversos, jueus i cristians...", p. 407-408.

154. AHPB, Tomàs de Bellmunt, *Manual de comandes*, 1414, gener, 18-1417, gener, 21, f. 22v-24v.

155. AHPB, Bernat Nadal, *Manual instrumentorum contractuum*, 1404, octubre, 3-1410, agost, 10, f. 65v.

com a comendatari fou Ferrer Sunyer, mercader, que el 23 d'octubre de 1411 realitzaria diversos instruments amb cristians de natura i el convers Guillem de Fontclara, corredor d'orella, com a comanadors, per comerciar a Sardenya.[156]

Tots els viatges realitzats per conversos com a comendataris es limiten a les illes italianes, eren per tant contraris a arriscar-se a fer llargs viatges cap a ultramar.

Pel que fa a l'assiduïtat dels conversos que s'impliquen com a comanadors en el negoci exterior es pot observar clarament com la seva activitat era continuada. El convers que més activitat realitzà —segons les nostres dades— fou el corredor Bernat Fabra, que realitzà fins a vuit comandes marítimes del total. La meitat d'aquestes comandes marítimes tenien com a destinació Sicília i Sardenya i l'altra meitat Alexandria, exportava sobretot draps de llana barcelonins i importava majorment espècies.

Dins d'aquests mercaders conversos, trobem autèntiques sagues familiars plenament dedicades al comerç exterior. És el cas dels Massana, adinerada família conversa de Barcelona que tot i les adversitats aconseguiren mantenir la seva capacitat econòmica i adquirir propietats del Call Menor barceloní durant el convuls any 1392, quan la majoria dels conversos van haver de vendre les seves cases.[157] El 6 de maig de 1395, Arnau Massana i Francesc de Castellet, conversos, participarien com a comanadors en un viatge cap a Beirut on exportarien draps i importarien laca i sucre.[158] Entre el 1397 i el 1399, hem registrat dues operacions més, també per a la zona de Beirut i Xipre.[159] Els productes exportats tornaren a ser draps de llana barcelonins, i els importats laca, girofle, indi, sucre, canyella i pebre. Dos membres més de la família Massana realitzaven inversions comercials sobretot centrades en països orientals: Joan Massana i Llorenç Massana, que exportaven principalment coral.[160]

---

156. AHPB, Antoni Brocard, *Manuale comune secundum*, 1411, juny, 17-1412, abril, 16, f. 42r.

157. Per més detalls vegeu el capítol corresponent a l'hàbitat i espai.

158. AHPB, Bernat Nadal, *Manual de comandes*, 1393, setembre, 10-1397, octubre, 8, f. 81r.

159. AHPB, Bernat Nadal, *Manual de comandes*, 1393, setembre, 10-1397, octubre, 1, f. 188r.

160. Joan Massana: AHPB, Bernat Nadal, *Manual de comandes marítimes*, 1393, setembre, 10-1397, octubre, 1, f. 118r. Llorenç Massana: AHPB, Bernat Nadal, *Manual de comandes marítimes*, 1393, setembre, 10-1397, octubre, 1, f. 82v.

Pel que fa al perfil socioprofessional dels individus que partici-paven en el comerç exterior, eren generalment mercaders i corredors d'orella, gent avesada als negocis i que coneixien perfectament el seu funcionament. Trobem també coralers, que com a professionals ar-tesans d'un producte procliu a l'exportació no perdien l'oportunitat de participar com a comanadors en les comandes marítimes. Dins de l'artesanat convers era estrany trobar artesans que invertiren part del seu excedent econòmic en aquestes empreses. Ens consta, però, al-guna excepció, com la del sastre convers Guillem Salamó, que el 12 de maig de 1395 invertí trenta-tres lliures i deu sous en una empresa destinada a Beirut.[161]

Les quantitats invertides en aquestes operacions solien ser elevades, puix que la navegació cap a ultramar suposava encara molts perills i per tant s'intentava aprofitar cada viatge per extreure el màxim benefici. Algunes operacions arribaven a quantitats de gran envergadura com les 950 lliures invertides per Arnau Massana en una comanda marítima destinada a Beirut.[162] Tanmateix, hom podia participar amb quantitats molt més modestes. Per exemple, el coraler Arnau Pere donà en co-manda vuit lliures i nou sous de coral als mercaders Fracesc Vilagaià i Vicenç Pasqual perquè ho canviaren al seu arbitri a Beirut.[163] També eren comunes inversions al voltant de les vint lliures, sobretot realitza-des per corredors i coralers. Tot i que qualsevol que ho desitgés podia participar en comandes marítimes, el cert és que havia de comptar amb un excedent econòmic que possiblement perdria a causa dels riscos que comportava viatjar a terres llunyanes. Per aquesta raó, i com hem vist anteriorment, l'artesanat convers preferia invertir en deute a curt i llarg termini, malgrat que els beneficis eren considerablement inferiors als reportats per les comandes marítimes.

PRODUCTES EXPORTATS I IMPORTATS

El producte més exportat a Barcelona durant el segle xv eren els draps de llana manufacturats a la mateixa ciutat que gaudien de gran fama. El seu volum d'exportació era del setanta-u per cent del total de mercaderies embarcades cap a territoris d'ultramar i continen-

---

161. AHPB, Bernat Nadal, *Manual de comandes*, 1393, setembre, 10-1397, octu-bre, 1, f. 77v-78r.

162. AHPB, Bernat Nadal, *Manual de comandes*, 1393, setembre, 10-1397, octu-bre, 1, f. 188r.

163. AHPB, Bernat Nadal, *Secundus liber comandorum*, 1397, desembre, 3-1403, agost, 16, f. 12v.

tals.[164] Tal era el nivell d'exportació d'aquest producte que els botiguers de la ciutat es queixarien diverses vegades degut a la seva escassetat per al comerç local.[165] Els teixits destinats al vestir tenien una gran importància a la societat medieval. En el cas de Barcelona els teixits més apreciats foren els de Flandes i els de França, tanmateix els seus preus prohibitius deixaven a gran part de la societat fora del seu abast. Durant la crisi del 1293-1313 molts drapers del migdia francès vingueren a parar a Barcelona o desenvoluparien llur ofici i ensenyarien als artesans autòctons a realitzar draps "a la francesa".[166] Aquests teixits tindrien bona qualitat i un preu més assequible, i en dinamitzarien la producció. Una de les principals característiques d'aquesta indústria és que fou creada des d'un començament amb la intenció que gran part de la seva producció seria destinada a l'exportació. D'altra banda, cal tenir en compte el gran volum d'ocupació que aquesta activitat proporcionava tant a les zones rurals (producció de la llana) com a les ciutats (filament i confecció).

Gran part dels draps invertits per conversos foren destinats a la zona mediterrània occidental, principalment a Sicília i Sardenya, seguides de Siracusa. La zona oriental no quedà al marge de les inversions draperes dels conversos, però el nombre d'operacions enregistrades era inferior.

El volum de diners que els conversos invertien en aquestes comandes rondava al voltant de les seixanta lliures. La comanda marítima realitzada per un convers amb la quantitat de diners més alta correspon a una inversió en draps. Es tracta del mercader convers Arnau Massana, que el 16 de juny 1397 invertí un total de 950 lliures i dos sous en draps que tindrien com a destí Xipre i Beirut.[167]

El segon producte amb un alt nivell d'exportació era el coral, escàs i molt apreciat en els països orientals, principal mercat d'aquest material. L'estreta relació dels conversos amb aquest producte va fer que foren molt proclius a invertir-hi en comandes marítimes. La immensa majoria dels coralers eren conversos, molt reputats en l'art de refinament d'aquest material.[168] Tal era el seu pes dins d'aquest ofici que hom pot comprovar la inexistència de representants dels coralers

---

164. J. HERNANDO DELGADO: *Conversos, jueus i cristians...*, p. 407-408.
165. J. HERNANDO DELGADO: *Conversos, jueus i cristians...*, p. 407-408.
166. C. CARRÈRE: *Barcelona 1380-1462...*, volum I, p. 457.
167. AHPB, Bernat Nadal, *Manual de comandes*, 1393, setembre, 10-1397, octubre, 1, f. 188r.
168. Per a més informació vegeu l'apartat referent als coralers en el capítol corresponent.

en el Consell de Cent.[169] El pes d'aquest producte en el comerç exterior barceloní portà el Consell de Cent a vetllar pel secret de les tècniques de poliment del coral, fins al punt d'ordenar el 1447 que qualsevol que instruís algú d'ultramar en l'art del refinament del coral perdria la vida i els béns.[170] La costa catalana —més concretament la costa Brava— era molt rica en aquest apreciat coral. Tanmateix, l'abús en la seva recol·lecció va fer que escassejara, i quedaren tan sols els coralls més profunds que la tecnologia de l'època no permetia recollir. L'altra zona més propera a les costes catalanes rica en coral era Sardenya. Amb l'annexió d'aquest territori a la Corona d'Aragó per part de Jaume II el 1326, la recol·lecció de coral augmentà, puix que l'illa en tenia una gran quantitat per explotar a una escassa profunditat. Depenent de la seva qualitat, forma i nivell de manufacturació el coral tenia un preu determinat, i, per tant, hom elegia en quin format hi invertia. En la comanda realitzada, el 31 de maig de 1396, per Bernat d'Horta, convers, mercader, s'especificava quin era el valor del coral en el qual es disposaven a invertir depenent del seu format.[171] Així, el botó de coral es pagava a quatre lliures per lliura, el cor de coral de tall a trenta sous per lliura i el botó de coral *suany* a deu sous per lliura. Altres varietats de coral era el de branca polida,[172] el coral *torayat*,[173] coral de grandària mitjana,[174] coral sense cap marca ni defecte,[175] filat i picat.[176]

Tanmateix, hi havia altres productes nostrats que eren susceptibles de ser exportats, sobretot als territoris orientals. Per exemple, el convers Joan de Quer, mercader, exportà dues vegades oli a canvi d'atzur, en una expedició mercantil dirigida a Jaffa i Síria.[177] En una altra ocasió el mateix Joan de Quer exportaria cap al mateix territori arròs a canvi de cotó i gingebre.[178] El corredor convers Bernat Fabra

---

169. C. CARRÈRE: *Barcelona 1380-1462...*, volum I, p. 435.

170. C. CARRÈRE: *Barcelona 1380-1462...*, volum I, p. 434.

171. AHPB, Bernat Nadal, *Manual de comandes marítimes*, 1393, setembre, 10-1397, octubre, 1, f. 121v.

172. AHPB, Bernat Nadal, *Manual de comandes marítimes*, 1393, setembre, 10-1397, octubre, 1, f. 82v.

173. AHPB, Joan Nadal, *Manuale instrumentorum*, 1397, juny, 23-1397, novembre, 16, f. 13r.

174. AHPB, Bernat Nadal, *Manual de comandes marítimes*, 1393, setembre, 10-1397, octubre, 1, f. 185v.

175. AHPB, Bernat Nadal, *Manuale instrumentorum contractuum*, 1404, octubre, 3-1410, agost, 10, f. 69r-v.

176. AHPB, Bernat Nadal, *Manuale instrumentorum contractuum*, 1404, octubre, 3-1410, agost, 10, f. 69r-v.

177. Extret de C. CARRÈRE: *Barcelona 1380-1462...*

178. Extret de C. CARRÈRE: *Barcelona 1380-1462...*

també exportà fins a dues vegades oli, juntament amb draps barcelonins, però en aquest cas ho faria cap a Alexandria, d'on importaria laca, canyella i encens.[179]

Els productes exportats no eren solament materials relacionats amb el consum i el luxe decoratiu. Entre les comandes marítimes realitzades per conversos destaca la realitzada el 17 d'octubre de 1392 pel llibreter convers Francesc sa Plana i el mercader Joan Codonyà, ciutadans de Barcelona, en la qual exporten llibres i importen ocellets de perfum.[180]

Pel que fa als productes importats eren sempre materials d'escassa presència en el nostre territori i molt apreciats pels habitants adinerats barcelonins. En la seva major part els comanadors demanaven que part dels diners obtinguts en la venda de les seves mercaderies fos canviada per aquests productes. El pebre, la laca i el gingebre eren els productes més demanats per importar a territori català. Aquests productes, molt abundants en aquells territoris, aconseguien multiplicar el seu preu en el mercat barceloní. Un altre producte que destacava era el cotó filat, sobretot provinent de la ruta de Sicília (cotó de Malta) i de la ruta Rodes-Xipre-Beirut, del qual es confeccionarien draps destinats a la població barcelonina.

Molts dels qui feien les comandes deixaven a l'arbitri del comendatari l'adquisició dels productes que havien d'importar amb el seu capital. Això es devia al fet que, per tal d'obtenir el màxim benefici possible, hom havia de conèixer les cotitzacions dels productes susceptibles de ser importats no tan sols al mercat de Barcelona sinó en l'àmbit europeu.[181] Altres vegades el comanador estava àmpliament informat dels preus amb els quals havia d'adquirir els productes que volia importar així com el preu que aquestos podien assolir en el mercat local i europeu. Aquest és el cas del corredor convers Bernat Fabra, que el 21 d'agost de 1409, va donar a Pere Munt-rós, mercader, ciutadà de Barcelona, en el seu viatge a Alexandria, cent lliures i tres sous invertides en trenta gerres plenes d'oli i cinc draps de llana de diversos colors de Vilafranca del Conflent, perquè inverteixi la meitat del producte de la venda en laca si aquesta es troba a vint-i-dos besants d'or d'Alexandria, i la resta en canyella d'arceni, si es troba a quaranta besants d'or; en cas contrari, ha d'invertir en encens si el quintar es

---

179.   AHPB, Arnau Lledó, *Llibre de comandes*, 1407, agost, 20-1417, novembre, 28, f. 22r.

180.   AHPB, Bernat NADAL, *Decimum manuale*, 1392, juliol, 11-1393, gener, 23, f. 56r.

181.   Part dels productes importats per mercaders barcelonins eren venuts a altres mercaders de la mateixa ciutat que alhora els vendrien als mercats de Marsella i altres territoris del sud de França. Vegeu C. CARRÈRE: *Barcelona 1380-1462...*

troba a setze besants; si no és així, la inversió serà en encens d'Alexandria, si el quintar es troba a setze besants, i en el seu defecte la meitat en canyella comuna, si es troba a raó de vint-i-dos besants, i la resta en pebre; si aquesta opció també fallava el comendatari havia d'invertir-ho tot en pebre.[182]

Totes aquestes mercaderies importades de territoris d'ultramar eren incorporades al comerç local de la ciutat, on els mercaders venien aquests productes a botiguers i altres professionals.[183]

Rutes marítimes

Com hem pogut veure en l'apartat anterior els conversos participaren comercialment en totes les principals rutes de comerç a llarga distància. D'aquestes, les més properes eren les que tenien Sardenya i Sicília com a destí. La península itàlica també era un important mercat per al comerç barceloní, tanmateix els conversos no dirigeixen cap a ella el seu interès. Cap de les dues illes era plantejada pels mercaders barcelonins com un mercat encarat al consum de la població autòctona. El seu principal interès radicava en el fet que aquestes dues illes eren el primer destí dels viatges destinats a la Mediterrània oriental i eren per tant un punt d'intercanvi en un mercat de caràcter triangular.[184] Malgrat tot, l'escassa industrialització d'aquests territoris permetia als mercaders barcelonins vendre els seus productes manufacturats alhora que adquirien matèria primera per als obradors de Barcelona. Si ens fixem en les comandes realitzades pels conversos barcelonins ens adonarem que en quasi tots els casos exporten draps manufacturats a Barcelona. Altres productes, com el coral i la dagueria, també eren exportats a aquestes illes però en un nombre molt inferior. D'altra banda, el cotó, el cotó filat i el cotó de Malta són els productes que importen. Les comandes destinades a aquests territoris solien ésser modestes, ja que eren uns mercats molt recurrents per a les naus amb poca capacitat de càrrega i per a inversions modestes. Tot i això, en el cas dels conversos que invertien en aquest mercat la quantia d'aquestes solia ésser de setanta lliures de mitjana. En aquesta ruta trobem conversos com a dirigents

---

182. AHPB, Arnau Lledó, *Llibre de comandes*, 1407, agost, 20-1417, novembre, 28, f. 22r.

183. Els artesans anotaven aquestes adquisicions i les seves participacions en comandes marítimes en uns llibres per tal de portar-ne una comptabilitat. Desgraciadament han sigut pocs els llibres que han arribat fins avui. Per a més informació vegeu: Carles Vela i Aulesa: *Les compravendes al detall i a crèdit en el món artesà. El cas dels especiers i els candelers*, ed. Barcelona Quaderns d'Història, Barcelona, 2007.

184. Vegeu C. Carrère: *Barcelona 1380-1462...*, p. 92.

de l'expedició (comendataris). Es tracta del mercader Joan Cardona i el coraler Gabriel Tranxer, que el maig de 1415 organitzaren un viatge comercial cap a Sicília en el qual hi participaren com a comanadors diversos conversos i cristians de natura.[185]

Sardenya, per la seva part, constituïa un centre mundial en la recol·lecció del coral, que començava a la primavera. Per aquesta raó, els viatges comercials des de Barcelona fins a aquesta illa es feien coincidir amb el començament de la temporada de la pesca del coral per tal de proveir els pescadors de tots els estris necessaris per a la seva activitat.[186]

Des d'aquestes illes, els mercaders barcelonins continuaven el seu viatge cap als territoris orientals de Damasc, Síria, Xipre, Alexandria i Beirut, passant generalment per Rodes. Aquests territoris més orientals constituïen el principal mercat de la draperia i el coral barceloní. El gran consum de draps barcelonins per part de la població oriental feia sostenible el comerç d'ultramar i l'economia de la ciutat en general mitjançant el cobrament dels impostos d'entrades i eixides. D'altra banda, l'alta demanda de draps per al seu comerç permetia un alt nivell d'ocupació entre la població —tant rural com urbana. Per aquestes causes, la ruta cap a orient constituïa el pal de paller del comerç barceloní.

Pel que fa a l'illa de Rodes aquesta no constituïa un mercat en si mateixa. Com passava amb Sicília i Sardenya, Rodes esdevingué un interessant mercat d'intercanvi. La principal funció de Rodes era la de constituir-se com un punt segur on fer escala, emmagatzemar part de les mercaderies i proveir-se. L'illa, dominada pels cavallers hospitalers, era una garantia de seguretat per als mercaders barcelonins que es dirigien cap a terres llunyanes per una ruta on la pirateria i les inclemències del temps eren un perill constant. Cap cònsol d'ultramar era establert a Rodes, de la qual cosa es dedueix que les disputes entre els mercaders eren solucionades pels mateixos cavallers hospitalers.[187]

Des de Rodes es partia cap a les destinacions finals de Xipre, Damasc, Beirut, Síria i Alexandria. Els mercaders conversos —com tots els mercaders barcelonins— exportaven a aquests països els productes estrella més demanats: els draps i el coral. Aquests territoris constituïen el vertader i principal mercat que consumia la major part de la producció barcelonina d'aquests productes i permetia la sostenibilitat del

---

185. AHPB, Tomàs de Bellmunt, *Manual de comandes*, 1414, gener, 18-1417, gener, 21, f. 22v-24v.

186. Vegeu C. Carrère: *Barcelona 1380-1462...*, p. 94.

187. Vegeu C. Carrère: *Barcelona 1380-1462...*

sistema. Per altra banda, els mercaders barcelonins adquirien d'aquests territoris productes exòtics, principalment espècies, molt sol·licitats pels seus conciutadans, equilibrant així la balança comercial. Els mercaders conversos —segons la documentació recollida— sembla que preferien els mercats d'Alexandria i Beirut, i el producte més exportat seria el coral, producte al qual estaven estretament lligats.

Els conversos barcelonins participaren fins en sis expedicions cap a Alexandria. Els corredors d'orella Bernat Fabra i Joan de Subirats participaren com a comanadors en el viatge comercial cap a aquest territori el 9 de setembre de 1399, en què exportaren cent lliures de mel.[188] Bernat participaria en dues expedicions més: el 18 de setembre de 1408,[189] i dos cops en una altra el 21 d'agost de 1409.[190] En aquesta última Bernat exportà oli a més de draps. Berenguer Martí, mercader, i l'esmentat Bernat Fabra exportaren, dos cops, coral el 6 d'octubre de 1401.[191] El 6 d'abril de 1403 el mercader convers Berenguer Martí invertí en coral destinat a Alexandria. El mateix Berenguer tornà a invertir en el mateix producte i igual destinació en l'expedició programada el 28 d'octubre de 1403.[192] En aquesta expedició també hi participaria Berenguer Cortey, mercader convers.[193] El 6 d'abril de 1403, el mercader convers Llorenç Massana faria una inversió similar.[194] Malgrat que la majoria dels comanadors eren mercaders també trobem conversos professionals d'altres oficis que invertiren en productes destinats a Alexandria. El 3 de setembre 1408 el metge convers Francesc de Pedralbes invertí en coral destinat a Alexandria.[195] També ho faria Miquel Roure, mercader, convers.[196] Com veiem, el producte més exportat pels conversos a aquesta destinació era el coral.

Juntament amb Alexandria, la destinació preferida d'orient era Beirut. Aquestes dues places eren els principals proveïdors d'espècies de Barcelona.[197] Com passava amb Alexandria el producte més expor-

---

188. AHPB, Bernat Nadal, *[Manuale comune] XXV*, 1399, abril, 4-1399, setembre, 22, f. 89v.

189. J. HERNANDO DELGADO: *Conversos, jueus i cristians...*, p. 407-408.

190. AHPB, Arnau Lledó, *Llibre de comandes*, 1407, agost, 20-1417, novembre, 28, fol. 22r.

191. AHPB, Bernat Nadal, *Secundus liber comandorum* 1397, desembre, 3-1403, agost, 16, f. 88v.

192. J. HERNANDO DELGADO: *Conversos, jueus i cristians...*, p. 407-408.

193. J. HERNANDO DELGADO: *Conversos, jueus i cristians...*, p. 407-408.

194. J. HERNANDO DELGADO: *Conversos, jueus i cristians...*, p. 407-408.

195. J. HERNANDO DELGADO: *Conversos, jueus i cristians...*, p. 407-408.

196. AHPB, Arnau Lledó, *Llibre de comandes*, 1407, agost, 20-1417, novembre, 28, f. 12v.

197. Vegeu C. CARRÈRE: *Barcelona 1380-1462...*, p. 129-130.

tat per conversos era el coral. En aquesta ruta trobem com a comanadors la família Massana, que invertirien separadament fins en tres expedicions diferents: el 6 de maig de 1395, Arnau Massana;[198] el 18 de maig de 1395, Llorenç Massana,[199] i en la del 31 de juny de 1396, Joan Massana.[200]

A l'últim, amb menys participació conversa, tenim el mercat siri de Jaffa on el convers Joan des Quer, corredor d'orella, invertí tres vegades.[201] En lloc de coral i draperia, Joan exportà una vegada arròs, a canvi de cotó i gingebre, i les dues restants oli, a canvi d'atzur.

Tal com mostren els estudis realitzats per Gloria Polonio Luque es produí un canvi de tendència en les rutes elegides pels jueus (amb la majoria d'operacions registrades abans de 1391) i en les preferides pels conversos quan actuaven com a comendataris.[202] Els jueus utilitzaven majoritàriament la ruta Xipre-Beirut-Alexandria, mentre que els comendataris conversos participaven més en les comandes amb destinació a Sicília i Siracusa.

En resum, els conversos barcelonins participaren activament en el comerç marítim, sobretot en les rutes més orientals centrades en les espècies. Majoritàriament el seu paper en el comerç internacional era predominantment de comanador, fet que confirma la tendència ja seguida just abans de la seva conversió. El seu nou estatus no influeix en aquest aspecte en un canvi de tendència. Tanmateix, trobem conversos que dirigeixen alguns viatges. En aquest cas, tots els viatges en què apareixen conversos com a comendataris van dirigits a Sardenya i Sicília. És a dir, viatges curts i de poc volum que no exigeixen els riscos d'una travessia fins a orient. Malgrat la seva facilitat per moure's en terres orientals —coneixement d'alguns d'ells de la llengua àrab i l'hebreu— prefereixen no córrer riscos i invertir des de la distància. La seva participació sembla augmentar respecte a abans de la seva conversió.[203]

D'altra banda, se'ns constata l'existència d'una part de la societat conversa amb prou capacitat econòmica per invertir quantitats gens menyspreables en el comerç internacional. Si tenim en compte els contractes de deute que hem analitzat al començament d'aquest capítol,

198. J. Hernando Delgado: Conversos, jueus i cristians…, p. 407-408.
199. J. Hernando Delgado: Conversos, jueus i cristians…, p. 407-408.
200. J. Hernando Delgado: Conversos, jueus i cristians…, p. 407-408.
201. J. Hernando Delgado: Conversos, jueus i cristians…, p. 407-408.
202. G. Polonio Luque: "Jueus i conversos en el comerç…", p. 42.
203. Anna Rich enregistra en el seu estudi una activitat més baixa en el comerç per part dels jueus barcelonins de mitjans del segle XIV.

observarem com els inversors conversos més actius no tenien un alt nivell d'endeutament. Per tant, tenien prou capacitat econòmica pròpia per poder arriscar un capital que potser perdrien.

Analitzant conjuntament les dades recollides en el mercat del deute i el comerç internacional, podem observar com els conversos van abandonant cada cop més les inversions en crèdits i augmenten la seva participació en els negocis comercials.

ELS CONVERSOS I LA RELIGIÓ CRISTIANA

Instrucció religiosa dels conversos barcelonins

Hom ha pogut veure les conseqüències de no integrar dins de la mateixa societat tota la població que coexisteix en un mateix espai. Les conversions en massa no havien solucionat el problema jueu, puix el gruix de la població desconfiava de la sinceritat dels nous cristians. De moment la població cristiana de natura de Barcelona es mantenia a l'expectativa a veure com es desenvolupaven els conversos en la societat i cada festa popular religiosa i cada acte de litúrgia era una prova. Recentment sufocats els avalots la població no s'atreviria a fer un altre pogrom contra els conversos, tampoc seria lògic ja que van ser ells els que els van forçar a convertir-se.

Les autoritats temien que els fets esdevinguts durant l'agost de 1391 es repetiren en un futur contra els conversos. Per tant calia integrar els neòfits en la societat cristiana, i el camí per fer-ho era la instrucció religiosa en la nova fe.

La primera disposició que es va fer va ser el 22 d'agost de 1391,[1] i es referia als jueus que durant el pogrom no s'havien convertit. El Consell ordenava que aquests foren posats dins de cases de religiosos on se'ls instruís en la fe catòlica. Si acabada la instrucció no es convertien, serien foragitats de la ciutat.

Tot i que la intenció era aquesta, la veritat va ser que ni l'Església ni les autoritats civils es van preocupar per la instrucció religiosa d'aquests conversos, que desconeixien els dogmes de la fe catòlica i la seva litúrgia.[2]

---

1. AHCB, *Llibre del Consell*, XXV, 1391/8/27, f. 37v.
2. Haim BEINART: "Los conversos y su destino", dins E. KEDOURIE (dir.): *Los judíos de España*, ed. Crítica, Barcelona, 1992, p. 97.

Els polemistes proconversos van criticar àmpliament a les autoritats la seva escassa preocupació en proporcionar als conversos una adient instrucció cristiana, fet que provocava que molts tornessin al judaisme pel fet d'estar obligats a seguir una fe que no entenien o bé de la qual tenien un coneixement rudimentari.[3] Un convers, doncs, que hagués abraçat el cristianisme de manera sincera es veia en dificultats de formar-se adequadament. A aquest fet cal afegir la dificultat que tenien la majoria de conversos de deixar de practicar hàbits i costums quotidians relacionats amb la religió jueva. Aquests dos factors tindrien greus conseqüències quan s'establís la Inquisició castellana a la ciutat.

Cal recordar que al llarg dels segles els ordes mendicants havien predicat als jueus amb l'objectiu de convertir-se. L'única instrucció que van rebre els conversos en la nova fe eren aquestes prèdiques, que tanmateix la majoria no aprofundien en els dogmes ni en la litúrgia; tot això en una època en què la *Devotio Moderna* aconsellava instruir més i millor el poble en la religió catòlica.[4]

Cada convers havia d'instruir-se per si mateix i segons els seus mitjans. Aquesta instrucció la buscaven entre cristians de natura que havien conegut professionalment, demanant que els instruïssin en la doctrina cristiana. I si això no era possible, adquirint llibres religiosos i formant-se pel seu compte.

Aquesta última opció és la que van seguir el convers Marc d'Avinyó, seder de Barcelona, i els seus avantpassats. En el seu testament fet el 8 de maig de 1445,[5] consten una Bíblia i dos llibres anomenats *Catholicam Unam*. Marc va ser enterrat en el monestir dels frares predicadors de Barcelona i pertanyia a la parròquia de Santa Maria del Mar. Com veiem en aquest exemple, els conversos s'esforçaven personalment a integrar-se per tal de protegir-se de nous atacs.

En unes obres que al gener de 1621 es van fer prop de la capella de Santa Trinitat, antiga capella dels conversos barcelonins, es va trobar un Antic Testament escrit en llengua catalana.[6] Entre les obres con-

---

3. María del Pilar Rábade Obradó: "La instrucción cristiana de los conversos en la Castilla del siglo xv", *En la España Medieval*, 22 (1999), p. 369-393, p. 369.

4. M. P. Rábade Obradó: "La instrucción cristiana...", p. 381.

5. AHPB, Nicolau de Mediona, *Llibre de testaments*, 1437, agost, 1-1452, juny, 3, 1445, octubre, 6 (vegeu apèndix documental I, doc. 55).

6. Jaume Riera i Sans: "Contribució a l'estudi del conflicte religiós dels conversos jueus (segle xv)", dins *IX congreso di storia della Corona d'Aragonia: la Corona d'Aragonia, aspeti e problema comuni da Alfonso il Magananimo a Ferdinando il Catolico (1416-1516)*, ed. Società Napoletana di Storia Patria, Nàpols, 1982, p. 409-425, p. 414.

fiscades per la Inquisició castellana a Tarragona es trobaren diversos Evangelis traduïts al català, així com epístoles.

En unes obres que es van fer en una casa del call de Barcelona el 1848 es va trobar un llibre de notes de lectura del segle xv que pertanyia al convers Bartomeu Rodrigues, mercader de Barcelona.[7] El començà el 1468 per apuntar-hi les despeses de la seva nau, però a partir del foli 43 hi ha algunes anotacions sobre discursos i sermons, consultes sobre judaisme a mestre Gabriel de Lleó, i consultes sobre la Bíblia a Joan Ramon, agustí. El que més abunda en el llibre són notes de lectura dels passatges que més interès li despertaven dels llibres religiosos que llegia, entre els quals es troba, entre d'altres, el *Vita Christi* de Francesc Eiximenis. En aquestes notes hi busca els paral·lelismes del judaisme amb el cristianisme, per tal d'afirmar la seva nova fe i assimilar-la millor. Aquesta bé podria ser l'actitud més comuna dels conversos: es formaven per la seva banda i s'assessoraven per algú que conegués bé la religió catòlica.

En els estudis realitzats per María del Pilar Rábade Obrador sobre expressions de religiositat cristiana basant-se en els processos inquisitorials de Ciudad Real i Toledo, s'observa que els conversos que semblaven més sincers solien pertànyer a una posició socioeconòmica alta.[8] Tanmateix, hem de tenir en compte que els llibres eren un objecte car durant l'edat mitjana i per tant calia tenir una posició econòmica acomodada per poder adquirir-los.

En definitiva, els conversos s'instruïen en la religió cristiana com bonament podien segons els seus contactes i el seu poder adquisitiu. Això va provocar que molts conversos, anys després de la seva conversió, en ser acusats davant el tribunal de la Inquisició demostressin una baixíssima instrucció religiosa fins al punt de senyar-se incorrectament i desconèixer les oracions bàsiques del cristianisme com el parenostre i l'avemaria.[9]

Signes externs i interns del cristianisme dels conversos barcelonins

Actuar amb el fervor del convers. Cap altra frase és més adient per definir l'actuació d'alguns conversos envers la religió cristiana. Un

---

7. J. Riera i Sans: "Contribució a l'estudi del conflicte...", p. 419.

8. María del Pilar Rábade Obradó: "Expresiones de la religiosidad cristiana en los procesos contra los judaizantes del tribunal de Ciudad Real/Toledo, 1483-1507", *En la España Medieval*, 13 (1990), p. 303-329.

9. M. P. Rabadé Obradó: "La instrucción cristiana de los conversos...", p. 369-393.

bon exemple és el dels xuetes mallorquins que fins fa pocs anys encara se senyaven fortament i resaven a sobre els bancs de l'església perquè tothom els veiés.[10] Tanmateix, no hem de prejutjar aquesta actitud com a simple aparença exterior, ja que, seguint el mateix exemple mallorquí contemporani, hi havien conversos que sortien a les processons vestits de caputxí i per tant ningú els podia reconèixer.

La sinceritat o falsedat d'aquestes mostres externes de religiositat és un secret que cada convers es va endur a la tomba. És molt poca la documentació que desveli aquestes mostres de religiositat, tanmateix creiem necessari assenyalar-ho en aquest estudi per tal de no perpetuar el mite que tots els conversos eren en realitat jueus disfressats de cristians.

Aquest fet també s'observava en els conversos barcelonins de la baixa edat mitjana. El convers Arnau Roger, corredor d'orella, tenia entre les seves possessions una tassa d'argent amb la imatge de la Verge Maria.[11] Un altre exemple és el de Guillem de Reig, convers, abans anomenat Mossé Sadoch, sastre valencià, que tenia un agnusdei brodat a la bossa on guardava els diners, així quan pagava tothom el podia veure.[12]

Si tenim en compte la deficient instrucció cristiana entre la població, ja no conversa, sinó fins i tot entre la cristiana de natura, ens podem fer una idea de com d'important eren aquests signes externs de la religiositat sobretot en els conversos. De fet, el que més ressaltava la Inquisició eren aquestes mostres externes de religiositat i no tant el coneixement de la doctrina.[13] Tanmateix, els conversos que aprofundien en la religió cristiana per convenciment menystenien aquesta superficialitat de la fe i així ho mostraven davant el tribunal inquisitorial segons les investigacions fetes per María del Pilar Rábade Obradó.[14]

L'expressió religiosa dels conversos segons els llibres d'òbits de la parròquia de Sant Just i Sant Pastor de Barcelona

Els llibres d'òbits de la parròquia de Sant Just i Sant Pastor i Santa Maria del Pi ens ofereixen molta informació de la religiositat

---

10. Miquel Forteza: *Els descendents dels jueus conversos a Mallorca*, ed. Moll, Palma de Mallorca, 1972, p. 88.
11. AHPB, Llorenç de Casanova, *Manual*, 1420, maig, 7-1420, agost, 23, f. 3r.
12. AHPB, Bernat Nadal, *Manual*, 1394, novembre, 14-1395, maig, 9, f. 99r.
13. Victoria González de Caldas: *¿Judíos o cristianos? El proceso de fe. Sancta inquisitio*, ed. Universidad de Sevilla, Sevilla, 2004, p. 84-85.
14. M. P. Rábade Obradó: "Expresiones de la religiosidad cristiana"...

dels conversos barcelonins en un moment tan delicat com era la seva mort. D'altra banda, també és una bona eina per quantificar relativament la mortalitat infantil entre aquest col·lectiu ja que entre els registres continguts en aquests llibres hi consten els albats o infants morts. A la part annexa d'aquest llibre hem inclòs les transcripcions dels registres que fan referència als conversos. Tanmateix, per facilitar l'anàlisi de les dades, hem realitzat tres taules (uncions, enterraments i enterraments d'albats) que ens permetran veure millor la informació que ens ofereixen els documents.

TAULA 6

Uncions dels parroquians conversos de l'església de Sant Just i Sant Pastor

Data	Nom convers	Residència	Clergues de la parròquia presents	Localització
1390-10-14	Una conversa a casa de Criveller		Vicari, Vidal, Ripoll i escolà. IV parts.	Arxiu de la Comunitat de Sant Just i Sant Pastor, Llibres d'Òbits, llibre II, f. 8r.
1399-04-01	Conversa	Carrer dels Còdols	Rector, Narbonès, Bastús, Miró, escolà. V de parts.	Arxiu de la Comunitat de Sant Just i Sant Pastor, Llibres d'Òbits, llibre IV, f. 1r.
1399-08-30	Muller de Joan Forcadell	Carreró d'en Vives	Vicari, Bastús, Rovira, escolà. IV de parts.	Arxiu de la Comunitat de Sant Just i Sant Pastor, Llibres d'Òbits, llibre IV, f. 2r.
1401-10-11	Criveller	Carrer Ample	Ponç, Duran, March, Puig, escolà. V de parts. Foren a missa: Vicari, Oller, Fontella, Vilarasa, Oliver, Manyosa.	Arxiu de la Comunitat de Sant Just i Sant Pastor, Llibres d'Òbits, llibre V, f. 12r.
1401-11-31	Filla de Conill	Prop de Pere Buçot	Vicari, Ripoll i escolà. III de parts.	Arxiu de la Comunitat de Sant Just i Sant Pastor, Llibres d'Òbits, llibre V, f. 12v.
1410-01-20	Cunyat d'Abraham		Vicari, Nicolau, Tarrades, Cases, escolà. V de parts.	Arxiu de la Comunitat de Sant Just i Sant Pastor, Llibres d'Òbits, llibre V, f. 16r.
1410-01-21	Un jove de casa de Sanxo	Carrer dels Lleons	Vicari, Nicolau, Cases, escolà. IV de parts.	Arxiu de la Comunitat de Sant Just i Sant Pastor, Llibres d'Òbits, llibre V, f. 16r.

La taula que acabem de mostrar és la de les uncions fetes als malalts conversos de la parròquia. En ella costen els malalts conversos que rebien el sagrament de la unció o l'extremunció, el sagrament de la confessió, si hom ho considerava necessari, i el viàtic el mateix dia o dies després.[15] La unció és un sagrament de l'Església mitjançant el qual, juntament amb la confessió i l'administració del viàtic, s'exculpa el malalt dels seus pecats i es reconforta la seva ànima, amb l'objectiu que el malalt sani. En el cas que el malalt estigués a punt de morir s'aplicava llavors l'extremunció perquè en cas de defunció la seva ànima quedés lliure de pecat. Si el malalt sanava i tornava a recaure podia rebre de nou la unció. Així, quan hom estava tan malalt que creia que la seva vida podia extingir-se, manava buscar el rector o vicari de la seva parròquia perquè li administrés el sagrament esmentat. Aquest, acompanyat de l'escolà i d'altres clergues, es dirigien a casa del malalt per ungir-lo. El nombre de clergues variava segons la condició econòmica del malalt ja que tant el sagrament de la unció com el nombre de clergues es pagava.[16] D'altra banda, també demostra la fe del malalt amb aquest ritual en concret i amb la fe cristiana en general, ja que a més clergues presents més segur estava el malalt de l'efectivitat del ritual. Així, el nombre de clergues presents ens mostraria la preocupació del malalt per la seva cura o salvació eterna mitjançant la litúrgia cristiana. En els casos que mostrem veiem que el nombre de clergues presents estava entre els tres i els cinc. Recordem que aquest ritual es feia a casa del malalt, en la més absoluta privadesa, i per tant no es tractava en cap cas d'una ostentació als ulls de la societat. Tenint en compte això, podem veure com els conversos que configuren aquest exemple tenien una fe sincera amb la litúrgia cristiana.

Un article de Josep Torné i Cubells ens explica amb tot detall en què consistia el ritual de l'extremunció.[17] El rector, juntament amb els clergues demanats pel malalt i un escolà, es desplaçaven a casa del malalt per tal de realitzar l'acte litúrgic. Només entrar a casa del malalt

---

15. Josep HERNANDO DELGADO: "Els conversos: Del judaisme al cristianisme. Ruptura, integració i pràctica religiosa", *XVIII Curs d'estiu-reunió científica Comtat d'Urgell "Formes de convivència a la baixa edat mitjana" (Balaguer, 10, 11 i 12 de juliol de 2013)*, Pagès Editors, Lleida (em premsa).

16. En diferents concilis celebrats a Tarragona durant la baixa edat mitjana es demanava la gratuïtat de l'administració de la unció als malalts ja que es considerava una mena de dret que tot cristià havia de tenir. Sobre aquesta i altres qüestions litúrgiques vegeu: Lluís MONJAS MANSO: *La reforma eclesiàstica i religiosa de la província eclesiàstica tarraconense al llarg de la baixa edat mitjana a través dels qüestionaris de visita pastoral*, ed. Fundació Noguera, Barcelona, 2008.

17. Josep TORNÉ I CUBELLS: "Un nou ordinari Secundum Ritum Barchinone", *Miscellània Litúrgica Catalana*, 1994, p. 175-188.

el rector realitzava el següent sagrament: *Pax huich domui et omnibus habitantibus in ea et egredientibus.* Beneïa, per tant, tots els habitants sans i malalts de la casa. Acte seguit aplicava aigua beneïda al malalt i a la relíquia que els clergues portaven. Llavors demanava al malalt si volia confessar els seus pecats i es procedia a la seva absolució. Seguidament, es procedeix a donar el viàtic o comunió al malalt. El rector pren la creu de la custòdia i procedeix a preguntar al malalt si creu en els preceptes de la fe catòlica enumerant-los un per un, és a dir, si creu en els misteris de la Immaculada Concepció i la Trinitat, en el sacrifici de Crist per la humanitat, i d'altres, al qual el malalt ha d'anar contestant *credo.* Un cop el malalt havia afirmat creure fermament en tots els preceptes de l'Església catòlica, havia de procedir a perdonar tots aquells que l'haguessin ofès i injuriat, així mateix demanava perdó als presents i no presents per totes les injúries que hagués comès. Acte seguit es preguntava al malalt si creia en el sagrament de la comunió, amb la transsubstanciació del simple pa en el cos de Crist. Un cop el malalt responia *credo,* rebia la comunió ajudat d'aigua o vi si ho necessitava i la seva malaltia li ho permetia.

Veiem doncs com el ritual de l'extremunció té una grandíssima càrrega religiosa en la qual el malalt, preveient que molt probablement deixarà aquest món, ha de mostrar sinceritat en la fe catòlica repassant un per un tots els seus preceptes. No es tracta d'un acte naïf per demostrar externament la seva fe. Es tracta de la convicció que hom molt probablement va a morir, l'últim moment més transcendental de tot ésser humà. Veiem, per tant, una clara sinceritat en el cristianisme en tot convers que recorria a la unció i l'extremunció com un recurs per sanar-se o salvar la seva ànima.

La següent taula que mostrem és la dels enterraments. En ella s'especifica el nom del difunt, seguit en certs casos del lloc de residència i on era enterrat; finalment hi consta el nombre de clergues que assistiren l'enterrament fent-hi constar el nom de cadascú. Com en el cas anterior, el nombre de clergues resulta significatiu en l'aspecte religiós del difunt. En aquest cas en concret, sí que podem parlar d'exhibició de fe, ja que tothom veuria els clergues que acudirien a l'enterrament, i es convertiria també en un baròmetre socioeconòmic i un element d'integració social. El nombre de clergues se situa en la majoria dels casos entre onze i tretze, el més nombrós és el cas de la sogra de Francesc sa Calm, important llibreter convers de Barcelona, amb vint clergues. Pel que fa al lloc de sepultura el més elegit era el convent dels franciscans, seguit per l'església de Nazaret i la del Carme.

TAULA 7

Enterraments conversos a la parròquia de Sant Just i Sant Pastor

Data	Nom convers	Residència	Sepultura	Clergues de la parròquia que assisteixen	Localització
1390-08-29	Filla de Bossó	Prop de Ponç de Gualbes	Natzaret	Vicari, Vidal, Valtà, cunyada, Suyer, Marc, Manyosa, Oller, Pons, Vilarasa, Toló, Rovira, escolà. XIII de parts.	Arxiu de la Comunitat de Sant Just i Sant Pastor; Llibres d'Òbits, llibre II, f. 14r.
1390-10-15	Conversa que vivia a casa de Criveller		Frares menors	Vicari, Pons, Oller, Vilarasa, Vidal, escolà. VI de parts.	Arxiu de la Comunitat de Sant Just i Sant Pastor; Llibres d'Òbits, llibre II, f. 15r.
1401-06-05	Esclau del convers Conill	Davant de Sant Just		Vicari, Oller, escolà. III de parts.	Arxiu de la Comunitat de Sant Just i Sant Pastor; Llibres d'Òbits, llibre V, f. 15v.
1401-11-12	Criveller		La Mercè	Vicari, Oller, Pons, Fontella, Vilarasa, Duran, Oliver, Rabaça, Marc, Puig, Manyosa, Rovira i escolà. XIII de parts.	Arxiu de la Comunitat de Sant Just i Sant Pastor; Llibres d'Òbits, llibre V, f. 18v.
1402-02-19	Mestre Rafael	Carrer d'en Carabasser	Natzaret	Rector, Oller, Pons, Fontanella, Vilarasa, Duran, Bou, Sunyer, Manyesa, Segura, Terrades, Coll, escolà, Rovira. XV de parts, valen XIII.	Arxiu de la Comunitat de Sant Just i Sant Pastor; Llibres d'Òbits, llibre VI, f. 15v.
1402-08-06	Pertusa		Frares predicadors	Pons, Fontanella, Vilarasa, Cotes, Duran, Sunyer, Puig, Manyosa, Coll, Tarrades, Vilar, Ripoll, escolà.	Arxiu de la Comunitat de Sant Just i Sant Pastor; Llibres d'Òbits, llibre VI, f. 19r.

Data	Nom convers	Residència	Sepultura	Clergues de la parròquia que assisteixen	Localització
1410-01-01	Mare de Joan de Moltsegur	Carrer de Relat	Frares menors	Vicari, Rovires, Faner, Nicolau, Fonolledes, Esteva, Tarrades, Farriol, Cases, Rovires, escolà. XI de parts.	Arxiu de la Comunitat de Sant Just i Sant Pastor, Llibres d'Òbits, llibre VII, f. 24r.
1410-01-08	Sogra de Francesc sa Calm	Plaça de les Cols	El Carme	Vicari, Oller, Pons, Vilarasa, Rovires, Gibert, Nicolau, Faner, Fonolleda, Tena, Marc, Manyosa, Arnau, Canyades, Farriol, Cases, Donadeu, escolà [...]. XX de parts.	Arxiu de la Comunitat de Sant Just i Sant Pastor, Llibres d'Òbits, llibre VII, f. 24r.
1410-01-11	Pare Francesc Sacalm		El Carme	Pons, Nicolau, Fonolleda, Esteva, Marc, Manyosa, Arnau, Terrades, Cases, Donadeu, escolà. XIII de parts. [...] vicari.	Arxiu de la Comunitat de Sant Just i Sant Pastor, Llibres d'Òbits, llibre VII, f. 26r.

TAULA 8

Albats conversos de la parròquia de Sant Just i Sant Pastor

Data	Nom i filiació del convers	Residència	Lloc de sepultura	Clergues de la parròquia presents	Localització
1390-09-08	Fadrina filla de Frainó	Prop de Ponç de Gualbes	Natzaret	Vicari, Mates, Arnau, Ferrer, escolà, Rovias. A vespres, rector, Valtà, Manyosa, Oller, Vidal, Toló, Vilarasa. XII parts.	Arxiu de la Comunitat de Sant Just i Sant Pastor, Llibres d'Òbits, llibre II, f. 5r.
1390-10-08	Fadrina filla d'un convers que vivia al carrer d'en Serra	Carrer d'en Serra		Vicari, Arnau, Mates, escolà. IV de parts.	Arxiu de la Comunitat de Sant Just i Sant Pastor, Llibres d'Òbits, llibre II, f. 19r.
1390-10-21	Nicolau Massana	Carrer Ample	Frares menors	Vicari, Marc, Sunyer, Fontanella, Vidall, Bugatell, escolà. Foren a missa: rector, Pons. VIII parts.	Arxiu de la Comunitat de Sant Just i Sant Pastor, Llibres d'Òbits, llibre II, f. 19v.
1390-10-21	Pujades	Davant del convent dels frares menors	Frares menors	Vicari, Vilarasa, Aigulada, Oller, Bugatell, Arnau, escolà. Foren a missa: rector, Vidall, Fontanella, Toló, Pons. XII parts.	Arxiu de la Comunitat de Sant Just i Sant Pastor, Llibres d'Òbits, llibre II, f. 19v.
1390-11-26	Joan Massana	Carrer Ample	Església de la Mercè	Vicari, Rabaçó, Mayosa, Bugatell, Oller, Fontanella, Vilarasa, Toló, escolà. IX de parts. Foren a missa: Pons, Valtà. XI parts.	Arxiu de la Comunitat de Sant Just i Sant Pastor, Llibres d'Òbits, llibre II, f. 20r.
1401-01-05	Abraham, corretger	Cofrés	Cofrés	Bosch, Fontanella, Vilarosa, Sanyet, escolà. V de parts.	Arxiu de la Comunitat de Sant Just i Sant Pastor, Llibres d'Òbits, llibre V, f. 1r.
1401-01-21	Manuel de Gualbes	Carrer Ample amb Regomir	Santa Maria del Mar	Bosch, Pons, Fontanals, Vilarasa, Duran, Aleix, escolà. VII de parts. Foren a vespres: Terrades i Valtà.	Arxiu de la Comunitat de Sant Just i Sant Pastor, Llibres d'Òbits, llibre V, f. 1r.

Data	Nom i filiació del convers	Residència	Lloc de sepultura	Clergues de la parròquia presents	Localització
1401-02-17	Francesc de Gualbes	La Volta del forma del Cofrés		Bosch, Oller, Vilarasa, Aleix, Sunyer i escolà. VII de parts.	Arxiu de la Comunitat de Sant Just i Sant Pastor, Llibres d'Òbits, llibre V, f. 6r.
1401-09-21	Bernat Fabra	Davant de la Font del Mar	Frares menors	Rector, vicari, Oller, Pons, Terrades, Fontanella, Sunyer. Foren a missa: Puig, Vilarasa, Cots, escolà. XI.	Arxiu de la Comunitat de Sant Just i Sant Pastor, Llibres d'Òbits, llibre V, f. 6r.
1401-11-07	Conill	Davant d'on vivia Pere Buçot		Vilarasa, Puig, escolà. III de parts.	Arxiu de la Comunitat de Sant Just i Sant Pastor, Llibres d'Òbits, llibre V, f. 7r.
1401-11-07	Francesc Bertran		El Carme	Rector, Vilarasa, Oler, Ferrades, Segera, Rovira, [...], escolà. VII parts.	Arxiu de la Comunitat de Sant Just i Sant Pastor, Llibres d'Òbits, llibre V, f. 6r.
1402-08-08	Bertran	A la Fusteria	El Carme	Nebot, Oller, Fontanella, Vilarasa, Sunyer, Terrades, escolà. VII de parts.	Arxiu de la Comunitat de Sant Just i Sant Pastor, Llibres d'Òbits, llibre VI, f. 3r.
1410-01-09	Yno Conill		Mercè	Vicari, Oller, Vilarasa, Rovires, Fauer, Nicolau[...], escolà. XIII de parts.	Arxiu de la Comunitat de Sant Just i Sant Pastor, Llibres d'Òbits, llibre VII, f. 1r.
1410-03-09	Abraham		Agustins	Oller, Esteve, Manyosa, Antoni, Terrades, Farriol, escolà. VII de parts.	Arxiu de la Comunitat de Sant Just i Sant Pastor, Llibres d'Òbits, llibre VII, f. 3v.
1410-06-16	Antoni Torres, teixidor de vels	Plaça del vi	Frares menors	Vicari, Pons, Vilarasa, Rovires, Faner, Fonoyedes, Esteva, Colls, Arnau, Terrades, Casas, Alzina, escolà. IX parts.	Arxiu de la Comunitat de Sant Just i Sant Pastor, Llibres d'Òbits, llibre VII, f. 9r.
1410-00-21	Fadrina de Francesc Sanxo	Carrer Ample	Sant Just i Sant Pastor	Vicari, Alzina, Soller, Faner, Fonoyedes, Nicolau Esteva, Marc, Manyosa, Colls, Cases, escolà. XII de parts.	Arxiu de la Comunitat de Sant Just i Sant Pastor, Llibres d'Òbits, llibre VII, f. 14r.

L'última taula ens mostra els albats conversos, és a dir, menors de set anys que han mort prematurament, que pertanyien a la parròquia. El primer que crida l'atenció és que el seu nombre és major al dels adults, fet que ens indica una elevada mortalitat infantil. El nombre de clergues es redueix en aquest cas comparat amb els enterraments dels adults anant des dels tres fins als tretze, amb una mitjana de sis i vuit clergues. Cal tenir en compte, però, el sentit sagrat que tenia l'albat, el nen que havia finit abans que li toqués per naturalesa. Durant l'alta edat mitjana és quan més es remarcà aquest aspecte sagrat enterrant els nadons en els millors llocs dels altars. Pel que fa al lloc d'enterrament trobem més varietat que en els adults, i és un altre cop l'església dels franciscans el lloc predilecte. Altres llocs eren la Mercè, el Carme, els Agustins, Natzaret i Sant Just i Sant Pastor.

Analitzant tota aquesta informació en conjunt veiem, doncs, una preocupació sincera per part dels conversos —almenys d'una part d'ells— per la salvació de la seva ànima mitjançant els ritus i la fe cristiana.

La confraria de la Santíssima Trinitat de Barcelona

Els conversos barcelonins s'organitzaren al voltant d'una confraria, que rebria el nom de la Santíssima Trinitat, per tal de continuar realitzant de manera efectiva l'ajuda mútua que quan eren jueus es proveïen mitjançant les societats benèfiques. El lloc on s'ubicà aquesta confraria fou l'antiga sinagoga que hi havia al Call Menor, i que actualment és l'església de Sant Jaume, situada al carrer de Ferran. El 4 d'abril de 1397 els conversos barcelonins reberen el privilegi reial per part del rei Martí per tal de poder crear la confraria.[18] Maria de Luna, esposa del rei Martí, ratificaria el privilegi el 30 de juliol de 1400.[19] Els objectius d'aquesta confraria eren ajudar els seus membres més febles en cas de necessitat: garantir una sepultura digna, ajudar els pobres vergonyants i ajudar els seus membres en cas de malaltia.

El 2 de juliol de 1423, la reina Maria de Castella, muller d'Alfons el Magnànim, autoritzava a la confraria de la Santa Trinitat la confecció d'un drap d'or i seda, amb els símbols brodats de la confraria, que presidiria els sepelis de cadascun dels seus membres, alhora que

---

18. Francisco de Bofarull i Sans: *Colección de documentos inéditos del Archivo de la Corona de Aragón*, v. 41, *Gremios y cofradías de la Corona de Aragón*, 1910, p. 129 i següents.
19. José M. Madurell Marimon: "La cofradía de la Santa Trinidad de los conversos de Barcelona", *Sefarad*, XVIII, 1958, p. 60-82.

li donava dret al cobrament d'una talla entre els seus membres per tal de mantenir l'activitat de la confraria.[20]

El 23 de juny de 1424, el rei Alfons V d'Aragó regularia de manera més concreta els estatuts de la institució.[21] Així, a partir d'aquell moment, els majordoms que acudissin al sepeli d'un dels membres de la confraria havien de portar un brandonet encès sots pena d'una lliura de cera. També s'estableix l'obligació dels majordoms d'acudir als sepelis en cas que així se'ls indiqui, sots pena de cinc sous, i l'obligació de pagar una quantitat per caritat marcada i arbitrada pels majordoms, així com una quota anual. S'adverteix que els caps de guaita i altres oficials de la ciutat seran els encarregats de perseguir els confrares que contravinguin greument els estatuts i de tancar-los a la presó comuna fins que confessin la seva culpabilitat. S'estableix també un consell de quinze membres format per prohoms de la confraria i antics membres seus per tal de jutjar les actuacions d'aquests membres díscols i les controvèrsies que pogueren sorgir, i fer efectiva la seva expulsió en cas que el consell ho dictaminés. Finalment, es fixa una quota inicial de deu sous per a tot aquell que volgués entrar a formar part de la confraria, cinc sous es destinarien a la caixa comuna de la confraria i els altres cinc serien destinats als pobres vergonyants de la mateixa institució.

La confraria anà augmentant en membres al llarg dels anys i per tant fou necessària una ampliació dels seus estatuts per tal de garantir-ne el govern. L'1 d'octubre de 1433 els majordoms i confrares demanaren a la reina Maria que aprovés els nous estatuts. Així, s'estableix que la confraria seria administrada per tres majordoms, que serien elegits el dia de Sant Nicolau de cada any. Al mateix temps, els majordoms i el consell elegirien un ajudant o dos; dos almoiners per tal d'administrar els diners de la confraria; un clavari que tingués cura de la caixa on es guardaven els diners per ajudar els malalts i per als enterraments; dos obrers per tal de mantenir l'església i que actuarien sempre sota llicència del consell. El mateix any s'elegirien entre els confrares dotze prohoms que formarien el consell. En les decisions de gran importància, els majordoms havien de consultar el consell i obtenir el seu vistiplau. Els consellers, per la seva part, hauran d'acudir a consell cada cop que els majordoms ho requereixin, sots pena de dues lliures de cera. Pel que fa als consellers passats, aquests havien de continuar les seves funcions fins que els consellers novells foren elegits. Majordoms, oficials i consellers tenen plenes facultats per fer les ordenacions que

---

20. ACA, Cancelleria, reg, 3121, f. 119v (vegeu apèndix documental I, doc. 52).
21. ACA, Cancelleria, reg. 2592, f. 84v (vegeu apèndix documental I, doc. 51).

trobin convenients per tal de garantir el bon govern de la confraria en tot allò referent a la caritat i les obres pies. S'estableix que les ordenacions fetes pels majordoms, oficials i prohoms no poden ser revocades a menys que hi hagi la participació dels mateixos majordoms, oficials i prohoms que les establiren, excepte si la majoria de divuit prohoms estigués a favor de la revocació. A l'últim, els majordoms, clavaris, oficials i obrers eren obligats a rendir comptes de tot allò que els fos entregat i fiscalitzat per part de la confraria o per a aquesta.

Tot i la seva activitat piadosa i la seva exteriorització religiosa, les sospites sobre la seva sinceritat envers la fe cristiana no es dissiparen. Així, el 21 de novembre de 1433, la reina Maria, lloctinent i muller del monarca Alfons el Magnànim, recorda als confrares trinitaris les prohibicions referents al contacte entre jueus i conversos establertes l'any 1393.[22]

Un exemple homòleg a aquesta mena de societats benèfiques el trobem a Ciudad Real, on el 10 d'octubre de 1413 les tres societats benèfiques fundades per conversos de la ciutat —la de Tots els Sants, la de Sant Joan i la de Sant Miquel de Setembre— adquiriren els terrenys del cementiri jueu, amb el propòsit, segons Haim Beinart, de salvaguardar el cementiri i continuar enterrant allà els seus morts.[23] És a dir, aquestes societats funcionarien com les antigues societats funeràries i d'ajuda mútua que els jueus utilitzaven abans de les conversions. Una altra funció complementària d'aquestes societats és la que aporta Luis Delgado Merchan, el qual creu que aquestes societats eren creades amb l'objectiu de mostrar exteriorment la sinceritat cristiana dels seus membres conversos.[24]

En el cas de la confraria de la Santíssima Trinitat de Barcelona, la documentació notarial ens dona informació sobre la seva jerarquia i les seves funcions. El govern de la confraria estava sota dos o tres majordoms que eren elegits anualment i que eren assessorats per consellers i prohoms, també electes cada any. D'altra banda la confraria comptava amb un clavari que era el que s'encarregava de rebre i custodiar els diners. La confraria es finançava mitjançant donatius, els quals eren recollits pels seus membres i que serien posteriorment destinats a la compra de forment per als pobres, donar una sepultura digna a qui no tingués recursos, al guariment dels malalts i a l'ajuda dels membres

---

22. J. M. Madurell Marimon: "La cofradía de la Santa Trinidad...", p. 72-77.

23. H. Beinart: "Los conversos...", p. 65-66.

24. Luis Delgado Merchan: *Historia documentada de Ciudad Real*, ed. Maxtor, Madrid, 2011, primera edició 1907, p. 139.

de la confraria. Així, el 28 d'octubre de 1421,[25] Francesc de Pedralbes, menor en dies, mestre en arts i medicina, Antoni Coll, corredor d'orella, majordoms de la confraria de la Santa Trinitat de Barcelona de l'any present, Bernat Pinós, corredor, Guillem sa Coma, corredor de llibres, Joan Bertran, corredor d'orella, Pere sa Esblada, tintorer, Guillem Pujol, corredor d'orella, i Pere Ocelló, peller, ciutadans de Barcelona, prohoms i consellers dels majordoms esmentats, reconeixen que Pere Marquet, mercader, clavari de la confraria, ciutadà de Barcelona, els ha lliurat cinquanta-quatre lliures, divuit sous i cinc diners, que va recaptar en concepte de donatius per a obres de caritat, com ara donar blat als pobres, poder donar-los sepultura i ajudar-los. Per voluntat dels fermants, Pere Marquet entrega la quantitat esmentada a Arnau Pere, coraler i nou clavari de la confraria elegit.

Passat un any es tornaven a elegir els membres de tots els càrrecs. El 9 de desembre de 1422,[26] Bonanat Pau, mercader, i Bernat Baró, àlies Martí, sastre, ciutadans de Barcelona, i Llorenç Salt, peller, ciutadà de la mateixa ciutat, majordoms de la confraria en l'any present, i Bernat de Pinós, mestre Francesc de Pedralbes, físic, menor en dies, que l'any passat havia estat majordom, Pere Ocelló, Joan des Far, Bernat Huguet i Miquel Gralla, consellers dels majordoms esmentats, reconeixen que Arnau Pere, coraler, ciutadà de la mateixa ciutat, i Guillem Sanxo, mercader, Guillem sa Coma, llibreter, i Francesc Mascaró, llibreter, majordoms, aquests tres últims, de l'any entrant de la confraria, que per mans d'Arnau Pere, clavari de la confraria, han rebut cent disset lliures, dotze sous i sis denaris, que varen ser recaptats per ells com a donatius per a causes pies com ara l'assistència a malalts pobres i la sepultura de pobres. En aquesta quantitat s'inclouen les cinquanta-quatre lliures, divuit sous i cinc denaris que varen rebre el 28 de novembre de 1421 i que varen ser lliurats a Salvador Sabater, llibreter, ciutadà de Barcelona, en nom seu. Salvador reconeix haver rebut l'expressada quantitat per mans dels majordoms del present any.

Part d'aquests diners eren invertits en activitats econòmiques per tal d'obtenir més rendiment. Entre aquestes activitats es trobava l'adquisició de drets alodials per tal de cobrar-ne un cens anual. Això es desprèn d'un instrument notarial redactat el 14 de maig de 1415, en el qual Pere Colomer, barber, ciutadà de Barcelona, lloga per cinc anys a Jordi Camós, especier, ciutadà de Barcelona, una casa que es troba al

---

25. AHPB, Marc Canyís, *Manuale*, 1414, desembre, 14-1422, desembre, 22, f. 86r-v.
26. AHPB, Marc Canyís, *Manuale*, 1414, desembre, 14-1422, desembre, 22, f. 113v-114r (vegeu apèndix documental I, doc. 50).

carrer (actual plaça) de la Cucurulla, sota domini alodial de l'església de la Trinitat, pel preu de quaranta lliures barceloneses.[27]

La creació d'una societat d'ajuda mútua entre conversos ens mostra un cop més com aquests recorrien majoritàriament als "seus" per resoldre els seus problemes i necessitats. A això cal sumar la tendència dels conversos a viure a curtes distàncies els uns dels altres a la ciutat de Barcelona per tal de mantenir-se com a grup i poder organitzar-se i socórrer en cas de necessitat.

D'altra banda, la creació d'una confraria pròpia pot indicar la dificultat de la majoria dels conversos de poder integrar-se dins de les confraries dels diferents oficis presents a la ciutat, les quals realitzaven les mateixes funcions que la de la Santíssima Trinitat entre els seus membres.

L'accés dels conversos a l'estat clerical

La integració de conversos dins l'estat clerical és potser el punt més interessant en la relació dels conversos amb la seva nova fe. La primera impressió que hom pot copsar en els conversos que decideixen lliurement entrar a formar part de l'Església és una veritable fe en la seva nova religió. Tanmateix, les opinions al respecte han sigut dispars entre els estudiosos del tema. Domínguez Ortiz veia en aquest fenomen no una sincera i profunda religiositat i espiritualitat envers la seva nova fe sinó un interès per part d'aquests conversos d'ascendir socialment mitjançant oficis que gaudissin d'una bona categoria social.[28] Un altre punt de vista és el de Bataillon, que segons la seva anàlisi van ser precisament religiosos conversos els que influirien de manera notòriament important en les noves tendències espirituals i místiques catòliques des de finals del segle XIV.[29]

El que resulta evident és que un convers que en realitat professava la religió jueva i s'integrava dins de l'estament eclesiàstic, no ho devia de tenir fàcil per tal de dissimular les seves vertaderes creences en un ambient eminentment cristià. Recordem que la religió jueva compta amb una litúrgia i nombrosos ritus que afecten completament la vida quotidiana dels seus professos. Per tant, resultaria suïcida que

---

27. AHPB, Pere Pellisser, *Manuale*, 1414, juliol, 2-1415, juny, 26, f. 170v (vegeu apèndix documental I, doc. 39).

28. Antonio DOMÍNGUEZ ORTIZ: "Los cristianos nuevos. Notas para el estudio de una clase social", *Boletín de la Universidad de Granada*, 1949, p. 254.

29. Marcel BATAILLÓN: *Erasmo y España. Estudios sobre la historia espiritual del siglo XIV*, ed. Fondo de Cultura Económica, Mèxic, 1950.

un convers profundament jueu entrés inconscientment dins de la boca del llop i no esperés cap conseqüència.

Per tant, almenys en el cas dels conversos barcelonins, i tal com assenyala Josep Hernando,[30] la seva integració en l'estament clerical bé podria indicar una mostra de la seva sincera conversió. En el *Registra Ordinatorum*[31] conservat a l'Arxiu Diocesà de Barcelona, hi consten un bon nombre de conversos que es tonsuraren per tal de formar part de l'estat clerical.

Taula 9

Conversos tonsurats

Data	Convers tonsurat	Lloc d'origen	Pare	Ofici pare
1392-09-11	Bernat Alamany	-	-	-
1393-04-05	Francesc Gibert	Piera	-	-
1395-06-05	Joan Vall, àlies Lança	Barcelona	Bernat Lança	-
1396-03-18	Gabriel Serra	Barcelona	Gabriel Serra	-
1399-03-15	Arnau Badia	Barcelona	Bertomeu Badia, abans Abraham Bandil	Peller
1399-03-15	Macià Goçeti	Barcelona	Guillem Goçeti	Sastre
1399-05-24	Pere Quintana	Olesa de Montserrat	Vicent Quintana	-
1399-09-20	Joan Guimerà	Molins de Rei	Bernat Guimerà	-
1401-04-10	Gabriel Ferrer	Barcelona	Garcia Ferrando	-
1402-09-13	Antoni Garriga	Barcelona	Guillem Garriga, abans Salomó Fabila	Torner
1403-06-09	Ferran Merles	Barcelona	Pere Merles	-
1403-09-22	Genís Ferrer	Barcelona	Genís Ferrer	Corredor d'orella
1404-11-10	Miquel sa Closa	Barcelona	Bernat sa Closa	-
1404-12-20	Nicolau de Pedralbes	Barcelona	Francesc de Pedralbes	Físic
1405-03-14	Francesc de Pujol	Barcelona	Pere de Pujol	-
1405-05-10	Ferran de Gualbes	Barcelona	Ferran de Gualbes, abans Issach Bonsenyor Gracià	-

---

30. J. Hernando Delgado: "Conversos i jueus. Cohesió i solidaritat...", p. 162.
31. Registre en el qual consten tot aquells que reberen la tonsura i la seva filiació.

Data	Convers tonsurat	Lloc d'origen	Pare	Ofici pare
1407-04-10	Andreu Roger	Barcelona	Arnau Roger	Corredor d'orella
1407-05-21	Ferran de Prats	Barcelona	Gabriel de Prats	Seder
1407-12-19	Joan Bertran	Barcelona	Joan Bertran, abans Samuel Benvenist	Corredor d'orella
1408-03-08	Ferran de Plangual	Barcelona	Nicolau de Plangual	-
1409-06-02	Gabriel Rich	Barcelona	Gabriel Rich	Corredor d'orella
1410-12-20	Gabriel Rosar	Barcelona	Antoni Rosar	-
1410-12-20	Gabriel Merles	Barcelona	Pere Merles	-
1410-12-20	Bonanat Sant Joan	Barcelona	Joan Sant Joan	-
1412-04-05	Joan de Pedralbes	Barcelona	Francesc de Pedralbes	Llicenciat en medicina
1413-03-12	Gabriel de Queralt	Barcelona	-	-
1416-03--	Marc Salmons	Barcelona	Marc Salmons	Seder
1416-04-04	Lluís Salmons	Barcelona	Marc Salmons	Seder
1417-05-23	Francesc Vilella	Barcelona	Joan Vilella	Tintorer
1417-06-12	Bernat de la Cavalleria	Tarragona	-	-
1417-06-29	Gabriel Badia	Barcelona	Pere Badia, abans Issach Vidal	Coraler
1418-03-12	Pere Rosar	Barcelona	Antoni Rosar	Giponer
1418-05-21	Rafael Solsona	Barcelona	Joan Solsona	Giponer
1418-05-21	Manuel de Fontclara	Barcelona	Guillem de Fontclara	Corredor d'orella
1419-01-03	Jaume de Gualbes	Barcelona	Lluís de Gualbes, abans David Jaques	-
1420-03-02	Joan des Far	Barcelona	Joan des Far	Peller
1420-04-30	Francesc de Casasagia	Barcelona	Francesc de Casasagia, abans Bonjach Comprat	Mercader
1421-04-06	Felip des Quer	Barcelona	Berenguer Badorch des Quer	Peller
1422-12-26	Pere Massana	Barcelona	Gabriel Massana	Corredor d'orella
1423-02-06	Nicolau Sanxo	Barcelona	Guillem Sanxo	Mercader
1425-12-02	Guillem sa Coma	Barcelona	Guillem sa Coma	Llibreter
1427-04-19	Pere Benedic	Barcelona	-	-

Data	Convers tonsurat	Lloc d'origen	Pare	Ofici pare
1427-05-04	Francesc de Pedralbes	Barcelona	Francesc de Pedralbes	Mestre en medicina
1428-12-18	Francesc Fivaller	Barcelona	Guillem Fivaller	Curritor botigie
1431-05-06	Bernat Sabater	Barcelona	Salvador Sabater	Llibreter
1431-06-02	Gabriel Sanxo	Barcelona	Guillem Sanxo	Mercader
1432-12-20	Felip Rosar	Barcelona	Antoni Rosar	Giponer
1433-09-18	Joan de Pedralbes (demana dimissòries)	Barcelona	Francesc de Pedralbes	Mestre en medicina
1433-12-20	Bernat de Ferreres	Barcelona	Guillem Ferreres, Issach Struch	Coraler
1434-06-11	Joan de Vallsecha	Barcelona	Pere de Vallsecha	De la casa del rei
1436-04-00	Pere Ballester	Barcelona	Ramon Ballester, abans Samuel Alietzer	Teixidor de vels
1436-06-06	Llorenç Costa	Barcelona	Llorenç Costa	Llibreter
1438-12-26	Joan Castell	Barcelona	Simó Castell	Teixidor de vels
1438-12-26	Joan Sunyer	Barcelona	Francesc Sunyer	Corredor d'orella
1439-01-04	Guillem Mascaró	Barcelona	Pere Mascaró, abans Mahir Bonjuha	Llibreter
1439-01-04	Pere Mascaró	Barcelona	Pere Mascaró, abans Mahir Bonjuha	Llibreter
1439-03-01	Llorenç Ferrer	Barcelona	Francesc Ferrer	Corredor d'orella
1440-04-03	Nicolau Pedralbes	Barcelona	Francesc de Pedralbes	Professor en medicina
1442-01-06	Joan Ramon	Barcelona	Antoni Ramon	Llibreter
1442-03-07	Felip de la Cavalleria	Barcelona	Felip de la Cavalleria	Mercader

En total es registraren seixanta-un conversos com a tonsurats. La tonsura era el ritual pel qual hom entrava a formar part de l'estat clerical. Es tractava de rapar la part de la corona del cap del nou membre eclesiàstic. El tall dels cabells era un dels elements estètics requerits als eclesiàstics per tal de diferenciar-se de la resta de la societat. La seva importància era tal que s'insistí en la seva pràctica en els sínodes

des de 1261 fins a 1400, fins al punt de considerar l'expulsió de l'estat clerical a tot aquell eclesiàstic que incomplís aquest aspecte estètic.[32]

La recepció de la tonsura i la posterior integració del postulant a l'estat clerical permetia a aquest ingressar sense cap cost a les escoles elementals i de grau mitjà del bisbat —cada parròquia tenia la seva escola elemental—, en adquirir una cultura que li permetia llegir i escriure.[33] Alguns d'aquests tonsurats aprofitaven això per tal d'adquirir uns estudis i després renunciaven al seu estat eclesiàstic.

Pel que fa als ordes aquests estaven dividits en dos grups: els majors —sagramentals— i els menors —graus. Els ordes majors eren de menor a major subdiaconat, diaconat, preverat i episcopat. Els ordes menors, dotats d'un caràcter pràctic, es dividien en: ostiariat, lectorat, exorcista i acolitat.[34]

Del total de conversos tonsurats, en setze casos el progenitor era artesà, en nou corredor d'orella, en sis llibreter, en cinc físic, en quatre mercader i en un de la casa del rei.

La majoria dels progenitors dels conversos tonsurats tenien una marcada activitat econòmica, tal com podem observar al llarg d'aquest estudi. Com podem veure, es tractava de gent amb una posició socioeconòmica acomodada. Entre ells destaquen la família Cavalleria —alguns dels seus membres eren oficials del rei—, els llibreters sa Coma, Marcaró i Sabater —amb una gran activitat en el seu sector a Barcelona— i el físic Francesc de Pedralbes —important membre de l'estudi de medicina de Barcelona.

Tal com s'aprecia a la taula anterior hi ha conversos que introdueixen més d'un fill dins l'estament eclesiàstic. Entre ells destaca el mestre en medicina Francesc de Pedralbes amb cinc fills que reberen tonsura: Nicolau de Pedralbes (20 de desembre de 1404), Joan de Pedralbes (5 d'abril de 1412), Francesc de Pedralbes (4 de maig de 1427), Joan de Pedralbes (18 de setembre de 1433) i Nicolau de Pedralbes (3 d'abril de 1440). Els casos que segueixen consten de dos tonsurats per nucli familiar. Pere Rosar (12 de març de 1418) i Felip Rosar (20 de desembre de 1432), fills d'Antoni Rosar. Nicolau Sanxo (6 de febrer de 1423) i Gabriel Sanxo (2 de juny de 1431), fills del mercader Guillem Sanxo. Marc Salmons (març de 1416) i Lluís Salmó (4 d'abril de

---

32. María Nieves MONSURI ROSADO: *Perspectiva socio-económica del clero secular en la Valencia del siglo xv*, tesi doctoral inèdita, Universitat de València, 2006, p. 74.

33. Josep BAUCELLS I REIG: *Vivir en la Edad Media: Barcelona y su entorno en los siglos xiii y xiv (1200-1344)*, volum I, ed. CSIC, Barcelona, 2004, p. 438.

34. M. N. MONSURI ROSADO: *Perspectiva socio-económica...*, p. 86.

1416), fills de Marc Salmons, seder. Guillem Mascaró i Pere Mascaró (ambdós foren tonsurats el 4 de gener de 1439), fills del llibreter Pere Mascaró. Ferran Merles (9 de juny de 1403) i Gabriel Merles (20 de desembre de 1410), fills de Pere Merles.

Davant aquests exemples de diversos membres d'un mateix nucli familiar integrats dins de l'estament religiós ens tornem a trobar en la disjuntiva anterior: vertadera fe o ambició d'una posició social privilegiada? La resposta és la mateixa que en l'apartat anterior: hi havia conversos que tenien una fe veritable en el cristianisme i d'altres que ho fingien. Tanmateix, respecte al fet que si el seu ingrés en l'estat clerical es devia a causes de fe o de revaloritzció social, hem de tenir en compte que la mateixa pregunta es pot fer als cristians de natura que es tonsuraven. Per tant, la resposta total restà en el seu interior. Els processos inquisitorials de Castella ens donen mostres de diversos conversos que varen morir a la foguera perquè van insistir en la sinceritat en la fe catòlica, mentre que si haguessin admès la seva heretgia haurien salvat la vida.[35]

També és cert que sobten casos com el de Francesc de Pedralbes, amb una posició social important ja adquirida i potser amb pretensions d'ampliar-la introduint cinc fills en el clergat amb l'esperança que aconseguissin posicions eclesiàstiques privilegiades.

Un altre motiu també podia ser la intenció d'alguns conversos de protegir tota la família d'acusacions d'heretgia presents i futures. Amb un membre de la família com a clergue la seva religiositat exterior quedava reforçada.

L'altre motiu diferent a la fe per adquirir els hàbits era la formació gratuïta que adquirien els seus membres. Si tenim en compte que la majoria dels conversos barcelonins que consten a la llista mostrada més amunt tenien un nivell econòmic confortable aquesta afirmació quedaria anul·lada en la majoria dels casos, puix que les seves famílies comptaven amb prou capital per dotar els seus fills de cultura.

Respecte al progrés d'aquests conversos tonsurats dins l'escala eclesiàstica no ens ha estat possible seguir-lo de moment. Tanmateix en coneixem dos possibles casos. Sembla que el bisbe de Barcelona Andreu Bertran pertanyia a la família conversa dels Bertran —amb un familiar tonsurat més, Joan Bertran (19 de desembre de 1407), fill de Joan Bertran, abans anomenat Samuel Benvenist, corredor d'orella,

---

35. Victoria González de Caldas: *¿Judíos o cristianos? Los procesos de fe*, ed. Universidad de Sevilla, Sevilla, 2004, p. 566-568.

ciutadà de Barcelona.[36] L'altre cas és el de Pere Mascaró, tonsurat el 4 d'abril de 1439. A l'AHPB es conserva el testament d'un Pere Mascaró, prevere beneficiat.[37] Tanmateix desconeixem si es tracta de la mateixa persona.

Tenim constància, però, d'un seguit de conversos que s'integraren com a clergues dins de l'orde dels dominics; justament el mateix orde que més virulent era en les predicacions contra els jueus i que controlaria el tribunal eclesiàstic que anys després els intentaria esborrar del mapa.[38]

Taula 10

Conversos que ingressen com a clergues en la comunitat dominica de Barcelona

Data	Nom del convers	Lloc assignat
1404-01-01	Joan de Font, cB	Coro dextro provincialis laicorum
1403-06-02	Miquel Ferrer, nascut a Tortosa	Choro sinistro
1405-03-25	Joan Alçamora, nascut a València	Choro sinistro
1421-08-23	Joan Noguera, cB	
1421-09-20	Marc sa Era, cB	
1439-05-03	Martí Lixa, de la Gàl·lia	Infra annum recessit et dimissit habitum
1447-09-28	Pere Castro, cB	Infra annum recessit et dimissit habitum
1450-05-14	Nicolau d'Alemanya, cB	Cum scapulari nigrum. Choro sinistro
1453-12-07	Pere de Sicília, latotum	
1476-08-06	Joan de Saragossa, cB	In choro post Matutinas
1477-10-26	Pere Amador, oriünd de Cardona	Dimissit habitum
1478-01-27	Carol Gregori, cB	
1478-01-27	Joan Pardo, cB	
1478-11-29	Miquel Liranuga, oriünd de Pamplona	Amb voluntat i consens del prior i pare del convent
1481-03-24	Francesc [...]	
1487-10-18	Pere Vila, cB	

---

36. *Gran Enciclopèdia Catalana*, volum 8, ed. Enciclopèdia Catalana, Barcelona, 1987, p. 161.

37. AHPB, Bernat Pi, *Llibre de testaments*, 1418-1450, 1418, febrer, 21-1450, agost, 11, f. 171r.

38. Thomas Kaeppeli: "Dominicana Barcinonensia Assignationes librorum. Professiones novitorum (s. xiii-xv)", *Archivum Fratrum Praedicatorum*, 1967, p. 47-118.

Data	Nom del convers	Lloc assignat
1487-10-18	Guillem Duran, estudiant de filosofia i natural de Barcelona	
1487-10-18	Rafael Berenguer, cB	
1491-04-10	Pere Orguer, cB	
1497-05-05	Joan Quer, oriünd de Sardenya	
1501-06-24	Gaspar Terradellas, oriünd de Vic i habitant de Barcelona	

cB: ciutadà de Barcelona.

Com podem veure en la taula que acabem de presentar, vint-i-dos conversos ingressaren com a frares en l'orde dels dominics de Barcelona des de 1403 fins a 1501. D'aquests, deu provenien de fora de la ciutat de Barcelona (Tortosa, València, Gàl·lia, Alemanya, Sicília, Saragossa, Cardona, Pamplona, Sardenya i Vic). Del total dels conversos que ingressaren com a frares tan sols tres sortirien de l'orde: Martí Lixa, Pere Castro i Pere Amador. Tanmateix, quina era la raó per la qual aquests conversos es decidiren a prendre l'hàbit dominic? Una profunda fe en la religió cristiana o una manera de protegir-se ells i les seves famílies envers els atacs de la Inquisició als conversos? Tot i que les respostes acadèmiques van d'un extrem a l'altre, certament és una pregunta que no té fàcil resposta. Fins i tot seria més encertat dir que les té totes dues depenent dels casos particulars. Ja hem vist abans com en qüestions de fe la sinceritat i el fervor dels conversos depenien de cada cas particular i és molt agosarat plantejar una generalització en tot el conjunt.

Podem observar que el gruix de conversos dominics correspon a abans de la implantació de la Inquisició castellana a Barcelona. Això pot ser degut segurament a un enduriment de les mesures en l'ingrés dels conversos a l'orde. Tanmateix, hem de tenir en compte que, independentment de la seva sinceritat, els conversos que ingressaven en un orde religiós havien de seguir-ne els preceptes, a més de portar una vida plenament monàstica en què la religiositat i l'espiritualitat cristianes eren presents en tot moment. Per tant, si un convers professava la religió jueva d'amagat no creiem que tardés gaire temps a ser descobert. A més, si el que es pretén és formar una coartada per obtenir protecció davant els atacs de la Inquisició hi havien altres camins diferents a la vida conventual en què el subjecte estaria menys exposat a ésser descobert.

Els conversos i la Inquisició catalana

Molts són els estudis que han tractat la relació entre els conversos i la Inquisició castellana.[39] En el present treball estudiarem l'actuació de la Inquisició catalana, la que actuava al Principat abans de la implantació de la Inquisició castellana, amb els conversos barcelonins.

La implantació de la Inquisició a Catalunya estigué estretament relacionada amb el moviment càtar. La forta actuació del tribunal de la Inquisició sobre aquest moviment herètic a partir de 1229 a França, impulsà la immigració de molts dels seus membres a Catalunya.[40] Per tal d'impedir la seva expansió per territori català, el papa Gregori IX va donar a l'arquebisbe Aspàreg de la Barca, mitjançant la butlla *Declinante iam Mundi*, el poder de cercar, capturar i inquirir sobre la culpabilitat d'aquests heretges; s'establí d'aquesta manera la Inquisició a tota l'àrea metropolitana de Tarragona, que s'ampliaria a tota la Corona d'Aragó.[41] La desaparició del perill que representava el catarisme per a l'Església no significà la desaparició de la Inquisició en terres catalanes. La inquisició catalana continuà realitzant actes de fe a principis del segle XIV tot i que desconeixem l'abast de la seva activitat. Va ser a partir de 1307 quan el tribunal inquisitorial català tornà a la seva plena activitat quan el papa Climent V ordenà a Jaume II que transmetés l'ordre a la Inquisició catalana d'actuar contra els templers, seguint l'exemple de França. Un cop l'orde del Temple fou dissolt, la Inquisició se centra en els moviments espirituals heretges, principalment en el beguinatge, i la seva activitat és un altre cop pausada. Fou l'inquisidor Nicolau Eimeric qui entre 1356 i 1391 reactivà la institució, canvià la seva estructura i l'enfortí, fins al punt d'enfrontar-se amb el rei pel seu desig d'ampliar el camp d'actuació de la Inquisició cap als jueus.[42] La qüestió arribà fins a la cúria romana la qual fallà a favor d'Eimeric, tanmateix les confiscacions efectuades pel tribunal anaven a parar a mans de la monarquia, puix que els jueus eren considerats

---

39. Destaquen els ja esmentats treballs de Henry Kamen: *La Inquisición española: una revisión histórica*, ed Crítica, Barcelona, 2000; Charles Henry: *Historia de la Inquisición española*, ed. Fundación Universitaria Española, Madrid, 1983; Bartolomé Bennassar: *L'Inquisition espagnole*, ed. Hachette, París, 1979; Benzion Netanyahu: *De la anarquía a la Inquisición: estudios sobre los conversos en España durante la Baja Edad Media*, ed. Esfera de los Libros, Bercelona, 2005.

40. Joan Bada Elias: *La inquisició a Catalunya (segles XIII-XIX)*, ed. Barcanova, Barcelona, 1992, p. 37.

41. Joan Bada Elias: *La inquisició a Catalunya...*, p. 37.

42. Joan Bada Elias: *La inquisició a Catalunya...*, p. 45.

propietat fiscal de la corona.[43] Aquest fet provocà que la Inquisició reduís el seu interès en els afers relacionats amb infidels.

Tenint en compte aquest interès de la Inquisició catalana d'actuar contra tot aquell jueu que atemptés en contra de la fe catòlica, quina va ser la seva activitat contra els conversos que voluntàriament o per descuit ofenguessin la fe cristiana? Encara que ens pugui sorprendre, sobretot si ho comparem amb l'enorme activitat de la Inquisició castellana, la resposta és que les actuacions del tribunal en contra de conversos barcelonins foren gairebé inexistents fins a la implantació de la nova Inquisició. Tret de casos molt particulars referits a la sospita de judaïtzar —i que tractarem més endavant— tan sols hem trobat un grapat de casos referents a acusacions per usura per part de conversos. Tampoc les visites pastorals fetes a les parròquies de Barcelona entre 1391 i 1460 reflecteixen cap cas que impliqui l'ofensa d'un convers a la fe cristiana.[44] Això no vol dir que els conversos respectessin plenament la litúrgia cristiana i que complissin plenament amb els seus preceptes. Ja hem dit abans que les autoritats es van desentendre completament de la formació religiosa dels nous neòfits, que es formaren pel seu compte segons les seves capacitats econòmiques i socials. Per tant, aquesta inactivitat del tribunal en afers relacionats amb conversos ens indica la tolerància que la Inquisició tingué amb aquests en ésser plenament conscients que les conversions en massa foren precipitades, sense cap base teòrica enfocada a una catequesi dels conversos que permetés la construcció d'una fe sòlida en els conversos. D'altra banda, els consellers de la ciutat eren perfectament conscients de la importància econòmica que aquest segment de la població tenia a Barcelona i, per tant, no iniciaren cap acció més que fes reduir la seva activitat comercial, per la qual la ciutat ingressava una important part de capital mitjançant impostos.

Així mateix ho manifestaren els consellers de la ciutat a les Corts vint-i-vuit anys després de la instauració de la Inquisició castellana a Barcelona.[45] Els consellers es lamentaven que abans de la implantació de la Inquisició castellana hi havia a la ciutat més de sis-centes cases de conversos, entre les quals es comptaven unes dues-centes de mercaders, que reportaven a Barcelona molts beneficis econòmics mitjançant els impostos. Un cop establert el nou tribunal, només quedaren a la ciutat cinquanta-set cases de conversos. D'altra banda, per raó de

---

43. J. BADA ELIAS: *La inquisició a Catalunya...*, p. 46.
44. Hem consultat a l'ADB les visites pastorals corresponents als anys 1391-1500.
45. AHCB, *Consellers*, 1.C. XVIII-6, 1440-1786.

les condemnes per heretgia patides pels conversos, molts cristians de natura perderen el seu capital invertit en crèdits, censals i propietats, que havien adquirit juntament amb conversos. Per aquesta raó, la ciutat demana a les Corts que d'ara en avant no es confisquin els béns dels culpables d'heretgia, argumentant que les que eren condemnades per heretgia eren les persones i no les propietats d'aquestes, puix que al ser coses no podien ser acusades d'heretgia. Les peticions dels consellers no acabaren aquí. Conscients de la importància econòmica que aquest segment de la societat tenia en la ciutat, demanaren que fos eliminada la prohibició que impedia als conversos viatjar per mar i terra a altres indrets, fet que impedia a aquests desenvolupar els seus afers comercials. D'altra banda, es feia referència als matrimonis mixtos entre conversos i cristians de natura i es demanava que els dots aportats per les converses no foren confiscats, ja que llavors cap cristià de natura voldria contraure matrimoni amb un convers. A l'últim, el Consell demanà que els conversos que havien fugit de la ciutat per por de l'actuació de la Inquisició foren obligats a tornar-hi, i si eren trobats culpables per crim d'heretgia se'ls castigués amb la seva persona i no amb els seus béns. Com veiem, el Consell era plenament conscient de les conseqüències socials i econòmiques que es derivarien del fet d'assetjar i condemnar per heretgia la comunitat conversa.

Altrament, els consellers no eren aliens a la situació i tenien present que les confiscacions realitzades per la Inquisició castellana continuarien fent-se malgrat les seves objeccions. Per aquesta raó, el Consell barceloní va tornar a dirigir-se al rei per tal de demanar-li que dels béns confiscats als conversos es pagués una imposició de quatre sous per lliura, dos sous aportats pel venedor i dos pel comprador, i que els càrrecs i les obligacions d'aquests béns fossin pagats pel rei.[46] D'altra banda, també es feia referència a la relació dels béns dels conversos adquirits per cristians de natura i que després eren confiscats per la Inquisició. El Consell intenta protegir els compradors d'aquestes propietats justificant al rei que tal com havien proveït els monarques anteriors, qualsevol bé que fos subhastat en encant públic o mitjançant corredor, i després es descobrís que era robat o que no pertanyia legítimament al venedor, el comprador tenia el dret de no retornar-lo un cop adquirit fins que li fos retornada la quantitat que havia pagat. Seguint aquesta premissa, es demana que els béns adquirits a culpables d'heretgia i que després hagin fugit, i per tant són decomissats, no ho puguen ser fins que no se li tornin els diners al comprador. A l'últim, els consellers tornen a

---

46.   AHCB, *Consellers*, 1.C. XVIII-6, 1440-1786.

insistir al rei sobre la confiscació de censals adquirits juntament per conversos i cristians de natura, confiscats quan el convers era acusat d'heretgia. En aquesta ocasió es va demanar que els censals adquirits per conversos abans de la implantació de l'inquisidor Alfonso de Espina no poguessin ser confiscats.

Va ser durant el mandat d'Alfonso de Espina, autor de *Fortalitium fidei*[47] i conegut pel seu profund sentiment antijueu, en la Inquisició de Barcelona quan es van establir un seguit de mesures per evitar la fuga de conversos acusats pel tribunal. En concret, el 3 d'agost de 1487, Alfonso de Espina prohibia expressament als conversos delats que fugiren de la ciutat amb els seus béns i famílies.[48] Aquestes fugues requerien una coordinació i organització per tal de poder desaparèixer sense que el Tribunal se n'assabentés, comptant la majoria de les vegades amb l'ajuda de cristians de natura. Per aquesta raó, Alfons va amenaçar amb l'excomunió a tot aquell que ajudés els conversos delats a fugir, així com a qui estigués en coneixement d'una fuga i no ho denunciés al tribunal.

La ciutat protestà enèrgicament davant aquestes mesures ja que perjudicaven la seva estabilitat econòmica i la seguretat dels seus habitants. Primerament els consellers es queixaren del fet que la major part de la població ignorava qui havia estat acusat o condemnat per heretgia i que per tant quan negociaven o ajudaven un convers no sabien si aquest era un fugitiu. En segon lloc, el Consell protestava pel fet que la crida feta pels inquisidors era tan general que propiciava que ningú que la sentís s'atrevís a negociar amb els conversos, car podrien estar comerciant amb un convers fugitiu sense saber-ho exposant-se als càstigs del tribunal inquisitorial. També es va fer referència a la confiscació de béns dels conversos acusats per heretgia per part de la Inquisició. En aquest punt el Consell recorda que l'única persona que té potestat per confiscar béns és el rei i els seus oficials. A més, aquests béns tan sols podien ser confiscats en cas que l'acusat fos culpable i amb sentència ferma que així ho demostrés, mai abans.

---

47. *Fortalitium fidei*, escrita per Alfonso de Espina al voltant del 1460, és una de les principals obres antijudaiques escrites durant el segle XV per tal de justificar l'odi envers els jueus. Tot i que la qüestió jueva no és l'únic tema que tracta en el llibre, sí que és la part més tractada. En aquesta obra Alfonso de Espina recull, d'una manera extraordinàriament convincent, tots els arguments de la filosofia cristiana, des de la patrística fins a la teologia escolàstica, per combatre el judaisme. Vegeu José María Monsalvo Antón: "Ideología y anfibología antijudías en la obra *Fortalitium Fidei*, de Alfonso de Espina. Un apunte metodológico", dins *El historiador y la sociedad*, ed. Ediciones Universidad de Salamanca, Salamanca, 2012, p. 163-189.

48. AHCB, *Consellers*, 1.C. XVIII-6, 1440-1786. 1487, agost, 7.

Com veiem, els interessos de la ciutat i els de la Inquisició s'enfrontaven directament. El Consell barceloní era perfectament conscient de la importància que els conversos tenien en el desenvolupament econòmic de la ciutat de Barcelona, i per aquesta raó no dubtà a intercedir i intentar reduir la pressió a la qual el tribunal inquisitorial els estava sotmetent. A més, l'actuació de la Inquisició no afectava únicament els conversos sinó que implicava la resta de la població. Com hem vist, no tothom tenia coneixement de les persones que estaven acusades d'heretgia i si algú realitzava un negoci amb un convers acusat d'heretge i aquest era susceptible d'ésser entès com una ajuda de fuga, hom era castigat. L'altra part, més preocupant encara, era el fet de la confiscació de béns —immobles, mobles, censals morts i violaris— dels conversos acusats, concretament els béns adquirits entre conversos i cristians de natura. Això suposava un fre en l'economia local ja que, qui s'arriscaria a fer negocis conjuntament amb un convers que en qualsevol moment podia ser acusat d'heretgia i els seus béns conjunts confiscats?

Malgrat tota la implicació del govern de la ciutat per impedir aquestes mesures que afectaven negativament l'economia local, la Inquisició continuà amb els seus processos exercint tota la pressió necessària que afectà notablement el desenvolupament econòmic de Barcelona. El tribunal inquisitorial va anar guanyant en poder alhora que els acusats veien reduïdes al mínim les garanties d'un procés just. El Consell barceloní perdria la batalla enfront de la Inquisició en el principal punt de les seves demandes: que s'aturessin les confiscacions de béns dels conversos en els quals hi estaven implicats cristians de natura, o almenys que aquests tan sols fossin segrestats un cop es demostrés la culpabilitat de l'acusat. A partir del segle xvi els béns dels acusats eren immediatament segrestats un cop eren detinguts, i subhastats públicament per a pagar els costos de presó del delat.[49] Tot i que la confiscació dels béns pròpiament dita es feia un cop l'acusat era considerat culpable mitjançant sentència, aquest segrest ja representava a la pràctica una confiscació.

PROCESSOS INQUISITORIALS CONTRA CONVERSOS BARCELONINS ABANS DE LA IMPLANTACIÓ DE LA INQUISICIÓ ESPANYOLA

Com ja hem referit abans, els processos contra jueus conversos a Barcelona abans de la implantació de la Inquisició espanyola van ser, segons la documentació que s'ha conservat, pràcticament anecdòtics.

---

49. Henry KAMEN: *La Inquisición española...*, p. 180.

Tanmateix, volem afegir que la inexistència de documentació no significa, segons el nostre parer, que no es realitzessin més processos dels que fins al moment s'han localitzat. D'altra banda, però, queda palesa la minsa actuació del tribunal inquisitorial català contra els conversos barcelonins. Com hem vist anteriorment, fou la Inquisició castellana la que exercí una forta pressió sobre aquest col·lectiu, sobretot per l'interès de quedar-se amb els seus béns. I ja sabem que aquest fet va provocar un conflicte d'interessos entre el Consell i la Inquisició. Abans de la implantació del tribunal inquisitorial castellà el Consell barceloní mai es va queixar formalment de l'actuació de la Inquisició, en aquest cas la catalana. Per tant deduïm que les actuacions realitzades per aquesta no foren quantioses ni de gran rellevància. D'altra banda, i com ja hem expressat anteriorment, creiem que la Inquisició catalana i el Consell barceloní —i per què no, la societat cristiana en general— eren conscients que degut a les circumstàncies en les quals foren convertits els jueus i la nul·la formació sobre la fe cristiana que reberen per part de les autoritats civils i eclesiàstiques, era comprensible que la majoria d'ells no respectessin els preceptes cristians per simple ignorància i no per mala fe.

Abans d'estudiar els processos inquisitorials en els quals foren implicats els conversos barcelonins, explicarem quin era el seu funcionament. El primer pas per endegar un procés inquisitorial era la denúncia. La major part de les denúncies eren declaracions de frases insultants a la fe cristiana escoltades, molt poques eren les acusacions en què el denunciant hagués presenciat i vist qualsevol conducta impròpia i susceptible de ser denunciada.[50] Per tant en molts dels casos aquestes eren denúncies insulses en les quals el delator denunciava l'acusat per venjança o un altre interès personal. En molts dels processos el denunciant fa referència a frases blasfemes de l'acusat convers enmig d'un context de baralla entre els dos implicats. D'altra banda, incidia molt el poder econòmic de l'acusat, sobretot quan la Inquisició començà a implantar delators professionals pagats per la mateixa institució; la majoria dels delats eren conversos adinerats, mentre que els pobres eren una ínfima minoria. Si tenim en compte que els conversos que es formaren en la religió cristiana ho van fer pels seus propis mitjans i diners, i que els millor formats eren els individus que gaudien d'una posició econòmica benestant, resulta incongruent que foren precisament els més rics els que eren sovint denunciats ja que eren els que tenien

---

50. Ricardo García Cárcel: *Orígenes de la Inquisición española. El tribunal de Valencia, 1478-1530*, ed. Ediciones Península, Barcelona, 1976, p. 181.

les millors eines per mantenir el paper de bon cristià en cas que foren jueus amagats. La denúncia implicava l'arrest immediat del delat i el seu confinament en la presó a l'espera del procés per la causa de la qual se l'acusava.

A diferència del sistema judicial actual, que es basa en la presumpció d'innocència de l'acusat, en els processos inquisitorials s'actuava a partir de la presumpció de culpabilitat del delat. Per tant, la major part del procés es dedicava a demostrar la culpabilitat de l'acusat sense que aquest pogués intervenir fins a l'última part.

Els processos inquisitorials es dividien en tres fases: una primera que es deia *en ofensa*, o sumària, una segona *en defensa* i finalment l'última fase en què es dictava sentència.

La fase en ofensa era la més important de tot el procés ja que era en realitat el seu autèntic fonament i indefectiblement tot hi quedava ja configurat.[51] En aquesta fase el que es pretén és esclarir els fets, determinar qui són els culpables i en quines circumstàncies es va produir el delicte. Un cop determinat el delicte es procedia a interrogar totes aquelles persones que poguessin aportar informació sobre els fets. El jutge, per mitjà del procurador fiscal, cridava els testimonis, i a tot aquell qui se sospités que pogués aportar informació, per procedir al seu interrogatori. Els objectius eren establir quin era el *corpus delicti*, ja que sense aquest el procés seria nul fins i tot en cas que el delat confessés, i esbrinar, en cas que es desconegués, qui era el culpable.[52] En aquest moment, el tribunal reunia mitjançant els testimonis totes les proves que demostressin la culpabilitat de l'acusat. Al llarg d'aquesta fase el delat no hi podia intervenir, és més, ni tan sols tenia coneixença de les proves que es presentaven contra ell. Un cop acabada aquesta fase, se li entregaria una còpia de la instrucció i llavors seria quan podria començar a preparar la defensa. L'acusat tan sols intervindria en el cas que fos interrogat, llavors només podria insistir en la seva innocència i esperar a la fase de defensa per demostrar-la.[53] Com veiem, tot el procés es basa en la presumpció de culpabilitat de l'acusat amb una fase en ofensa on es recullen totes les proves —reals o no— en contra de l'acusat, el qual jugaria amb una clara inferioritat en el moment d'establir la seva defensa.

---

51. Josep Hernando Delgado: "Derecho, leyes, crímenes y procesos en la Cataluña bajomedieval", dins *La escritura de la memoria. Libros para la administración*, ed. Servicio Editorial de la Universidad del País Vasco, 2012, p. 81-113, p. 98.
52. Josep Hernando Delgado: "Derecho, leyes, crímenes...", p. 98.
53. Josep Hernando Delgado: "Derecho, leyes, crímenes...", p. 99.

Un cop recollits tots els testimonis, el procurador fiscal presentava al jutge una petició de condemna i d'aplicació de tortures perquè l'acusat confessés. D'altra banda, el jutge encarregava que es comuniquessin a l'acusat les actuacions fetes en la fase en ofensa i la petició de condemna feta pel procurador fiscal. En aquest moment, el jutge dona permís al delat perquè designi un procurador i advocat, i estableix un termini concret perquè prepari la seva defensa.[54]

Començaria llavors la fase *en defensa*, en la qual l'acusat intentaria demostrar la seva innocència mitjançant inspeccions oculars dels escenaris on es produïren els fets amb la finalitat de demostrar que els testimonis contraris no podien haver vist ni escoltat res del que declaraven. D'altra banda, l'acusat presentava un seguit de testimonis anomenats "de coartada" que demostressin que el delat no podia haver comès el delicte que se li imputava en aquell moment o lloc en què transcorregueren els fets.[55]

Un cop acabada aquesta fase, el tribunal es reunia i dictava sentència, i finalitzava així el procés.

PROCESSOS CONTRA CONVERSOS BARCELONINS

La documentació conservada sobre els processos inquisitorials per heretgia a Barcelona és molt escassa pel que fa a l'àmbit cronològic abans de la implantació de la Inquisició castellana l'any 1487. Tanmateix, els protocols notarials ens ofereixen valuosa informació sobre processos inquisitorials realitzats per la Inquisició catalana. La presència del notari era indispensable en els processos inquisitorials i, a més, era el notari el que realitzava l'acta notarial d'absolució o de pena imposada.[56]

Un d'aquests casos és el que ens mostra el doctor Josep Hernando en referència a un procés per heretgia per part de la Inquisició a una conversa.[57] Es tracta de l'acta pública, datada el 30 de desembre de 1417, de l'inquisidor Francesc Sala, de l'orde dels predicadors, contra na Yoya Ermengola, conversa, vídua de Joan Ermengol, sastre ciutadà de Barcelona, acusada de pràctiques judaiques. L'acusació fou motivada per un viatge que na Yoya va fer a Cervera, on es va allotjar a casa d'uns parents jueus. Juntament amb ells havia celebrat les festivitats

---

54. J. Hernando Delgado: "Derecho, leyes, crímenes...", p. 99.
55. J. Hernando Delgado: "Derecho, leyes, crímenes...", p. 99.
56. J. Hernando Delgado: "Conversos i jueus...", p. 184.
57. J. Hernando Delgado: "Conversos i jueus...", p. 184.

jueves, complia les prescripcions judaiques en referència als aliments observant el *cashrut,* realitzava també les pregàries pertinents, menjava pa sense llevat i visitava les sinagogues. Per això va ser condemnada a l'excomunió. En el procés, en mostrar penediment, el tribunal va absoldre na Yoya de la sentència d'excomunió però va imposar-li una lleu penitència.

L'únic procés que es conserva a l'Arxiu Diocesà de Barcelona en referència a un convers barceloní abans de la implantació de la Inquisició castellana en aquesta ciutat és el que van publicar el doctor Josep Hernando Delgado i Àngels Ibáñez[58] referit al procés contra el convers Nicolau Sanxo, acusat d'haver circumcidat el seu fill.

El 22 de desembre de 1434 la muller de Nicolau Sanxo, convers, coraler i ciutadà de Barcelona, paria el seu cinquè fill. La criatura presentava signes de falta d'oxigen durant el part i la mare s'afanyà a batejar-lo per si moria. Els quatre nadons que la muller de Nicolau havia parit anteriorment havien mort al poc de néixer sense rebre el bateig i per tant la mare no volia que amb aquesta criatura passés el mateix. El problema sorgí quan la llevadora procedí a identificar el sexe de la criatura, que presentava una anomalia en la zona genital que impedia definir clarament el seu sexe. Tanmateix la llevadora va concloure que es tractava d'una nena. Degut a la urgència de la delicada salut del nadó, a les cinc de la matinada, la llevadora, el pare i dues dones més es dirigiren a l'església de Sant Just per batejar la criatura. A l'estar absent el rector, el beneficiat fou qui realitzà la cerimònia. Prompte aparegueren els primers problemes ja que el pare i les dues dones es negaren al fet que el nadó fos despullat en el moment del bateig. El beneficiat respongué rotundament que la cerimònia es realitzaria tal com marca la litúrgia i per tant el nadó seria despullat. El segon problema aparegué quan el beneficiat preguntà el sexe de la criatura i la llevadora dubtà a dir si era mascle o fembra, afirmant finalment que es tractava d'una nena. El beneficiat, convençut que es tractava d'una nena, batejà el nadó amb el nom d'Eulàlia.

A les set del matí la llevadora procedí a examinar l'estat de la criatura i reparà que la zona genital estava composta per una mena de berrugueta que feia pensar que es tractés d'un penis. A fi de resoldre el dubte, la família demanà l'opinió del mestre en medicina Francesc de Pedralbes, també convers i germà de la muller de Nicolau, el qual arribà a la ferma conclusió que es tractava d'un nen. Per la por que el baptisme que havia rebut l'infant no fos vàlid, la família decidí que el vicari anés a casa seva per tornar-lo a batejar.

---

58. J. Hernando Delgado: "El procés contra el convers Nicolau Sanxo...".

Aquella mateixa tarda, l'avi del nen, Guillem Sanxo, es dirigí a casa de Ramon Canals, cristià de natura, amic de Guillem i també del vicari, per tal de demanar-li consell. Ramon s'oferí a ajudar-los, tot i les reticències de la família conversa que ja sospitava que tindrien problemes degut a la seva condició de conversos, i parlà amb el vicari perquè accedís a batejar de nou el nadó. El vicari hi accedí, també estigué present el metge convers Francesc de Gualbes, el qual confirmà que la criatura era un mascle i que no presentava prepuci. El vicari sospità ràpidament que segurament el que havia passat era que el nadó havia sigut circumcidat segons la tradició jueva i així ho va fer saber a la família exclamant que l'anomalia genital que presentava l'infant s'havia fet manualment al circumcidar-lo. Davant aquesta perillosa acusació, Ramon Canals convencé el vicari de la sinceritat cristiana de la família conversa. Finalment el vicari accedí a batejar el nadó amb el nom de Nicolau.

Al cap de quatre dies d'haver estat batejat el nadó va morir i va ser soterrat als frares menors. Tres dies després de l'enterrament, algú denuncià Nicolau Sanxo de criptojudaisme a l'haver circumcidat el seu fill. El 30 de desembre de 1438 s'inicià el procés contra Nicolau Sanxo. Pere Illes actuà com a procurador fiscal, i Antoni sa Plana, doctor en decrets, va ser designat inquisidor del cas per part del vicari del bisbe de Barcelona, Guillem de Fonollet. El procurador fiscal interrogà aquell mateix dia el sacerdot que va batejar la criatura per segona vegada, pel fet d'ésser un testimoni qualificat. Dos dies després, el 2 de gener, Pere Illes interrogava la llevadora, que era conversa, i Ramon Canal, el cristià de natura que s'oferí a ajudar els preocupats pares. El fiscal podria haver cridat a declarar molts més testimonis, no tan sols els que es veieren implicats en la suposada circumcisió sinó tots aquells que poguessin aportar quelcom referent a la sinceritat cristiana de la família conversa. Tanmateix, com que el cas es referia a la possible circumcisió del nadó el fiscal no cregué necessari realitzar més interrogatoris i procedí a verificar la causa del procés, és a dir, si el nadó era circumcís o no. Per aquesta raó ordenà l'exhumació del cadàver del nen i que aquest fos examinat per dos metges cristians de natura, Pere Pau i Gabriel Garcia, que no tenien cap lligam amb la família. El 6 de febrer, els metges presentaren el seu dictamen: el nen no havia sigut circumcidat. Aquell mateix dia Nicolau Sanxo presentà una súplica a l'inquisidor demanant que dictés sentència d'absolució, la qual fou donada per l'inquisidor el 8 de febrer del mateix any.

Aquest procés ens permet arribar a unes conclusions interessants sobre la religiositat d'una part dels conversos barcelonins. Tanmateix, hem de tenir clar que aquest és un cas particular i que per tant no el podem extrapolar a la totalitat de la societat conversa. Ens desvela, però, un seguit de detalls que sí que serien comuns a una part de la població conversa i també ens permet tenir una idea de quina era la implicació de la societat i de les institucions cristianes en les sospites de fe contra els conversos.

El primer detall, i que ja hem comentat abans, és que tan sols es conserva aquest procés portat a terme per la Inquisició contra un convers abans de la implantació de la Inquisició castellana. L'altre punt interessant és la professionalitat amb què es desenvolupà el procés i que denota una intenció completament diferent a la que tindria la Inquisició castellana envers els conversos. En aquest procés es pretén determinar realment si l'acusat practicava el judaisme essent cristià, sense cap intenció de lucre per part del tribunal. La Inquisició castellana, en canvi, i seguint les opinions comunes de Baer, Netanyahu i Beinart, entre altres, enjudiciava els conversos amb la intenció d'expropiar els seus béns, dificultant cada cop més la defensa dels acusats perquè esdevinguessin culpables. Com hem pogut veure al llarg d'aquest estudi, els Sanxo eren una família adinerada i influent, emparentada a més amb la important família conversa dels Pedralbes. És a dir, l'acusat tenia un important patrimoni, tanmateix el procés es desenvolupà amb la intenció de descobrir la veritat sobre els fets, sense citar testimonis dubtosos que maquillessin la realitat per demostrar la culpabilitat de l'acusat. D'altra banda, el procés ens dona molts detalls sobre la religiositat d'un segment de la població conversa: l'adinerada i influent que va tenir accés a conèixer la fe cristiana. Resulta interessant el fet que els pares del nadó s'impliquin i arrisquin tant perquè el seu nen sigui batejat abans de morir, fins al punt que el pare acaba acusat de criptojudaisme. Al nostre parer això ens mostra una fe sincera en el cristianisme per part d'aquesta família conversa, ja que ningú els podria retreure que un fill tingués la mala fortuna de morir abans de rebre baptisme. Un altre detall interessant és l'amistat del pare de l'acusat, també anomenat Nicolau Sanxo, amb Ramon Canals, amic del vicari, i la implicació d'aquest amb la família conversa per tal d'ajudar-los, tot i el risc que això implicava. Això ens porta a un altre interessant detall: la por dels conversos en implicar Bartomeu, per por que aquest rebés represàlies en veure's implicat en un problema de conversos. Això en indica, per tant, que sí que hi havia en la societat la constant sospita de la sinceritat dels conversos i també una implicació de les institucions, tanmateix aquesta pressió no era ni de molt lluny tan intensa com quan s'instauraria la Inquisició castellana. Fet que ens mostra un cop més quines eren les veritables intencions del nou tribunal.

Com hem vist al llarg d'aquest capítol, part de la població conversa barcelonina tenia una fe sincera en la religió cristiana. Tanmateix, hem d'entendre que l'espiritualitat era, i és avui mateix, un tema íntim que costa molt de discernir mitjançant la documentació històrica. D'altra banda, pensem que no és possible generalitzar la religiositat de la societat conversa en el seu conjunt. És a dir, no podem afirmar que tots els conversos eren cristians convençuts però tampoc que professaren fermament la religió jueva. Cada família i cada individu tindria unes conviccions que guardaria en la seva intimitat. En el context històric en el qual ens movem la religió jugava un paper fonamental en la vida de l'individu i sobretot en la seva necessitat d'assegurar-se la salvació —pel camí que fos— un cop abandonés aquest món. El que sí que està clar és que va haver-hi un interès molt gran per part de la majoria dels conversos per formar-se en la religió cristiana i per mostrar externament la ferma creença en ella —sincerament o falsament. En un moment en què el judaisme tenia una greu crisi entre els seus adeptes, no és d'estranyar que molts es decantaren cap al cristianisme com a camí per buscar la seva salvació eterna. Hem vist també com una part d'ells s'integraren dins de l'Església, fins i tot dintre de l'orde dels dominics, germen de la Inquisició. Potser era per assegurar-se un poder, una ascensió social o una protecció per a ells i la seva família en cas que la resta de la societat cristiana es tornés en contra seva. El que és segur és que els conversos que triessin aquest camí consagraven la seva vida a la religió cristiana, una opció difícilment assimilable si no es tenia fe en aquesta.

On més dificultat tenim per identificar la sinceritat dels conversos en la fe cristiana és en la primera i segona generació. Sobretot en la primera, l'única fe que coneixien en profunditat era la jueva, la fe de tots els seus avantpassats. Una manera de viure i sentir que garantia la salvació de l'ànima un cop el cos deixés de viure. Tanmateix, a mesura que passen les generacions el cristianisme es va normalitzant dintre de les famílies i els individus. Això fins al dia d'avui que gairebé ningú recorda si va tenir o no orígens jueus. Pel que fa a les acusacions de la Inquisició sobre la seva sinceritat ja hem observat que el seu objectiu era fonamentalment econòmic i per tant la sinceritat de la fe era tan sols un instrument.

CONCLUSIONS

Les fonts utilitzades en aquest treball i la seva anàlisi ens han aportat una valuosa informació sobre la societat conversa barcelonina que ens ha permès arribar a importants conclusions.

Les conversions en massa de 1391 van ser motivades principalment per raons socials i econòmiques, amb la religió com a element conductor. Com a resultat d'aquesta conversió en massa va aparèixer un nou grup social, els conversos, que s'havia d'integrar dins d'una societat que no els acceptava.

Les conseqüències d'aquests avalots van ser fatals per als conversos ja que van perdre gran part dels seus béns, inclosos la seva residència i el poder econòmic. L'aljama jueva de Barcelona va desaparèixer per sempre més i les autoritats civils responsabilitzaren els conversos dels deutes que aquesta tenia. Per tal de pagar-los, una comissió constituïda expressament obligà els conversos a vendre les seves cases dels calls per tal de pagar una taxa equivalent a la meitat del valor dels seus immobles. Les cases del Call Major, les sinagogues públiques i el cementiri jueu de Montjuïc van acabar en mans de cristians de natura. Arruïnats econòmicament, van haver de començar de nou.

Foragitats del Call Major, els conversos s'establiren en altres indrets de la ciutat, conservant gran part de les propietats del Call Menor. Els conversos van fixar les seves residències prop dels dos calls i molt junts uns dels altres. D'aquesta manera mantenien el seu sentiment de grup i es podien auxiliar ràpidament en cas de nous aldarulls.

Tanmateix, no tots els jueus es van convertir al cristianisme i és ben palesa la presència de jueus a la ciutat de Barcelona després dels aldarulls de 1391 i les consecutives prohibicions per part de les autoritats municipals que cap jueu habités en la ciutat. Aquesta presència es mantindria durant segles.

Trobem famílies en les quals alguns dels seus membres no es van convertir i van continuar sent jueus. Tanmateix, el contacte entre jueus i conversos va continuar i la seva relació es va mantenir malgrat les prohibicions. Conversos i jueus van continuar relacionant-se tant personalment com professionalment igual que abans de les conversions. Un altre cas eren els matrimonis en els quals un dels cònjuges no es va convertir, propiciant per tant la ruptura del matrimoni. D'altra banda, la documentació mostra la inexistència de matrimonis entre conversos i cristians de natura en la cronologia estudiada. Tots els matrimonis eren entre conversos, i s'observen, a més, unions entre famílies de gran importància social i econòmica. Els conversos fixarien els seus contractes matrimonials seguint els costums de la societat cristiana. Una important prova de normalització és l'absència de problemes i impediments en l'ús de dides cristianes de natura per part de conversos.

Pel que fa a l'àmbit laboral, els conversos continuaren realitzant les mateixes professions d'abans de convertir-se. Tanmateix, s'observa un augment del nombre de corredors fins al punt que el govern municipal limitaria el nombre de conversos en aquest ofici anys després. Continuen mantenint el monopoli en el treball del coral, la manufactura dels daus i el teixit de la seda. En altres professions com en la de llibreter tenen una presència molt important fins al punt de dominar el mercat enfront dels cristians de natura.

Els conversos, com a cristians que eren, adquiriren tots els drets com la resta de la societat cristiana lliure i per tant adquiriren més competitivitat en l'àmbit laboral. Però per aquesta mateixa causa els cristians de natura limitarien en alguns casos aquesta competitivitat impedint-los l'accés a càrrecs importants en professions estratègiques com per exemple els teixidors de llana. D'altra banda, les relacions de professionals entre conversos i cristians de natura se succeïen en plena normalitat en la majoria dels casos. De la mateixa manera, conversos i jueus continuaren mantenint contactes professionals.

Segons la informació extreta dels instruments notarials de contractes d'aprenentatge i de treball, en professions en les quals els conversos no tenien el monopoli, no s'observa un tracte pejoratiu envers els conversos per part dels cristians de natura, i tampoc a la inversa. Els conversos contractaven aprenents i treballadors cristians de natura i aquests en contractaven de conversos. En ningun dels dos casos no s'observen clàusules ni condicions pejoratives per raons de condició religiosa. D'altra banda, però, en el cas de les societats els conversos s'associaven gairebé sempre amb altres conversos.

Pel que fa al mercat del crèdit els conversos actuarien en la immensa majoria dels casos com a deutors. Tal com mostra la documentació estudiada es produí un empobriment molt acusat en la població conversa com a conseqüència dels avalots de 1391 i el posterior espoli al qual foren sotmesos. Per tal de recuperar-se econòmicament acudiren al mercat del crèdit en cerca de capital per tal de reiniciar les seves activitats professionals i econòmiques. El crèdit a curt termini —concretament la modalitat de comanda dipòsit— va ser el més utilitzat pels conversos. El mercat del crèdit a llarg termini era molt minoritari entre els conversos i en la majoria dels casos tan sols acudirien en concepte de deutors. Tal com hem mostrat, els conversos que participaven en el mercat del crèdit a llarg termini tenien, en la majoria dels casos, una alta capacitat econòmica.

Tant en els préstecs a curt termini com en els de llarg termini els cristians de natura eren en la majoria dels casos els prestamistes dels conversos. Eren molt menys els casos en què un convers prestés diners a un altre convers. En el cas del préstec a llarg termini, aquests casos eren encara més reduïts. Una minoria —una elit econòmica dins de la societat conversa— tindria prou capital per tal de prestar en el mercat a llarg termini, i tan sols prestaria als seus correligionaris en casos que aquests tinguessin una sòlida solvència i formessin part d'aquesta elit.

Tanmateix, això no significa que els conversos deixessin de participar en el mercat del crèdit com a prestamistes. És clar que la seva presència com a prestamistes es va reduir notòriament. Però amb el pas del temps es fa ben palesa una recuperació econòmica dels conversos i alguns mercaders i artesans destinarien part del seu excedent de capital a invertir-lo en el mercat del crèdit.

El nostre estudi també ha mostrat la prolífica activitat dels conversos en el comerç exterior. Majoritàriament, actuaven com a comanadors, és a dir, com a inversors però sense embarcar-se en el viatge. Les rutes en les quals més invertien els conversos eren les que es dirigien a Orient. Exportaven principalment coral i draps i importaven majoritàriament espècies. La minoria dels conversos que actuaven com a comendataris realitzaven en tots els casos la ruta dirigida a Sicília i Sardenya, minimitzant per tant els riscos.

S'observa també un augment de les inversions en el comerç exterior per part dels conversos respecte a quan eren jueus. Els conversos, per tant, van disminuint la seva participació com a prestamistes en el mercat del crèdit i augmenten la seva activitat en les inversions comercials. La major part dels conversos que participaven en aquestes inversions eren mercaders. Tanmateix també es registren un important nombre d'artesans. En conjunt, aquest fet ens mostra una ràpida recuperació econòmica dels conversos malgrat la desfeta dels avalots de 1391 i el posterior espoli al qual foren sotmesos.

Pel que fa a la religió, la documentació reunida en aquest estudi ens mostra com molts dels conversos, sobretot els de segona i tercera generació, creien sincerament en la religió cristiana. Les dades recollides dels *Llibres d'Òbits* de la parròquia de Sant Just i Sant Pastor de Barcelona ens mostren com, en cas de malaltia o mort, un important nombre de conversos acudiren a la litúrgia cristiana i els seus sagraments en cerca de tranquil·litat espiritual. I això tenint en compte que només hem pogut estudiar els documents d'una parròquia i que presumiblement el mateix cas succeeixi en les altres.

Un altre punt important és l'accés d'alguns conversos a l'estat clerical, fet que també ens demostra la seva sinceritat en la fe cristiana.

Volem expressar el nostre desig que aquest treball obri les portes a noves investigacions sobre la societat conversa que ens permetin conèixer-la millor. Durant molt de temps aquesta part de la nostra societat va ser oblidada i ignorada, tan sols mencionada des del punt de vista religiós. Esperem que amb aquesta tesi es reconegui mínimament la gran influència que els conversos van exercir en la societat catalana medieval i el seu important paper en l'economia de la ciutat de Barcelona.

APÈNDIX DOCUMENTAL I

1

1392, agost, 7. Barcelona

Berenguer de Cortil, oriünd del castell de Càller de l'illa de Sardenya, reco-neix haver rebut de Julià Garrius, tresorer del rei, i Berenguer de Cor-til, tresorer de la reina, cinquanta-cinc sous per la tasca de capturar alguns conversos refugiats amb els seus béns en diverses naus per tal de fugir a les terres dels sarraïns i poder renegar de la fe catòlica.

AHPB, Pere CLAVER, *Llibre comú*, 1391, desembre, 7-1393, agost, 20, f. 105v-106r.

Sit omnibus notum quod ego Berengarius[a] de Cortilio, oriundus Castri Callari, insule Sardinie, confiteor et recognosco vobis honorabili-bus Iuliano Garrius, thesaurario domini regis, et Berengario de Cortilio, thesaurario domine regine, quod per manus vestri dicti honorabilis Berengarii de Cortilio, solvistis michi ad meam voluntatem quinquagin-ta quinque solidos monete Barchinone de terno pro laboribus per me sustentis, vidilicet quia de mandato vestri, dictorum thesaurariorum, intravi in mari diversis vicibus in quibusdam navibus in quibus aliqui conversi se recollexerant cum bonis eorum causa fugiendi ad partes sarracenorum pro renegando fidem catolicam, pro faciendo ipsos con-versos et eorum bona abstrahi navibus predictis. Et ideo renunciando excepcioni dictorum quinquaginta quinque solidorum non habitorum et non receptorum et doli mali, in testimonium premissorum facio vobis inde fieri presens apoche intrumentum per notarium infrascriptum.

Quod est actum Barchinone, ut supra.

Sig+num Berengarii de Cortilio, predicti, qui hec laudo et firmo.

Testes proxime dicti.

a. *Dues ratlletes obliqües a sobre del nom per indicar la ferma.*

2

1393, agost, 6. Barcelona

Pere Gracià, convers, abans anomenat Saltell Bonjuha Gracià, fill de Bon-
juha Gracià, difunt, jueu de Barcelona, Francesc Joan, convers, abans
anomenat Bonjuha Massanet, i Pere Llorenç, porter del rei, curadors
dels jueus, conversos i nens, absents o morts, venen a Francesc de
Ladernosa, ciutadà de Barcelona, una casa pel preu de 350 florins.

AHPB, Pere Vives, *Manual*, 1392, novembre, 28-1395, gener 14, f. 43v.

Die mercurii, VII[a] die augusti, anno predicto.

Nos Petrus[a] Gracià, conversus, olim vocatus Saltel Bonjuha[b] Gra-
cià, filius Bonjuhe Gracià, iudei Barchinone, quondam, et Franciscus[c]
Iohannis, conversus, olim vocatus Bonjuha Massanet, et Petrus[d] Lau-
rencii, porterius domini regis, curatores conversorum et iudeorum et
pupillorum, absencium et mortuorum, vendimus, cum auctoritate co-
missariorum qui nos dictos curatores constituerunt, vobis venerabili
Francisco de Ladernosa, civi Barchinone, et vestris et quibus velitis,
perpetuo totum illud hospicium *et cetera.*[e] Pretium est CCCL floreno-
rum [..][f] solvendorum in festo Nathalis Domini et [..] in festo Sancto
Iohannis iunii.[g]

Testes de firma dictorum Petri et Francisci sunt: venerabilis Antho-
nius [..]-lle, licenciato in decretis, et Petrus Forts, curritor, ac Iacobus
Vitalis, scriptor.

Testes firme cancellacionis predicte: Petrus Loret, civis, et Iacobus
Vitalis.[h]

a. *Damunt el nom, dues ratlletes obliqües per a indicar la ferma i l'abreviatura* iur
(iuravit) *per a indicar el jurament.*   b. Bonjuha *afegit a l'interlineat.*   c. *Damunt el*
nom, les dues ratlletes de la ferma i l'abreviatura iur.   d. *Damunt el nom, les dues*
ratlletes de la ferma i l'abreviatura iur.   e. *Segueix ratllat* de.   f. *Indiquem amb* [..]
una part del text il·legible pel mal estat del protocol.   g. Pretium est ... iunii *escrit al*
marge esquerre.   h. *Al marge superior* Dampnatum de partium voluntate, quia fuit
alio kalendario infra scriptum.

3

1393, agost. Barcelona

Els comissaris compten amb vuit-centes lliures barceloneses per pagar les
obres necessàries per obrir el Call Major de Barcelona per dos punts
i integrar-lo a la resta de la ciutat. El primer trenc es realitza davant
el Castell Nou, derruint la casa del jueu Sentou Xanxell, prèviament
comprada per la comissió. El segon trenc es realitzaria al carrer de la
Gramàtica (actual carrer de Santa Eulàlia) o la casa anomenada del
"Cortal" (actual plaça de Sant Felip Neri).

AHCB, *Consellers, Obreria, C-XIV.27.*

[...]ª d'agost de l'any [...]

Ítem, que per ço que les propietats e alberchs del dit Call Major que no se puixen veure e les raconades, qui en aquell són, haien passatge als altres carrers de la ciutat, és convençut que los dits honrats comissaris haien a convertir en trenchs fahedors DCCC lliures barchinonines, de les quals se fassa ·I· [trench] devant lo Castell Nou, en l'alberch qui fou d'en Santou Xanchell, juheu de Barchinona, lo qual trench, despuys que·l contracte de la dita venda se menà, és estat comensat. E que fet ab acabament lo dit trench de la restant quantitat de les dites DCCC lliures sia fet altre trench a la scola de la Gramàtica, o aquí aprés per la casa del Cortal, lla on mills e a meys messió fer se puga, qui pas al carrer qui va de la plaçe Nova a la sgleya del Pi. Si, emperhò, lo restant de les dites DCCC lliures a fer lo dit trench bastarà e si lo dit restant no bastava a fer lo dit trench, feta abans que.s començ legíttima estimació d·eçò que costar porà, que lo dit restant sia partit mig per mig, e que la una meytat romanga als dits comissaris e a la dita lur comissió, e l'altre meytat sia del dit Guillem e dels seus. La qual meytat los dits comissaris donen e paguen al dit Guillem Colom per tot lo mes de ffabrer, segons que damunt és dit en lo damunt pus proper precedent capítol. De les CC lliures, emperò, en cars que totes les dites DCCC lliures, o part d'aquelles, fossen per lo dit Guillem bestretes e despeses en los dits trenchs, que aquelles DCCC lliures, o so que bestret haurà en aquelles, los dits comissaris paguen e sien tenguts pagar al dit Guillem per tot lo dit mes de ffabrer, e abans si abans. E encontinent que los dits comissarisᶜ haien reemuts los censals e violaris, als quals la dita òlim Aliama és tenguda, e los dits comissaris han a rraembre deduïts aquells los quals lo dit Guillem Colom ha a reembre, segons que damunt és contengut, o lo dit Guillem se puga aquells, o so que bestret haurà retenir de qualsevulla monedes de la dita lur comissió, qui són o seran en la dita sua taula o a mans sues són pervengudes o pervendran per qualsevulla manera o rahó, en lo temps o manera dessús dita. E aquella meytat lo dit Guillem a ses voluntats aplichs, com així sia convengut e per pacte finat entre los dits comissaris e Guillem Colom.

a. *Indiquem amb tres punts entre claudàtors la part del text que no es pot llegir a causa d'un estrip en el document.*   b. *Segueix ratllat* maien.   c. *Segueix ratllat* en lo.

4

1393, novembre, 6. Barcelona

Els comissaris Guillem de Busquets i Jaume Pastor, amb el consentiment del també comissari Felip de Ferrera, venen, mitjançant encant públic, a Joan de Casademunt, cirurgià, ciutadà de Barcelona, un pati o casa resultant dels enderrocs de les cases dels jueus Davi Maymó Cap de Pebre i de Davi Jaques situades al carrer de Santa Eulàlia, pel preu de quaranta-sis lliures i quinze sous. Aquests enderrocs van ser portats a terme per la comissió per tal d'obrir el Call Major per la part del carrer de Santa Eulàlia orientada a l'església de Santa Maria del Pi.

AHPB, Jaume Just, *Llibre de vendes*, 1393, agost, 8-1398, març, 13, f. 36r-38v.

Die jovis, sexta novembris, anno a nativitate Domini milesimo trecentesimo nonagesimo tercio.

In[a] Christi nomine. Noverint universi quod nos, Guillermus[b] de Busquetis et Jacobus[c] Pastoris, de thesauraria illustrissimi domini regis, cives Barchinone, comissarii et administratores ad infrascripta et plura alia deputati et ordinati, unacum venerabili Philipo de Ferraria, cive dicte civitatis, qui dicta comissione[d] et administratione aliis negocii propedictus intendere seu vacare non valet, per illustrissimos dominos regem et reginam, eius consortem, assignatos, habentesque omnem iurisdictionem ordinariam supra hiis, prout de dicta eorum comissione et contentis in ea clare liquet per quandam dictorum dominorum regis et regina cartam pergameneam, eorum sigillis appendiciis comunitam, que data fuit in monasterio sancti Cucuphatis Vallenscis secunda die octobris, anno a nativitate Domini milesimo trecentesimo // f. 36v // nonagesimo secundo, regnique ipsius domini regis sexto, attendentes vigore dicte comissionis dictos illustrissimos dominos regem et reginam per ipsos nobis facte in dicta carta comissionis inter alia dasse seu concecisse, nobis plenam et liberalem potestatem de trancando et aperiendo, seu tancari et aperiri faciendo Calla Iudayca dicte civitatis, et quodlibet ipsorum Callorum per illa loca que voluerimus et allagaremus, seu nobis aut duobus nostris, apparuerit faciendum. Et ipsa calla et carrarias, hospicia et hedificia ipsorum miscere cum dicta civitate per illas partes et loca, et in illis modis seu formis quibus nos veluerimus seu nobis aut duobus nostrum apparuerit faciendum. Et etiam dirruendo seu dirrueri faciendo illa hospicia et ediffitia qualibet dictorum callorum quam etiam extra que nobis, aut duobus nostrum apparuerit necessarium seu comodiosum pro faciendo oberturas sive mixciones supradictas; et etiam dicta hospicia et ediffitia dirruere voluerimus stimare seu stimari facere. Et ipsas stimas de bonis conversorum et iudeorum solvere seu solvi facere. Prout de dicta nostra comissione et administracione clare liquet per quandam dictorum dominorum regis et regine cartam pergameneam eorum sigillis appendiciis comunitam, que data fuit in monasterio Sancti Cucuphatis Vallensis, secunda die octobris anno a nativitate Domini milesimo trecentesimo nonagesimo secundo. Considerantes inquam vigore dicte comissionis pro trancando[e] et apperiendo, ut pretangitur, Callum Maiorem ipsius Civitatis versus ecclesiam Sancte Marie de Pinu, in vico noviter vocato de Sancta Eulalia, et vinendo ipsum cum dicta civitate fecisse stimari et per consequens penes nos restinuisse ratione predicta duo hospicia contigua dicto vico, quorum alterius erat Davi Maymo Cap de Pebra et alterum Davi Jaques, olim iudeorum dicte civitatis de quibus quidem[f] hospiciis occasione permissorum fecissemus dirruere sive derrocare partem dictorum hospiciorum. Et facta dicta dirruatione remansent (sic) penes, nos ut comissarios predictos quoddam patium sive domus cum aliqua manobra moditi valens. Attendentes inquam nos, mediantibus procuratoribus conversorum et iudeorum, deliberasse melius eise predicta patia dictorum hospiciorum melius esse vendere et alienare quam si penes nos seu dictos conversos et iudeos ramanere idcirco habita deliberatione inter nos habito repectu ad onera dictorum callorum, ad que dicti conversi et iudei nunc obligati existunt, gratis et ex certa scientia de et cum licencia et voluntate Raymundi de Villafrancha, Petri Pujol, fisicorum, Raymundi ses Escales et Ferrarii de Conomines, procuratorum conversorum et iudeorum in civitate Barchinone degentium per nos et successores nostros in dicta comissione heredum et successorum dictorum Davi Maymo et Davi Jaques, vendimus et titulo venditionis concedimus vobis, venerabili Johanni de Casadamont,[g] cirurgico, // f. 37r // civi dicte civitatis, previa legittima tamen subastatione per cursores publicos et iuratos dicte civitatis, et vestris et cui sive quibus volueritis, perpetuo[h] per proprium et liberum et francum alodium predictum patium sive[i] hospicia predicta ex abisso usque[j] ad celum, et cum introitibus, exittibus, iuribus et pertiennciis[k] eorum, et cum dicta manobra que ibi est,[l] quod seu que nos, ut comissarii predicti, habemus et possidemus, et habere et possidere debemus in dicto Callo Maiori, in loco prevocato. Et terminat predicta duo hospicia sive patium, scilicet *d'en* Davi Maymo ab oriente in quodam vico transverserio, qui ibi est, non transeunte, a meridie in via publica que tendit versus ecclesiam beate Marie de Pinu predicta, ab occidente in tenedone dicti Dani Jaques, quondam, iudei, a circio in tenedone heredum seu successorum Natan Xarxipu et Struchi Xarxipu, fratum. Et predictum hospicium quod erat dicti Davi Jaques ab oriente partim in predicto hospicio dicti Davi Maymo Cap de Pebra et partim in tenedone dictorum heredum seu seccessorum Natan Xarxipu et Struchi, a meridie in dicta via publica, ab occidente in tenedone domine Francisse, uxoris venerabilis Francisci Bisbal, quondam, scriptoris domini regis, et a circio partim in tenedone dictorum heredum seu successorum dictorum Natan et Struchi Xarxipu, et partim in tenedone *d'en* Mahir Salamo. Hanc itaque vendicionem et titulo vendicionis concessionem facimus nos dicti comissarii nomine et auctoritate dicte comissionis, et de et cum assensu et voluntate dictorum procuratorum, vobis, dicto venerabili Johanni de Casadamont, et vestris et cui sive quibus volueritis, perpetuo, sicut melius dici et intellegi potest ad vestrum vestrorumque salvamentum et bonum ettiam intellectum. Et extrahimus nomine et auctoritate premisse comissionis predicta, que vobis vendimus, de iure et dominio et posse nostri predictis nomine et auctoritate nostrorum in dicta comissione successorum. Eademque in vestrum vestrorumque ius, dominium et posse ipsis nomine et auctoritate mittimus et transferimus irrevocabiliter pleno iure, ad habendum, tenendum omnique tempore pacifice possidendum, et ad faciendum vestras et vestrorumque omnimodas voluntates. Promittentes prefixis nomine et auctoritate vobis tradere, vobis vel cui volueritis loco vestri, possecionem corporalem seu quasi predictorum que vobis vendimus, et in ea vos et vestros facere perpetuo pociores vel vos aut vestri, si voluiretis, possitis ipsam possacionem apprendere, ipsam penes vos licite retinere. Nos enim nomine et auctoritate quibus supra dicitur dictam possacionem vobis tradiderimus vel vos ipsam aprenderimus (sic), constituimus pro vobis nomine precario possidere. Et ex causa huius vendicionis, memoratis nomine et auctoritate, damus, cedimus et mandamus vobis et vestris, et cui sive quibus volueretis, omnia iura, omnesque actiones, reales et personales, utiles et directas, ordinarias et extraordinarias, // *f. 37v* // mixtas et alias quascumque nobis nomine comissario predicto competencia et competentes et competere debentia et debentes in predictis que vobis vendimus, et contra quascumque personas et quibuscumque bonis ratione et occione eorum. Quibus iuribus et accionibus supradictis vos et vestrii, et quos volueritis uti, agere, et experiri possitis, agendo scilicet et respondendo, deffendendo,[m] excipiendo, proponendo et replicando, et omnia alia in iudicio et extra iudicium, faciendo quecumque et quemadmodum nos pretactis nomine et auctoritate facere poteramus ante presentem venditionem et iurium cessionem, et possemus nunc et etiam postea quandocumque. Nos enim prefatis nomine et actorite constituimus vos et vestros in hiis dominos et procuratores, ut in rem vestra propriam, ad faciendum vestras et vestrorum omnimodas voluntates, sine nostri nominibus et auctoritate predictis et nostrorum in dicta comissione successorum obstaculo et contradictione. Precium vero huius vendicionis est quadraginta sex librarum et quindecim solidorum, monete Barchinone de terno. Et ideo renuntiando nomine et auctoritate quibus supra exceptione peccunie predicte non numerate, et precii predicti non habiti et non[n] recepti, et legi que subvenit deceptis ultra demindiam iusti precii, et exceptione de dolo malo et in factum actioni, et omni alii iuri, rationi et consuetudini contra hec repugnantibus, damus et ex certa ciencia remittimus[o] predictis nomine et auctoritate et vestris et quibus volueritis, perpetuo donatione pura, perfecta et[p] irrevocabili inter vivos, si quid predicta, que vobis vendimus, plus modo valent aut decetero valebunt precio antedicto insuper prenominatis nomine et auctoritate convenimus et promittimus vobis quod predicta que vobis vendimus, faciemus vos et vestros, et quos volueritis, habere, tenere et possidere in pace perpetuo contra omnes personas. Et quod tenebimur, nomibus et auctoritate predictis vobis et vestris semper de firma et legali evictione eiusdem. Et si forsan aliqua persona faceret, proponeret, moveret seu etiam intemptaret contra vos vel vestros tempore aliquo questionem aliquam, petticionem, demandam littem, vel controverciam, de iure vel de facto aut aliter, in iudicio vel extra iudicium, in predictis que vobis vendimus vel aliquo predictorum, vel alia ratione et occione ipsorum, gratis et certa sciencia, nomine et auctoritate predictis, convenimus et promittimus vobis quod incontinenti, cum a vobis vel vestris inde fuerimus requisiti, opponemus nos deffensioni vestri et vestrorum in hiis successorum. Et quod in principio littis suscipiemus in nos onus letigii. Et satisfaciemus pro vobis et vestris cuilibet in de querelanti. Et quod agemus et ducemus ipsam causam seu causas proprias propriis sumtibus et expensis dicte comissionis a principio littis usque ad finem, vel vos aut vestri, si volueritis, possitis ipsam causam seu causas agere et ducere per vos ipsos. Et hoc sit in electione vestri et vestrorum in hiis successorum. Nos enim nomine et auctoritate[q] pretactis // f. 38r // renunttiamus vobis et vestris ex pacto necessitatem denuntiationis. Et si vos vel vestri elegeritis ipsam causam seu causas agere et ducere per vos ipsos, gratis et certa scientia eiusdem nomine et auctoritate convenimus et promittimus vobis quod restituemus et solvemus vobis et vestris ad vestram et eorum voluntatem indilate, si quas missiones et expensas dapnia et interesse vos vel vestri feceritis et sustitueritis quoquomodo sive obtineatis in causa seu causis, sive etiam subcumbatis, sic quod supra predictis omnibus et singulis servabimus vos et vestros penitus sive dampno. Et credatur vobis et vestris super ipsis missionibus et expensis, dapnnis et interesse, plano et simplici verbo, nullo alio probacionum genere requisito. Et pro hiis complendis et firmiter attendendis, tenendis et observandis, obligamus vobis et vestris omnia bona dicte comissionis, mobilia et inmoblilia, ubique habita et habenda. Confitentes et recognostentes vobis quod predicta per nos empta fuerunt legittime palam et[r] publice per civitatem Barchinone subastata per ·XXX[ur]· dies et amplius, ut est moris, in dicta civitate per cursores infrascriptos. Et nullus aperuit qui tantum in predictis dare vellet precium quantum vos in predictis obtulistis daturus, scilicet, precium antedictum. Et ideo nomine et auctoritate premissis, facimus vobis hanc venditionem precio memorato. Ad hec nos, Petrus Oliverii et Jacobus Siurana, cursores honorum publicis iurati dicte civitatis ac socii in[s] huiusmodi officio confitemur et recognostimus vobis, dicto emptori, quod predicta per vos[t] empta fuerunt ex portam venalia per dictos venerabiles comissarios et ea subastavimus palam et publice per dictam civitatem per XXX[ur] dies et amplius, ut est moris, in dicta civitate. Et cum multi emptores ad emendum predicta ad nos accessissent, non apparuit nec accessit ad nos aliquis alius emptor qui tantum precium daret vellet in predictis quantum vos obtulistis qui obtulistis vos in eiusdem daturum precium antedictum. Et ideo vobis,[u] venerabili Johanni de Casadamont, emptori predicto, tanquam plus offereti venditionem in havimus huius legittime supradicta. Et[v] vos predicta palam et publice, per vos seu nobis mediantibus, emistis ut plus offerentes in eisdem. Hec igitur omnia et singula que superius dicta sunt, facimus, paciscimur et promitimus nos, dicti Guillermus de Busquets et Jacobus Pastoris, comissarii predicti, nomine et auctoritate dicte comissionis, vobis, venerabili Johanni de Casadamont, emptori predicto, necnon et vobis, notario[w] infrascripto, tanquam publice persone pro vobis et per personis omnibus, quarum[x] interest et intererit, recipienti et paciscenti ac ettiam[y] legittime stipulanti. Ad hec nos, Raymundus de Villafranca // f. 38v //, Petrus Pujol, Raymundus çes Scales, et Fferrarius de Conomines, procuratores et administratores olim aliame Callorum dicte civitatis predicti, confitentmur vobis, venerabili Johanni de Casadamont, emptori predicto, predictam venditionem et omnia alia et singula supradicta fore facta de et cum assensu et voluntate nostris expressis. Ideo easdem laudamus, aprobamus, ratifficamus et consignamus. Ego itaque et Petrus Granyana, notarius, procurator nonnullorum creditorum plurium conversorum et iudeorum Callorum civitatis Barchinone, de et cum[z] assensu et voluntate comissariorum predictorum, predictis omnibus et singulis consenciemus tanquam nostris assensu et voluntate expresis factis.

Actum est hoc Barchinone, sexta die novembris, anno a nativitate Domini millesimo trecentesimo nonagesimo tercio.

Sig++na Guillermi de Busquets et Iacobi Pastoris, comissariorum predictorum, qui hec nomine et auctoritate dicte comissionis laudamus et firmamus die et anno predictis, presentibus testibus: Pericono de Marques et Petro Germani, scriptoribus, civibus Barchinone.

Sig++na Raymundi de Villafranca, Petri Pujol, fisicorum, Raymundi ces Scales et Fferrarii de Conomines, conversorum, procuratorum predictorum, presentibus testibus: venerabili Stephano Salvatore, camerario dicti domini regis, Guillermo Colom, capsore, Guillermo de Cardona, scutifero, civibus, et Petro Cerdano, scriptore, civibus, Barchinone.

Sig++na Petri Oliverii et Jacobi Siurana, curritorum predictorum, qui predicta[aa] concedimus fore vera eaque laudamus et firmamus XIII[a] die mensis et anni predictorum, presentibus testibus: dicto venerabili Stephano Salvatoris et discreto Petro Johannis de Puteo, notariis, civibus Barchinone.[ab]

Sig++num Petri Granyana, predicti, qui hec nomine predicto laudo et firmo die et anno proxime dictis, presentibus testibus: Ffrancisco (..), notario, et Johane Roqueta, scriptore, civibus Barchinone.

a. *Afegit a l'interlineat, ratllat:* Noverint universi.   b. *Dues ratlles obliqües damunt del nom per indicar la ferma.*   c. *Dues ratlles obliqües damunt del nom per indicar la ferma.*   d. *Segueix ratllat* ad.   e. *Segueix ratllat* et apriendo.   f. *Segueix ratllat* hospicias.   g. *Segueix ratllat* cuiu.   h. *Segueix ratllat* per.   i. *Segueix ratllat* hospicium.   j. *Segueix ratllat* in.   k. *Segueix ratllat* suis.   l. *Segueix ratllat* non transeunte a meridie.   m. *Segueix ratllat* exciptiendo.   n. *Segueix ratllat* solva.   o. *Segueix ratllat* de.   p. *Segueix ratllat* ius.   q. *Segueix ratllat* predictis.   r. *Segueix ratllat* simpliçi.   s. *Segueix ratllat* uius un.   t. *Segueix ratllat* emper.   u. *Segueix ratllat* obtulistis vener[abilis].   v. *Segueix ratllat* per.   w. *Segueix ratllat* Just Fra.   x. *Segueix ratllat* interesit.   y. *Segueix ratllat* stipulanti.   z. *Segueix ratllat* volu.   aa. *Segueix ratllat* concedimus.   ab. *Segueix ratllat* Sig.

5

1394, gener, 24. Barcelona

Arnau Massana, convers, abans anomenat Vidal Massana, fill i procurador d'Antoni Massana, convers, abans anomenat Astruc Massana, procuradoria atribuïda i acceptada per Guillem de Busquets, Jaume Pastor i Felip de Ferrera, comissaris del call de Barcelona, per tal de pagar la taxa en la qual està gravada la seva casa del call i per pagar als creditors del seu pare, ven a Francesc Terrades, beneficiat de la Seu de Barcelona, la casa esmentada situada al carrer de Sant Honorat pel preu de seixanta-una lliures i deu sous. La casa limita a orient part amb la propietat de Guillem Colom, abans del jueu Vidal Ferrer, i part amb una plaça —la plaça de la Font—; al sud amb la propietat esmentada de Guillem Colom; a occident amb la propietat del jueu Isaac Bonastruch; i al nord part amb la de Berenguer Pere, argenter, abans de Hasday Cresques, part amb una propietat que va ser del jueu Jacob Argenter.

AHPB, Jaume Just, *Llibre de vendes*, 1393, agost, 8-1398, març, 13, f. 84v-86r.

6

1394, maig, 14. Barcelona

Concòrdia per la qual Bartomeu Ferrer, canonge de la Seu de Barcelona, accepta que la comissió encarregada dels afers del call dels jueus enderroqui casa seva per tal d'obrir el call per la part de Santa Eulàlia. La comissió ha de pagar nou mil sous a Bartomeu, a més de fer-se càrrec del reforçament de les parets resultants de l'enderroc i altres desperfectes.

ADB, *Reg. Communium*, 1391-1395, v. XLV, f. 196v-197v.

Instrumentum firmatum per venerabile Bartholomeum Fferrarii, canonicum ecclessiem Barchinone.

Pateat universis quod cum ex contradictione populosa et gravi insultu nonnullorum, tam de civitate quam extra, contra iudeos facta Callus vocatus[a] vulgariter Iudeorum Barchinone inhabitatus totaliter remasisset, qui quidem eo quia plurima hospicia ibi pluriaque hedificia coexistunt et quasi in medio sich stare magnum erat dapnum, diformatio et dedecus civitatis, preter inhonesta que in dictis comittebantur inhabitatis hospiciis, que sunt silencio reliquenda, illustrissimus dominus rex, predicta cupiens reparate, qui ad instar predecessorum suorum illustrium in decore et speciositate tante civitatis consueuerunt plurimum delectari, vias quesivit et modos quibus carrarie dicti Calli possent personis notabilibus populari, et per alia, quam ut dicte carrarie, que plures sunt numero et solum per duo hostia in una via introitus et exitus gentibus partebatur, cum diversis carrariis et per diversas partes civitatis ingrediendi et egrediendi discurrentibus aditus prestaretur, salubre non poterat intencionis propositum obtinere, et ut predicta executioni debite mandarentur venerabilibus viris Guillermo de Busquetis, Philipo de Ferraria, Jacobo Pastoris, civibus Barchinone, comisit plenarie vices suas, prout de dicta comissione constat [..],[b] michi notario clare constat. Et quia inter alias vias seu carrarias dicti Calli est una, pro nunc de Santa Eulalia, nuncupata, quod ad dictum adimplendum propositum et ad decorem civitatis et bonum publicum, ut fieret, multum necessaria videbatur et fieri[c] non poterat nisi hospicium quod est capituli Barchinone, in quo habitationem habet de vita sua venerabilis vir Bartholomeus Fferrarii, canonicus et propositus dicte Sedis, ex transverso per medium frangeretur et continuaretur vie publice que dirigitur per medium civitatis, tandem per prefatos comissarios regios sich deliberatum extitit et conclusum quod domus illa divideretur et via achephala, que in dicto Callo et per dictum hospitium clausa erat remota parte dicti hospitii, continuaretur vie transibili publice, ut est dictum. Super quo reverendus in Christro pater et dominus dominus Raymundus episcopum et honorabile Capitulum Barchinone, pro interesse Ecclesie, prius apud dictos comissarios intanciam fecerunt ut, si posibile erat, dictum hospitium non frangeretur, seu duceretur in parti sui aliqua ad ruynam, prefati comissarii, de mente domini regis esse contrarium afirmantes, et quia non erat alius locus per quem via illa posset continuari[d] cum via prefata publica nisi illa // f. 197r // predicta, non obstante instantia ad diruendum prelibatum hospicium de facto procedere voluerint, tantem per prefatum dictum episcopum, capitulo congregato, fuit, presente dicto Bartholomeo Fferrarii, unanimiter concordatum quod ex quo vitari non poterat quin fieret fractio dicti hospicii racionibus supradictis, cum ipsis comissariis de emenda condecenti fienda ecclesie tractaretur, et qui pro tunc dicti Bartholomei Fferrarii, cuius erat ususfructus hospicii, erat principalius interesse, fuit in capitulo etiam concordatum quod per reverendum dominum episcopum et Capitulum eligeretur unus et per ipsum Bartholomeum alius vel duo de capitulo. Ob quod per dominos episcopum et Capitulum fuit electus venerabilis Anthonius de Fernellis, et per ipsum Bartholomeum venerabilis Guillermus Vallesii et de Closellis, canonici dicte Sedis, quorum experta in pluribus fidelitatie ex evidencia suorum, laudabilium operum sub diversitate temporum ecclesia comprobarat. Qui omnes tres de emenda fienda dicto Bartholomeo, nomine Ecclesie, cum dictis regiis comissariis, ex quo fractio hospicii predicti vitari non poterat pertractarent. Qui quidem tractatores sic electi, post tractatus diversos cum prefatis comissariis, ad concordiam devenerunt quod novem mille solidi darentur pro emenda hospicii, et parietes foraney lapidei per ipsos haberunt comissarios reparari. Quas convencionem et avinentiam reverendo domino episcopio et honorabili Capitulo, presente dicto Bartholomeo prout facta extitit retulerunt que fuit ab omnibus et specialiter ab ipso Bartholemeo utilis et sufficiens reputata. Set dixit quod ipse se hostenderet non contentum et protestaciones aliquas faceret et contra dictos comissarios et alios ad finem ut dicti comissarii inclinarentur ad faciendum emendam Ecclesie, si esset possibile, pigniorem. Quas quidem protestaciones fecit, quamvis ailud quam concordatum fuerat de dicta extimacione non potuerit adipisci. Quibus protestacionibus non obstrantibus, dicta extimacio grata extitit venerabili Bartholomeo Fferrarii, predicto, et de pecunia debita pro extimacione predicta in tabula Guillermi Columbi, campsoris Barchinone, assignatio sive dita per dictos comissarios facta fuit venerabilibus viris Guillermo de Fontibus, vicario dicti domini episcopi, Bartholomeo Oliverii, caricaterio Capituli, canonicis dicte Sedis, et prefato Bartholomeo Fferrarii, pro suo proprio interesse. De qua peccunia centum floreni levati de dicta tabula fuerunt per canonicos supradictos. Et per manus dicti venerabilis Bartholomeii Oliverii, caricaterii prelibatus, Bartholomeus Fferrarii dictos centum florenos recepit pro reparando hospicio antedicto. Et quia in protestationibus supradictis idem Bartholomeus Fferrarii nonnulla dixit vel scripsitque essent consultius subtuenda illis // f. 137v // et quacumque contenta in eis vult habere pro cassis et nullis, tam protestationes, quam responsiones sive replicationes revocat et anullat et vult pro nullius habeantur roboris efficacie vel momenti, affirmans prefatus Bartholomeus Fferrarii in presencia mei, notarii, et testium infrascriptorum, prout supra quecumque supra[e] dicta omnia accidisse et predicto ordine contigisse, ac etiam evenisse, volens idem Bartholomeus quod de predictis[f] fiant sibi et dictis comissariis, visoribus et aliis[g] quorum intersit, unum et plura et tot quot petierint publica instrumenta. Que fuereunt facta per notarium infrascriptum.

Acta fuerunt hec et firmata per dictum venerabilem Bartholomeum Fferrarii in[h] episcopali palacio Barchinone,[i] die videlicet jovis, intitulata XIIII die madii anno a nativitate Domini MCCCXC quarto, in presencia venerabilis et prudentis viri[j] Nicholau de Canyellis, legum doctoris, canonici Barchinone, vicarii generalis dicti domini episcopi[l] in manibus et posse mei Francisci Vitalis, auctoritate dicti domini episcopi notarii publici, presentibus etiam discretis Petro Dalmacii, notario publico,[m] et Marcho Marchoni, scriptore Barchinone, ad hec vocatis et specialiter pro testibus et regatis.

         a. *Afegit a l'interlineat.*   b. *Espai en blanc.*   c. *Segueix ratllat* non.   d. *Segueix ratllat* per.   e. *Segueix ratllat* sua.   f.*Segueix ratllat* fuit.   g. *Segueix ratllat* etcetera.   h. *Se-gueix ratllat* presentia.   i. *Segueix ratllat* in.   j. *Afegit a l'interlineat.*   l. *Segueix ratllat* prius.   m. *Segueix ratllat* Barchinone.

7

1394, juliol, 16. Barcelona

Esperandeu Cardona, conseller i promotor dels negocis de la cúria del rei, ciutadà de Barcelona, lloga durant un any a Arnau de Cervelló, cavaller algutzier del rei, una casa situada al Call Major de Barcelona que abans havia sigut la Sinagoga Major dels jueus de Barcelona, pel preu de vint-i-cinc lliures.

AHPB, Joan de Pericolis, *Manuale primum*, 1392, desembre, 5-1402, març, 1, f. 21r-v.

Die jovis, XVI die julii anno predicto.

Ego,[a] Sperans[b] in Deo Cardona, consiliarius et promotor negociorum curie domini regis, civis Barchinone, a presenti die qua hoc presens conficitur instrumentum ad unum annum primo et continue venturum, loco vobis, honorabili Arnaldo de Cervilione, militi, algutzirio domini regis, totum illud hospicium meum quod habeo et possideo certis titulis sive causis in Callo ebrayco maiori civitatis Barchinone, vocatum *La Sinagoga* iudeorum, hominum et feminarum. Hanc auttem locationem vobis facio, *et cetera*, promittens quod non eiiciam vos per per totum dictum tempus ratione maioris, minoris, vel consimilis logerii nisi per propriam vendicionem, si quam de predictis faciebam. Immo promitto vobis facere habere, tenere per totum dictum tempus, *et cetera*. Logerium vero prefate Sinagoge dicti anni est[c] viginti quinque libre, quas vos michi solvere teneamini in hunc modum: vidilicet, de presenti octo libras dicte monete et hinc ad medium annum alias octo libras et in fine dicti anni residuum dicti logerii. Et etiam quod vos teneamini solvere michi casu quo non compleretis dictum annum in solutum pro rata dicti // *f. 21v* // logerii, et restituere si quod damnum michi inferretis in predictis que vobis loco ob vestri culpam. Renuncians consuetudini Barchinone, per quam locator potest expellere conductorem a re locata, *et cetera*. Omni alii iuri, *etcetera*. Ad hec ego, Arnaldus[d] de Cervilione, conductor qui supra, recipiens. *Et cetera*. Laudans, *etcetera*, convenio et promitto vobis et vestris solvere dictum logerium per terminos vi-delicet et solutiones a vobis superius comprehensos, et vobis in fine dicti temporis reddere dictum hospicium non in aliquo ob mei culpam deterioratum. Renuntio omni privilegio militari, *etcetera*. Obligo omnia bona, *etcetera*. Hec igitur, *etcetera*.

Testes: Johannes de Finestris et Matheus Muntulli, comorantes cum dicto venerabili Speranti in Deo Cardona. Firme vero dicti honorabilis Arnaldis de Cervilione, qui firmavit in dicta die[e] sunt testes: honorabi-lis Valor Dariga, miles, et Bertrandus de Vilafrancha, domicellus, et dictus Matheus Muntulli.

a. *Al marge esquerre* debet. b. *Dues ratlletes damunt del nom per indicar la ferma.* c. *Segueix ratllat* et. d. *Dues ratlletes damunt del nom per indicar la ferma.* e. *Afegit a l'interlineat.*

8

1396, març, 16. Barcelona

*Esperandeu Cardona, conseller i promotor dels negocis de la cúria del rei,
lloga per un any a Pere Antic, rajoler i ciutadà de Barcelona, l'entrada
i la primera habitació d'una casa situada al Call Major, que abans
era la Sinagoga Major, pel preu de cent deu sous. L'edifici té deu lloses
que ja hi eren quan Esperandeu la va adquirir. També es fa cons-
tar que la resta de l'edifici ja està llogat a altres llogaters.*

AHPB, Joan Eiximenis, *Manual*, 1395, octubre, 13-1398, març, 22, f. 39r.

Die iovis, ·XVIª· marcii, anno predicto.

Ego, Speransª in Deo Cardona, consiliarius et promotorᵇ nego-
ciorum curie domini regis, a presenti die qua hoc presens conficitur
instrumentum ad unum annum primo venturum, loco vobis, Petro An-
tich, raiolerio, civi Barchinone, illud hospicium olim vocatum Sinagoga
Maior calli iudeorum civitatis Barchinone, videlicet, eiusᶜ intratam dicti
hospicii et quandam domum in capite dicte intrate, versus occidentem
situatam, cumᵈ tribus portalibus extra in via publica apperientibus, et
cum iuribus et pertinenciis suis, cum residuumᵉ jam locaverim. Hanc
autem locationem *etcetera*. Promittens quod non eiciam *et cetera*. Loge-
rium est centum et decem solidorum Barchinone, quos michi solvere
teneamini per hos terminos videlicet, medietatem nunc de presenti, et
alteram medietatem in fine dicte anni. Et pro hiis complendis obligo
vobis omnia bona mea *et cetera*. Renuncians consuetudini Barchino-
ne *et cetera*. Et hec iuro.ᶠ Ad hec ego, Petrus Antich,ᵍ predictus, laudans,
et cetera, convenio, *et cetera*, quod predictum hospicium per vos michi
locatum restituam, et ·X·ʰ losas quas in dicto hospicio inveni,ⁱ *et cetera*.
Et quod solvam vobis loguerium ʲ per terminos supradictos, *etcetera*. Et
pro hiis complendis obligo vobis omnia bona, *etcetera*.

Testes: Johannes Juliani, de officio scrptoris porcionis domini regis,
et Johannes Blasii, scrptor Barchinone.

a. *Dues ratlletes damunt del nom per indicar la ferma seguit de* iuro.   b. *Segueix ratllat*
curie.   c. *Afegit a l'interlineat.*   d. *Segueix ratllat* re.   e. *Segueix ratllat* datus.   f. *Se-*
gueix ratllat ad.   g. *Dues ratlletes damunt del nom per indicar la ferma.*   h. *Segueix*
ratllat losas.   i. *Afegit a l'interlineat.*   j. *Segueix ratllat* ut sui.

9

1397, gener, 17. Barcelona

*Alguns conversos de la ciutat de Barcelona supliquen al Consell de Cent
que actuï contra uns jueus vinguts de França que realitzen pràctiques*

judaïtzants entre els conversos barcelonins i venen carn rabinada als cristians de natura.

AHCB, Consell de Cent, llibre XXV, f. 74v.

Ítem, una altre per alguns conversos de la ciutat ab la qual suppli-caven que com per la venguda a aquesta ciutat de molts juheus de Ffrança se seguessin en aquesta ciutat molts mals e torps, de conver-sos, a·ls quals fan sovin iudahitzar e tenir cerimònies iudaiques. Hoc més avant se segueix que fan comprar als cristians les carns per ells rabinades e degollades, com no són trobades juhigues la qual cosa és fort vituperosa als cristians que mengen ço que ells lexen iudaizar per ells, e moltes altres ignomínies a la fe cristiana. Lo dit Consell volgués sobre açò plenàriament provehir.

10

1397, març, 23. Barcelona

Sobre la suplicació feta per uns conversos barcelonins al Consell de la ciu-tat sobre la prohibició que els jueus donessin carn tallada per ells a cristians.

AHCB, Consell de Cent, llibre XXV, f. 84v.

Ítem, com los conversos hagen, no ha molt donada, en Consell de C jurats suplicació convenient que fos provehit que·ls juheus no puxen cortar carn com fan amb los conversos, com[a] per lur [..] se seguesca gran mal. E més avant que fos provehit que les carns ra-binades per juheus no poguessen ésser menjades per crestians, com sia vituperosa cosa e ignominosa als cristians e a la fe cristiana, que mengen ço que·ls juheus lexen judaizar, car los juheus no menjarien re qui per cristians fos benehit o signat. E lo dit Consell de ·C· jurats provehís que·ls consellers sobre açò fahessen degudes provisions. E los dits consellers volguessen Consell de fer les dites provisions, que el dit consell també acordarà sobre açò.

a. *Afegit a l'interlineat* com.

11

1397, març, 23. Barcelona

Tenint en compte una suplicació feta anteriorment per conversos barce-lonins, el Consell determina tornar a implantar les ordinacions que afecten els jueus. Especialment les relatives a les relacions entre jueus

i conversos i l'obligació dels jueus a portar una rodella cosida al pit.
També es prohibeix als cristians el consum de carn tallada per jueus.
AHCB, Consell de Cent, *Llibre del Consell*, 1B. I. XXV, f. 85r.

Ítem, sobre la supplicació dels conversos, lo dit consell acorda que[a] per los consellers fossen vistes e reconegudes totes les ordinacions sobre els juheus aprés de la destrucció del Call ja fetes, e també sobre la participació que·ls dits juheus fan ab els conversos, com sobre la gran[b] roda groga et vermella que·ls dits juheus deuen portar als pits, com sobre altres coses (..) los dits juheus o juhies feren tot ço que·ls prega fahedor. E a fortificació e validació de les dites ordinacions. E més avant que sien fetes per los consellers forts ordinacions que nengun cristià, de qualsevol consició sia no gos menjar carns algunes que sien rabinades ne degollades per juheus sots (..) gros ban.

    a. *Segueix ratllat* fossen vistes.   b. *Afegit a l'interlineat* gran.

12

1397, juny, 5. Barcelona

Un grup de conversos barcelonins presenta una instància al Consell de Cent perquè no es pugui establir mai més una aljama jueva a Barcelona, i que no puguin habitar jueus a la ciutat. Posteriorment el Consell deliberarà si fa una súplica al rei per aquesta causa.
AHCB, Consell de Cent, *Llibre del Consell*, 1B. I. XXV f. 101v-102r.

Ítem, com per molts conversos sia estada feta gran instància als consellers que suppliquen al senyor rey que en Barchinona no puxa haver jamés aljama de juheus ne encara habitar en aquella juheus, allegants molts incovenients, dans e mals que per los dits juheus se segueixen, que el dit consell delibere sobre açò.

Ítem, sobre el fet dels juheus, ço és si serà supplicat al senyor rey que no ych puxa haver juheus, o no, lo dit Consell també remés açò al dit Consell de ·C· jurats.

13

1397, juny, 6. Barcelona

Molts conversos i altres persones presenten instància al Consell de Cent per impedir l'establiment de qualsevol aljama de jueus a Barcelona i que es demani al rei especial i perpetu privilegi. Així mateix supliquen

que pel que fa als jueus singulars, que tan sols puguen romandre a la
ciutat deu dies. Finalment, el consell acorda presentar la suplicació
al rei.

AHCB, Consell de Cent, *Llibre del Consell*, 1B. I. XXV f. 103r, 104r.

Ítem, com per molts conversos encara per altres persones sia feta
gran instància als dits consellers que suppliquen al senyor rey que
li plàcia atorgar a la ciutat en especial e perpetual privilegi que en
Barchinona no puxa jamés haver aljama de juheus ne y puxen (..)
alguns juheus singulars més avant de ·X· dies o d·altre cert terme,
que·l dit Consell delibere si tal supplicació serà al dit senyor rei feta
per los dits consellers.

Ítem, sobre el fet dels juheus lo dit consell acordà que·ls consellers
supplicassen al senyor rey que tota en la ciutat jamés no pogués haver
aljama de juheus, ne singulars juheus puxen habitar en la ciutat més
avant de ·X· dies. E que d·açò los dits consellers obtengueren del dit
senyor rey perpetual privilegi, si fer se porà.

14

1397, desembre, 1. Barcelona

Francesc de Relat, sastre, convers, ciutadà de Barcelona, promet a Clara,
muller seva, no fuetejar-la ni maltractar-la sota ningun concepte, sots
pena de vint-i-cinc lliures per cada cop que ho faci.

AHPB, Joan de Caselles, *Secundum manuale*, 1397, setembre, 18-1399, agost, 30,
f. 24v.

Ego Ffranciscus[a] Realat, sartor, conversus, civis Barchinone, pro-
mitto et convenio vobis, Clare, uxori mee, licet absenti, quod ego un-
quam ullo tempore, de die aut de nocte, publice vel oculte, nec alias,
non tangam nec verberabo vos, dictam Claram, maliciose vel alias nec
tangi verberare faciam nec aliquod malum, dampnum et iniuriam vo-
bis faciam, nec inferri faciam. Et casu quo contra predicta veniam vel
faciam, incontinenti incidi volo in penam XXV librarum Barchinone
et hoc totiens *et cetera*. Quam gratis, *et cetera*. Et casu quo comitatur,
medietas adquiratur honorabili vicario Barchinone, qui nunc est vel pro
tempore fuerit, et altera medietas vobis, dicte Clare. Qua quidem pena
comissa, *et cetera*. Et pro hiis obligo me personaliter et omnia bona mea
ubique etiuro *et cetera*. Et promitto vobis, dicte Clare, quod restituam
vobis, si quas missiones facietis pro predictis. Super quibus quidem
missionibus, *et cetera*. Et ad maiorem securitatem remissorum presto

et facio homagium ore et manibus comendatum in posse venerabilis Guillermi de Montellis, capiti excubiarum Barchinone nomine domini regis reapientis. Et[b] casu quo contra predicta venero vel fecero, quod Deus avertat, sim incontinenti. Periurus, infamis, proditor, bausator secundum *et cetera*. Apud dominum regem, *et cetera*. De qua quidem bausia, *et cetera*. Non possim me scondire, *et cetera*. Immo presens intrumentum, *et cetera*. Renuntio, *et cetera*. Hec igitur, *et cerera*.

Testes: Johannes Martí, barbitonsor, Petrus de Casasagia, conversus, et Anthonius Fritós, sagio, ac Bernardus de Septemcasis, scriptor, cives Barchinone.

a. *Dues ratlles obliqües damunt del nom per tal d'indicar la ferma seguit de* iuravit et homagium.   b. *Segueix ratllat* convenio et promitto.

15

1398, abril, 1. Barcelona

Gonçau sa Vila, de la casa del rei, ciutadà de Barcelona, ven a Ramon Rovira, convers, ciutadà de Barcelona, una casa, amb una caseta contigua, situada al Call de Sanaüja, per vuitanta-dues lliures i dos sous. Aquesta casa limita a l'est amb la propietat del senyor de Sant Climent; al sud amb un pati que va ser d'Arnau Massana, convers; al nord amb la propietat de Bronissenda, conversa, que abans havia pertanyut a Mahir Cordoner, jueu, i a l'oest amb la via pública. L'esmentat Arnau va comprar aquesta casa als curadors Pere Llorenç i Francesc Joan, convers, el dia 11 de juliol de 1396.

AHPB, Jaume Just, *Llibre de vendes*, 1397, juny, 2-1398, juny, 25, f. 102r-104r.

16

1398, abril, 13. Barcelona

Sibil·la, muller de Jaume Esteve, calafat, ciutadà de Barcelona, reconeix haver rebut de Francesc Joan, convers, i de Pere Llorenç, ciutadans de Barcelona, curadors dels béns dels jueus i conversos absents, morts o menors d'edat, les vuit lliures que li foren adjudicades en una sentència arbitral per unes obres que s'havien de fer en una casa comprada per Sibil·la als curadors i que aquests no li van comunicar.

AHPB, Jaume de Trilla, *Manual*, 1398, febrer, 21-1399, desembre, 4, f. 12v-13r.

Ego[a] Sibila,[b] uxor Jacobi Stephani, calafati, civis Barchinone, confiteor et recognosco vobis[c] Ffrancisco Johannis, converso, et Petro

Laurenti, civibus Barchinone, curatoribus per serenissimum dominum regem Johannem, bone memorie, et Yolandem, eius consortem, datos et asignatos bonis conversorum[d] et iudeorum absentum, mortuorum, et pupillorum, quod solvistis et tradistis michi octo libras monete Barchinone, // *f. 13r* // que michi adiudicate fuerunt per Anthonium Torrent et Petrum Solerii, lambardos, cives dicte civitatis, arbitros et arbitratores, laudatores et amicabiles compositores, a nobis vicissim dictis nominibus comuniter electos racione videlicet et occasione operum fiendorum in quandam hospicio per me a vobis empto, precio quadraginta librarum, quod fuit [..][e] ça Illa, conversi, olim vocati Vitalis Samuelis, cotonerii sartoris. Que quidem opera fieri habent, cum venerabilis Berengarius de Cortilio id requisiverit. Pro quo quidem venerabili Berengario predictum hospicium tenetur, prout hec omnia in instrumento stabilimenti de dicto operatorio facti lacius sunt contenta. De quibus quidem operibus fiendis vos me non certificastis tempore contractus venditionis, quod facere debebatis. Et ideo renuntiando, *et cetera*. Facio vobis, *et cetera*. Retineo tamen michi quod si forsan decetero inveniretur aliud apoche instrumentum per me vobis de dicta quantitate firmatum, pro predictis instrumentum habeatur pro nullo ne apparere possit me unam et eandem quantitatem bis recepisse.

Testes: Anthonius Rosar et Guillermus Foramà, boterius, cives Barchinone.

a. *Al marge esquerre* solvit.   b. *Dues ratlletes obliqües per a indicar la ferma.* c. *Segueix ratllat* domine.   d. *Segueix ratllat* ai.   e. *Segueix un espai en blanc on s'indicaria el prenom.*

17

1399, agost, 23. Barcelona

Pere Llorenç, curador dels béns dels jueus i conversos de l'antic call de Barcelona, nomenat per Domènec Coaner, comissari dels negocis del call jueu de Barcelona, reconeix haver rebut de Bartomeu Bernés, porter del rei, ciutadà de Barcelona, curador designat pel veguer de Barcelona dels béns de Francesc Ferrer, ciutadà de Barcelona, absent de la ciutat, cinquanta sous, pertanyents a la cura esmentada per avinença feta sobre noranta-tres sous i sis diners que Francesc Ferrer devia a Bonsenyor Gracià, difunt, jueu de Barcelona.

AHPB, Pere Granyana, *Manuale duodecimum*, 1399, juliol, 14-1400, desembre, 21, f. 9r.

Ego Petrus[a] Laurentii, civis Barchinone, curator datus, constitutus et assignatus per venerabilem Dominicum Cohanerii, comissarium negotiorum Callis Iudayci Barchinone, bonis iacentibus indefensis conversorum et iudeorum ac absentium olim Callis Iudayci Barchinone, prout de mea cura plene constat instrumento [..],[b] nomine predicto confiteor et recognosco vobis Bartholomeo Bernés, porterio domini regis, civi dicte civitatis, curatori per honorabilem vicarium Barchinone dato, constituto et assignato bonis iacentibus indefensis que fuerunt Francisci Ferrarii,[c] civis Barchinone, absentis a dicta civitate, quod de bonis dicte cure solvistis michi bene et plenarie ad meam voluntatem quinquaginta solidos Barchinone ex compositione seu avinentia inter vos et me facta ex illis XCIII solidis et sex denariis, quos dictus Franciscus Ferrarii debebat Issacho Bonsenyor Graciani, quondam, iudeo dicte civitatis, cum scriptura tertii inde facta in curia baiuli Barchinone, XII[a] die ianuarii, anno XC[o] primo. Et ideo renuntiando *et cetera*.

Testes: venerabilis Bernardus Massagerii, alias ça Rovira, Vincentius Xifré, Petrus Amati et Stephanus Sabaterii, scriptores, cives Barchinone.

a. *Damunt el nom, dues ratlletes obliqües per a indicar la ferma.*   b. *Indiquem amb* [..] *un espai en blanc per al notari i la datació.*   c. *Segueix ratllat* quondam.

18

1400 […]. Barcelona

Clàusula íntegra que hom havia d'incloure en tots els instruments de venda referents a les propietats situades al call de Barcelona.

AHPB, Bernat Nadal, *Tercimum manuale vendicionum anni a nativitate Domini millesimi CCCC* 1400, juny, 22-1402, juny, 9, foli solt.

Clàusula que fa a metre en les vendes qui·s fan de les propietats del Cayll.

Et teneo per venerebilem Iacobum Columbi, civem Barchinone, filium venerabilis Guillermi Columbi, olim campsoris, civis dicte civitatis, ut proprietarium succedentem in hiis ipsi patri suo, et per ipsum Guillermum Columbi ut usufructuarium tantum in firmis, faticis et laudimiis inde provenientibus de tota vita ipsius Guillermi Columbi tantum et post mortem ipsius Guillermi ex toto per dictum Iacobum Columbi, et sub dominio et alodio ipsius Iacobi Columbi et suorum, salvis tamen semper in et super predictis que vobis vendo censu, iure et dominio *et cetera* dicti venerabilis Iacobi Columbi et suorum. Qui census est *et cetera*.[a]

Et est sciendum quod firme, fatice et laudimia racione dictorum morabatinorum provenientes et provenientia sunt[b] est et esse debent dicti Guillermi Columbi de tota vita sua tantum racione retencionis inde per ipsum facte in donacione, quam de dictis morabatinis inter alia fecit dicto Iacobo Columbi, filio suo, post obitum vero dicti Guillermi Columbi. Ipse firme, fatice et laudimia sunt et esse debent dicti Iacobi Columbi et suorum, ut in instrumento de dicta donacione facto seu recepto in posse Arnaldi Piquerii, notarii publici Barchinone, vicesima nona die iunii, anno a nativitate Domini M° CCC° nonagesimo octavo, hec et alia lacius continentur.

a. *Al marge dret* tot.   b. *Segueix ratllat* est.

19

1400, juny, 30. Barcelona

Pere Llorenç, ciutadà de Barcelona, curador dels béns dels jueus absents i difunts de la ciutat de Barcelona, nomenat per Domènec Coaner, comissari, administrador i jutge ordinari sobre els negocis de l'aljama jueva de la ciutat de Barcelona i dels conversos, per aquesta causa curador dels béns d'Astruga, jueva, absent, vídua de Jacob Millan, jueu de Barcelona, i procurador de Clara, conversa, muller de Berenguer de Cortil, convers, reconeix haver rebut de Gilabert de Riera, de la parròquia de Sant Andreu del Palomar, fill de Guillem Riera, difunt, de la mateixa parròquia, vint-i-quatre lliures pel preu d'un violari de vuit lliures de pensió anual, que Pere Riera, de la parròquia de Sant Andreu del Palomar, fill de Pere Riera, difunt, de la mateixa parròquia, varen vendre a l'esmentada Astruga i que després va ser cedit a Clara.

AHPB, Bernat Sans, *Manual*, 1400, març, 31-1400, setembre, 25, f. 51v.

Petrus[a] Laurentii, civis Barchinone, curator datus, constitutus et assignatus per venerabilem Dominicum Cohanerii, civem dicte civitatis, comissarium et administratorem ac iudicem ordinarium in et super omnibus et singulis negotiis civilibus aljame iudeorum Barchinone et eius singularium, tam ad fidem catholicam conversorum quam etiam adhuc iudeorum,[b] tangentibus quovis modo, per illustrissimum dominum regem deputato et ordinato, prout de dicta comissione et administratione constat per quandam litteram papiream patentem ipsius domini regis eiusque sigillo secreto in dorso sigillatam, datam Barchinone, XV[a] die iunii, anno a nativitate Domini M° CCC° XC° septimo, bonis omnium iudeorum et iudearum dicte aljame et eius singularium, tam absentium quam defunctorum, inter quos in instrumento cure subscripte est nominata Astruga, uxor Iacob de Millan, quondam, iudei Barchinone, que

Astruga pro nunc est absens a tota terra et dominatione dicti domini regis, prout de ipsa mea cura constat instrumento publico inde facto in posse discreti Bernardi Rubei, auctoritate illustrissimi domini regis Aragonum notarii per totam terram et dominationem eiusdem, XXV^a die febroarii, anno a nativitate Domini M° CCC° XC° nono, curatorio predicto, et ut procurator etiam ad hec et alia constitutus a domina Clara, uxore Berengarii de Cortilio, conversi, civis Barchinone, ut constat de ipsa procuratione instrumento facto in posse discreti Bernardi Rubei, notarii, XV^a die aprilis, anno proxime dicto, que domina Clara^c habebat cessionem in una pensione pro violario subscripto debita in anno nativitatis Domini M° CCC° XC° secundo, confiteor et recognosco vobis Gilaberto Riarie, de parrochia Sancti Andree de Palomario, filioque Guillermi Riarie, quondam, de eadem parrochia, quod, facta compositione inter me dictis [..],^d de voluntate tamen dicti Dominici Cohanerii et vos dictum Gilabertum^e et sub [..] etiam quod vobis facerem cessionem subscriptam, solvistis michi nominibus predictis viginti quatuor [..] pro toto pretio^f sive proprietate cum omnibus pensionibus debitis et debendis occasione illius violarii pensionis octo librarum Barchinone, quod Petrus Riarie, de parrochia Sancti Andree de Palomario, filius Petri Riarie, quondam, de dicta parrochia, vendidit dicte Astrugue, solvendos anno quolibet in festo Sancti Martini, de vita dicte Astrugue et dicti Iacob de Millan, quondam, viri sui. In et pro quo violario dictus Guillermus Riarie, pater vestri dicti Gilaberti, et Bernardus Riarie, eius frater, intervenerunt fideiussoris [..] obligati. De qua venditione fuit factum instrumentum in posse Nicholai de Fabrica [..] Barchinone, XII^a die novembris, anno a nativitate Domini M° CCC° LXXV°, quod ad presens inveniri [..] potest, quodque, casu quo inveniatur, volo esse cassum *et cetera*, salva tamen vobis cessione subscripta. Renuntio et absolvo dictum violarium et omnes pensiones debitas et debendas [..], eo quia ante actum et in actu solutionis dictarum XXIIII^a librarum fuit actum et [..] subscriptam vobis facerem cessionem. Idcirco cedo vobis omnia iura michi pertinentia contra^g Petrum Riarie ac dictum Bernardum Riarie, fideiussores. Quibus iuribus *et cetera*. Constituens *et cetera*. [..] sine evictione *et cetera*.

Testes: Iohannes Bertrandi, Guillermus Pujolli, causidici, et Petrus Oruga, cives Barchinone.

a. *Damunt el nom, dues ratlletes obliqües per a indicar la ferma.*   b. singularium *al ms.* singulares.   c. *Segueix ratllat de* bon.   d. *Indiquem amb* [..] *la part del text il·legible per un estrip en el foli del protocol.*   e. *Segueix ratllat* solvistis michi.   f. *Segueix ratllat* dicti cuiusdam viola.   g. *Segueix ratllat* scilicet p.

20

1401, juny, 29. Barcelona

*Eulàlia, filla de Bonanat Regardós, sastre, de Caldes de Montbui, conversa,
promet a Pere Llunes, sastre, convers, ciutadà de Barcelona, que des
de l'1 de juliol fins a Pentecosta, alimentarà i cuidarà plenament el fill
comú, Joan Lleonart, de set mesos, que viurà amb ella. D'altra banda,
Pere Llunes promet pagar a Eulàlia vint-i-dos sous per a l'alimentació
del nen.*

AHPB, Joan de Pericolis, *Manuale primum*, 1392, desembre, 5-1402, març, 1, f. 27v.

21

1402, abril, 29. Barcelona

*Ramon de Rosanes, corredor d'orella, ciutadà de Barcelona, dit abans de
la seva conversió Caravida sa Porta, renuncia a la sentència dels co-
missaris segons la qual els creditors havien de restar de tot deute cinc
sous i sis diners per lliura.*

AHPB, Antoni Estapera, *Manual*, 1402, abril, 13-1402, novembre, 22, f. 13r-v.

Ego Raymundus[a] de Rosanis, curritor auris, civis Barchinone, olim
iudeus, ad fidem conversus, qui ante dictam conversionem nomina-
bar Caravida ça Porta, minor dierum, iudeus dicte civitatis, attendens
post sequtam persecutionem iudeorum et destructionem Callis Iudayci
Barchinone, inter creditores aliame et universitatis dicti Callis iudeorum
seu conversorum olim iudeorum dicti Callis, qui tunc supererant, parte
una, et ipsos conversos, parte ex altera, fuisse sententiatum et declara-
tum per venerabilem Felippum de Ferrariis, Guillermum de Busquetis
et Iacobum Pastoris, nunc comissarios regios et arbitros et arbitratores
tunc per ipsos creditores et conversos electos, quod quilibet creditorum
predictorum dimitteret et remitteret de suo debito quinque solidos et
sex denarios pro qualibet libra sui debiti memorati, ego itaque volens
quoad hec premisse sententie renuntiare et gratie etiam quinque soli-
dorum et sex denariorum predicte, idcirco gratis et ex certa scientia
convenio et promitto vobis dicte Thomede Periç, uxori magistri March,
ab hac civitate, diu est, absentis, quod ego de dicta gratia seu sententia
non gaudebo in illo censulai mortuo pensionis centum et decem soli-
dorum monete Barchinone de terno, quos ego quolibet anno, XVII die
mensis decembris, vobis facio atque presto ratione venditionis quam
pretio mille centum solidorum vobis feci cum instrumento inde facto
per Bartholomeum Exemeno, notarium, XVII die decembris, anno a

nativitate Domini millesimo CCC° octuagesimo nono, ut in eo latius continetur. Immo de tota pensione quolibet[b] anno sive termino et eius pretio in casu luitionis seu redemptionis eiusdem vobis et vestris plenarie et integre sine aliqua diminutione respondebo et satisfaciam. Et obligo bona mea. Et iuro *et cetera*. *Fiat large*.

Testes: Marcus sa Closa, curritor auris, Petrus Torroni et Anthonius Cusí, scriptores, cives Barchinone.

a. *Damunt el nom dues ratlletes obliqües per a indicar la ferma.*   b. quolibet *afegit a l'interlineat.*

22

1402, agost, 2. Barcelona

Bernard Coaner, fill i hereter universal de Domènec Coaner, difunt, de la casa del rei, ciutadà de Barcelona, receptor dels beneficis del vicari, del batlle i d'altres oficials del rei a la mateixa ciutat, reconeix a Lluís d'Averçó, que va ser batlle de Barcelona, que dels beneficis de la batllia va pagar, per voluntat de Domènec, a Bernat de Vilar, subcol·lector dels terços de la cúria del vicari de la ciutat, cinquanta-cinc sous destinats als costos de la feina de cuidar les feres del rei.

AHPB, Pere Claver, *Llibre comú*, 1401, desembre, 8-1402, octubre, 27, f. 70r-v.

23

1402, agost, 22

Pere Oliver, corredor públic i jurat, ciutadà de Barcelona, reconeix a Bernat Lançà, convers, procurador de Margarida, mare seva, conversa, haver rebut set lliures i deu sous de Barcelona en concepte del seu salari com a corredor en la venda, mitjançant encant, de la casa de Bonjuha Cabrit i de Goio, muller seva, jueus difunts de Barcelona. L'encant va ser ordenat pel batlle de Barcelona per tal de pagar a Margarida el deute que el matrimoni jueu tenia amb ella.

AHPB, Pere Claver, *Llibre comú*, 1401, desembre, 8-1402, octubre, 27, f. 84v-85r.

Die martis, vicesima secunda die augusti, anno predicto.

Sit omnibus notum quod ego, Petrus Oliverii, cursor publichus et iuratus, civisque Barchinone, confiteor et recognosco vobis, Bernardo Lança, converso, procuratori domine Margarite, matris vestre, converse, quod in solutum pro rata salarii michi pertinentis pro subastando publice et per loca assueta civitatis predicte hospicium quod fuit Boniuhe

Cabrit et Goio, eius uxoris,[a] quondam, iudeorum dicte civitatis, quodque per venerabilem Johanem ça Bastida, olim bauilum Barchinone, pro executione iusticie et vigore eiusdem retroclami emanati contra ipsos coniugues iudeos, per Nicholaum de Ulino, causidicum, procuratorem dicte Margarite, matris vestre, ex quandam scriptura tercii centum librarum monete Barchinone de terno, per coniugues iudeos ipsos facta in curia dicti bauili, fuit venditum et per me traditum venerabili Bernardo Cohanerii, civi Barchinone, ut plus offerenti, in eodem precio triginta mille solidorum dicte monete, solvistis michi septem libras et decem solidos monete Barchinone de terno. Et ideo renuntiando exceptioni dictarum septem librarum et decem solidorum a vobis non habitarum et non receptarum et doli mali, in[b] testimonium premissorum, salvo michi iure in residuo dicti salarii, facio vobis de dictis septem libris et decem solidis fieri // f. 85r // presens apoche intrumentum per notarium infrascriptum.

Quod est actum Barchinone, vicesima secunda die augusti, anno a nativitate Domini milessimo · CCCCº· secundo.

Sig+num Petri Oliverii predicti, qui hec laudo et firmo.

Testes huis rei sunt: Laurencius Masó, notarius, et Anthonius Mas, scriptor, cives Barchinone.

a. *Segueix ratllat* orbs.   b. *Segueix ratllat* testimonio.

24

1403, març, 5. Barcelona

Jaume Saulet, habitant de Sant Vicenç dels Horts, promet a Bernat Terrades, convers, teixidor de vels, ciutadà de Barcelona, que Cilieta, filla de Jaume, conviurà amb Bernat, durant dos anys i tres mesos, per tal d'aprendre el seu ofici de teixidor de vels. Bernat Terrades es compromet a alimentar Clareta amb el mateix menjar que prengui Bernat. Clareta rebrà com a sou per aquest temps cinc florins d'or: tres florins li seran pagats el pròxim mes de setembre, i al setembre del pròxim any els dos florins restants.

AHPB, Pere Joan Martí, *Manuale*, 1402, març, 14-1403, agost, 2, s.f.

Die lune, Vª mensis madii, anno predicto.

Jacobus Saulet, habitator ville Sancti Vincencii de Ortis, diocesis Barchinone, per firmam et plenam stipulationem promisit Bernardo Terrades, converso, textori velorum, civi Barchinone, quod Cilieta, filia ipius Jacobi, morabitur com dicto Bernardo causa adiscendi suum officium, et alias causa serviendi in omnibus serviciis licitis et honestis, a presenti die, qua presens conficitur instrumentum, ad duos annos et tres menses. Promittens quod non recedet et cetera. Quod si fecerit, eam capere seu capi facere et cetera. Et si quid mali et cetera. Et pro hiis obligavit omnia bona sua. Et iuravit. Dictus tamen Bernardus Terrades teneatur dictam Cilietam providere in cibo et potu, illis cibo et potu quibus ipse Bernardus fruetur in domo sua, et in calciatu. Et quod teneatur sibi dare pro solidata, scilicet pro vestitu, quinque florenos, videlicet per totum mensem septembris proxime instantem, tres florenos, et ab ipso mense ad alium mensem septembris proxime, residuos duos florenos.[a] Et nichilhominus teneatur // f. 89v // [...].[b]

a. *Segueix ratllat* Ad hiis.   b. *Resta del document malmès per la humitat.*

25

1403, abril, 3. Barcelona

Pere Llorenç, ciutadà de Barcelona, curador constituït per Domènec Coaner, comissari, administrador i jutge ordenat sobre tots i singulars negocis de l'aljama dels jueus de Barcelona i dels conversos, reconeix haver rebut de Francesc Serra, àlies Lart, de la parròquia de Sant Cebrià de Tiana, onze lliures i vint sous, de les disset lliures i quinze sous i sis diners que Arnau Lart i la seva muller devien a Bonsenyor Gracià, difunt, jueu de Barcelona, amb dues escriptures de terç.

AHPB, Francesc de Manresa, *Manual*, 1401, setembre, 21-1403, juliol, 4, f. 116r-v.

Ego[a] Petrus[b] Laurentii, civis Barchinone, curator datus, constitutus et assignatus per Dominicum Cohanerii, civem Barchinone, comissarium et administratorem ac iudicem ordinarium in et supser omnibus et singulis negotiis civilibus aliame iudeorum Barchinone et eius singularium, tam ad fidem catolicam conversorum quam adhuc etiam iudeorum, tangentibus quovis modo, per illustrissimum dominum regem specialiter deputatum et ordinatum, prout de dicta comissione constat per quandam papiri litteram ipsius domini regis eiusque sigillo sigillatam, datam Barchinone XV die iunii, anno a nativitate Domini Mº CCC XLVIIº, prout de ipsa cura constat per instrumentum publicum inde factum in posse Bernardi Rubey, notarii auctoritate illustrissimi domini regis Aragonum per totam terram et dominationem suam, XXV die febroarii, anno Mº CCCº XCVIIIIº, nomine predicto confiteor et recognosco vobis Francisco Serra, alias Lart, parrochie Sancti Cipriani de Tiana, quod ex illis decem et septem libris et XV solidis et sex denariis[c] Barchinone, quas Arnaldus Lart et[d] uxor dicte parrochie

debebat cum duabus scripturis tertii contentis in curia venerabilis ba-
iuli Barchinone, videlicet / una XII die marcii, anno M° CCC LXXXVI,
et altera XXXVIIII die mensis marcii anni M° LXXXVII, Bonidomino
Graciano, quondam, iudeo civitatis Barchinone, solvistis michi iam dicto
nomine, facta compositione de residuo, undecim libras Barchinone et
XX solidos Barchinone, *los quals* vos bistraxistis ratione missionum
per me factarum ratione predicta.[e] De quibus undecim libris fecistis
michi instrumentum pure comande, quod vobis trado sincerum et in-
tegrum. Et de quibus XI libris feci mentionem in pena dictarum tertii
scripturarum. Et ideo facio vobis bonum et perpetuum finem, salva
cessione infrascripta *et cetera*. Idcirco sine evictione et bonorum meorum
obligatione do, cedo et mando omnia iura[f] contra dictum Bernardum
Lart seu bonorum detentores *et cetera*. Quibus iuribus *et cetera* Insuper
et cetera. Et dico et mando scriptoribus curie dicti Baiuli quo solam
presentem exhibitionem cancellent et anullent *et cetera*, quoniam ego
cum presenti cancello et anullo *et cetera*. *Fiat large*.

Testes: Berengarius Eroles, cotonerius, Bernardus Serrra, cultor,
civis, et Iohannes Blanch, scriptor Barchinone.

a. *Al marge esquerre* in libro.   b. *Damunt el nom, dues ratlletes obliqües per a
indicar la ferma.*   c. dinariis, *al ms.* denarios.   d. *Segueix ratllat* eius.   e. *Segueix
ratllat* et ideo facio vobis.   f. *Segueix ratllat* et cetera et quibus.

26

1403, abril, 24. Barcelona

*Francesc Sunyer, convers, ciutadà de Barcelona, promet a Isabel, muller
de Domènec Senil, ciutadà de la mateixa ciutat, que viurà amb ella
durant un any per tal d'aprendre el seu ofici de teixidora de vels. Fran-
cesc presenta com a fiador Joan Pere, convers, veler, ciutadà de la
mateixa ciutat. Durant aquest any, Isabel promet a Francesc Sunyer
que l'alimentarà i proveirà de calçat. A més li donarà dos parells de
sandàlies de drap de la terra, i un parell de camises i bragues de lli.*

AHPB, Francesc de Manresa, *Manual*, 1401, setembre, 21-1403, juliol, 4, f. 135v-
136r.

Die jovis, VII[a] die junii, anno predicto.

Ffranciscus[a] Sunyerii,[b] conversus, civis Barchinone, gratis et ex
certa scientia, convenio et promitto vobis domine Isabeli, uxori Do-
minici Senil, civis iamdicte civitatis Barchinone,[c] quod a festo Pente-
costes proxime transacti ad unum [annum] tunc sequentem, morabor
vobiscum causa adiscendi officium vestrum *de teixidor de vells*, et alias

serviendi vobis in omnibus mandatis licitis et honestis. Ex quod infra dictum tempus non recedam a vobis nec a servicio vestro, vos tamen faciente [sic] habitationem in civitate Barchinone nec in territorio[d] ipsius. Quod si fecero, dono vobis licentiam quod possitis me capere et cetera, et captum in posse vestro tornare et cetera. Et quod emedabo omnes dies et cetera. Et omnia dampna et cetera. Et ut de predictis diligentius cautum sit, dono vobis fideiussorem[e] Johannem Petri, conversum, velerium, civem Barchinone, qui mecum et sine me et cetera. Ad hec ego, dictus Johannes, suscipiens in me sponte hanc fideiussionem, convenio vobis, dicte Isabelli, quod cum dicto principali et cetera. Et pro hiis obligamus omnia bona et cetera. Et iuramus et cetera. Renuntians [sic] beneficio novarum constitutionum et cetera. Et ego dictus fideiussor legi dicenti quod prius conveniatur principalis et cetera. Ad hec ego, dicta Isabell, laudans predicta, promitto vobis, dicto Francisco Sunyerii, quod providebo // *f. 136r* // per totum tempus unius anni in cibo et potu et calciatu pedum. Et quod colam et cetera ad usum Barchinone. Et quod docebo officium scilicet *de ordir e de teixir*. Et quod dabo duo paria caligarum de panno *de la terra* et unum *par de camises e de bragues* panni lini. Et pro hiis obligo bona mea. Et volumus nos, dicti contrahentes, quod de hiis fiant duo publica consimilia instrumenta.

Testes: Guillermus de Salavert, causidicus, et Johannes Blanc, scriptor Barchinone.

a. *Dues ratlles a sobre del nom per indicar la ferma, seguit de* iuro.   b. *Afegit a l'interlineat* maior XX, minor XXV annis.   c. *Segueix ratllat* causa adi.   d. *Segueix ratllat* vostro.   e. *Dues ratlles a sobre per indicar la ferma, seguit de* iuro.

27

1403, abril, 24. Barcelona

Joana, vídua de Joan Cebrià, conversa, ciutadana de Girona, promet a Clara, muller de Joan Sanxo, convers, teixidor de vels, ciutadans de Barcelona, que Caterina, filla de Joana, de nou anys d'edat, viurà amb ella durant cinc anys per tal d'aprendre el seu ofici. El sou d'aquests cinc anys són cinc florins d'or d'Aragó. Tanmateix, la vídua Joana cobra un florí per anticipat. La resta serà pagada passats els cinc anys. Per la seva banda, Clara es compromet a alimentar Joana durant el temps esmentat i a proveir-la de vestit i calçat.

AHPB, Pere Joan Martí, *Manuale*, 1402, març, 14-1403, agost, 2, f. s./n.

Die jovis, XXIIII aprilis, anno predicto.

Domina Johanna,[a] que fuit uxor Johannis Sabriani, quondam, conversi, civitatis Gerunde, per firmam et solemnem stipulationem promisit domine Clare, uxori Johannis Sanxo, conversi, textoris velorum, civis Barchinone, quod Cathalina, filia ipsius domine Johanne, in etate VIIII annorum vel inde circa constituta, morabitur secum causa adiscendi et alias serviendi sibi in omnibus licitis et honestis et cetera, a primo die mensis madii proxime ad quinque annos proxime venturos, pro solidata V florenorum, de quibus de presenti tradidit unum florenum et residuos quatuor in fine dictorum V annorum. Et quod dicta domina Clara[b] teneatur ipsam providere in cibo, potu, vestitu et calciatu, et colere per totum dictum tempus sanam et egram et cetera. Et hec utraque pars promiserunt et iurarunt facere et complere. Et pro hiis obigarunt omnia eorum bona et iurarunt et cetera. Fiant duo instrumenta et cetera. Notetur ut in forma.

Testes: Ferrarius Amerosii, mercerius, civis Barchinone, et Anthonius Percis, parator pannorum lane civitatis Gerunde.

a. *Dues ratlles a sobre del nom per indicar la ferma.*   b. *Dues ratlles a sobre del nom per indicar la ferma seguit de* iuro.

28

1403, novembre, 21. Barcelona

Instrument notarial pel qual Ramon de Quer, pare de Joan de Quer, obliga el seu fill que ell i la seva muller visquin en una cambra de casa seva un cop estiguin casats. Tot el que el matrimoni inverteixi en la cambra serà per a Joan i la seva muller.

AHPB, Antoni Estapera, *Manual*, 1417, desembre, 30-1419, març, 18, f. 100r-v.

29

1404, juny, 19. Barcelona

Pere Granyana, notari de Barcelona, reconeix haver rebut de Guillem Negre, de la tresoreria del rei i comissari dels negocis dels conversos i jueus de l'antic call de la ciutat, mitjançant Pere Llorenç, deu florins d'or d'Aragó, que són el seu salari dels mesos de febrer, abril i maig, com a procurador dels creditors particulars del call. El sou anual és de trenta florins d'or d'Aragó.

AHPB, Pere Granyana, *Manuale quintum decimum*, 1403, desembre, 17-1404, desembre, 21, f. 46r.

Die iovis, XIX^a die iunii, anno a nativitate Domini M° CCCC° quarto.

Sit^a omnibus notum quod ego Petrus Granyana, notarius Barchinone, confiteor et recognosco vobis venerabili Guillermo Nigri, de thesauraria domini regis, civi Barchinone, comissario negotiorum^b conversorum et iudeorum olim Callis Iudayci Barchinone, quod de peccunia dicte comissionis et per manus Petri Laurentii, qui ipsos michi tradidit vigore precepti per vos sibi die presenti facti,^{c} solvistis michi numerando bene et plenarie ad meam voluntatem decem florenos auri de Aragonia, michi debitos pro salario meo^d unius tertii anni, videlicet mensium febroarii, aprilis et madii anni presentis,^{e} ad rationem XXX florenorum pro anno, ex eo quia ut procurator creditorum particularium^f dicti Callis interveni in negotiis dicte comissionis. Et ideo renuntiando exceptioni peccunie non numerate et non solute et doli mali, facio vobis de predictis decem florenis presentem apocham de soluto in testimonium premissorum.

Actum est hoc Barchinone, XIX^a die iunii, anno a nativitate Domini M° CCCC° quarto.

Sig+num Petri Granyana, predicti, qui hec laudo et firmo.

Testes huius rei sunt: Petrus Amati et Franciscus Bernardi, scriptores, cives Barchinone.

a. *Al marge esquerre* clausum traditum.   b. *Segueix ratllat* callis iud.   c. qui ipsos ... presenti facti *afegit a l'interlineat.*   d. salario meo *afegit a l'interlineat.* *Segueix ratllat* unius *i escrit a sobre* quondam *ratllat.*   e. *Segueix ratllat* quibus. f. *Segueix ratllat* dct.

30

1404, setembre. Barcelona

Joan Boscà, convers, coraler, habitant de Barcelona i oriünd de València, promet a Llorenç Massana, convers, mercader, que treballarà per a ell durant dos anys. Així mateix, li promet que durant aquest temps no jugarà a daus. Per aquests dos anys, Joan cobrarà 232 sous barcelonesos.

AHPB, Tomàs de Bellmunt, *Manual*, 1401, juliol, 8-1402, gener, 26, f. 28v.

Johannes Boschani,^{a} conversus, coralerius, habitator Barchinone,^{b} oriundus Valencie, gratis et cetera, concedens iuramento a me inferius prestito me etatem sexdecim annorum plenarie excessisse, minorem vero fore XXV annis, nec habeo patrem nec matrem, nec etiam habeo nec habere volo curatorem,^{c} a crastina die ad^d duos annos primos et cetera, promitto stare vobiscum, Laurencio Massana, mercatore, cive

Barchinone, causa utendi dicto coralerii oficio et etiam operandi eodem, et alias serviendi vobis in omnibus mandatis vestris licitis et cetera. Promittens vobis quod per totum dictum tempus stabo vobiscum. Et quod non ludam infra dictum tempus absque vestri licencia ad aliquem ludum taxillorum. Et quod non recedam a vobis infra dictum tempus absque vestri licencia. Quod si facerem, dono vobis plenum posse quod possitis me capere et captum et cetera, et cogere me et cetera. Et quod per dictum tempus ero vobis bonus, fidelis et legalis et sollicitus et cetera, omne bonum perquirendo, omneque dampnum et cetera. Et quod in fine dicti temporis emendabo vobis omnes dies simul cum omni dapno.[e] Et predicta promitto facere sub pena decem librarum Barchinone de terno et cetera. Et obligo et cetera. Renuntio et cetera. Et nichilominus promitto pro predictis prestare homagium ore et manibus comendatum iuxta Usaticos Barchinone. Versa vice ego dictus Laurencius Massana, // f. 66v // predictus, laudans predicta, promitto vobis Johanni Boschani quod ego providebo vobis in comestione et potu et in sotularibus. Et etiam dabo tibi pro solidata primi anni dictorum duorum annorum centum decem solidos, et pro solidata secundi anni dictorum duorum annorum centum viginti unum solidos Barchinone. Et alias colam vos sanum et egrum ad usum Barchinone. Obligo et cetera. Iuro et cetera. Hec igitur et cetera. Fiat utrique parti unum instrumentum.

Firme testium qui firmarunt dicta die: Ffranciscus Clota, textor velorum, et Petrus Crespia et Marchus de Querio.

Item, firmarunt apocham de receptis quatuor florenis et cetera.

Testes proxime dicti.

a. *Afegit a l'interlineat* conversus.   b. *Segueix ratllat* filuis Gratis.   c. *Segueix ratllat* Gratis.   d. *Segueix ratllat* unum annum primum et cetera. Promitto stare vobiscum. e. *Segueix ratllat* obligo et cetera.

31

1404, novembre, 15. Barcelona

Pere Granyana, notari de Barcelona, reconeix haver rebut de Guillem Negre, de la tresoreria del rei, comissari dels negocis dels conversos i jueus de l'antic call de la ciutat, mitjançant Pere Llorenç, deu florins d'or d'Aragó, que són el seu salari pels mesos de juny, juliol, agost i setembre com a procurador dels creditors particulars del call. El sou anual és de trenta florins d'or d'Aragó.

AHPB, Pere Granyana, *Manuale quintum decimum*, 1403, desembre, 17-1404, desembre, f. 86r.

Die sabbati, XVª die novembris, anno a nativitate Domini mº CCCCº quarto.

Sitª omnibus notum quod ego Petrusᵇ Granyana, notarius infrascriptus,ᶜ confiteor et recognosco vobis venerabili Guillermo Nigri, de thesauraria domini regis, civi Barchinone, comissario negociorum conversorum et iudeorum olim Calli Iudayci Barchinone, quod de peccunia dicte comissionis et per manus Petri Laurencii, qui ipsos mithi tradidit vigore precepti por vos sibi die presenti facti, solvistis michi numerando bene et plenarie ad meam voluntatem, decem florenos auri de Aragonia, michi debitos pro salario meo unius tercii anni, videlicet mensium iunii, iulii, augusti et septembris proxime preteritorum, ad racionem XXX florenorum pro anno,ᵈ ex eo quia, ut procurator creditorum particularium dicti Calli, interveni in negotiis dicte comissionis. Et ideo renuntiando exceptioni peccunie predicte non numerate et non solute et doli mali, facio vobis de predictis decem florenis presentem apocham de soluto in testomonium premisorum.

Actum est hoc Barchinone, XVª die novembris, anno a nativitate Domini Mº CCCCº quarto.

Sig+num Petri Granyana, predicti, qui hec laudo et firmo.

Testes huius rei sunt: Guillermus Salvatella, scriptor, et Petri de Camprodon, sederius, cives Barchinone.ᵉ

a. *Al marge esquerre* clausum traditum.   b. *Damunt el nom, dues ratlletes obliqües per a indicar la ferma.*   c. infrascriptus *afegit a l'interlineat.*   d. *Segueix ratllat* et.   e. *Tot l'instrument ratllat amb tres ratlles verticals.*

32

1405, gener, 22. Barcelona

Joan Desplà, llibreter, convers de Barcelona, reconeix a uns marmessors que ha rebut, dels béns d'aquesta marmessoria, onze florins d'or d'Aragó que li eren deguts a raó d'un missal que ell va lligar en benefici de la difunta a la qual representen i que va ser donat a l'altar de Sant Antoni de la Seu de Barcelona.

AHPB, Gerard Basset, *Primum manuale,* 1404, setembre, 23-1405, juny, 15, f. 5r-v.

33

1406, abril, 2. Barcelona

Guillem Gener, de la parròquia de Santa Eulàlia, reconeix haver rebut de Berenguer Martí, mercader, convers, ciutadà de Barcelona, una

quantitat no especificada per la lactància de Vicença, bastarda de Be-
renguer, alletada per Guillemona, muller de Guillem.

AHPB, Bernat Sans, *Manual*, 1406, març, 6-1406, setembre, 3, f. 15r.

34

1406, juliol, 28. Barcelona

Pere Fuster, convers, sabater, ciutadà de Barcelona, promet a Gerard de
Maçanet, convers, teixidor de vels, ciutadà de la mateixa ciutat, que
Joanet, d'onze anys d'edat, fill de Pere, conviurà durant quatre anys
amb Gerard per aprendre l'ofici de teixidor. Gerard de Maçanet pro-
met a Pere que alimentarà i calçarà el seu fill Joanet durant aquests
quatre anys. Joanet cobrarà pels quatre anys tres florins d'or d'Aragó
de la següent manera: un florí a la pròxima festa de Sant Miquel i els
altres dos passats els dos primers anys dels quatre que dura el con-
tracte. Joanet ha de recuperar els dies que estigui malalt.

AHPB, Joan Ferrer, *Primum manuale*, 1405, juliol, 14-1408, agost, 4, f. 11v.

Die mercuri, XXVIII[a] mensis julii, anno predicto fuit recetum se-
quens instrumentum Barchinone.

Ego Petrus[a] Fusterii, conversus, sabaterius, civis Barchinone, gratis
et cetera, a prima die augusti proxime ventura ad quatuor annos pri-
mo et continue venturos, trado er comando vobis Geraldo de Macianeto,
converso, textori velorum, civi Barchinone, Johannetum, filium meum,
in XI anno sue etatis constitutum, causa adiscendi dictum vestrum
officium de textorie et alia serviendi vobis in omnibus vestris manda-
tis licitis et honestis, de die et de nocte, iuxta suum posse. Promitens
vobis me facturum, curaturum et daturum operam cum efectum, omni
exceptione remota, quod dictus Johannetus, filius meus, per totum
dictum tempus serviet vobis, ut est dictum, et quod erit vobis fidelis
et legalis, paciens et obediens, diligens, sollicitus et intentus, utilia
procurando et inutilia pro viribus evitando. Et quod infra ipsum tem-
pus a vobis seu vestro servicio non recedet absque vestri licentia et
permissu. Quod si faceret, promitto eum meiis propriis sumptibus
et expensis incontinenti in vestrum posse reducere et tornare. Promitto
ectiam vobis quod in fine dici temporis dictus filius meus emendabit
vobis omnes dies per quos a vobis seu vestro servicio absens fuerit
ratione fuge, infirmitatis aut alias propter sui culpam. Quoque ectiam
restituam et emendabo de bonis meis propriis vobis ad cognitionem
proborum hominum, si quod malum vel dapnum, quod absit, dictus
filius meus vobis aut bonis vestris fecerit seu intulerit quoquomodo

infra dictum tempus, una scilicet cum omnibus missionibus et cetera. Super quibus et cetera, credatur vobis et cetera. Et pro hiis complendis et attendendis, obligo vobis et vestris omnia bona mea, mobilia et inmobilia, habita et habenda. Et ut predicta et cetera, iuro et cetera. Ad hec ego Geraldus[b] de Macianeto, laudans et approbans omnia et singula supradicta et eisdem expresse consenciens, prout melius et plenius superius continetur, gratis et cetera, convenio et promitto vobis, dicto Petro Fusterii, quod per totum dictus tempus providebo ipsi Johaneto, filio vestro, in cibo et potu ac calciatu, tam de sotularibus quam de caligis, prout ipsum deceat. Quoque docebo eidem dictum meum officium, prout melius potero bona fide, et ipse filius vester adicere voluerit. Et eciam colam ipsum sanum et egrum ad usum et consuetudinem Barchinone. Necminus eciam promitto vobis dare ipsi filio vestro, sive vobis pro ipso, pro solidata totius dicti temporis tres florenos de Aragonia, per hos terminos sive solutiones: scilicet, unum florenum in primo venturo festo sancti Michaelis, et residuos duos florenos in fine duorum annorum primorum ex dictis quatuor annis. Et pro hiis et cetera, obligo vobis amnia bona mea et cetera. Et iuro et cetera. Fiant duo intrumenta, unum scilicet utrique nostrum et cetera.

Testes: Petrus de Castellviy, spaherius, Perichonus Ballistarii, conversus, textor velorum, cives, et Guillermus Petri de Letone, scriptor Barchinone.

a. *Dues ratlles a sobre del nom per indicar la ferma, seguit de* iuro.   b. *Dues ratlles a sobre del nom per indicar la ferma, seguit de* iuro.

35

1407, agost, 4. Barcelona

Ramon de Guaiters, notari ciutadà de Barcelona, procurador de Guillem Negre, de la tresoreria del senyor rei, ciutadà de la mateixa ciutat, comissari i administrador general de tots i singulars negocis de l'aljama de l'antic call jueu de la ciutat, cobrà dels testimonis de les últimes voluntats de Sança, difunta, muller de Joan Çabatella, argenter, ciutadà de Barcelona, per mans de Francesc Quintana, prevere, i havent fet composició entre els testimonis i la comissió, vuitanta-vuit sous dels cent tres sous i sis diners que Sança devia a mestre Saltell Cabrit, difunt, metge jueu de Barcelona, amb escriptura de terç. En la redacció del present document estaven presents Arnau Baró, mercader, i Jaume Just, notari, procuradors i assessors dels creditors de l'antiga aljama dels jueus.

AHPB. Joan Ferrer, *Primum manuale*, 1405, juliol, 14-1408, agost, 4, f. 91.

Ego, Raymundus[a] Guayters, notarius, civis Barchinone, procurator ad hec et alia constitutus a venerabili Guillermo Nigri, de thesauraria domini regis, civis Barchinone, comissario et administratore generali omnium et singulorum negociorum civilium aljame olim[b] Callis iudeorum dicte civitatis, per dominum regem specialiter deputato et assignato cum sua littera data Sugurbii, XV die iunii, anno a nativitate Domini M° CCCC° tercio, presentibus, instantibus et consencientibus ac requirentibus venerabilibus Arnaldo Baronis, mercatore, et Iacobo Iusti, notario, civibus dicte civitatis, procuratoribus assertis diversorum creditorum dicte olim aljame, prout de ipsa procuracione ac aliis predictis constat intrumento publico inde acto Barchinone, XI[a] die marcii, anno a nativitate Domini M° CCCC° septimo, clausoque per discretum Petrum Salom, illustrissimi domini regis Aragonum scriptorem et auctoritate regia notarium publicum per tota terram et dominacionem eiusdem, nomine predicto, de consensu et voluntate dicti venerabilis Guillermi Nigri, confiteor et recognosco vobis venerabilibus manumissoribus testamenti seu ultime voluntatis domine Sanccie, quondam, uxoris Iohanis Çabatella, argenterii, civis dicte civitatis, quod, facta composicione et avinencia ex illis centum tribus solidis et sex denariis Barchinone, de quibus dicta Sanccia, dum vivebat, fecit et firmavit tercii escripturam in libro curie venerabilis vicarii Barchinone, XXVI[a] die augusti, anno a nativitate Domini M° CCC° LXX° nono, magistro Saltell Cabrit, medico, iudeo Barchinone, numeravistis et solvistis michi per manus vestri dicti Francisci Quintana, presbiteri, octuaginta octo solidos dicte monete. Et ideo renuntiando *et cetera*. Et nichilominus cum presenti dictam tercii scripturam cancello *et cetera*. Ad hec ego Guillermus Nigri, predictus, consentio *et cetera*.

Testes quoad firmam dicti Raimundi Guayters: discretus Iohanes de Trilea, notarius, et Guillermus dels Archs, cives Barchinone. Et quoad firmam dicti Guillermi[c] Nigri: discretus Petrus Çalom, notarius, et Bernardus de Rubió, comorantes cum dicto venerabili Guillermo Nigri.

a. *Damunt el nom, dues ratlletes obliqües per a indicar la ferma.*   b. Callis *afegit a l'interlineat.*   c. *Damunt el nom, les dues ratlletes de la ferma.*

36

1410, gener, 22. Barcelona

Joan Bassand, prior del monestir i convent de l'orde dels celestins, dona en emfiteusi a Antoni Portella i a Berenguer Bonet, gerrers i ciutadans de Barcelona, un terreny situat a la muntanya de Montjuïc, a la zona de l'antic cementiri jueu de la ciutat, pel preu de cent deu sous i a un cens de dotze morabatins. El rei va donar aquest terreny als celes-tins el 9 de novembre de 1408.

AHPB, Simó Carner, *Manuale primum*, 1408, abril, 28-1414, agost, 25, f. 24r-v.

Die mercurii XXII die, januarii, anno predicto.

In[a] Dei nomine. Noverint universi, quod nos Johannes[b] Bassandi, prior monasterii Sanctarum Religiarum palacii regis maioris ordinis Celestinorum, et conventus fratrum eiusdem monasterii, quorum nomina inferius sunt scripta, gratis etcetera et ex certa scientia per dictum monasterium et nos eius nomine et omnes succesores nostros in dicto monasterio, damus in emphiteosim et stabilimus vobis, Anthonio Portella et Berengario Bonet, gerreriis, civibus Barchinone, et vestris perpetuo, vestris cum enim consimilibus et vestrorum, ad bene videlicet, meliorandum, tenendum et in sana pace perpetuo possidendum, quendam tercium terre heremum continentem in se unam modiatam, et etiam totum ad quod habere poteritis seu que sint de pertinentis dicti trocii terre. Ex parte[c] circii in tenedone videlicet Bernardi Magranerii, civis Barchinone.[d] Quod quidem trocium terre est ex illo spacio terre situato in podio Montis Iudayci. Quod spacium olim[e] esse solebat cimitterium[f] antiqum iudeorum civitatis Barchinone.[g] Quod nos per liberum et franchum alodium[h] racione donationis per serenissimum dominum[i] regem[j] de predicto spacio terre et pluribus aliis nobis et dicto nostro monasterio facto, ut constat de ipsa donatione quanda carta pergamenea sigillo suo pendenti munita que data fuit nona die mensis novembris, anno a nativitate Domini M° CCCC° octano, hebemus et possidemus in dicto podio. Et terminatur ab oriente in tenedone vestri, dicti Berengarii Bonet, quadam via mediante, a meridie in tenedone venerabile Jacobi Augustini, iurisperiti, quandam alia via mediam, etcetera; ab occidente in dicto spacio terre aduch nobis remanente, et a circio in tenedone Bernardi Magraner, civis Barchinone. Hanc autem stabilicionem *et cetera* facimus per nos et omnes successores nobis priores in dicto monasterio, vobis, dictis Anthonio Portella et Berengario Bonet, sicut melius dicti potest sub tali tamen pacto et conditione: quod pro[k] dicto[l] trocio, terre quod vobis in enphiteosim stabilimus // *f. 24v* // detis et solvatis, vos et vestri, in hiis successores, nobis et nostris, in dicto monasterio successoribus, a festo videlicet Pasce Resurrectionis Domini ad unum annum tunc primo venturum, et sic deinde anno quolibet perpetue in dicto termino sive festo, inter censum et decimam duos morabatinos bonos alfonsinos auri fini et ponderis recti, dando pro utroque dictorum duorum morabatinorum novem solidos Barchinone *et cetera*. In hiis autem non proclametis, *et cetera*. Liceatque vobis et vestris, *et cetera*. Liceat etiam vobis et vestris dictam terram et lapides a dicto trocio terre quotiens totiens volueritis extrahere sive extrahi facere tam pro dicto vestro officio exercendo quam *et cetera*.[m] Salvis tamen semper, *etcetera*. Pro intrata vero que vobis in empheosim damus, dedistis et solvistis nobis centum et decem solidos Barchinone. Et ideo *et cetera*, dando *et cetera*. Preterea confitemur et recognoscimus vobis quod in predictis nichil est actum in lesionem dicti monasteri immo condicio eiusdem fit melior racionibus que secuntur[n] ponantur. Insuper, convenimus et promitimus vobis quod predicta que vobis in emphiteosim damus, faciemus vos et vestros habere *et cetera*. Et pro hiis obligamus vobis omnia bona dicti monasterii, *etcetera*. Ad hec nos, dicti Anthonius[o] Portella et Berengarius[p] Bonet, laudantes predicta et acceptantes predictum stabilimentum a vobis, dicto domino priore, sub modis et formis superius contentis convenimus et promitimus vobis quod dabimus vobis anno quolibet predictos duos morabatinos[q] in dicto termino. Et pro hiis obligamus vobis predicta per vos nobis stabilita et generaliter omnia alia bona nostra mobilia, *et cetera*. Et volumus quod de presenti contractu, *et cetera*. Ad hec nos Guillermus[r] de Alesto et Guillermus[s] de Buciacho, fratres et conventuales dicti monasteri predicto laudamus.

Testes: Anthonius Staper, porterius domini regis, et Arnaldus Ferrarii, scriptor, cives Barchinone.

Hic debent notari quaedam capitula facta et firmata inter Anthonium[t] Portella, gerrerium, civem Barchinone, ex una parte, et Berengarius[u] Bonet, gerrerium, civem dicte civitatis, parte altera, *et cetera*. Sunt in cedula.

a. *Al marge esquerre* Est nota in cedula.   b. *Damunt del nom dues ratlletes obliqües per indicar la ferma.*   c. *Segueix ratllat* videlicet.   d. *Segueix ratllat* ex.   e. *Afegit a l'interlineat.*   f. *Segueix ratllat* Iudeorum.   g. *Segueix ratllat* ex.   h. *Segueix ratllat* ex.   i. *Segueix ratllat* Martinum.   j. *Segueix ratllat* nobis.   k. *Segueix ratllat* censu et de.   l. *Segueix ratllat* pecia.   m. *Afegit a l'interlineat.*   n. *Segueix ratllat* etcetera.   o. *Damunt del nom dues ratlletes obliqües per indicar la ferma.*   p. *Damunt del nom dues ratlletes obliqües per indicar la ferma.*   q. *Segueix ratllat* anno.   r. *Damunt del nom dues ratlletes obliqües per indicar la ferma.*   s. *Damunt del nom dues ratlletes obliqües per indicar la ferma.*   t. *Damunt del nom dues ratlletes obliqües per indicar la ferma.*   u. *Damunt del nom dues ratlletes obliqües per indicar la ferma.*

37

1411, febrer, 14. Barcelona

Sanxa, dona de Gabriel Coll, camperol, ciutadans de Barcelona, reconeix haver rebut de Ferran Bertran, convers, mercader, ciutadà de Barcelona, divuit lliures i setze sous de moneda de Barcelona per les pro-

visions d'un any per haver alletat Violant, filla de Ferran, de quinze mesos d'edat. La quantitat esmentada havia de ser pagada el pròxim 17 de març, que és quan compleix l'any.

AHPB, Joan Ferrer, *Tercium manuale*, 1409, novembre, 19-1411, maig, 6, f. 78v-79r.

38

1415, gener, 15. Barcelona

Caterina, conversa, d'entre vint-i-un i vint-i-cinc anys d'edat, anomenada Or quan era jueva, filla de Bodonye i Jafudà, ambdós jueus i habitants de Gurrea, regne d'Aragó, promet a Beatriu, vídua de Francesc de Sagalers, notari de Lleida, habitant de Barcelona, que durant sis anys treballarà per a ella com a serventa; Beatriu per la seva part promet ensenyar-li el seu ofici (no diu quin) i mantenir-la i calçar-la durant aquest temps.

AHPB, Pere Pellisser, *Manuale*, 1414, juliol, 2-1415, juny, 26, f. 103r-v.

Ego Caterina,[a] conversa ad fidem catholicam, que ante ipsam conversionem vocabar Or, que filia sum *d·en* Bodonye, patris mei, et Jafuda, vero iudei loci de Gurrea, regni Aragonie, gratis et certa scientia a presenti die ad sex annos primo et continue venturos afirmo me vobiscum, domine Beatrice, uxore Ffrancisci Sagalers, quondam, notarii Ylerde, nunc Barchinone habitatrice, ita quod per dictum tempus serviam vobis *et cetera* et a vobis nec vestro servicio recedam *et cetera*. Et si fecero, possitis ubique capi facere *et cetera*. Et ad vestrum servicium *et cetera*. Vos vero tenea, mini michi providere in comestione et potu, calcitu et vestitu, in sanitate et infirmitate per tempus predictum. Et teneamini michi docere officium quo utemini per tempus predictum, prout melius poteritis. Et pro predictis, obligo vobis me et omnia bona mea, mobilia et immoblilia, habiita et habenda. Et iuro *et cetera*. Et quia minor sum viginti quinque annis, maior vero viginti uno renuncio minoris etatis benefficio *et cetera*. Ad hec ego, dicta // *f. 103 v* // Beatrix, uxor dicti Ffrancisci Sagaler, convenio et promito vobis, dicte Caterina, quod per dictum tempus providebo tibi, *et cetera*, in potu, comestione, vestitu et calciatu, et aliis tibi necessariis. Et colam te sanam et egram per totum dictum tempus *et cetera*. Et docebo tibi illud officium quod ego utar in dicto tempore *et cetera*. Et obligo omnia bona mea *et cetera*. Et iuro.

Testes: Georgius Michaelis, civis, Bernardus Salt, habitator, et Bernardus Noves, scriptor Barchinone.

a. *Dues ratlles damunt del nom per indicar la ferma.*

39

1415, maig, 15. Barcelona

Pere Colomer, barber, ciutadà de Barcelona, lloga per un període de cinc anys a Jordi Camós, especier, ciutadà de la mateixa ciutat, una casa situada al carrer de la Cucurulla, que està sota domini alodial de la confraria de la Santa Trinitat, pel preu de cinquanta lliures.

AHPB, Pere Pellisser, *Manuale*, 1414, juliol, 2-1415, juny, 26, f. 170v.

40

1415, agost, 29. Barcelona

Controvèrsia entre Joan de Fontseca, espaser, ciutadà de Barcelona, i la seva muller Antònia. Antònia no viu amb el seu marit Joan i li reclama aliments per a ella i Eulàlia, filla comuna. Joan afirma el contrari. Ambdues parts, juntament amb un grup de prohoms, acorden que Joan ha de restituir el dot a Antònia, format per cinquanta florins d'or, a més de les robes que eren d'ella. Fet això, Antònia renuncia a demanar aliments en un futur. Joan també es compromet a no demanar quelcom a Antònia. Joan dona de present a Antònia una corretja guarnida d'argent i un paternòster perquè ho vengui. Els diners obtinguts seran per a Antònia en cas que Joan no pagui el dot durant el mes vinent. Antònia es reserva la custòdia exclusiva d'Eulàlia, filla comuna del matrimoni, i per tant renuncia al dret de rebre cap aliment per a ella per part de Joan.

AHPB, Francesc Barau, *Secundum manuale*, 1414, juliol, 10-1415, desembre, 14, f. 13r-v.

Com controvèrcia e qüestió fos entre lo sènyer en Johan de Fonceca, spaher de Barchinona, e la dona Anthònia, dient·se muller del dit Johan. Dient la dita dona, la qual no està ab lo dit Johan, que lo dit Johan li devia donar[a] aliments *seorsum* et que no podia ne devia ésser forsade de estar ab ell, lo dit Johan affermant lo contrari. Finalment és estat concordat entre ells, intervinent algunes bones persones, que lo dit Johan restituirà la dot a la dita Anthònia, que li apportà, en aquesta manera: que la dona prenga en paga de son dot algunes robes e béns mobles, qui són devés ella, salvat les spases, coltells, ganivets, broqués[b] e cervelleras, les quals hage la dita Anthònia a restituir de present, e tot l'arnès e totas ascripturas.

Ítem, que lo dit Johan[c] haje a donar a compliment del dit dot a la dita Anthònia cinquanta[d] florins d'or d'Aragó, ultra les robes qui ja són envés la dita done estades, dades e stimades.

Ítem, que la dita dona[e] hage a ffer bona fi perpetual de totas cosas en tro al dia de vuy al dit Johan de tot lo dot que li a portada e que de qui avant no farà qüestió, petició ne demanda al dit Johan per rahó del dit dot, ne per raó dels dits aliments, ans se·n posa acabament perpetual dictadora[f] a conaguda del notari, qui la pendrà[g] e d'un jurista elagidor per lo dit Johan. E si la dita Anthònia non conplia, que en aquest tal cas la dita dona no puxa demanar d'aquí avant neguns aliments.

Ítem, que lo dit Johan d'aquí avant no pusque res demanar a la dita Anthònia[h] per rahó de robes o béns mobles ne per nagunes altres cosas, ans li farà bona e perpetual fi e pacte no demanar·li res d'aquí avant per qualsevol causa o rahó.

Ítem, és concordat entre les dites parts que lo dit Johan, ara de present, do e liure a la dita Anthònia una correge, sive parxe, guarnit // f. 13v // d'argent e un fil de paternostres, en nombre de ·LI· gra, los quals lo dit Johan dóna a la dita dona. Que la dita Anthònia los puxe tantost dar e liurar a un corredor; qui aquelles encant e consie en l'acte de vendre, que·l dit Johan hage ésser consultat e sperat per espay per un die solament de la dita venda o en Pere Güells, barber, si li agradarà o si les se volrà aturar per lo preu que si trobarà, lo qual preu la dita Anthònia tingue e faça a totes ses voluntats, e que lo dit Johan no[i] empatxarà ne farà empatxar, ni darà negun en Barchinona que les dites coses no·s venen ne la dita dona prengue lo dit preu.

Ítem, lo dit Johan convendrà e permetrà a la dita Anthònia que per tot lo mes de setembre propvinent li darà e farà bon acompliment de tots los dits L florins, e açò sens alguna dilació. E si cas serà que·l dit Johan no faça lo dit compliment de pagar, segons dit és, que en aquest tal cas tot so e quant se haurà haüt de les dites correge[s] e paternostres, sia de la dita dona Anthònia e non hage a pendre en compte de dot ne dels dits L florins, ans pusque convertir lo dit preu per sos aliments e de sos fills.

Ítem, que si la dita Anthònia no volia liurar Eulàlia, filla comuna, a ells abdosos e les volia retenir, que no pusque demanar aliments al dit Johan per la dita Eulàlia.

Testes: venerabile Guillermus Burrulli, in decretis licenciatus, Bernardus Vitalis, tabernarius, et Petrus Muntmany, molerius, cives Barchinonem.

a. *Afegit a l'interlineat.*   b. *Segueix ratllat* a restituir.   c. *A sobre del nom dues ratlles obliqües per indicar la ferma, seguit de* iuravit.   d. *Afegit a l'interlineat.*   e. *A sobre del nom dues ratlles obliqües per indicar la ferma, seguit de* iuravit.   f. *Afegit a l'interlineat.*   g. *Afegit a l'interlineat.*   h. *Segueix ratllat* res.   i. *Segueix ratllat* en.

41

1416, febrer, 11. Barcelona

Mossé de Piera, jueu d'Altafulla, reconeix haver rebut de Joan de Pallars, convers, ciutadà de Barcelona, dos florins d'or d'Aragó a raó de la venda d'una túnica que l'esmentat Mossé va deixar a Joan de Pallars com a penyora pel préstec que aquest li va fer de dotze florins d'or d'Aragó i que posteriorment va vendre per catorze florins d'or d'Aragó, amb el seu permís; dotze florins d'or d'Aragó se'ls quedà Joan per a recuperar la quantitat prestada i els dos restants van ser pagats a Mossé.

AHPB, Pere Pellisser, *Manual*, 1415, juliol, 2-1415, juny, 26, f. 98r.

42

1417, gener, 23. Barcelona

Francesc Bertran, llibreter, ciutadà de Barcelona, ordena procuradors seus Francesc Cervià, Joan Escuder, notaris, Antoni Erger, senyor, i Narcís Genís, teixidor de draps de lli, ciutadans de Girona, perquè recullin en nom seu dos llibres, un anomenat Galcet *i l'altre* Letres de Ovidi d'Amors, *que el servent del bisbe de Girona li ha de donar.*

AHPB, Francesc Ferrer, *Manuale comune primum*, 1416, octubre, 20-1426, febrer, 4, s./f.

43

1417, març, 3. Barcelona

Guillem de Fontclara, convers, corredor d'orella, ciutadà de Barcelona, reconeix haver rebut d'Eulàlia, conversa barcelonina, filla de Caterina, conversa, i de Bonjuha, jueu de Castelló d'Empúries, una certa quantitat que Caterina, mare seva, ara maridada amb Pere Ripoll, convers barceloní, li devia.

AHPB, Antoni Brocard, *[Manuale] undecimum*, 1416, desembre, 2-1417, maig, 11, f. 48r.

44

1418, març, 8. Barcelona

Berenguer Cardona, convers, anomenat Vidal Rinioch quan era jueu, ciutadà de Barcelona, reconeix haver rebut de Clara, muller seva, ano-

menada Astruga abans de la seva conversió, tres-centes lliures en
concepte de dot pagades quan encara eren jueus.

AHPB, Tomàs Vives, *Quartum manuale*, 1416, juny, 23-1419, abril, 8, f. 99v.

45

1418, març, 8. Barcelona

Berenguer Cardona, convers, anomenat Vidal Rinioch quan era jueu, reco-
neix a Clara, conversa, anomenada Astruga quan era jueva, muller
seva, que en temps passat va rebre d'ella tres-centes lliures com a dot
però que a causa de la destrucció del call de Barcelona no li va poder
entregar un instrument dotal que així ho certifiqués. Per aquesta cau-
sa li reconeix en el present instrument que el dot va ser pagat.

AHPB, Tomàs Vives, *Quartum manuale*, 1416, juny, 23-1419, abril, 8, f. 99v.

46

1418, maig, 7. Barcelona

Gabriel de Queralt, convers, fill de Bonsenyor Samuel, difunt, i de Bonafi-
lla, muller seva, vivent, jueus de Barcelona, nomena procurador Gui-
llem Pujol, corredor d'orella, ciutadà de Barcelona, perquè cobri en
nom seu el que li deuen de l'herència de la seva àvia Regina, muller
de Caravida Saporta, difunts, jueus de Girona.

AHPB, Joan Franc, major, *Septimum manuale*, 1418, gener, 3-1418, desembre, 28,
f. 70v.

Ego,[a] Gabriel[b] de Queralt, conversus, filius[c] Bonsenyer Samuel,
quondam, et Bonafilie, eius uxoris, viventis, iudeorum Gerunde, gratis
et ex certa sciencia convenio et recognosco vos, Guillermum Pujol,
curritorem auris, civem Barchinone, procuratorem meum certum et
specialem, ad petendum, exhigendum, habendum et recipiendum pro
me et nomine meo omnes et singulas peccunie quantitates, et totum
ad quiquid et quantum michi pertanet et spectat in hereditate et bonis
que fuerunt domine Regine, quondam, avie mea, uxorisque Caravida
Saporta,[d] avi mei, iudeorum, defunctorum, de qua quidem hereditate
habeo donacionem a dicta domina matre mea, que supersit una filia
de liberis dictorum Caravida Saporta et Regine, eius uxoris, paren-
tum suorum avorumque meorum, prout de dicta mea donacione plene
constat instrumento publico acto Gerunde, ·XXX· die januari, anno

a nativitate Domini M°·CCCC°·XVIII°· clausoque per discretum Bernardum de Solerio, notarium publicum auctoritate regia substitutum a Jacobo de Campolongo, publico civitatis Bauilie et vicarii Gerunde suarumque pertinentiarum notario. Et de hiis que receperitis apochas *et cetera*, gracias, lexias, composiciones et avinentas, *et cetera*. Item, ad compromittendum in quavis forma, *et cetera*. Instrumenta recipiendum et cancellandum *et cetera*. Item, ad littes cum posse subtituendum, *et cetera*. Et quia minor sum ·XXV· annis et maior ·XXIII·, iuro, *et cetera*. Renuntio, *et cetera*.

Testes: Petrus Folguerii et Johannes Osona, scriptores Barchinone.

a. *Al marge esquerre* XXIII.   b. *Dues ratlles a sobre del nom per tal d'indicar la ferma, seguit de* iuro.   c. *Segueix ratllat* Bonaffilia, uxore.   d. *Segueix ratllat* avi mei iud.

47

1419, maig, 8. Barcelona

Ferran de Fonollet, convers, corredor d'orella, habitant de Perpinyà, promet a Pere de Fonollet, canonge de la Seu de Barcelona, que durant el mes de maig li entregarà els dos llibres que li va encomanar, un anomenat Doctrinal *i l'altre* Cant d'Orga, *valorats en vuitanta-vuit sous.*

AHPB, Pere Bartomeu Valls, *Primum Manuale*, 1416, octubre, 2-1420, abril, 15, f. 61r-v.

48

1421, desembre, 28. Barcelona

Francesc de Pedralbes, mestre en arts i medicina, Antoni Coll, corredor d'orella, majordoms de la confraria de la Santa Trinitat de Barcelona, Bernat de Pinós, corredor, Guillem sa Coma, corredor de llibres, Pere Sasblada, tintorer, Guillem Pujol, corredor d'orella, i Pere Ocelló, peller, ciutadans de Barcelona, prohoms i consellers de la confraria esmentada, reconeixen haver rebut de Pere Marquet, mercader i ciutadà de Barcelona, setanta-quatre lliures, divuit sous i cinc diners, recol·lectats per ell a la ciutat en nom de la confraria per a ésser destinats a obres pies en favor dels seus membres com la caritat dels pobres i llur enterrament i als malalts.

AHPB, Marc Canyís, *Manuale*, 1414, desembre, 14-1422, desembre, 22, f. 86r-v.

Nos Ffranciscus[a] de Pedralbes, minor dierorum, magister in artibus et medicina, Anthonius[b] de Colle, curritor auris, maiordomi confriatrie sancte Trinitatis Barchinone anni presentis, Bernardus[c] de Pinós, curritor honorum, Guillermus[d] ça Coma, curritor librorum, Johannes[e] Bertran, curritor auris, et Petrus[f] ça Sblada, tintorerius, Guillermus[g] Pujol, curritor auris, et Petrus[h] Orelló, payerius, cives dicte civitatis, probi homines et consiliarii in hiis dictorum maiordomorum dicte confratrie anni presentis, confitemur et recognoscimus vobis, Petro Marget, mercatori, civi Barchinone, quod numeravistis et tradidistis nobis, et nos a vobis habuimus et recipimus quinquaginta quatuor libras, XVIII solidos, quinque denarios, que et quos ad manus vestras ut clavarius dicte confratrie pervenerunt ex acaptis inde factis in Barchinona ad opus pauperum, infirmorum providendi, et corpora pauperum mortuorum cohoperiendi et sepeliendi. Quas quidem quinquaginta quatuor libras, XVIII solidos et quinque denarios habuimus vobis hoc modo: quod de voluntatorum nostra ipsas tradistis Arnaldo Petri, coralerio, civi dicte civitatis, recipientis vice et nomine nostris et ut clavarius per nos noviter electus. Et nos renuntiamus *et cetera.* Facimus vobis nedum de predictis LIIII libris, XVIII solidis et quinque denario ymmo etiam de omni actione, *et cetera,* presentis apocham et bonum finem.

Testes: Manuel de Muro, mercator, comorans in Perpiniano, et Ffranciscus de Casasages, coralerius, civis Barchinone.

a. *Dues ratlles obliqües per a indicar la ferma.*   b. *Dues ratlles obliqües per a indicar la ferma.*   c. *Dues ratlles obliqües per a indicar la ferma.*   d. *Dues ratlles obliqües per a indicar la ferma.*   e. *Dues ratlles obliqües per a indicar la ferma.* f. *Dues ratlles obliqües per a indicar la ferma.*   g. *Dues ratlles obliqües per a indicar la ferma.*   h. *Dues ratlles obliqües per a indicar la ferma.*

49

1422, gener, 2. Barcelona

Elionor, vídua de Joan de Mitjavila, ciutadà de Barcelona, i tutora de Joanet, fill comú d'ambdós, dona llicència a Antoni Xerxell, peller, ciutadà de Barcelona, per obrir dues finestres en una paret d'una casa situada al carrer dels Giponers i propietat d'Antoni, que confronta amb un hort propietat d'Elionor situat a la plaça de Sant Jaume. Elionor posa a Antoni un seguit de condicions: les finestres hauran de tenir una amplada i una altura de mitja canya; les obres es faran dins de la casa d'Antoni; hauran de ser fetes a una altura suficient perquè ningú pugui accedir a l'hort d'Elionor; aquestes finestres han d'estar provistes de reixa, amb cura que aquestes no embrutin l'hort; finalment, Antoni haurà de pagar un cens de nou sous anuals a Elionor a causa de les obres.

AHPB, Marc Canyís, *Manuale*, 1414, desembre, 14-1422, desembre, 22, f. 93r.

Die veneris II januari, anno predicto M° CCCC° XXII°.

Ego Elionor,[a] uxor venerabilis Johannis de Mediavilla, quondam, civis Barchinone, ut tenens et possidens *et cetera*, et ut tutrix testamentaria Johanneti, filii comunis michi et dicto viro meo, heresque universalis eiusdem viri mei, ut pater ex testamento eiusdem, quod fecit et ordinavit in posse discreti Johannis Ferrarii, notarii publici Barchinone[b] nomibus predictis dono et concedo licenciam et facultatem vobis, Anthonio Xertell, payerio, civi Barchinone, quatenus in pacto mediocri inter hospicium vestrum, quod habetis in civitate Barchinone, in vico vocato *dels Giponers,* et eiusdam hortum meum contigium hospicio meo sive dicti heredis, situato in platea Sancti Jacobi Barchinone, possitis facere seu fieri facere duas fenestras amplitudinis et latitudinis medie canne, ad opus accipiendi lugorem in dicto vestro hospicio. Hanc itaque licenciam dono et concedo vobis et vestris sub retencionibus infrascriptis: videlicet, quod dictas fenestras construatis in altum taliter quod nemo possit habere appectum per ipsas in seu supra dictum ortum hospicii quod ego seu dictus heres, nomibus predictis, habemus in dicto loco; et quod super ipsas fenestras teneamini, in continenti quo facte fuerint, afigere rexas ferreas et quod per ipsas non prohiciant aliquas sordicias sive sutzuras in dicto orto, necque aliquas alias res propter quas aliquod tedium posset inferri. Et sub tali eciam pacto quod pro ademprivio quod amodo habebatis ab ipsis fenestris recipendo per ipsas lugorem, teneamini *de present* michi solvere unum morebatium, vel pro ipso uno morabatino novem solidos. Et a die presenti ad unum annum primo venturum alios novem solidos. Et sic deinde annatium alios novem solidos. Et si forsan in aliquo de predictis fuerit per vos seu vestros aliquod contrafactum, quod incontinent teneamini ipsas vestris propriis sumptibus claudere et in estatu primo tornare. Ad hec ego, Anthonius Xertell,[c] predictus, acceptans a vobis, dicta venerabili domina Elionor, dictam licentiam et cum pactis et conditionibus supradictis, et laudans et aprobans *et cetera*. Pro quibus complendis, obligo vobis,[d] dictis nominibus, omnia bona mea *et cetera*.

Testes: Bernardus Muntanyans, scriptor, et Johannes Juglar, sutor, cives Barchinone.

a. *Dues ratlletes damunt del nom per indicar la ferma.*   b. *Segueix un espai en blanc.*   c. *Dues ratlletes damunt del nom per indicar la ferma.*   d. *Segueix ratllat* omni.

50

1422, desembre, 9. Barcelona

Bonanat Pau, mercader, Bernat Baró, àlies Martí, sastre, ciutadans de Bar-
celona, i Llorenç Salt, peller, ciutadà de la mateixa ciutat, majordoms
de la confraria de la Santíssima Trinitat de Barcelona del present any,
i Bernat de Pinós, mestre Francesc de Pedralbes, físic, menor, Pere
Ocelló, Joan des Far, Bernat Huguet i Miquel Gralla, presents i conse-
llers dels majordoms esmentats, reconeixen haver rebut d'Arnau Pere,
coraler, ciutadà de Barcelona, i de Guillem Sanxo, mercader, Guillem
sa Coma, llibreter, i Francesc Mascaró, llibreter, presents i majordoms
de l'any passat de la confraria, cent disset lliures, dotze sous i sis
diners, que com a clavaris de la confraria varen captar a la ciutat de
Barcelona per les obres pies de la confraria: ajuda als pobres malalts
i per a la sepultura dels cossos dels pobres difunts.

AHPB, Marc Canyís, *Manuale*, 1414, desembre, 14-1422, desembre, 22, f. 113v-114r.

Nos, Bonanatus[a] Pau, mercator, et Bernardus[b] Baró, alias Martí, sartor, cives Barchinone, et Laurencius[c] Salt, payerius, cives dicte civitatis, maiordomi confratrie sancte Trinitatis anni presentis, et Bernardus[d] de Pinós, magister Ffrancischus[e] de Pedralbes, phisicus, minor dierorum, Petrus[f] Osselló, Johannes[g] de Faro, Bernardus[h] Uguet, et Michael[i] Gralla, procuratores et consiliari dictorum maiordomorum, confitemur et recognoscimus vobis, Arnaldo Petri, coralerio, civi dicte civitatis, et Guillermo Sanxo, mercatori, Guillermo ça Coma, libraterio, et Ffrancischo Mascaró, libraterio, maiordomibus et procuratoribus anni retrolapsis dicte confratrie, quod per manus vestri, dicti Arnaldi Petri, habuimus et recepimus bene et plenarie ad[j] nostram[k] voluntatem numerando centum decem septem libras, duodecim solidos et sex denarios, que et quos ad manus vestras, ut clavariis dicte confratrie, pervenerunt ex acaptis inde factis in Barchinona ad opus pauperum, infirmorum providendi, et corpora pauperum mortuorum cohoperiendi et sepelliendi. In quibus includuntur LIIII[or] libre, XVIII solidis et quinque denarii, de quibus vos apocham firmastis XXVIII° octobris anni proxime lapsi M CCCC XXI, de quibus legale compotum nobis reddidistis hoc modo: videlicet, quod de voluntate nostra ipsas tradidistis Salvatori Sabater, libraterio, civi dicte civitatis, ipsam quantitatem recipientir vice et nomine nostris et ut clavarius per nos noviter electus (sic). Qui quidem Salvator[l] Sabater confessus fuit ipsam quantitatem recepisse et tenere pro ipsis maiordomibus qui nunc sunt et pro tempore erunt. Et ideo renuntiando, *et cetera*, faciamus vobis nedum de predictis C XVII libris duodecim solidis et sex denarios ymmo ectiam de ommni actione, *et cetera*, presentem apocham et bonum finem.

Testes de firma dictorum maiordomorum et Salvatoris Sabaterii: Petrus Mascaró, librateruis, Bernardus Colomer, mataleserius et Ffranciscus Casasages, coralerius, cives Barchinone. Et de firma dictorum Petri Osselló et Johannes de Faro: Iacobus Pou, coralerius, et dictus Bernardus Colomer. Et de firma dictorum Ffrancisci de Pedralbes et Benardi Uguet, Johannes Esgleyas, coralerius, et dictus.

a. *Dues ratlles obliqües damunt del nom per a indicar la ferma.*   b. *Dues ratlles obliqües damunt del nom per a indicar la ferma.*   c. *Dues ratlles obliqües damunt del nom per a indicar la ferma.*   d. *Dues ratlles obliqües damunt del nom per a indicar la ferma.*   e. *Dues ratlles obliqües damunt del nom per a indicar la ferma.*   f. *Dues ratlles obliqües damunt del nom per a indicar la ferma.*   g. *Dues ratlles obliqües damunt del nom per a indicar la ferma.*   h. *Dues ratlles obliqües damunt del nom per a indicar la ferma.*   i. *Dues ratlles obliqües damunt del nom per a indicar la ferma.*   j. *Segueix ratllat* vestram.   k. *Afegit a l'interlineat.*   l. *Dues ratlles obliqües damunt del nom per a indicar la ferma.*

51

1423, juliol, 2. Barcelona

Maria, reina d'Aragó, dona el seu consentiment als membres de la confraria de la Santa Trinitat de Barcelona perquè facin un drap de seda amb el símbol de la confraria i totes les obres que siguin pertinents. D'altra banda, dona consentiment perquè els seus membres puguin cobrar una taxa per tal de finançar la confraria i els seus actes.

ACA, Cancelleria, *Registres*, reg. 3121, f. 119v-120r.

Confratrum maioralium Sancte Trinitatur Barchinone.

Nos Maria, Dei gratia Regina Aragonum *et cetera*, opportunitatibus vestri fidelium nostrorum maioralium et confratimum confratrie Sancte Trinitatis civitatis Barchinone, qui pio et caritativo ducti affectu ad Dei omnipotentis laudem et gloriam ac confratrie jam dicte ac eius confratrum honorem pariter et decorem, quendam panum de guiro et sirico cum signis sancte Trinitatis, et aliis operibus sumptuosis, ad cohoperiendum confratrum corpora deffunctorum, facitis operari volentes omnem quem possumus locum dare, tenore presentis ad // f. *120r* // vestri supplicationem perhumilem vobis, eisdem maioralibus et confratrie concedimus et plenam licentiam imperpetuum quod una cum maiori et sanior parte confratrum confratrie jamdicte, loco et more solitis convocatorum et congregatorum, seu de eorum consensu etiam atque velle, possitis et libere ac licite valeatis vos et omnes alios confratres jamdictos in una vice vel pluribus talliare iuxta quantitates, conditiones et facultates vestras et ipsorum confratrum, et ipsas talliam seu tallias idest peccunias earumdem ab ipsis confratibus et eorum quolibet exigere, colligere, recipere et habere, seu colligi, exigi, recipi, haberi facere per illum seu illos quem seu quos duxeritis eligendo; super his quascumque exequtiones, fortias et enantamenta in bonis illius seu illorum dictorum confratrum qui confratum qui recusabit seu recusabunt aut dilatabunt solvere quod modo predicto ordinatum seu tallatum fuerit faciendo seu fieri faciendo. Mandantes per hanc eandem gubernatori Cathalonie, vicario et baiulo, ac aliis officialibus civitatis Barchinone, vel locatenentibus eorumdem, presentibus vel futuris, cui vel quibus presens nostra provisio fuerit presentata necnon confratribus confratrie jamdicte, qui nunc sunt, et pro tempore fuerint sub obtentu regis atque nostre gratie et mercedis ac pena millem florenorum auri, quatenus licentiam et concessionem nostram huiusmodi teneant et exequtent firmiter et observent, tenerique observari ac exequtari faciant, et in nullo contrafaciant vel veniant, seu aliquem contravenire permittant aliqua racione. Quodque iidem officiales in bonis dictorum confratrum solvere recusantium seu dilatantium, ut est dictum, executionem faciant expeditam.

In cuius rei testimonium presentem vobis fieri iussimus regio comuni sigillo.

Datum Barchinone, secunda die julii, anno a nativitate Domini millesimo CCCC vicesimo tercio.

De Ortigis, vicecancellarius.

Gabriel Marcaroni, mandatu domine regine fecit per Franciscum de Ortiquis, consiliarium et cancellarium. Probata.

52

1424, juny, 23. Barcelona

Alfons, rei d'Aragó, aprova els estatuts de la confraria de la Santa Trinitat de Barcelona promoguts pels seus majorals. En primer lloc, que els majorals hagen de portar un brandonet encès quan vagin a la sepultura d'algun membre de la confraria o albat, sots pena d'una lliura de cera. Que tot majoral que sigui cridat a acudir a les exèquies d'un membre de la confraria i no ho faci tingui per pena cinc sous per cada vegada, a menys que aquesta absència sigui per força major i excusada per la resta dels majorals. Cada membre de la confraria està obligat a pagar una quota fixada pels majorals segons les capacitats econòmiques de cada confrare, sots pena d'una lliura de cera. Tot aquell confrare que desobeeixi els estatuts de la confraria serà perseguit pel cap de guaita o altres oficials de la ciutat i pres en la presó comuna fins que reconeixi la seva culpa. En cas de no reconèixer la seva culpa, els majorals i un consell format per vint prohoms o antics membres determinarà la seva expulsió. Finalment, tota persona que vulgui entrar a formar part de la confraria ha de pagar deu sous: cinc per a la caixa comuna i els altres cinc per al bací dels pobres.

ACA, Cancelleria, Registres, reg. 2592, f. 84v-85v.

Nos n·Alfonso, *et cetera*, per maior direcció e vountat de la confreria de Sancta Trinitat de la ciutat de Barcelona, a la qual nostra real excelència ha bona affeció e voler, provehim e de certa sciència, a suplicació dels maiorals de la dita confraria, los qual promou açò caritativament aquell mateix voler e affecció, ordinam que tant que quant d·ací avant se seguirà que los dits maiorals iran a les exèquies ho sepultura de algun cos o albat de algun lur confrare, cascun de la dita confraria sia tingut e hage^a necessàriament portar un brandonet encès, e si contrafarà cage per cascuna vegada en ban o pena d·una liura de cera o de la valor o preu de aquella exhigidora per los maiorals impune et lícitament de sos béns e a la taxa de la dita confraria aplicadora per soportar los càrrechs e necessitats de aquells.

Ítem, que tot confrare qui serà apellat a ésser o anar a tals sepulcres e ho recusarà fer, cage per cascuna vegada que serà contrafet en ban o pena de sinc sous barchinonins per los dits maiorals segons és dessús de la dita altra pena statuït, exhigidora e aplicadora per la dita rahó a la dita taxa, si donchs no escusava tal confrare o confrares algun just impediment a coneguda dels dits^b maiorals.

Ítem, que tots e sengles confrares de la confraria sien tenguts e hagen a fer aquella caritativa subvenció que per los dits maiorals serà rahonablement, segons lurs facultats, dit e arbritat. E si ho recusaran e no ho volran fer, cagen en ban o pena per cascuna vegada, així com aquells qui poca caritat de lus cofrares o confraria mou e streny de una lliura de cera o valia de aquella per los dits maiorals dels béns dels^c contrafahents exhigidora a la caxa dessús dita.

Ítem, tantes vegades com se seguirà algun o alguns dels dits confrares ésser desinants e inobedients als manaments e ordinacions dels dits maiorals, que cascun capdegayta, saig o qualsevol official de la dita ciutat sia tengut e hage a pendre a sola e simpla requesta dels dits maiorals, tal o tals axí inobedients confrares e metre en la presó comuna de la dita ciutat, en la qual stiguen tant en tant longament detenguts fins que regoneixents lurs culpes e erres stien effectualment a ordinació dels maiorals dessús dits.

Ítem, que si alguns o alguns dels // *f. 85v* // confrares dessús dits seran mal obedients e barrallants o en altra manera seran disorts en observar aquestes e altres ordinacions de la dita confraria, e per lur pertinació e malícia no volran obtemperar a aquells o als manaments dels dits maiorals, que en aquell cas los maiorals dessús dits puxen tal o tals confrares, de e ab consell de XX prohòmens o antichs confrares de la dita confraria axí discordes e inobedients e barallants foragitar de la dita confraria, actes e congregacions de aquella e totalment repellir.

E finalment provehint, a supplicació dels dits maiorals, que tots aquells e aquelles qui volran ésser o intrar en la dita confraria, haguen e sien tenguts, ans que puxen ésser rebuts en aquella donar, e pagar deu sous de la dita moneda, so és, cinch sous per la dita caxa, e los romanents cinc sous barchinonins a la borsa dels pobres vergonyants de la dita confraria. Per ço manam expressament de certa sciència a tots e sengles officials nostres e a lurs loctinents e als saigs e capdegaytes damunt dits e axí matex als dits confrares, presents e esdevenidors, que les coses dessús dites e cascuna d·aquelles, segons que pertanyerà a cascun d·els tenguen, complesquen e fer mament exeguesquen e los officials fassen tenir e totalment observar, e no hi contravenguen si los dits officials, pena de CC florins, la qual ab la present cometedora tantes vegades quantes serà contrafet los imposan, e los dits confrares les penes e bans dessús contengudes desigen de tot en tot squivar.

En testimoni de la qual cosa manam la present ésser feta ab nostre sagell enpendent sagellada.

Data en Barchinona, a XXIII dies de juny,[d] en any de la nativitat de nostre Senyor M CCCC XXIIII e del nostre regne.

Anthonius de Fonte, scriptor domini regis. Fecitur vicencellarium. Probata.

      a. *Afegit a l'interlineat* manament.   b. *Segueix ratllat* maiorables.   c. *Afegit a l'interlineat* béns del.   d. *Segueix ratllat* essent.

53

1439, setembre, 11. Barcelona

El Consell de Cent de Barcelona es dirigeix a Ramon de Cardona, baró de Bellpuig, per tal de suplicar-li que permeti al convers Felip de Rodes, ciutadà de Barcelona, poder emportar-se a Barcelona la seva filla jueva recentment vídua i els seus nets amb l'objecte de batejar-los en la fe cristiana.

AHCB, Consell de Cent, Lletres Closes, 1B:VI-6, f. 135v.

Molt noble baró don Ramon de Cardona, a nostra intercessió és recorregut en Phelip de Rodes, convers, habitant en aquesta ciutat, affermant que en lo vostre loch de Bellpuig habite una sua filla iuhia, no ha molt vídua, e alguns nets seus iueus, la qual filla sua ensemps ab los dits nets ell desig molt fer·los venir a aquesta ciutat ab propòsit e voler de convertir·los a la sancta fe cristiana, e fer·los reebre lo sanct babtisme. E com açò sie obra molt meritòria e havent esguart a Déu e a la salut de les ànimes, per ço vostra gran noblesa pregram, ab tanta afecció com podem, que per lo esguard dessús dit e per contemplació nostra e de aquesta ciutat, vullats benignament e ab tota paciència admetre lo dit Phelip de Rodes, lo qual va aquí per la dita rahó e permetre que liberalment e sens tota contradicció se·n puxe manar e fer venir ací la dita filla sua e sos béns ensemps ab los dits nets seus. E d·açò, molt noble baró, farets servey a Déu ens aconseguírets mèrit envers ell e a nosaltres ne farets pler singular. E tengue·us la sancta Trinitat en sa guarda benaventuradament e votiva, prescrivint·nos nos ab gran confiança de quan puxam fer per vostres pler e honor.

Scriptumt en Barchinona a XI de setembte de l·any M CCC XXXVIIII.

Los consellers de Barchinona a vostra honor apparellats.

54

1440, novembre, 11. Barcelona

Joan de Llobera, peller, ciutadà de Barcelona, tutor de la persona i dels béns d'Isabel, neta seva i filla de Joan Serra, difunt, torner de la mateixa ciutat, i de la filla de l'esmentat Joan de Llobera, promet a Simó Castell, teixidor de vels, i a Clara, muller d'aquest, ciutadans de Barcelona, que Isabel estarà amb ells durant deu anys per servir-los i aprendre el seu ofici de teixidors. Simó i Clara es comprometen a alimentar Isabel i a proveir-la de vestit i calçat, durant aquests deu anys. També es comprometen a pagar a Isabel, per aquests deu anys, quaranta-cinc florins d'or d'Aragó.

AHPB, Joan Pedrol, *Undecimum manuale omnium instrumentorum*, 1439, desembre, 2-1442, abril, 16, f. 54r.

Johannes[a] de Lobaria, payerius, civis Barchinone, tutor persone et bonis Isabelis, nepte mee, filie Johannis Serra, quondam, tornerii dicte civitatis, et domine[b] [..], eius uxoris filieque mee, prout de ipsa tutela plene constat instrumento recepto in curia vicarii dicte civitatis, gratis, de XV die presentis mensis novembris ad decem annos continuos, affirmo vobiscum, Simoni [sic] Castel, textore velorum, cive dicte civitatis, et domina Clara, uxore vestra, dictam Isabelem causa addicendi dictum officium et serviendi vobis in omnibus et singulis mandatis vestris licitis et honestis, de die et de nocte et cetera. Et quod infra dictum tempus, erit bona, legalis et cetera. Et quod non recedet et cetera. Et si dictum aliquod intulerit et cetera, promitto quod ipsa emendabit in fine dicti temporis et cetera. Vos vero teneamini ipsam Isabelem, per totum dictum tempus, providere in cibo et potu, vestitu et calciatu, bene et condecenter secundum sui conditionem. Et colere ipsam sanam et infirmam. Et docere dictum officium. Et dare sibi pro solidata dicti temporis quadraginta quinque florenos auri Aragonum. Ad hec nos, Simonᶜ et Clara,ᵈ laudantes et cetera, promittentes et cetera. Et pro his pars parti obligamus omnia bona nostra. Et ego, dictus Johannes omnia bona dicteᵉ tutele. Renuntio et cetera. Et ego, dicta Clara, doti et sponsalitio et beneffficio Velleyani et cetera. Et iuramus et cetera.

Testes firme dictorum Johannis et Simonis, qui firmarunt dicta die: Andreas ça Claposa, patronosterius [sic], et Bonanatus Porta, curritor auris, cives Barchinone. Et firme dicte domine, que firmavit X die decembris, anno predicto: Simon Ferrer, sartor, et Petrus Magraner, sutor, cives Barchinone.

a. *Dues ratlletes per indicar la ferma.*   b. *Segueix un espai en blanc.*   c. *Segueix ratllat* tutl.   d. *Dues ratlletes per indicar la ferma.*   e. *Dues ratlletes per indicar la ferma.*

55

1445, octubre, 6. Barcelona

Marc d'Avinyó, convers, seder, ciutadà de Barcelona, fa testament davant el notari barceloní Nicolau de Mediona. Nomena marmessors Mateu d'Avinyó, corredor d'orella, germà seu, Elionor, muller de Marc sa Closa, convers, la seva filla Orieta, muller de Pere Bonanat, i el seu fill Rafael d'Avinyó, mercader. Demana ser enterrat en el monestir dels frares predicadors. Desitja que siguin donats tres sous a l'església de Santa Maria del Mar i als seus parroquians, així com cinc sous per al monestir dels frares predicadors. També deixa cinc sous per a cadascun dels seus nets. A la seva filla Elionor, en compensació de cent florins que li devia, li deixa una bíblia escrita en pergamí, un llibre anomenat Catholica Unam *i diversos llibres hebraics. A la seva filla Orieta li dona totes les pertinences que aquesta té a casa seva, així com fer ús de la seva habitació juntament amb el seu marit. Nomena hereu universal de tots els seus béns el seu fill Rafael.*

AHPB, Nicolau de Mediona, *Llibre de Testaments*, 1437- agost, 1-1452, juny, 3, f. 67r-68r.

APÈNDIX DOCUMENTAL II
LLIBRES D'ÒBITS

Arxiu de la Comunitat de Sant Just i Sant Pastor

LLIBRE 2. 1390

1390, setembre, 8. Barcelona. F. 5r.

Albat d'una conversa fadrina de Frainó, convers.

Dimarts a VIII del mes. Albat d·una fadrina d·en Frainó, convers, prop en Ponç de Gualbes. Jau a Nazaret. V de pro vicari, Mates, Aranau, Ferrer, scolà, Rovias. A vespres, Rector, Valtà, Mayosa, Oller, Vidal, Toló, Vilerasa. XII parts.

1390, octubre, 14. Barcelona. F. 8r.

Unció d'una conversa a casa de Crivelet.

Dijous a XIIII del mes. Unció d·una conversa a casa de Crivelet. És de nocte. Foren Vicari, Vidal, Ripol, scolà. IIII parts.

1390, agost, 29. Barcelona. F. 14r.

Cos de la filla de Bossó, convers. Enterrada a la parròquia de Nazaret.

Diumenge a XXIX del mes. Cos d·en sa filla d·en Bossó, covers, qui stà prop d·en Ponç de Gualbes. Jau a Nazaret. Anaren vicari, Vidal, Valtà, cugiuyada, Suyer, March, Mayosa, Oller, Ponç, Vilarasa, Toló, Rovira, scolà. XIII de parts.

1390, octubre, 15. Barcelona. F. 15r.

Cos d'una conversa que està a casa de Criveller. Enterrada als Frares Menors.

Divendres a XV del mes. Cos una conversa qui stà en casa d·en Cri-
veller. Jau a Framenors. Foren vicari, Ponç Oller, Vilarasa, Vidal,
scolà. VI de parts.

1390, octubre, 8. F. 19r.
Albat d'una fadrina d'un convers que viu al carrer d'en Serra.
Diven[d]res a VIII del mes. Albat una fadrina d·un convers qui stà a sol
del carrer d·en Serra. Foren: vicari, Arnau, Mates, scolà. IIII de parts.

1390, octubre, 21. Barcelona. F. 19v.
*Albat de Nicolau Massana, convers, que vivia al carrer Ample. Enterrat
a Frares Menors.*
Dijous a XXI del mes. Albat d·en Nicolau Massana, convers, al carrer
Ample. Jau a Frares Menors. VII d. pro. [Foren] Vicari, March,
Sunyer, Fontanella, Vidall, Bugatell, scolà. Romas a missa: rector,
Ponç. VIII parts.

1390, octubre, 21. Barcelona. F. 19v.
Albat d'en Pujades, convers. Jau als Frares Menors.
Diumenge, a XXIIII del mes. Albat d·en Pujades, convers. Devant lo
dormidor dels Frares Manós. Jau a Frares Menós. VII d. pro. Vica-
ri, Vilerosa, Aigulada, Oller, Bugatell, Arnau, scolà. Romàs a missa:
rector, Vidall, Fontanella, Toló, Ponç. XII parts.

1390, novembre, 26. Barcelona. F. 20r.
*Albat de Joan Massana, convers, vivia prop de la Mercè, al carrer Ample.
Enterrat a l'església de la Mercè.*
Divendres a XXVI del mes. Albat d·en Johan Maçana, convers, prop
la Mercè, al carrer Ample, jau ací. Anaren: Vicari, Rabaçó, Mayosa,
Bugatell, Oller, Fontanella, Vilarasa, Toló, scolà. IX de parts. Romàs
a missa: Ponç, Valtà. XI parts.

Llibre 4. 1399

1399, abril, 1. Barcelona. F. 1v.
Unció d'una conversa que vivia al carrer dels Còdols.
Dimarç, primer dia. Unció de madona conversa [..]. Stà al carrer dels
Còdols. Foran: rector, Narbonès, Bastús, Miró, scolà. V de pars.

1399, agost, 30. F. 2r.

Unció de la muller de Joan Forcadell, convers, que vivia al carreró d'en Vives.

Eodem die. Unció de nocte de la muller d·en Johan Forquadell, convers. Stà al carreró d·en Vives. Foren: vicari, Bastus, Rovira, scolà. IIII de pars.

LLIBRE 5. 1401

1401, gener, 5. Barcelona. F. 1r.

Albat d'Abraham, corretger.

Dimecres a V del mes. Albat d·en Abraam, correger. Stà al coffres. Jau ací. Foren: Bosch, Fontanella, Vilarosa, Sanyet, scolà. V de parts.

1401, gener, 21. Barcelona. F. 1r.

Albat de Manuel de Gualbes, [convers], que vivia al carrer Ample.

Divendres a XXI del mes. Albat d·en Manuel de Gualbes. Stà al carrer Ample, al cap del Regomir. Jau a la mar. Foren Bosch, Pons, Fontanals, Vilarasa, Duran, Alex e scolà. VII de parts. Romàs a vespres: Terrades e Valtà.

1401, febrer, 17. Barcelona. F. 1r.

Albat de Francesc de Gualbes, [convers], que vivia a la volta del forn del Cofrés.

Dijous a XVII del mes. Albat de Francesc de Gualbas. Stà a le volta del forn del Coffrés. Foran: Bosch, Oller, Vilarasa, Alex, Sunyer e scolà. VII de parts.

1401, setembre, 21. Barcelona. F. 6r.

Albat de Bernat Fabra, convers, que vivia davant la font de la mar.

Dimecres a XXI del mes. Albat d·en Bernat Fabra, convers, davant la font de la mar. Jau a Frares Menors. VII de parts: rector, vicari, Oller,[a] Pons, Terrades, Fontanella, Sunyer. Romàs a misa: Puyg, Vilarasa, Cots, scolà. XI.

a. *Segueix ratllat* Vilarasa.

1401, novembre, 7. Barcelona. F. 7r.

Albat de Conill, convers, davant la casa de Pere Buçot.

Diumenge, a VI del mes. Albat d·en Conil, convers, devant micer Pere Buçot. Foren: Vilerasa, Puyg, scolà. III de parts.

1401, novembre, 7. Barcelona. F. 7r.

Albat de Francesc Bertran, convers. Jau al Carme.

Lo die mateix. Albat d·en Francesc Bertran, convers, devant la Font de les [..]. Jau al Carme. VII de parts. Rector, Vilarasa, Oler, Ferades, Segera, Rovire, [..], scolà. VII parts.

1401, octubre, 11. Barcelona. F. 12r.

Unció de Criveller [convers], al carrer ample.

Dimarts, a XI. Unció d·en Criveller, al carrer Ample. Foren: Ponç, Duran, March, Puig, escolà. V. Romàs a misa: Vicari, Oller, Fontela, Vilarasa, Oliver, Manyosa.

1401, octubre, 31. Barcelona. F. 12v.

Unció de la filla de Conill, convers.

Dilluns die. Unció: la filla de Conill, convers. Pres de micer Pere Buçot. Foren: vicari, Ripol e scolà. III de parts.

1401, juny, 5. Barcelona. F. 15v.

Cors d'un esclau de Conill [convers].

Diumenge a V de juny. Cors ·I· esclau d·en Conill. Devant Sant Just. Foren: vicari, Oller, escolà. III de parts.

1401, octubre, 12. Barcelona. F. 18v.

Cors de Criveller [convers]. Enterrat a la Mercè.

Dimecres a XII. Cors de Criveller. Dorm a la Mercè. Foren: vicari, Oller, Ponç, Fontela, Vilarasa, Duran, Oliver, Rabaça, March, Puyg, Manyosa, Rovira e scolà. XIII de parts.

1401, desembre, 12. Barcelona. F. 24r.

Misses de tercer dia per a la filla d'un convers.

Dimecres a XII. Misses de terç dia per sa filla d·en [Conill?], convers. Foren: vicari, Oller, Puych e scolà.

Llibre VI. 1402

1402, agost, 8. Barcelona. F. 3r.

Albat de Bertran, convers.

Dijous a VIII. Albat d·en Bertran, convers. Stà a le Fustaria. Jau al Carma. Foren: nabot, Oler, Fontanele, Vilerasa, Sunyer, Terrades, scolà. VII de parts.

1402, febrer, 19. Barcelona. F. 15r.

Cos de mestre Rafael, convers.

Lo die mateix. Cos d·en mestre Raffael, convers, al carrer d·en Carabasser. Jau a Natzaret. XIII parts. Rector, Oler, Ponç, Fontanella, Vilerasa, Duran, Bou, Sunyer, Manyesa, Segura, Terrades, Col, scolà, Rovira. XV de parts, valen XIII.

1402, agost, 6. Barcelona. F. 19r.

Cos de Pertusa, convers. Enterrat als frares predicadors.

Eodem dier. Cos d·en Pertusa, convers, jau a Predicadors. Foren: Ponç, Fontanella, Vilarasa, Cotes, Duran, Sunyer, Puyg, Mayosa, Coll, Tarrades, Vilar, Ripoll, scolà.[a]

   a. *Segueix ratllat* XIII de parts.

Llibre VII. 1410

1410, gener, 9. Barcelona. F. 1r.

Albat de Yno Conill, [convers]. Enterrat a la Mercè.

Dijous a IX del mes. Albat de Yno Conill. Jau a la Mercè. Foren: vicari, Oller, Vilarasa, Rovires, Fauer, Nicholau[..] e scolà. XIII de parts.

1410, març, 21. Barcelona. F. 3v.

Albat d'Abraham. Enterrat als Agustins.

Dimecres, sent a XXI del [mes]. Albat d·en Abraham. Jau als Agostins. Foren: Oller, Steva, Manyosa, Antoni, Tarredes, Farriol, scolà. VII de parts. Romàs vicari.

1410, juny, 16. Barcelona. F. 9r.

Albat d'Antoni Torres, veler, estava a la plaça del Vi. Enterrat als frares menors.

Eodem die. Albat d·Antoni Toras, valer, stà devant la plaça del Vi. Jau a Fra Menors. Foren VIIII de parts: vicari, Ponç, Vilarasa, Rovires, Faner, Fonoyedes, Steva, Colls, [Arnau], Tarrades, Casas, Alzina, scolà.

1410, [   ], 21. Barcelona. F. 14r.

Albat d'una fadrina de Francesc Xanxo.

Eodem die. Albat d·una fadrina de Ffrancesch Xanxo, al carrer Ample. Jau ací. Foren XII de parts: vicari, Alzina, Soller, Faner, Fonoyedes, Nicholau Steva, March, Manyosa, Colls, Cases, scolà. XII de parts.

1410, gener, 7. Barcelona. F. 16r.

Unció de la nora de Francesc sa Calm, convers.

Dilluns a XXX del mes. Unció de la nora d·en Ffrancesch ça Calm, convers, a la plaça de les Cols. Foren: vicari, Nicholau, Fonodeyes, Arnau, Tarrades, Cases, scolà. VII de parts.

1410, gener, 20. Barcelona. F. 16r.

Unció del cunyat d'Abraham.

Dilluns a XX del mes. Unció de son cunyat d·en Abraham, devant en (Lavans). Foren: vicari, Nicholau, Tarrades, Cases, scolà. V de parts.

1410, gener, 21. Barcelona. F. 16r.

Unció d'un jove de la casa de Sanxo.

Dimarts a XXI del mes. Unció de nocte d·un jove de case d·en Sanxo, al carrer dels Laons, que no passa. Foren: vicari, Nicholau, Cases, scolà. IIII de pars.

1410, gener, 1. Barcelona. F. 24r.

Cos de la mare de Joan de Montsegur, convers.

Eodem die. Cos de la mara d·en Johan de Monsagur, convers, stà al carrer de Ralat. Jau a Frares Menors. Foren: vicari, Rovires, Faner, Nicholau, Fonoyedes, Steva, Tarrades, Farriol, Cases, Rovires, scolà. XI de parts.

1410, gener, 8. Barcelona. F. 24r.

Cos de la sogra de Francesc sa Calm, convers.

Dimecres a VIII del mes. Cos de la sogra d·en Ffrancesch sa Calm, convers, a la plaça de las Cols. Jau al Carme. Foren: vicari, Oller,

Ponç, Vilarasa, Rovires, Gibert, Nicholau, Faner, Fonoyeda, Tena, March, Mayosa, Arnau, Canyades, Farriol, Cases, Donadeu, scolà [....]. XX de parts.

1410, gener, 11. Barcelona. F. 26r.

Cos del pare de Francesc sa Calm, convers.

Eodem die. Cos lo pare d·en Francesch ça Calm, convers, als [..]. Jau al Carme. Foren: Ponç, Nicholau, Fonoyede, Steva, March, Mayosa, Arnau, Tarrades, Cases, Donadeu, scolà. XIII de parts. [..] vicari.

LLISTA DE NOTARIS DE L'ARXIU HISTÒRIC DE PROTOCOLS DE BARCELONA UTILITZATS EN AQUEST ESTUDI

Anònims segle XV, Plec de capítols matrimonials, segle XV

AGELL, Bartomeu. *Primum manuale*, 1428, novembre, 27 - 1430, maig, 11.

AGRAMUNT, Pere. *Manual*, 1422, octubre, 28 - 1423, desembre, 2.

ALEMANY, Berenguer. *Manuale*, 1401, juny, 16 - 1405, agost, 11.

AMORÓS, Ponç. *Quartus liber comunis*, 1391, desembre, 16 - 1393, juliol, 13.

ANDREU, Guillem. *Octavum manuale*, 1398, març, 2 - 1400, març, 13.

BALCEBRE, Joan. *Manual*, 1416, abril, 9 - 1417, desembre, 16.

BALCEBRE, Joan. *Manual*, 1418, febrer, 17 - 1419, agost, 25.

BARAU, Francesc. *Primum manuale*, 1408, octubre, 10 - 1412, octubre, 29.

BARAU, Francesc. *Secundum manuale*, 1414, juliol, 10 - 1415, desembre, 14.

BASSET, Gerard. *Primum manuale*, 1404, setembre, 23 - 1405, juny, 15.

BASSET, Gerard. *Manual*, 1419, desembre, 11 - 1420, maig, 30.

BASSET, Gerard. *Primum manuale monasterii Beate Marie de Petralba*, 1436, desembre, 19 - 1439, març, 9.

BASSET, Guillem. *Decimum manuale*, 1429, setembre, 10 - 1432, agost, 27.

BELLMUNT, Tomàs de. *Manuale [secundum] instrumentorum comunium*, 1399, abril, 30 - 1399, novembre, 28.

BELLMUNT, Tomàs de. *Manual*, 1401, juliol, 8 - 1402, gener, 26.

BELLMUNT, Tomàs de. *Manuale decimum contractuum comunium*, 1403, juny, 15 - 1403, novembre, 23.

BELLMUNT, Tomàs de. *Manual de vendes*, 1401, abril, 7 - 1403, maig, 12.

BELLMUNT, Tomàs de. *Manuale [VIII] contractuum*, 1402, juliol, 24 - 1403, gener, 15.

BELLMUNT, Tomàs de. *Manual de comandes*, 1406, abril, 17 - 1414, gener, 9.

BELLMUNT, Tomàs de. *Manual de comandes*, 1414, gener, 18 - 1417, gener, 21.

BERNAT, Nicolau. *Manuale primum comune*, 1446, març, 13 - 1448, maig, 4.

BOFILL, Vicenç. *Manual*, 1420, abril, 16 - 1422, novembre, 24.

BOFILL, Vicenç. *Quartum manuale comune*, 1422, novembre, 26 - 1425, setembre, 15.

BROCARD, Antoni. *Manuale comune secundum*, 1411, juny, 17 - 1412, abril, 16.

BROCARD, Antoni. *Manuale comune [nonum]*, 1415, agost, 30 - 1416, març, 30.

BROCARD, Antoni. *[Manuale] undecimum*, 1416, desembre, 2 - 1417, maig, 11.

BROCARD, Antoni. *Manuale comune quartum decimum*, 1418, abril, 30 - 1418, novembre, 14.

BRU, Narcís. *Tertium manuale*, 1427, juliol, 19 - 1430, novembre, 7.

CANYÍS, Marc. *Manuale*, 1414, desembre, 14 - 1422, desembre, 22.

CANYELLES, Gabriel. *Decimum octavum manuale*, 1417, desembre, 29 - 1418, desembre.

CARNER, Simó. *Manuale primum*, 1408, abril, 28 - 1414, agost, 25.

CASANOVA, Llorenç de. *Manual*, 1419, abril, 28 - 1419, juliol, 19.

CASANOVA, Llorenç de. *Manual*, 1420, maig, 7 - 1420, agost, 23.

CASELLES, Joan de. *Secundum manuale*, 1397, setembre, 18 - 1399, agost, 30.

CASTELLÓ, Pere. Plec de documentació diversa, 1416-1453.

CLAVER, Pere. *Llibre comú*, 1391, desembre, 7 - 1393, agost, 20.

CLAVER, Pere. *Llibre comú*, 1401, maig, 25 - 1401, novembre, 20.

CLAVER, Pere. *Llibre comú*, 1401, desembre, 8 - 1402, octubre, 27.

COSCÓ, Antoni. *Secundum manuale*, 1408, octubre, 1 - 1429, maig, 5.

COSTA, major, Bartomeu. *Nonum manuale*, 1454, juny, 12 - 1455, novembre, 21.

DEVESA, Pere. *Manuale primum instrumentorum*, 1426, novembre, 5 - 1429, maig, 1.

EIXIMENIS, Joan. *Manuale*, 1391, juliol, 27-1393, setembre, 23.

ERMENGOL, Mateu. *Llibre comú*, 1399, setembre, [18] - 1400, maig, 21.

ERMENGOL, Mateu. *Primum capibrevium*, 1400, maig, 24 - 1403, juny, 16.

ERMENGOL, Mateu. *Llibre comú*, 1404, desembre, 11 - 1405, agost, 18.

ESTAPERA, Antoni. *Manual*, 1402, abril, 13 - 1402, novembre, 22.

ESTAPERA, Antoni. *[Manuale quintum]*, 1403, desembre, 28 - 1404, març, 29.

ESTAPERA, Antoni. *Octavum manuale*, 1409, gener, 19 - 1410, octubre, 17.

ESTAPERA, Antoni. *Manual*, 1417, desembre, 30 - 1419, març, 18.

FERRER, Francesc. *Manuale comune primum*, 1416, octubre, 20 - 1426, febrer, 4.

FERRER, Francesc. *Manuale comune secundum*, 1426, febrer, 18 - 1432, gener, 22.

FERRER, Joan. *Primum manuale*, 1405, juliol, 14 - 1408, agost, 4.

FERRER, Joan. *Tercium manuale*, 1409, novembre, 19 - 1411, maig, 6.

FERRER, Joan. *Octavum manuale*, 1415, maig, 13 - 1416, novembre, 3.

FERRER, Joan. *Manual*, 1436, març, 12, 1437, novembre, 26.

FOLGUERES, menor, Pere de. *Manual*, 1415, abril, 30 - 1416, abril, 30.

FONTCOBERTA, Joan de. *Manual*, 1419, març, 4 - 1425, octubre, 22.

FRANC, major, Joan. *Primum Manuale*, 1410, desembre, 21 - 1413, gener, 21.

FRANC, major, Joan. *secundum manuale*, 1413, gener, 23-1414, febrer, 16.

FRANC, major, Joan. *Septimum manuale*, 1418, gener, 3 - 1418, desembre, 28.

FRANC, major, Joan. *Tricesimum manuale*, 1440, desembre, 29 - 1441, desembre, 22.

FRANC, major, Joan. *Quintus liber vendicionum*, 1417, juliol, 5 - 1418, maig, 2.

FUSTER, Francesc. *Manuale decimum*, 1397, novembre, 7 - 1399, febrer, 14.

FUSTER, Francesc. *Octavum decimum manuale*, 1409, juny, 25 - 1411, abril, 23.

Gasset, Joan. *Llibre comú*, 1402, juny, 10 - 1404, agost, -.

Granyana, Pere. *Manuale sextum*, 1392, gener, 2 - 1392, desembre, 21.

Granyana, Pere. *Manuale undecimum*, 1398, juny, 8 - 1399, juliol, 12.

Granyana, Pere. *Manuale duodecimum*, 1399, juliol, 14 - 1400, desembre, 21.

Granyana, Pere. *Manuale*, 1400, desembre, 29 - 1402, gener, 30.

Granyana, Pere. *Manuale quintum decimum*, 1403, desembre, 17 - 1404, desembre, 24.

Granyana, Pere. *Manuale sextum decimum*, 1404, desembre, 27 - 1406, desembre, 24.

Granyana, Pere. *Manual*, 1408, desembre, 22 - 1410, febrer, 26.

Granyana, Pere. *Manuale nonum decimum*, 1410, febrer, 26 - 1411, gener, 26.

Granyana, Pere. *Vicesimum secundum manuale*, 1413, febrer, 23 - 1414, abril, 3.

Granyana, Pere. *Vicesimum quartum manuale*, 1415, abril, 8 - 1416, juliol, 9.

Granyana, Pere. *Vicesimum quintum manuale*, 1416, juliol, 11 - 1417, setembre, 20.

Granyana, Pere. *Vicesimum sextum manuale*, 1417, setembre, 22 - 1418, desembre, 17.

Granyana, Pere. *Vicesimum Octavum manuale*, 1419, desembre, 26 - 1421, maig, 2.

Granyana, Pere. *Vicesimum nonum manuale*, 1421, maig, 3 - 1422, juliol, 28.

Granyana, Pere. *Quartus liber comunis*, 1391, desembre, 16 - 1393, juliol, 13.

Granyana, Pere. *Quartus liber vendicionum stabilimentorum ac aliarum alienacionum*, 1392, abril, 2 - 1394, febrer, 23.

Granyana, Pere. *Sextus liber vendicionum, stabilimentorum ac aliarum alienacionum*, 1395, abril, 28 - 1396, juliol, 7.

Granyana, Pere. *Octavus liber vendicionum stabilimentorum ac aliarum alienacionum*, 1397, febrer, 1 - 1398, juliol, 31.

Guamir, Bartomeu. *Manuale secundum*, 1408, novembre, 3 - 1410, novembre, 19.

Guamir, Bartomeu. *Manuale quartum*, 1412, març, 12 - 1413, maig, 9.

Isern, Jaume. *Manual*, 1418, desembre, 31 - 1419, novembre, 20.

Joan, Marc. *Manuale comune sextum*, 1413, octubre, 31 - 1414, gener, 30.

Jordà, Guillem. *Primum manuale*, 1425, novembre, 27 - 1428, abril, 29.

Just, Jaume. *Llibre de vendes*, 1393, agost, 8 - 1398, març, 13.

Just, Jaume. *Llibre de vendes*, 1397, juny, 2 - 1398, juny, 25.

Lledó, Arnau. *Llibre comú*, 1394, juny, 1 - 1400, octubre, 13.

Lledó, Arnau. *Liber quartus comandarum de viagio*, 1407, agost, 20 - 1417, novembre, 28.

Lledó, Arnau. *Llibre de comandes*, 1407, agost, 20 - 1417, novembre, 28,

Manresa, Francesc de. *Manual*, 1401, setembre, 21 - 1403, juliol, 4.

Manresa, Francesc de. *Manual*, 1403, desembre, 26 - 1404, agost, 23.

Manresa, Francesc de. *Sextum manuale*, 1408, febrer, 4 - 1409, març, 9.

Manresa, Francesc de. *Manual*, 1409, març, 10 - 1410, maig, 31.

Manresa, Francesc de. *Manual*, 1414, juliol, 31 - 1415, novembre, 7.

Martí, Pere Joan. *Manuale*, 1402, març, 14 - 1403, agost, 2.

Masó, Llorenç. *Llibre comú*, 1394, gener, 27 - 1396, agost, 11.

Mediona, Nicolau de. *Llibre de testaments*, 1437, agost, 1 - 1452, juny, 3.

Nadal, Bernat. *Manual*, 1391, juny, 7 - 1392, gener, 2.

NADAL, Bernat. Manual, 1392, gener, 4 - 1392, juliol, 11.

NADAL, Bernat. *Decimum manuale*, 1392, juliol, 11 - 1393, gener, 23.

NADAL, Bernat. *Undecimum manuale*, 1393, gener, 23 - 1393, juliol, 4.

NADAL, Bernat. *Duodecimum manuale*, 1393, juliol, 24 - 1393, novembre, 19.

NADAL, Bernat. *Manual*, 1394, novembre, 14 - 1395, maig, 9.

NADAL, Bernat. *Manual*, 1395, maig, 10 - 1395, novembre, 13.

NADAL, Bernat. *Manual*, 1397, agost, 1 - 1398, gener, 4.

NADAL, Bernat. *Manual*, 1398, gener, 4 - 1398, maig, 9.

NADAL, Bernat. *[Manuale comune] XXV*, 1399, abril, 4 - 1399, setembre, 22.

NADAL, Bernat. *Manual*, 1399, setembre, 22 - 1400, març, 2.

NADAL, Bernat. *Manual*, 1400, març, 3 - 1400, agost, 12.

NADAL, Bernat. *Manual*, 1401, febrer, 4 - 1401, agost, 5.

NADAL, Bernat. *Manual*, 1401, agost, 5 - 1402, gener, 23.

NADAL, Bernat. *Manual*, 1405, maig, 14 - 1405, setembre, 2.

NADAL, Bernat. *Manual*, 1406, gener, 26 - 1406, juny, 26.

NADAL, Bernat. *Manual*, 1406, novembre, 27 - 1407, abril, 27.

NADAL, Bernat. *Primum manuale vendicionum*, 1395, gener, 8 - 1397, juny, 26.

NADAL, Bernat. *Tercimum manuale vendicionum anni a Nativitate Domini millessimi CCCC*, 1400, juny, 22 - 1402, juny, 9.

NADAL, Bernat. *Manual de vendes*, 1404, juliol, 5 - 1406, juny, 1.

NADAL, Bernat. *Manual de vendes*, 1406, juny, 2 - 1407, octubre, 12.

NADAL, Bernat. *Manual de comandes marítimes*, 1393, setembre, 10 - 1397, octubre, 1.

NADAL, Bernat. *Secundus liber comandarum*, 1397, desembre, 3 - 1403, agost, 16.

NADAL, Bernat. *Manuale instrumentorum contractuum quintum*, 1404, octubre, 3-1410, agost, 9.

NADAL, Bernat. *Manual instrumentorum contractuum*, 1404, octubre, 3 - 1410, agost, 10.

NADAL, Joan. *Manual*, 1408, abril, 3 - 1408, setembre, 2.

NADAL, Joan. *Manual*, 1410, maig, 9 - 1410, octubre, 16.

PEDROL, Joan. *Tercium manuale*, 1422, agost, 12 - 1423, novembre, 12.

PEDROL, Joan. *Manuale quartum notularum omnium instrumentorum*, 1423, novembre, 13 - 1426, juny, 25.

PEDROL, Joan. *Undecimum manuale omnium instrumentorum*, 1439, desembre, 2 - 1442, abril, 16.

PELLISSER, Pere. *Manual*, 1396, març, 3 - 1397, novembre, 21.

PELLISSER, Pere. *Manual*, 1409, juny, 11 - 1410, novembre, 26.

PELLISSER, Pere. *Manual*, 1413, abril, 3 - 1413, juny, 7.

PELLISSER, Pere. *Manuale*, 1414, juliol, 2 - 1415, juny, 26, f. 13r.

PELLISSER, Pere. *Manual*, 1415, juliol, 2 - 1416, juny, 26.

PELLISSER, Pere. *Manual*, 1416, abril, 3 - 1413, juny, 7.

PELLISSER, Pere. *Manual*, 1419, juliol, 31 - 1421, març, 18.

PERELLA, Joan. *Quartus decimus liber comunis*, 1395, novembre, 2 - 1396, abril, 4.

PERICOLIS, Joan de. *Manuale primum*, 1392, desembre, 5 - 1402, març, 1.

PERICOLIS, Joan de. *Manuale sextum*, 1411, octubre, 27 - 1415, agost, 27.

PERICOLIS, Joan de. *Manuale duodecimum*, 1427, desembre, 6 - 1430, setembre.

PI, Bernat. *Tercium manuale comune*, 1411, octubre, 12 - 1412, maig, 26.

PI, Bernat. *Manual*, 1412, juny, 3 - 1413, gener, 22.

PI, Bernat. *Manual*, 1413, gener, 28 - 1413, juliol, 21.

PI, Bernat. *Manual*, 1414, febrer, 8 - 1415, març, 3.

PI, Bernat. *Manuale comune*, 1415, setembre, 3 - 1416, febrer, 20.

PI, Bernat. *Manual*, 1416, febrer, 20 - 1416, agost, 1.

PI, Bernat. *Llibre de testaments*, 1418-1450, 1418, febrer, 21 - 1450, agost, 11.

PIQUER, Arnau. *Manual*, 1390, agost, 13 - 1391, octubre, 12.

PIQUER, Arnau. *Manual*, 1391, octubre, 16 - 1392, desembre, 24.

PIQUER, Arnau. *Manual*, 1392, desembre, 29 - 1393, desembre, 23.

PIQUER, Arnau. *Manual*, 1393, desembre, 25 - 1394, juliol, 3.

PIQUER, Arnau. *Manual*, 1399, gener, 2 - 1399, desembre, 24.

PONÇ, Pere. *Manual*, [1442], febrer, 19 - 1447, abril, 18.

POU, Pere de. *Quintum manuale*, 1400, desembre, 30 - 1404, novembre, 17.

PUIG, Pere. *Manual*, 1420, febrer, 28 - 1420, juny, 4.

PUJOL, Francesc de. *Manuale quintum*, 1391, desembre, 14 - 1392, juliol, 19.

PUJOL, Francesc de. *Manual*, 1392, agost, 9 - 1392, novembre, 29.

ROIG, Pere. *Manual*, 1417, juliol, 8 - 1417, novembre, 6.

ROIG, Pere. *Manual*, 1420, juny, 24 - 1421, abril, 1.

ROIG, Pere. *Manual*, 1424, juny, 8 - 1425, novembre, 10.

ROIG, Pere. *Manual*, 1425, desembre, 22 - 1426, juny, 10.

ROIG, Pere. *Manual*, 1427, gener, 18 - 1427, agost, 28.

ROSSELL, Tomàs. *Primus liber comunis*, 1400, març, 1 - 1401, abril, 7.

ROVIRA, Pere. *Manuale septium*, 1415, setembre, 2 - 1417, juliol, 20.

SANS, Bernat. *Manual*, 1400, març, 31 - 1400, setembre, 25.

SANS, Bernat. *Manuale instrumentorum contractuum [comunium] decimum*, 1402, octubre, 31 - 1403, abril, 24.

SANS, Bernat. *Manual*, 1404, agost, 14 - 1404, setembre, 27.

SANS, Bernat. *Manual*, 1406, març, 6 - 1406, setembre, 30.

SANS, Bernat. *Manual*, 1420, desembre, 21 - 1421, març, 6.

SOLER, Pere. *Manual*, 1432, setembre, 15 - 1434, setembre, 22.

SOLER, Pere. *Manuale nonum*, 1456, febrer, 14 - 1459, octubre, 3.

TERRASSA, Gabriel. *Manuale quartum*, 1412, gener, 2 - 1413, juliol, 6.

TERRASSA, Gabriel. *Secundus liber manuale*, 1407, novembre, 22 - 1410, juliol, 8.

TERRASSA, Gabriel. *Tercius liber manuale*, 1410, juliol, 11 - 1411, desembre, 31.

TERRASSA, Gabriel. *Primum capibrevium*, 1401, maig, 31 - 1403, novembre, 17.

TRILLA, Jaume de. *Manual*, 1398, febrer, 21 - 1399, desembre, 4.

TRILLA, Jaume de. *Llibre de vendes*, 1398, novembre, 28 - 1400, gener, 29.

TRILLA, Jaume de. *Capibrevium comune*, 1411, gener, 11 - 1411, desembre, 27.

TRILLA, Jaume de. *Capibrevium vendicionum*, 1393, setembre, 8 - 1394, maig, 5.

UBAC, Joan. *Primus liber apocharum diversarum manumissoriarum*, 1424-1449.

VALLS, Pere Bartomeu. *Primum manuale*, 1416, octubre, 21 - 1420, abril, 15.

VALLS, Pere Bartomeu. *Secundum manuale*, 1420, abril, 16 - 1421, setembre, 16.

Verdaguer, Ferrer. *Llibre de testaments*, 1431, desembre, 12 - 1448, gener, 17.

Vidal, Jaume. *Llibre comú*, 1394, gener, 24 - 1397, octubre, 24.

Vilanova, Antoni. *Manual*, 1447, agost, 30 - 1448, febrer, 20.

Vives, Pere. *Manual*, 1392, novembre, 28 - 1395, gener 14.

Vives, Tomàs. *Manual*, 1415, juliol, 30 - 1416, maig, 11.

Vives, Tomàs. *Quartum manuale*, 1416, juny, 23 - 1419, abril, 8.

Vives, Tomàs. *Manual*, 1420, maig, 14 - 1421, abril, 21.

BIBLIOGRAFIA

AMADOR DE LOS RÍOS, J.: *Historia social, política y religiosa de los judíos en España*, ed. Orbis, Barcelona, 1986.

ARAGÓ I M. COSTA, A. M.: *Privilegios reales concedidos a la ciudad de Barcelona*, CODOIN, Barcelona, 1971.

ASSIS, Y. T.: *Jewish economy in the medieval Crown of Aragon, 1237-1327*, ed. E. J. Brill, Leiden, 1997, p. 27.

AZCÁRATE AGUILAR-AMAT, P.: *Historia de Castilla y León*, v. IV, coord. E. LÓPEZ CASTELLÓN, ed. Ediciones Páramo, Madrid, 1989.

BADA ELIAS, J.: "L'expulsió dels jueus, 1492", *Butlletí de la Societat Catalana d'Estudis Històrics*, XX, 2009.

BAER, Y.: *Historia de los judíos en la España cristiana*, ed. Riopiedras, Barcelona, 1998.

— *Historia de los judíos en la Corona de Aragón (siglos XIII-XIV)*, ed. Diputación General de Zaragoza, Saragossa, 1985.

BALAGUER, V.: *Las calles de Barcelona*, ed. Editorial Dossat, edició facsímil de 1987, Barcelona.

BARKAI, R.: "Perspectivas para la historia de la medicina judía española", dins *Espacio, Tiempo y Forma*, sèrie III, 1993.

BARON, S. W.: *A social and religious history of the jews*, ed. Columbia University Press, Nova York, 1952.

BATAILLION, M.: *Erasmo y España. Estudios sobre la historia espiritual del siglo XIV*, ed. Fondo de Cultura Económica, Mèxic, 1950.

BATLLE, C.: "L'expansió baixmedieval, s. XIII-XV", dins P. VILAR (dir.): *Història de Catalunya*, III, ed. Edicions 62, Barcelona, 1988, p. 271.

— *La crisis social y económica de Barcelona a mediados del siglo XV*, ed. CSIC, Barcelona, 1973.

Batlle i Gallart, C., Vinyoles i Vidal, T.: *Mirada a la Barcelona medieval des de les finestres gòtiques*, ed. Rafael Dalmau, Barcelona, 2002.

Baucells i Reig, J.: *Vivir en la Edad Media: Barcelona y su entorno en los siglos XIII y XIV (1200-1344)*, volum I, ed. CSIC, Barcelona, 2004.

Beinart, H.: *Los conversos ante el tribunal de la Inquisición*, ed. Riopiedras, Barcelona, 1983.

— "Los conversos y su destino", dins E. Kedourie (dir.): *Los judíos de España*, ed. Crítica, Barcelona, 1992.

— *Los judíos en España*, ed. Mapfre, Madrid, 1993.

Beltrán De Heredia, V.: "Las bulas de Nicolás V acerca de los conversos de Castilla", *Sefarad*, 21:1, 1961.

Bernardino Llorca, P.: "San Vicente Ferrer y el problema de las conversiones de los judíos", dins *IV Congreso de la historia de la Corona de Aragón, ed. Diputació Provincial de Balears*, Palma, 1959, p. 47-64.

Bofarull i Sans, F. de: *Los judíos en el territorio de Barcelona, siglos X-XIII: reinado de Jaime I, 1213-1276*, Impr. de F. J. Altes, Barcelona, 1910.

— "Ordinacions de los Concelleres de Barcelona sobre los judíos en el siglo XIV", *Boletín de la Real Academia de las Buenas Letras de Barcelona*, Barcelona, 1911.

Bonnassie, P.: *La organización del trabajo en Barcelona a fines del siglo XV*, ed. CSIC, Barcelona, 1995.

Burns, R. I.: *Jaume I i els valencians al segle XIII*, ed. Tres i Quatre, València, 1981.

Cantera Montenegro, E.: *Aspectos de la vida cotidiana de los judíos en la España medieval*, ed. UNED, Madrid, 1998.

— "La mujer judía en la España medieval", dins *Espacio, tiempo y forma*, serie III, H.ª Medieval, volum 2, 1989, p. 37-64.

Carreras Candi, F.: *Geografia general de Catalunya*, v. 3, Edicions Catalanes, Barcelona, 1980.

Carrère, C.: *Barcelona 1380-1462, un centre econòmic en època de crisi*, ed. Curial, Barcelona, 1977, p. 431.

— "La draperie en Catalogne et en Aragon au XVe siècle", dins L. S. Olschki (ed.): *Produzione, commercio e consumo dei panni di lana (nei secoli XII-XVIII)*, Florència, 1976, p. 481-482.

Collantes de Terán Sánchez, A.: "Un pleito sobre bienes de conversos sevillanos en 1396", dins *Historia, Instituciones, Documentos*, 3, 1976, p. 167-186.

Company, J. L.: "Familias judías-familias conversas. Una aproximación a los neófitos valencianos del siglo XIV", *Espacio, Tiempo y Forma, Serie III, H. "Medieval"*, t. 6, 1993, p. 409-424.

Coulon, D.: "Un element clef de la puissance commerciale catalane. Le trafic du corail avec l'Égypte et la Syrie (fin du xiv s.-debut du xv siècle)", *Al-Mansaq*, 1996-1997,

— *Barcelone et le grand commmerce d'ourient au Moyen Age. Un siècle de relations avec l'Égypte et Syrie-Palestine (ca. 1330-ca. 1430)*, ed. Institut Europeu de la Mediterrània, Madrid-Barcelona, 2004.

Danvila, F.: "Clausura y delimitación de la judería de Valencia en 1390 a 1391", *BAH*, 1891, p. 142-157.

Delgado Merchan, L.: *Historia documentada de Ciudad Real*, ed. Maxtor, Madrid, 2011, primera edició 1907.

Duran i Sanpere, A.: *Barcelona i la seva història. La formació d'una gran ciutat*, ed. Curial, Barcelona, 1972, p. 637.

— "La montaña de Montjuïc revela sus secretos", dins *Barcelona, divulgación histórica*, ed. Aymà Editor, Barcelona, 1945.

— "Nuevos hallazgos en la necrópolis hebrea de Montjuïc", dins *Barcelona, divulgación histórica*, ed. Aymà Editor, Barcelona, 1946.

Estanyol i Fuentes, M. J.: *Els jueus catalans: les seves vivències i influència en la cultura, economia i política en els reialmes cristians*, ed. PPV, Barcelona, 2009.

Feliu i Mabres, E.: "La crisis catalana de la Baja Edad Media: estado de la cuestión", *Hispania*, vol. 64, 217 (2004).

— "Algunes puntualitzacions sobre diversos aspectes de la història dels jueus a la Catalunya medieval", *Catalan Historical Review*, 2, ed. Institut d'Estudis Catalans, 175-190 (2009).

Fildes, V.: "Breasts, Bottles and Babies. An History of Infant Feeding", ed. Edimburg University Press, Edimburg, 1986.

Forteza, M.: *Els descendents dels jueus conversos a Mallorca*, ed. Moll, Palma de Mallorca, 1972.

García Cárcel, R.: *Orígenes de la Inquisición española. El tribunal de Valencia, 1478-1530*, ed. Ediciones Península, Barcelona, 1976.

Garcia Espuche, A., Sánchez, P., Sarrà, E., de Heradia Bercero, J. B., Miró i Alaix, N.: *Jocs, trinquets i jugadors. Barcelona 1700*, ed. Ajuntament de Barcelona, 2009.

García Marsilla, J. V.: *Vivir a crédito en la Valencia medieval. De los orígenes del sistema censal al endeudamiento del municipio*, ed. PUV, València, 2002.

— "Feudalisme i crèdit a l'Europa medieval", dins M. Sánchez Martínez (coord.): *El món del crèdit a la Barcelona Medieval*, Barcelona Quaderns d'Història, edita Arxiu Històric de la Ciutat de Barcelona, 2007, p. 109-128.

Garcia Sanz, Arcadi: "Origen y fin del fuero de las pensiones censales a sueldo por libra", *Ausa*, 4, 1961-1963.

González de Caldas, V.: *¿Judíos o cristianos? El Proceso de Fe. Sancta inquisitio*, ed. Universidad de Sevilla, Sevilla, 2004.

Henry, C.: *Historia de la Inquisición española*, ed. Fundación Universitaria Española, Madrid, 1983.

Hernando Delgado, J.: "Conversos i jueus: cohesió i solidaritat", *Anuario de Estudios Medievales*, 37/1 (Barcelona, 2007).

— "El procés contra el convers Nicolau Sanxo, ciutadà de Barcelona, acusat d'haver circumcidat el seu fill (1437-1438)", *Acta historica et archeologica mediaevalia*, 13, 1992, p. 75-100.

— "Del llibre manuscrit al llibre imprès. La confecció del llibre a Barcelona durant el segle xv. Documentació notarial", *Arxiu de Textos Catalans Antics*, XXI, 2002.

— "Els conversos: Del judaisme al cristianisme. Ruptura, integració i pràctica religiosa", dins *XVIII Curs d'estiu-reunió científica Comtat d'Urgell "Formes de convivència a la Baixa Edat Mitjana" (Balaguer, 10, 11 i 12 de juliol de 2013)*, Pagès Editors, Lleida (em premsa).

— "Derecho, leyes, crímenes y procesos en la Cataluña bajomedieval", dins *La escritura de la memoria. Libros para la administración*, ed. Servicio Editorial de la Universidad del País Vasco, 2012, p. 81-113.

— "Conversos, jueus i cristians de natura. El testimoni dels processos i la necessitat d'una recerca", dins F. Sabaté i C. Denjean (ed.): *Cristianos y judíos en contacto en la Edad Media. Polémica, conversión, dinero y convivencia*, ed. Editorial Milenio, Lleida, 2009.

— "L'alimentació làctia dels nadons durant el segle xiv. Les nodrisses o dides a Barcelona, 1295-1400, segons els documents dels protocols notarials". *Estudis Històrics i Documents dels Arxius de Protocols*, XIV, 1996, p. 39-158.

— "Les controvèrsies teològiques sobre la licitud del crèdit a llarg termini", dins M. Sánchez Martínez (coord.): *El món del crèdit a la Barcelona medieval*, ed. Arxiu Històric de la Ciutat de Barcelona, 2007, p. 213-238.

— "De la usura al interés. Crédito y ética en la Baja Edad Media", dins *Aragón en la Edad Media. Sociedad, culturas e ideologías en la España Bajomedieval*, ed. Universidad de Zaragoza, Saragossa, 2000, p. 55-74.

Kaeppeli, T.: "Dominicana Barcinonensia Assignationes librorum. Professiones novitorum (s. xiii-xv)", dins *Archivum Fratrum Praedicatorum*, 1967.

KAMEN, H.: *La Inquisición Española. Una revisión histórica*, ed. Crítica, Barcelona, 2004.

KRAEMER, D.: *The jewish family: metaphor and memory*, ed. Oxford University Press, Nova York, 1989.

KRIEGEL, M.: *Les juifs à la fin du Moyen Age dans l'Europe Méditerranéenne*, ed. Hachette, París, 1979.

LOEB, I.: "Liste nominative des juifs de Barcelone en 1392", *Revue des Études Juives*, IV, 1982, p. 57-77.

LÓPEZ BONET, J. F.: "La revolta de 1391: efectivament, crisi social", dins *XIII Congrés de la Corona d'Aragó*, ed. Institut d'Estudis Baleàrics, Palma de Mallorca, 1989, p. 111-123.

MADURELL MARIMÓN, J. M.: "La contratación laboral judaica y conversa en Barcelona (1349-1416)", *Sefarad*, any 16, núm. 1, 1956, p. 33-71.

— "Encuadernadores y libreros barceloneses judíos y conversos (1322-1458)", *Sefarad*, XXI, 1961, p. 330-338.

— "La cofradía de la Santa Trinidad de los conversos de Barcelona", *Sefarad*, núm. 18, 1958, p. 60-82.

MAESE I FIDALGO, J., CASANOVAS I MIRÓ, X.: "Nova aproximació a la cronologia del cementeri jueu de Montjuïc (Barcelona)", *Tamid*, 4 (2002-2003), p. 7-25.

MARÍN PADILLA, E.: "Relación judeoconversa durante la segunda mitad del siglo XV en Aragón: nacimientos, hadas, circuncisiones", *Sefarad*, 41:2 (1981), p. 273-300.

MARTÍNEZ LOSCOS, M.: "Orígenes de la medicina en Aragón, los médicos árabes y judíos", *Revista de Historia Jerónimo Zurita*, 1954, núm. 6-7, p. 7-60.

MEYERSON, M. D.: *A jewish renaissance in fifteenth-century Spain*, ed. Princeton University Press, Princeton, 2004.

MILLÀS VALLICROSA, J. M.: "Los judíos barceloneses y las artes del libro", *Sefarad*, XVI, 1956, p. 129-136.

MIRA, J. F.: *Sant Vicent Ferrer. Vida i llegenda d'un predicador*, ed. Bromera, Alzira, 2002.

MIRET I SANS, J.: "El procés de les hòsties contra els jueus d'Osca", *Anuari de l'Institut d'Estudis Catalans*, Barcelona, 1911-1912, p. 59-80.

MONJAS MANSO, L.: *La reforma eclesiàstica i religiosa de la província eclesiàstica tarraconense al llarg de la Baixa Edat Mitjana a través dels qüestionaris de visita pastoral*, ed. Fundació Noguera, Barcelona, 2008.

Monsalvo Antón, J. M.: "Ideología y anfibología antijudías en la obra *Fortalitium Fidei*, de Alfonso de Espina. Un apunte metodológico", *El historiador y la sociedad*, ed. Ediciones Universidad de Salamanca, Salamanca, 2012.

Monsuri Rosado, M. N.: *Perspectiva socio-económica del clero secular en la Valencia del siglo xv*, tesi doctoral inèdita, Universitat de València, 2006.

Narbona, R.: "Los conversos de Valencia (1391-1482)", dins Flocel Sabaté, Claude Denjean (eds.): *Cristianos y judíos en contacto en la Edad Media: polémica, conversión, dinero y convivencia*, ed. Milenio, Lleida, 2009.

Netanyahu, B.: *De la anarquía a la Inquisición: estudios sobre los conversos en España durante la Baja Edad Media*, ed. Esfera de los Libros, Barcelona, 2005.

Opitz, C.: "Vida cotidiana de las mujeres en la Baja Edat Media (1250-1500)", dins G. Duby (dir.): *Historia de las mujeres en occidente*, vol. 2, ed. Círculo de Lectores, Barcelona, 1994, p. 379.

Orfali Levi, M.: *Los conversos españoles en la literatura rabínica. Problemas jurídicos y opiniones legales durante los siglos xii-xvi*, ed. Universidad Pontificia de Salamanca, Salamanca, 1982.

Ortiz, D.: "Los cristianos nuevos. Notas para el estudio de una clase social", *Boletín de la Universidad de Granada*, ed. Universidad de Granada, 1949, núm. 87, p. 249-297.

Planas, S.: "Convivència, pervivència i supervivència: apunts per a la història de les dones converses de Girona", dins *Cristianos y judíos en contacto en la Edad Media: polémica, conversión, dinero y convivencia*, ed. Milenio, Lleida, 2009.

Poliakov, L.: *Historia del antisemitismo.* 3 volums, ed. Muchnik Editores, Barcelona, 1986.

Polonio Luque, G.: "Jueus i conversos en el comerç internacional barceloní de la baixa edat mitjana (1349-1450)", *Tamid: Revista Catalana Anual d'Estudis Hebraics*, núm. 9, 2013, p. 27-50.

Rábade Obradó M. P.: "La instrucción cristiana de los conversos en la Castilla del siglo xv", dins *En la España cristiana*, Madrid, 1999, p. 369-393.

— "Expresiones de la religiosidad cristiana en los procesos contra los judaizantes del tribunal de Ciudad Real, Toledo, 1483-1507", *En la España Medieval* (1990), p. 303-329.

Rich Abad, A.: *La comunitat jueva de Barcelona entre 1348 i 1391 a través de la documentació notarial*, ed. Fundació Noguera, Barcelona, 1999.

Ribera i Blanco, M.: "Mestres d'Arts i Medicina, els pretors dels remeis i doctors en medicina (1401-1565)", *Gimbernat: Revista Catalana d'Història de la Medicina i de la Ciència* (2007), núm 47, p. 39-71.

Riera i Sans, J.: "Contribució a l'estudi del conflicte religiós dels conversos jueus (segle xv)", dins *IX congreso di storia della Corona d'Aragonia: la Corona d'Aragonia, aspeti e problema comuni da Alfonso il Magananimo a Ferdinando il Catolico (1416-1516)*, ed. Società Napoletana de Storia Patria, Nàpols, 1982, p. 409-425.

—   "La Sinagoga Major dels jueus de Barcelona. Proposta de localització", *Butlletí Oficial de Doctors i Llicenciats en Filosofia i Lletres i Ciències de Catalunya*, 99 (Barcelona, 1997), p. 60-71.

Riu i Riu, M.: "Organización gremial textil catalana en el siglo xiv", dins *VII Congreso de historia de la Corona de Aragón*, vol. II, Barcelona, 1962.

Romano, D.: *Judíos al servicio de Pedro el Grande de Aragón (1276-1285)*, ed. CSIC, Barcelona, 1983.

—   "Un casamentero judío (Cardona 1312)", *Sefarad*, 31:1, 1971, p. 103-104.

Rubió i Manuel, D.: "El circuit privat del censal a Barcelona", dins M. Sánchez Martínez (coord.): *El món del crèdit a la Barcelona medieval*, Barcelona Quaderns d'Història, edita Arxiu Històric de la Ciutat de Barcelona, 2007, p. 9-26.

Sabaté i Curull, F.: "El compromís de Casp", dins A. Furió (coord.): *Història de la Corona d'Aragó*, ed. Edicions 62, Barcelona, 2007.

Sáenz-Badillos, A.: "El pensamiento judío durante la Edad Media", dins *Variaciones sobre la historia del pensamiento económico mediterráneo*, ed. Caja Rural Intermediterránia, p. 117-131.

Salrach, J.: "La Corona de Aragón", dins *Historia de las Españas medievales*, ed. Crítica, Barcelona, 2002, p. 306-342.

Sánchez Martínez, M.: "Algunas consideraciones sobre el crédito en la Catalunya medieval", dins M. Sánchez Martínez (coord.): *El món del crèdit a la Barcelona medieval*, , ed. Arxiu Històric de la Ciutat de Barcelona, 2007.

Schwart i Luna, D. F. i Carreras i Candi, F.: *Dietari del Antich Consell Barceloní*, I, ed. Ajuntament de Barcelona, 1892, p. 16.

Suárez Fernández, L.: *Judíos españoles en la Edad Media*, ed. Rialp, Madrid, 1980.

Torné i Cubells, J.: "Un nou ordinari Secundum Ritum Barchinone", *Miscel·lània Litúrgica Catalana*, 1994, Barcelona, núm. 5, p. 175-188.

Treppo, M. del: *Els mercaders catalans i l'expansió de la Corona catalano-aragonesa*, ed. Curial, Barcelona, 1976.

Vilar, P.: *Cataluña en la España moderna*, ed. Curial, Barcelona, 1962.

Vinyoles, T. M.: *Les barcelonines a les darreries de l'edat mitjana: 1370-1410*, ed. Rafael Dalmau, Barcelona, 1976.

Wolff, P.: "The 1391 Progrom in Spain. Social Crisis or Not?", *Past and Present*, 50 (febrer 1971), p. 4-18.

Wood, D.: *El pensamiento económico medieval*, ed. Crítica, Barcelona, 2003.

ÍNDEX ONOMÀSTIC DE JUEUS I CONVERSOS

Joana, muller de Bernat de Calaf, giponer. 170.

Joanet, fill de Pere Fuster, sabater. 193, 359.

Joanet, aprenent de dauer, fill de Joana, conversa, abans de la seva conversió era anomenada *Mireta*, muller d'*Isaac Isacon*, difunt, jueu de Barcelona. 187.

Joaneta, filla de *Jaffudan* i de *Bonafia*, difunts, jueus de Barcelona, muller de Pere Taberner, tintorer. 156.

Joaneta, muller de Pere Ballester, teixidor de vels. 159, 161.

Jordi de Sant Joan, peller, fill de Bartomeu Rainers, sastre, difunt. 151, 162, 164.

Jucef Abraham Ferrer, difunt, jueu de Barcelona. 100.

Jucef Abraham Sentou = Bernat sa Cot.

Jucef de Beses, jueu de Solsona. 149.

Jucef Bonjac, difunt, jueu de Barcelona. 100.

Jucef Damasc, difunt, jueu de Barcelona. 102.

Jucef Mossé, difunt, jueu de Barcelona, pare de Mossé Juceff, jueu de Tortosa, i de Vidal Juceff, jueu de Falset. 137.

Jucef de Puntardia = Bernat Llança, teixidor de vels.

Jucef Taroç, fill de Teroç Abraam, difunt, jueu de Barcelona = Pericó Ballester.

Jucef Tovi = Joan de Verdejo.

Judà Axaham, jueu de Barcelona. 138.

Llorenç Ferrer, fill de Francesc Ferrer, corredor d'orella. 305.

Llorenç Massana, mercader. 184, 277, 284, 285, 356.

Llorenç de Santcliment, abans Massot Evangena. 101.

Llorenç Salt, peller. 301, 372.

Lluís d'Averoc. 244.

Lluís Borrosa, coraler. 183.

Lluís de Gualbes, abans anomenat *Davi Jaques*. 195, 304.

Lluís de Jonqueres, físic. 214.

Lluís de Junyent, convers, abans anomenat *Astruc Isaac Adret*, marit de Sibil·la, conversa, abans anomenada *Bonafilla*, en altre temps habitants de Barcelona, ara habitants de Falset. 98, 104.

Lluís de Marimon, giponer, germà de *Çadia Suri*, jueu, habitant de Barcelona. 149.

Lluís de Prades, seder, abans anomenat *Vidal de Prades*, pare de Gabriel de Prades i marit de *Goig*, difunta, jueva de Barcelona. 97.

Lluís de Queralt, mercader. 138.

Lluís Tranxer, fill de Gondisalb Trenxer, teixidors de vels. 246.

Lluís Salmons, fill de Marc Salmons, seder. 304.

Lluís de Sors, teixidor de vels de seda. 183.

Lobell Bonjuha Gracià = Joan de Gualbes, mestre de daus.

— L —

Leo Salomó = Joan des Valls, dauer.

Lenger Cisa, giponer, fill de Berenguer Cisa, peller, difunt. 151.

Lleonard Ferrer, abans anomenat *Bonjuha Bonsenyor*, pare de *Vidal Bonjuha*, jueu de Barcelona. 142.

Llorenç Costa, llibreter. 219, 221, 305.

Llorenç Costa, fill de Llorenç Costa, llibreter. 305.

— M —

Macià Goçeti, fill de Guillem Goçeti, sastre. 303.

Mahir Bonjuha = Pere Mascaró, llibreter.

Mahir Cordoner, jueu de Barcelona, difunt. 344.

Mahir Lobell, jueu de Barcelona, difunt. 87.

Mahir Salomó, jueu de Barcelona. 90.

6. Josefina Molinero: *Catàleg de l'Arxiu Notarial de Sabadell*. Barcelona, 1984.

7. Ramon Planes i Albets: *Catàleg dels Protocols Notarials dels Arxius de Solsona*. Barcelona, 1985.

8. Montserrat Canela i Garayoa i Montse Garrabou i Peres: *Catàleg dels Protocols de Cervera*. Barcelona, 1986.

9. Lluïsa Cases i Loscos i Imma Ollich i Castanyer: *Catàleg dels Arxius Notarials de Vic*. Barcelona, 1986.

10. Joan Papell i Tardiu: *Catàleg dels Protocols de Valls*. Barcelona, 1989.

11. Lluïsa Cases i Loscos: *Catàleg dels Protocols Notarials de Barcelona*. Barcelona, 1990.

12. Albert Torra Pérez i M. Luz Retuerta Jiménez: *Catàleg dels Protocols Notarials de l'antic districte de Sant Feliu de Llobregat*. Barcelona, 1991.

13. Joan Farré i Viladrich: *Catàleg dels Protocols de Balaguer*. Barcelona, 1991.

14. J. M. Pons i Guri i Hug Palou i Miquel: *Catàleg de l'Arxiu Històric Notarial d'Arenys de Mar*. Barcelona, 1992.

15. M. Torras, B. Masats, R. Valdenebro, L. Virós: *Catàleg dels Protocols Notarials de Manresa*. Volum I. Barcelona, 1993.

16. M. Torras, B. Masats, R. Valdenebro, L. Virós: *Catàleg dels Protocols Notarials de Manresa*. Volum II. Barcelona, 1993.

17. Lluïsa Cases i Loscos: *Catàleg de l'Arxiu de Protocols del districte notarial de Sort*. Barcelona, 1995.

18. Anna Sabanés Alberich: *Inventari de l'Arxiu de Protocols Notarials del Vendrell*. Barcelona, 1995.

19. Josep M. T. Grau i Pujol: *Catàleg del fons notarial del districte de Santa Coloma de Farners*. Barcelona, 1995.

20. M. A. Adroer i Pellicer, J. M. T. Grau i Pujol, J. Matas i Balaguer: *Catàleg dels Protocols del districte de Girona (I)*. Barcelona, 1996.

21. Marta Vives i Sabaté: *L'Arxiu de Protocols del districte d'Igualada*. Barcelona, 1997.

22. Roser Puig i Tàrrech: *Catàleg dels protocols notarials dels antics districtes de Falset i Gandesa*. Barcelona, 2000.

23. Isabel Companys i Farrerons: *Catàleg dels protocols notarials de Tarragona (1472-1899)*. Barcelona, 2000.

24. Lluïsa Cases i Loscos: *Inventari de l'Arxiu Històric de Protocols de Barcelona. Segles XIII-XV*. Vol. I. Barcelona, 2001.

25. Rafel Mestres i Boquera i Núria Jornet i Benito: *Catàleg dels protocols notarials de Vilanova i la Geltrú*. Barcelona, 2001.

26. Joan Fort i Olivella, Erika Serna i Coba; Santi Soler i Simon: *Catàleg dels protocols del districte de Figueres (I)*. Barcelona, 2001.

27. Lluïsa Cases i Loscos: *Inventari de l'Arxiu Històric de Protocols de Barcelona. Segle XVI*. Vol. II. Barcelona, 2003.

28. M. Àngels Adroer i Pellicer, Erika Serna i Coba, Santi Soler i Simon: *Catàleg dels Protocols del districte de Figueres*. Vol. II. Barcelona, 2004.

29. Lluïsa Cases i Loscos: *Inventari de l'Arxiu Històric de Protocols de Barcelona. Segle XVII. 1601-1650*. Vol. III. Barcelona, 2004.

30. Lluïsa Cases i Loscos: *Inventari de l'Arxiu Històric de Protocols de Barcelona. Segle XVII. 1651-1700*. Vol. IV. Barcelona, 2006.

31. Lluïsa Cases i Loscos: *Inventari de l'Arxiu Històric de Protocols de Barcelona. Segle XVIII. 1701-1750*. Vol. V. Barcelona, 2009.

32. Lluïsa Cases i Loscos: *Inventari de l'Arxiu Històric de Protocols de Barcelona. Segle xviii. 1751-1800*. Vol. VI. Barcelona, 2009.

33. Lluïsa Cases i Loscos: *Inventari de l'Arxiu Històric de Protocols de Barcelona. Segle xix. 1801-1862*. Vol. VII. Barcelona, 2012.

34. Lluïsa Cases i Loscos: *Inventari de l'Arxiu Històric de Protocols de Barcelona. Segle xix. 1863-1900*. Vol. VIII. Barcelona, 2013.

35. Marc Auladell i Agulló, Immaculada Costa i Viarnés, Sílvia Mancebo i Garcia i Santi Soler i Simon: *Catàleg dels protocols del districte de la Bisbal d'Empordà (I)*. Barcelona, 2017.

36. Marc Auladell i Agulló, Immaculada Costa i Viarnés, Sílvia Mancebo i Garcia i Santi Soler i Simon: *Catàleg dels protocols del districte de la Bisbal d'Empordà (II)*. Barcelona, 2017.

37. Lluïsa Cases i Loscos: *Inventari de l'Arxiu Històric de Protocols de Barcelona. Segle xx. 1901-1940*. Vol. IX. Barcelona, 2019.

Textos i Documents

1. Germà Colon i Arcadi Garcia: *Llibre del Consolat de Mar*. Vol. I. Barcelona, 1981.

2. Germà Colon i Arcadi Garcia: *Llibre del Consolat de Mar*. Vol. II. Barcelona, 1982.

3. Germà Colon i Arcadi Garcia: *Llibre del Consolat de Mar*. Vol. III. 1. Estudi jurídic. Barcelona, 1984.

4. Germà Colon i Arcadi Garcia: *Llibre del Consolat de Mar*. Vol. III. 2. Diplomatari. Barcelona, 1984.

5. Antoni Udina i Abelló: *La successió testada a la Catalunya altomedieval*. Barcelona, 1984.

6. Joan Bastardas i Parera: *Usatges de Barcelona*. Barcelona, 1984 (2.ª edició 1991).

7. Josep Maria Pons Guri: *El Cartoral de Santa Maria de Roca Rossa*. Barcelona, 1984.

8. Jesús Alturo i Perucho: *L'Arxiu antic de Santa Anna de Barcelona del 942 al 1200*. Volum I. Barcelona, 1985.

9. Jesús Alturo i Perucho: *L'Arxiu antic de Santa Anna de Barcelona del 942 al 1200*. Volum II. Barcelona, 1985.

10. Jesús Alturo i Perucho: *L'Arxiu antic de Santa Anna de Barcelona del 942 al 1200*. Volum III. Barcelona, 1985.

11. Arcadi Garcia i Sanz i Josep Maria Madurell i Marimon: *Societats Mercantils a Barcelona*. Volum I. Barcelona, 1986.

12. Arcadi Garcia i Sanz i Josep Maria Madurell i Marimon: *Societats Mercantils a Barcelona*. Volum II. Barcelona, 1986.

13. Tomàs de Montagut i Estragués: *El Mestre Racional a la Corona d'Aragó (1283-1419)*. Volum I. Barcelona, 1987.

14. Tomàs de Montagut i Estragués: *El Mestre Racional a la Corona d'Aragó (1283-1419)*. Volum II. Barcelona, 1987.

15. Germà Colon i Arcadi Garcia: *Llibre del Consolat de Mar*. Vol. IV. Barcelona, 1987.

16. Josep Maria Pons i Guri: *Les col·leccions de costums de Girona*. Barcelona, 1988.

17. Pere Puig i Ustrell, Teresa Cardellach i Giménez, Montserrat Royes i Pijoan i Judit Tapiolas i Badiella: *Pergamins de l'Arxiu Històric Comarcal de Terrassa, 1279-1387*. Barcelona, 1988.

18. Josep FERNÀNDEZ I TRABAL i Joan FERNÀNDEZ I TRABAL: *Inventari dels pergamins del Fons Mercader - Bell-lloc de l'Arxiu Històric Municipal de Cornellà de Llobregat (segles XI-XVIII)*. Volum I. Barcelona, 1989.

19. Josep FERNÀNDEZ I TRABAL i Joan FERNÀNDEZ I TRABAL: *Inventari dels pergamins del Fons Mercader - Bell-lloc de l'Arxiu Històric Municipal de Cornellà de Llobregat (segles XI-XVIII)*. Volum II. Barcelona, 1989.

20. Josep M. PONS I GURI: *Recull d'estudis d'història jurídica catalana*. Volum I. Barcelona, 1989.

21. Josep M. PONS I GURI: *Recull d'estudis d'història jurídica catalana*. Volum II. Barcelona, 1989.

22. Josep M. PONS I GURI: *Recull d'estudis d'història jurídica catalana*. Volum III. Barcelona, 1989.

23. J. M. PONS I GURI i Jesús RODRÍGUEZ BLANCO: *Inventari dels pergamins de l'Arxiu Històric Municipal de Calella*. Barcelona, 1990.

24. Max TURULL I RUBINAT: *La configuració jurídica del municipi Baix-Medieval*. Barcelona, 1990.

25. María del Carmen ÁLVAREZ MÁRQUEZ: *La Baronia de la Conca d'Òdena*. Barcelona, 1990.

26. Margarida ANGLADA, M. Àngels FERNÁNDEZ i Concepció PETIT: *Els quatre llibres de la reina Elionor de Sicília a l'Arxiu de la Catedral de Barcelona*. Barcelona, 1992.

27. Jordi ANDREU I DAUFÍ, Josep CANELA I FARRÉ i M. Àngels SERRA I TORRENT: *El llibre de comptes com a font per a l'estudi d'un casal noble de mitjan segle XV. Primer llibre memorial començat per la senyora dona Sanxa Ximenis de Fox e de Cabrera e de Navalles*. Barcelona, 1992.

28. Josep M. SANS I TRAVÉ: *Dietari o Llibre de Jornades (1411-1484) de Jaume Safont*. Barcelona, 1992.

29. Montserrat BAJET I ROYO: *El mostassaf de Barcelona i les seves funcions en el segle XVI. Edició del "Llibre de les Ordinations"*. Barcelona, 1994.

30. Josep HERNANDO: *Llibres i lectors a la Barcelona del segle XIV*. Volum I. Barcelona, 1995.

31. Josep HERNANDO: *Llibres i lectors a la Barcelona del segle XIV*. Volum II. Barcelona, 1995.

32. Maria Mercè COSTA I PARETAS: *La casa de Xèrica i la seva política en relació amb la monarquia de la Corona d'Aragó (segles XIII-XIV)*. Barcelona, 1998.

33. Antoni UDINA I ABELLÓ: *Els testaments dels comtes de Barcelona i dels reis de la Corona d'Aragó. De Guifré Borrell a Joan II*. Barcelona, 2001.

34. Ricardo CIERBIDE: *Edició crítica dels manuscrits catalans inèdits de l'orde de Sant Joan de Jerusalem (segles XIV-XV)*. Barcelona, 2002.

35. Agustí ALCOBERRO: *L'exili austriacista (1713-1747)*. Volum I. Barcelona, 2002.

36. Agustí ALCOBERRO: *L'exili austriacista (1713-1747)*. Volum II. Barcelona, 2002.

37. Josep Maria SANS I TRAVÉ: *El Llibre Verd del pare Jaume Pasqual. Primera història del monestir de Vallbona*. Barcelona, 2002.

38. Josep M. PONS I GURI: *Recull d'estudis d'història jurídica catalana*. Volum IV. Barcelona, 2006.

39. José Enrique RUIZ-DOMÈNEC: *Quan els vescomtes de Barcelona eren. Història, crònica i documents d'una família catalana dels segles X, XI i XII*. Barcelona, 2006.

40. Eulàlia MIRALLES (ed.): Antoni VILADAMOR, *Història general de Catalunya*. Volum I. Barcelona, 2007.

41. Eulàlia MIRALLES (ed.): Antoni VILADAMOR, *Història general de Catalunya*. Volum II. Barcelona, 2007.

42. Josefina MUTGÉ I VIVES: *El monestir benedictí de Sant Pau del Camp de Barcelona a través de la documentació de cancelleria reial de l'Arxiu de la Corona d'Aragó (1287-1510)*. Barcelona, 2008.

43. Rodrigue TRÉTON (ed.): *El llibre de les monedes de Barcelona i dels florins d'or d'Aragó. Compilació redactada per Jaume Garcia, arxiver reial de Barcelona, per a ús de la seca de Perpinyà*. Barcelona, 2009.

44. Joan PAPELL i TARDIU (ed.): *Compendium abreviatum. Còdex del monestir de Santa Maria de Santes Creus dels segles XV i XVI, de Fra Bernat Mallol i fra Joan Salvador*. Barcelona, 2009.

45. Montserrat DURAN PUJOL (ed.): *Llibre de la confraria y offici de perayres de la vila de Igualada, en lo qual estan continuadas las ordinacions y determinacions de dit offici, tretas del llibre de la confraria de perayres de la ciutat de Barcelona (1614-1887)*. Volum I. Barcelona, 2012.

46. Montserrat DURAN PUJOL (ed.): *Llibre de la confraria y offici de perayres de la vila de Igualada, en lo qual estan continuadas las ordinacions y determinacions de dit offici, tretas del llibre de la confraria de perayres de la ciutat de Barcelona (1614-1887)*. Volum II. Barcelona, 2012.

47. Carles DÍAZ MARTÍ (ed.): *La primera crònica del monestir de Sant Jeroni de la Murtra (1413-1604) de Francesc Talet*. Barcelona, 2013.

48. Joan FERRER I GODOY (ed.): *Actes i resolucions. Sant Joan de les Abadesses en època moderna 1630-1859*. Volum I. Barcelona, 2013.

49. Joan FERRER I GODOY (ed.): *Actes i resolucions. Sant Joan de les Abadesses en època moderna 1630-1859*. Volum II. Barcelona, 2013.

50. Rodrigue TRÉTON: *Liber Feudorum A. Les investigacions sobre els feus dels reis Jaume I i Jaume II de Mallorca 1263-1294 (Cerdanya, Capcir, Conflent, Vall de Ribes, Ripollès, Vallespir i vegueria de Camprodon)*. Volum I. Barcelona, 2013.

51. Rodrigue TRÉTON: *Liber Feudorum A. Les investigacions sobre els feus dels reis Jaume I i Jaume II de Mallorca 1263-1294 (Cerdanya, Capcir, Conflent, Vall de Ribes, Ripollès, Vallespir i vegueria de Camprodon)*. Volum II. Barcelona, 2013.

52. Jordi BOLÒS i Imma SÀNCHEZ-BOIRA: *Inventaris i encants conservats a l'Arxiu Capitular de Lleida (segles XIV-XVI)*. Volum I. Barcelona, 2014.

53. Jordi BOLÒS i Imma SÀNCHEZ-BOIRA: *Inventaris i encants conservats a l'Arxiu Capitular de Lleida (segles XIV-XVI)*. Volum II. Barcelona, 2014.

54. Jordi BOLÒS i Imma SÀNCHEZ-BOIRA: *Inventaris i encants conservats a l'Arxiu Capitular de Lleida (segles XIV-XVI)*. Volum III. Barcelona, 2014.

55. Vicenç RUIZ GÓMEZ: *Els pergamins documentals de l'Arxiu Històric de Protocols de Barcelona (1142-1500)*. Barcelona, 2014.

56. Joan Maria QUIJADA BOSCH i Neus SÁNCHEZ PIÉ: *De Rebus Gestis Ecclesiae. Els llibres de notes del capítol catedral de Tarragona (1734-1930)*. Barcelona, 2014.

57. Isabel COMPANYS FARRERONS i Montserrat SANMARTÍ ROSET: *El primer llibre d'inventaris i encants del notari de Tarragona Bernat Gendre (1577-1597)*. Barcelona, 2015.

58. Isabel COMPANYS FARRERONS i Montserrat SANMARTÍ ROSET: *El llibre segon d'inventaris i encants del notari de Tarragona Bernat Gendre (1579-1612)*. Barcelona, 2015.

59. Gaspar FELIU I MONTFORT: *Els primers llibres de la Taula de Canvi de Barcelona*. Volum I. Barcelona, 2016.

60. Gaspar FELIU I MONTFORT: *Els primers llibres de la Taula de Canvi de Barcelona*. Volum II. Barcelona, 2016.

Textos i Documents. "Maior"

1. Jesús Massip i Fonollosa i altres: *Costums de Tortosa*. Barcelona, 1996 (format 22 × 31 cm).
2. Germà Colon i Arcadi Garcia: *Llibre del Consolat de Mar*. Barcelona, 2001.

Estudis

1. AA. DD.: *Estudis sobre història de la Institució Notarial a Catalunya, en honor de Raimon Noguera*. Barcelona, 1988.
2. Aquilino Iglesia Ferreirós (ed.): *El dret comú i Catalunya*. I. Actes del Ir Simposi Internacional de 1990. Barcelona, 1991.
3. Aquilino Iglesia Ferreirós (ed.): *El dret comú i Catalunya*. II. Actes del IIn Simposi Internacional de 1991. Barcelona, 1992.
4. Ángel Martínez Sarrión: *Monjos i clergues a la recerca del Notariat. Estudi dels documents llatins de l'abadia de Sankt Gallen (segles VIII-XII)*. Barcelona, 1992.
5. Aquilino Iglesia Ferreirós (ed.): *Ius proprium - Ius commune a Europa. El dret comú i Catalunya*, III. Actes del IIIr Simposi Internacional de 1992: *Homenatge al professor André Gouron amb motiu de la seva investidura com a Doctor Honoris Causa per la Universitat de Barcelona*. Barcelona, 1993.
6. Arcadi Garcia i Sanz i Núria Coll i Julià †: *Galeres mercants catalanes dels segles XIV i XV*, Barcelona, 1994.
7. AA. DD.: *Actes del I Congrés d'Història del Notariat Català*. Barcelona, 1994.
8. Belén Moreno Claverías: *La contractació agrària a l'Alt Penedès durant el segle XVIII. El contracte de rabassa morta i l'expansió de la vinya*. Barcelona, 1995.
9. Josep M. Puig Salellas: *De remences a rendistes: els Salellas (1322-1935)*. Barcelona, 1996.
10. Aquilino Iglesia Ferreirós (ed.): *El dret comú i Catalunya, IV*. Actes del IVt Simposi Internacional de 1994: *Homenatge al professor Josep M. Gay Escoda*. Barcelona, 1995.
11. Aquilino Iglesia Ferreirós (ed.): *El dret comú i Catalunya, V*. Actes del Vè Simposi Internacional de 1995. Barcelona, 1996.
12. Aquilino Iglesia Ferreirós (ed.): *El dret comú i Catalunya, VI*. Actes del VIè Simposi Internacional de 1996. Barcelona, 1997.
13. Jaume Codina: *Contractes de matrimoni al delta del Llobregat*. Barcelona, 1997.
14. Maria Adela Fargas Peñarrocha: *Família i poder a Catalunya, 1516-1626. Les estratègies de consolidació de la classe dirigent*. Barcelona, 1997.
15. Aquilino Iglesia Ferreirós (ed.): *El dret comú i Catalunya, VII*. Actes del VIIè Simposi Internacional de 1997. Barcelona, 1998.
16. Tomàs López Pizcueta: *La Pia Almoina de Barcelona (1161-1350). Estudi d'un patrimoni eclesiàstic català baixmedieval*. Barcelona, 1998.
17. Josep M. Cruselles: *Els notaris de la ciutat de València. Activitat professional i comportament social a la primera meitat del segle XV*. Barcelona, 1998.
18. Aquilino Iglesia Ferreirós (ed.): *El dret comú i Catalunya, VIII*. Actes del VIIIè Simposi Internacional de 1998. Barcelona, 1999.

19. Josep Serrano Daura (ed.): *El territori i les seves institucions històriques*. Actes de les Jornades d'Estudi. Volum I. Barcelona, 1999.

20. Josep Serrano Daura (ed.): *El territori i les seves institucions històriques*. Actes de les Jornades d'Estudi. Volum II. Barcelona, 1999.

21. Anna Rich Abad: *La comunitat jueva de Barcelona entre 1348 i 1391 a través de la documentació notarial*. Barcelona, 1999.

22. Aquilino Iglesia Ferreirós (ed.): *El dret comú i Catalunya*, IX. Actes del IXè Simposi Internacional de 1999: *La família i el seu patrimoni*. Barcelona, 2000.

23. AA. DD.: *Actes del II Congrés d'Història del Notariat Català*. Barcelona, 2000.

24. Jordi Figa i López-Palop (ed.): *Miscel·lània Lluís Figa i Faura*. Barcelona, 2000.

25. Josep Serrano i Daura: *Senyoriu i municipi a la Catalunya Nova. Comandes de Miravet, d'Orta, d'Ascó i de Vilalba i baronies de Flix i d'Entença*. Volum I. Barcelona, 2000.

26. Josep Serrano i Daura: *Senyoriu i municipi a la Catalunya Nova. Comandes de Miravet, d'Orta, d'Ascó i de Vilalba i baronies de Flix i d'Entença*. Volum II. Barcelona, 2000.

27. Daniel Piñol i Alabart: *El notariat públic al Camp de Tarragona. Història, activitat, escriptura i societat (segles xiii-xiv)*. Barcelona, 2000.

28. Maria Vilar i Bonet: *Els béns del Temple a la Corona d'Aragó en suprimir-se l'orde*, Barcelona, 2000.

29. Cristina Borau: *Els promotors de capelles i retaules en la Barcelona del segle xiv*. Barcelona, 2003.

30. Alfons Zarzoso: *Medicina i Il·lustració a Catalunya*. Barcelona, 2004.

31. Santiago de Llobet Masachs: *El matrimoni infantil a Catalunya i Europa*. Barcelona, 2005.

32. Joaquim Albareda Salvadó: *El "cas dels catalans". La conducta dels aliats arran de la Guerra de Successió (1705-1742)*. Barcelona, 2005.

33. Miquel Àngel Martínez Rodríguez: *Els magistrats de la Reial Audiència de Catalunya a la segona meitat del segle xvii*. Barcelona, 2006.

34. Imma Puig Aleu: *Una visita pastoral al Baix Empordà als anys 1420-1423*. Barcelona, 2006.

35. Maria Garganté Llanes: *Arquitectura religiosa del segle xviii a la Segarra i l'Urgell. Condicionants, artífexs i pràctica constructiva*. Barcelona, 2006.

36. Martín Rodrigo y Alharilla: *Indians a Catalunya: capitals cubans en l'economia catalana*. Barcelona, 2007.

37. Victòria Almuni Balada: *La catedral de Tortosa als segles del gòtic*, volum I, Barcelona, 2007.

38. Victòria Almuni Balada: *La catedral de Tortosa als segles del gòtic*, volum II, Barcelona, 2007.

39. Nativitat Castejón Domènech: *Aproximació a l'estudi de l'Hospital de la Santa Creu de Barcelona. Repertori documental del segle xv*. Barcelona, 2007.

40. Jaume Auferil i Bea (ed.): *Antoni Vallmanya, Poesies*. Barcelona, 2007.

41. Carles Vela i Aulesa: *Especiers i candelers a Barcelona a la baixa edat mitjana. Testaments, família i sociabilitat*, Volum I, Barcelona, 2007.

42. Carles Vela i Aulesa: *Especiers i candelers a Barcelona a la baixa edat mitjana. Testaments, família i sociabilitat*, Volum II, Barcelona, 2007.

43. Lluís Monjas Manso: *La reforma eclesiàstica i religiosa de la província eclesiàstica Tarraconense al llarg de la baixa edat mitjana*. Barcelona, 2008.

44. Joan Soler i Jiménez: *La formació de la Pobla de Santa Pau a redós del castell dels barons (1248-1331)*. Barcelona, 2008.

45. Jordi MORELLÓ BAGET: *Municipis sota la senyoria dels creditors de censals: la gestió del deute públic a la baronia de la Llacuna (segle XV)*. Barcelona, 2008.

46. Francesc TEIXIDÓ I PUIGDOMÈNECH: *Pesos, mides i mesures al Principat de Catalunya i comtats de Rosselló i Cerdanya a finals del segle XVI (1587-1594)*. Volum I. Barcelona, 2008.

47. Francesc TEIXIDÓ I PUIGDOMÈNECH: *Pesos, mides i mesures al Principat de Catalunya i comtats de Rosselló i Cerdanya a finals del segle XVI (1587-1594)*. Volum II. Barcelona, 2009.

48. Francesc TEIXIDÓ I PUIGDOMÈNECH: *Pesos, mides i mesures al Principat de Catalunya i comtats de Rosselló i Cerdanya a finals del segle XVI (1587-1594)*. Volum III. Barcelona, 2009.

49. Francesc TEIXIDÓ I PUIGDOMÈNECH: *Pesos, mides i mesures al Principat de Catalunya i comtats de Rosselló i Cerdanya a finals del segle XVI (1587-1594)*. Volum IV. Barcelona, 2009.

50. Francesc TEIXIDÓ I PUIGDOMÈNECH: *Pesos, mides i mesures al Principat de Catalunya i comtats de Rosselló i Cerdanya a finals del segle XVI (1587-1594)*. Volum V. Barcelona, 2009.

51. Eduard MARTÍ FRAGA: *La classe dirigent catalana. Els membres de la Conferència dels Tres Comuns i del Braç Militar (1697-1714)*. Barcelona, 2009.

52. Roser SABANÉS I FERNÁNDEZ: *Els concilis ilerdenses de la província eclesiàstica Tarraconense a l'edat mitjana (546-1460)*. Barcelona, 2009.

53. Xavier SOLÀ I COLOMER: *El monestir de Santa Maria d'Amer a l'època moderna: religió, cultura i poder. De la reforma benedictina a la vigília de les desamortitzacions (1592-1835)*. Volum I. Barcelona, 2010.

54. Xavier SOLÀ I COLOMER: *El monestir de Santa Maria d'Amer a l'època moderna: religió, cultura i poder. De la reforma benedictina a la vigília de les desamortitzacions (1592-1835)*. Volum II. Barcelona, 2010.

55. Miquel Àngel MARTÍNEZ RODRÍGUEZ: *La mitjana noblesa catalana a la darreria de l'etapa foral*. Barcelona, 2010.

56. Manuel GÜELL: *Els Margarit de Castell d'Empordà. Família, noblesa i patrimoni a l'època moderna*. Barcelona, 2011.

57. Josep M. GIRONELLA I GRANÉS: *Els molins i les salines de Castelló d'Empúries al segle XIV. La mòlta de cereals, el batanatge de teixits i l'obtenció de sal en una vila catalana baixmedieval*. Barcelona, 2010.

58. Llorenç FERRER I ALÒS: *Sociologia de la industrialització. De la seda al cotó a la Catalunya central (segles XVIII-XIX)*. Barcelona, 2011.

59. Elvis MALLORQUÍ: *Parròquia i societat rural al bisbat de Girona, segles XIII-XIV*. Barcelona, 2011.

60. Jordi ROCA VERNET: *La Barcelona revolucionària i liberal: exaltats, milicians i conspiradors*. Barcelona, 2011.

61. Josep CAPDEFERRO PLA: *Ciència i experiència. El jurista Fontanella (1575-1649) i les seves cartes*. Barcelona, 2012.

62. Montserrat RICHOU I LLIMONA: *La terra, la família i la mort al Baix Maresme (1348-1486)*. Barcelona, 2012.

63. Pere GIFRE RIBAS: *Els senyors útils i propietaris de mas. La formació històrica d'un grup social pagès (vegueria de Girona, 1486-1730)*. Barcelona, 2012.

64. Elisa BADOSA I COLL †: *La Barcelona del barroc a través d'una família de comerciants: els Amat*. Barcelona, 2012.

65. Miquel Àngel MARTÍNEZ RODRÍGUEZ: *Felip IV i Catalunya*. Barcelona, 2013.

66. Jaume FULLOLA FUSTER: *Mequinensa: de l'aïllament agrari a l'eclosió minera*. Barcelona, 2013.

67. Vicent Baydal Sala: *Guerra, relacions de poder i fiscalitat negociada: els orígens del contractualisme al regne de València (1238-1330)*. Barcelona 2014.

68. Lluïsa Pla i Toldrà: *Els Girona. La gran burgesia catalana del segle xix*. Barcelona, 2014.

69. Francesc Amorós i Gonell: *La Guerra de Successió i l'Orde de Malta a Catalunya. Política, finances i llinatges: 1700-1715*. Barcelona, 2014.

70. Adrià Cases Ibáñez: *Guerra i quotidianitat militar a la Catalunya del canvi dinàstic (1705-1714)*. Barcelona, 2015.

71. Ivan Armenteros Martínez: *L'esclavitud a la Barcelona del Renaixement (1479-1516). Un port mediterrani sota la influència del primer tràfic negrer*. Barcelona, 2015.

72. Albert Estrada-Rius: *La Casa de la Moneda de Barcelona. Les seques reials i els col·legis d'Obrers i de Moneders a la Corona d'Aragó (1208-1714)*. Barcelona, 2015.

73. Joan-Xavier Quintana i Segalà: *Notaris carlins a Catalunya (1833-1840)*. Barcelona, 2016.

74. Margarita Costa Trost: *Ramon Frederic Vilana-Perlas i Camarasa, marquès de Rialp, i el Regomir de Barcelona*. Barcelona, 2016.

75. Xevi Camprubí: *L'impressor Rafael Figueró (1642-1726) i la premsa a la Catalunya del seu temps*. Barcelona, 2018.

76. Judit Vidal Bonavila: *L'aprofitament del mar en els segles xvi i xvii: estudi comparatiu de les almadraves de la Corona d'Aragó*. Barcelona, 2018.

77. Salvatore Marino: *El* Memorial dels Infants. *Edició crítica d'una font per a l'estudi de la infància a la Barcelona del segle xv*. Barcelona, 2019.

78. Josep San Ruperto Albert: *Emprenedors transnacionals. Les trajectòries econòmiques i d'ascens social dels Cernezzi i Odescalchi a la Mediterrània occidental (ca. 1590-1689)*. Barcelona, 2019.

79. Albert Reixach Sala: *Institucions locals i elits a la Catalunya baixmedieval (Girona, 1345-1445)*. Volum I. Barcelona, 2019.

80. Albert Reixach Sala: *Institucions locals i elits a la Catalunya baixmedieval (Girona, 1345-1445)*. Volum II. Barcelona, 2019.

81. Albert Martínez i Elcacho: *Les argenteres de Falset (1342-1358). Gestió, control i registre de l'explotació minera i metal·lúrgica de la plata a la Catalunya medieval*. Barcelona, 2019.

82. Carles Díaz Martí: *El primer segle dels jerònims a Catalunya. Sant Jeroni de la Vall d'Hebron i Sant Jeroni de la Murtra (1393-1500)*. Barcelona, 2019.

83. Xavier Pons Casacuberta: *La societat jueva conversa a la Barcelona baixmedieval, 1391-1440*. Barcelona, 2020.

Acta Notariorum Cataloniae

1. Laureà Pagarolas i Sabaté: *El protocol del notari Bonanat Rimentol de 1351*. Barcelona, 1991.

2. Pere Puig i Ustrell: *Capbreu primer de Bertran acòlit, notari de Terrassa, 1237-1242*. Volum I. Barcelona, 1992.

3. Pere Puig i Ustrell: *Capbreu primer de Bertran acòlit, notari de Terrassa, 1237-1242*. Volum II. Barcelona, 1992.

4. J. Hernando, J. Fernàndez, J. Günzberg: *Liber examinationis notariorum civitatis Barchinone (1348-1386)*. Barcelona, 1992.

5. G. GONZALVO, M. C. COLL, O. SAMPRÓN: *El protocol del notari Pere de Folgueres (1338)*. Barcelona, 1996.

6. Rafael GINEBRA I MOLINS: *El Manual primer de l'Arxiu de la Cúria Fumada de Vic (1230-1233)*. Volum I. Barcelona, 1998.

7. Rafael GINEBRA I MOLINS: *El Manual primer de l'Arxiu de la Cúria Fumada de Vic (1230-1233)*. Volum II. Barcelona, 1998.

8. Miquel FORRELLAD SOLÀ: *Manual de Francesc Ajac, notari de Sabadell, 1400-1402*. Barcelona, 1998.

9. M. C. COLL, X. CAZENEUVE, J. HERNANDO: *El manual de Joan de Cabreny (1385-1386)*. Barcelona, 1999.

10. Rafel GINEBRA I MOLINS, Anna Maria DE ROCAFIGUERA I GARCIA, Jordi VILAMALA I SALVANS: *El manual de 1641 de Joan Francesc Torrellebreta, notari de Vic*. Barcelona, 2001.

11. Joan PAPELL I TARDIU: *El manual de les escriptures públiques d'Ignasi Cases i Ferrer, notari de Valls (1790-1791)*. Volum I. Barcelona, 2001.

12. Joan PAPELL I TARDIU, *El manual de les escriptures públiques d'Ignasi Cases i Ferrer, notari de Valls (1790-1791)*. Volum II. Barcelona, 2001.

13. Miquel TORRAS I CORTINA: *El manual del notari Pere Pau Solanelles de l'escrivania pública d'Igualada (1475-1479)*. Volum I. Barcelona, 2003.

14. Miquel TORRAS I CORTINA: *El manual del notari Pere Pau Solanelles de l'escrivania pública d'Igualada (1475-1479)*. Volum II. Barcelona, 2003.

15. Joan PEYTAVÍ DEIXONA: *El manual de 1700 de Jaume Esteve, notari de Perpinyà*. Barcelona, 2004.

16. Teresa ALEIXANDRE I SEGURA: *El Liber Iudeorum núm. 90 de l'Aleixar*. Barcelona, 2004.

17. Hug PALOU i MIQUEL: *Els* libri notularum *de Santa Coloma de Queralt (1240-1262)*. Volum I. Barcelona, 2009.

18. Hug PALOU i MIQUEL: *Els* libri notularum *de Santa Coloma de Queralt (1240-1262)*. Volum II. Barcelona, 2009.

19. Isabel COMPANYS I FARRERONS: *El protocol de 1850 del notari de Reus Francesc Sostres i Soler i del seu connotari Magí Sostres i Torra, naturals de Calaf*. Volum I. Barcelona, 2009.

20. Isabel COMPANYS I FARRERONS: *El protocol de 1850 del notari de Reus Francesc Sostres i Soler i del seu connotari Magí Sostres i Torra, naturals de Calaf*. Volum II. Barcelona, 2009.

21. Pilar MEILÁN CAMPO: *Manual de Marina de Josep Serra, notari de Mataró (1774-1775)*. Barcelona, 2010.

22. Rubén MOLINA I CAMPOY i Aymat CATAFAU CASTELLET: *La nòtula del notari Bernat Frigola de Cotlliure*. Barcelona, 2011.

23. Carme MUNTANER I ALSINA: *El Manual de Joan Pau Ferrer i Sala, notari de Sitges (1794-1796)*. Volum I. Barcelona, 2013.

24. Carme MUNTANER I ALSINA: *El Manual de Joan Pau Ferrer i Sala, notari de Sitges (1794-1796)*. Volum II. Barcelona, 2013.

25. Ricard Jordi BAÑÓ I ARMIÑANA: *Un notal alcoià dels anys 1296-1303*. Barcelona, 2013.

26. Joan SALVADÓ I MONTORIOL: *Vintè manual de Francesc Duran, notari de Barcelona. 1714*. Barcelona, 2014.

27. Albert RUBIÓ I SERRAT i Rafel GINEBRA I MOLINS: *El manual onzè d'Antoni Bosch, notari de Vic, de 1713-1714*. Barcelona, 2014.

28. Roser PUIG I TÀRRECH: *El manual de 1780 de Josep Clot Blet, notari de Reus*. Barcelona, 2015.

Llibres de Privilegis

1. Max TURULL I RUBINAT, Montserrat GARRABOU I PERES, Josep HERNANDO I DELGADO i Josep M. LLOBET I PORTELLA: *Llibre de Privilegis de Cervera, 1182-1456*. Barcelona, 1991.

2. J. VALLÉS, J. VIDAL, M. C. COLL i J. M. BOSCH: *El Llibre Verd de Vilafranca*. Volum I. Barcelona, 1992.

3. J. VALLÉS, J. VIDAL, M. C. COLL i J. M. BOSCH: *El Llibre Verd de Vilafranca*. Volum II. Barcelona, 1992.

4. Antoni MAYANS I PLUJÀ i XAVIER PUIGVERT I GURT: *Llibre de Privilegis d'Olot (1315-1702)*. Barcelona, 1995.

5. Marc TORRAS I SERRA: *Llibre Verd de Manresa (1218-1902)*. Barcelona, 1996.

6. G. GONZALVO, J. HERNANDO, F. SABATÉ, M. TURULL i P. VERDÉS: *Els llibres de privilegis de Tàrrega (1058-1473)*. Barcelona, 1997.

7. Christian GUILLERÉ: *Llibre Verd de la ciutat de Girona (1144-1533)*. Barcelona, 2000.

8. Griselda JULIOL I ALBERTÍ: *Llibre Vermell de la ciutat de Girona (1188-1624)*. Barcelona, 2001.

9. Antoni COBOS FAJARDO: *Llibre de Privilegis de la vila de Figueres (1267-1585)*. Barcelona, 2004.

10. Teresa CARDELLACH I GIMÉNEZ, Pere PUIG I USTRELL, Vicenç RUIZ I GÓMEZ i Joan SOLER I JIMÉNEZ: *Llibre de privilegis de la vila i el terme de Terrassa (1228-1652)*, Barcelona, 2006.

11. Anna GIRONELLA DELGÀ: *Llibre groc de la ciutat de Girona*. Barcelona, 2007.

12. Joan VILLAR I TORRENT: *Llibre de privilegis de Palafrugell (1250-1724)*. Barcelona, 2007.

13. Sebastià BOSOM i Susanna VELA: *Llibre de privilegis de la vila de Puigcerdà*. Barcelona, 2007.

14. Sebastià BOSOM i Susanna VELA: *Llibre de les provisions reials de la vila de Puigcerdà*. Barcelona, 2009.

15. Vicent GARCIA EDO: *El Llibre Verd de Perpinyà (segle XII-1395)*. Barcelona, 2010.

16. Jesús RODRÍGUEZ BLANCO i Alexis SERRANO MÉNDEZ: *Els llibres de privilegis i canalars de Mataró (1294-1819)*. Barcelona, 2020.

Diplomataris

1. Josep Maria MARQUÈS: *Cartoral, dit de Carlemany, del bisbe de Girona (S. IX-XIV)*. Volum I. Barcelona, 1993.

2. Josep Maria MARQUÈS: *Cartoral, dit de Carlemany, del bisbe de Girona (S. IX-XIV)*. Volum II. Barcelona, 1993.

3. Pau MORA - Lorenzo ANDRINAL: *Diplomatari del monestir de Santa Maria de La Real de Mallorca, 1361-1386*. Volum I. Barcelona, 1993.

4. Pau MORA - Lorenzo ANDRINAL: *Diplomatari del monestir de Santa Maria de La Real de Mallorca, 1361-1386*. Volum II. Barcelona, 1993.

5. Maria PARDO I SABARTÉS: *Mensa episcopal de Barcelona (878-1299)*. Barcelona, 1994.

6. Albert BENET I CLARÀ: *Diplomatari de la Ciutat de Manresa (segles IX-X)*. Barcelona, 1994.

7. Esteve PRUENCA I BAYONA: *Diplomatari de Santa Maria d'Amer*. Barcelona, 1995.

8. Pere PUIG I USTRELL: *El monestir de Sant Llorenç del Munt sobre Terrassa. Diplomatari dels segles X i XI*. Volum I. Barcelona, 1995.

9. Pere PUIG I USTRELL: *El monestir de Sant Llorenç del Munt sobre Terrassa. Diplomatari dels segles X i XI*. Volum II. Barcelona, 1995.

10. Pere PUIG I USTRELL: *El monestir de Sant Llorenç del Munt sobre Terrassa. Diplomatari dels segles X i XI*. Volum III. Barcelona, 1995.

11. Antoni VIRGILI: *Diplomatari de la catedral de Tortosa (1062-1193)*. Barcelona, 1997.

12. Josep M. MARQUÈS: *Col·lecció diplomàtica de Sant Daniel de Girona (924-1300)*. Barcelona, 1997.

13. Ramon MARTÍ: *Col·lecció diplomàtica de la Seu de Girona (817-1100)*. Barcelona, 1997.

14. Xavier PÉREZ I GÓMEZ: *Diplomatari de la cartoixa de Montalegre (segles X-XII)*. Barcelona, 1998.

15. Andreu GALERA I PEDROSA: *Diplomatari de la vila de Cardona (anys 966-1276)*. Barcelona, 1998.

16. Ramon SAROBE: *Col·lecció diplomàtica de la Casa del Temple de Gardeny (1070-1200)*. Volum I. Barcelona, 1998.

17. Ramon SAROBE: *Col·lecció diplomàtica de la Casa del Temple de Gardeny (1070-1200)*. Volum II. Barcelona, 1998.

18. Gaspar FELIU i Josep M. SALRACH (dirs.): *Els pergamins de l'Arxiu Comtal de Barcelona de Ramon Borrell a Ramon Berenguer I*. Volum I. Barcelona, 1999.

19. Gaspar FELIU i Josep M. SALRACH (dirs.): *Els pergamins de l'Arxiu Comtal de Barcelona de Ramon Borrell a Ramon Berenguer I*. Volum II. Barcelona, 1999.

20. Gaspar FELIU i Josep M. SALRACH (dirs.): *Els pergamins de l'Arxiu Comtal de Barcelona de Ramon Borrell a Ramon Berenguer I*. Volum III. Barcelona, 1999.

21. Jesús ALTURO I PERUCHO: *Diplomatari d'Alguaire i del seu monestir santjoanista de 1076 a 1244*. Barcelona, 1999.

22. M. Josepa ARNALL I JUAN: *Lletres reials a la ciutat de Girona (1293-1515)*. Volum I. Barcelona, 2000.

23. M. Josepa ARNALL I JUAN: *Lletres reials a la ciutat de Girona (1293-1515)*. Volum II. Barcelona, 2000.

24. Pere PUIG, Vicenç RUIZ i Joan SOLER: *Diplomatari de Sant Pere i Santa Maria d'Ègara. Terrassa, 958-1207*. Barcelona, 2001.

25. Antoni VIRGILI (ed.): *Diplomatari de la catedral de Tortosa (1193-1212). Episcopat de Gombau de Santa Oliva*. Barcelona, 2001.

26. Antoni BACH I RIU: *Diplomatari de l'Arxiu Diocesà de Solsona (1101-1200)*. Volum I. Barcelona, 2002.

27. Antoni BACH I RIU: *Diplomatari de l'Arxiu Diocesà de Solsona (1101-1200)*. Volum II. Barcelona, 2002.

28. Josep M. PONS I GURI i Hug PALOU I MIQUEL: *Un cartoral de la canònica agustiniana de Santa Maria del castell de Besalú (segles X-XV)*. Barcelona, 2002.

29. Manuel PASTOR I MADALENA: *El cartulari de Xestalgar: memòria escrita d'un senyoriu valencià*. Barcelona, 2004.

30. M. Josepa ARNALL I JUAN: *Lletres reials a la ciutat de Girona (1517-1713)*. Volum III. Barcelona, 2005.

31. M. Josepa ARNALL I JUAN: *Lletres reials a la ciutat de Girona (1517-1713)*. Volum IV. Barcelona, 2005.

32. Arxiu Municipal de Girona: *Catàleg de pergamins del fons de l'Ajuntament de Girona (1144-1862)*. Volum I. Barcelona, 2005.

33. Arxiu Municipal de Girona: *Catàleg de pergamins del fons de l'Ajuntament de Girona (1144-1862)*. Volum II. Barcelona, 2005.

34. Arxiu Municipal de Girona: *Catàleg de pergamins del fons de l'Ajuntament de Girona (1144-1862)*. Volum III. Barcelona, 2005.

35. Joan PAPELL I TARDIU: *Diplomatari del monestir de Santa Maria de Santes Creus (975-1225)*. Volum I. Barcelona, 2005.

36. Joan PAPELL I TARDIU: *Diplomatari del monestir de Santa Maria de Santes Creus (975-1225)*. Volum II. Barcelona, 2005.

37. Josep BAUCELLS, Àngel FÀBREGA, Manuel RIU, Josep HERNANDO i Carme BATLLE (eds.): *Diplomatari de l'Arxiu Capitular de la Catedral de Barcelona. Segle XI*. Volum I. Barcelona, 2006.

38. Josep BAUCELLS, Àngel FÀBREGA, Manuel RIU, Josep HERNANDO i Carme BATLLE (eds.): *Diplomatari de l'Arxiu Capitular de la Catedral de Barcelona. Segle XI*. Volum II. Barcelona, 2006.

39. Josep BAUCELLS, Àngel FÀBREGA, Manuel RIU, Josep HERNANDO i Carme BATLLE (eds.): *Diplomatari de l'Arxiu Capitular de la Catedral de Barcelona. Segle XI*. Volum III. Barcelona, 2006.

40. Josep BAUCELLS, Àngel FÀBREGA, Manuel RIU, Josep HERNANDO i Carme BATLLE (eds.): *Diplomatari de l'Arxiu Capitular de la Catedral de Barcelona. Segle XI*. Volum IV. Barcelona, 2006.

41. Josep BAUCELLS, Àngel FÀBREGA, Manuel RIU, Josep HERNANDO i Carme BATLLE (eds.): *Diplomatari de l'Arxiu Capitular de la Catedral de Barcelona. Segle XI*. Volum V. Barcelona, 2006.

42. Jordi BOLÒS: *Diplomatari del monestir de Santa Maria de Serrateix (segles X-XV)*. Barcelona, 2006.

43. Joan FERRER i GODOY: *Diplomatari del monestir de Sant Joan de les Abadesses (995-1273)*. Barcelona, 2009.

44. Irene LLOP (ed.): *Col·lecció diplomàtica de Sant Pere de Casserres*. Volum I. Barcelona, 2009.

45. Irene LLOP (ed.): *Col·lecció diplomàtica de Sant Pere de Casserres*. Volum II. Barcelona, 2009.

46. Josep Maria MARQUÈS i PLANAGUMÀ: *El* Cartoral de Rúbriques Vermelles *de Pere de Rocabertí, bisbe de Girona (1318-1324)*. Barcelona, 2009.

47. Jordi BOLÒS: *Diplomatari del monestir de Sant Pere de la Portella*. Barcelona, 2009.

48. Ignasi J. BAIGES, Gaspar FELIU, Josep M. SALRACH (dirs.): *Els pergamins de l'Arxiu Comtal de Barcelona, de Ramon Berenguer II a Ramon Berenguer IV*. Volum I. Barcelona, 2010.

49. Ignasi J. BAIGES, Gaspar FELIU, Josep M. SALRACH (dirs.): *Els pergamins de l'Arxiu Comtal de Barcelona, de Ramon Berenguer II a Ramon Berenguer IV*. Volum II. Barcelona, 2010.

50. Ignasi J. BAIGES, Gaspar FELIU, Josep M. SALRACH (dirs.): *Els pergamins de l'Arxiu Comtal de Barcelona, de Ramon Berenguer II a Ramon Berenguer IV*. Volum III. Barcelona, 2010.

51. Ignasi J. BAIGES, Gaspar FELIU, Josep M. SALRACH (dirs.): *Els pergamins de l'Arxiu Comtal de Barcelona, de Ramon Berenguer II a Ramon Berenguer IV*. Volum IV. Barcelona, 2010.

52. Rodrigue TRÉTON (ed.): *Diplomatari del Masdéu*. Volum I. Barcelona, 2010.

53. Rodrigue TRÉTON (ed.): *Diplomatari del Masdéu*. Volum II. Barcelona, 2010.

54. Rodrigue TRÉTON (ed.): *Diplomatari del Masdéu*. Volum III. Barcelona, 2010.

55. Rodrigue TRÉTON (ed.): *Diplomatari del Masdéu*. Volum IV. Barcelona, 2010.

56. Rodrigue TRÉTON (ed.): *Diplomatari del Masdéu*. Volum V. Barcelona, 2010.

57. Ernest BELENGUER CEBRIÀ (ed.): *Col·lecció documental del regnat de Ferran II i la ciutat de València (1479-1516)*. Volum I. Barcelona 2011.

58. Ernest BELENGUER CEBRIÀ (ed.): *Col·lecció documental del regnat de Ferran II i la ciutat de València (1479-1516)*. Volum II. Barcelona 2011.

59. Jesús ALTURO I PERUCHO: *Diplomatari d'Alguaire i del seu monestir duple de l'orde de Sant Joan de Jerusalem (1245-1300)*. Barcelona, 2010.

60. Ramon CHESÉ LAPEÑA (ed.): *Col·lecció diplomàtica de Sant Pere d'Àger fins 1198*. Volum I. Barcelona, 2011.

61. Ramon CHESÉ LAPEÑA (ed.): *Col·lecció diplomàtica de Sant Pere d'Àger fins 1198*. Volum II. Barcelona, 2011.

62. STEFANO M. CINGOLANI: *Diplomatari de Pere I el Gran. 1. Cartes i Pergamins (1258-1285)*. Barcelona, 2011.

63. Pere PUIG I USTRELL, Vicenç RUIZ I GÓMEZ, Joan SOLER JIMÉNEZ, Alan CAPELLADES I RIERA: *Diplomatari de Sant Pere d'Ègara i Santa Maria de Terrassa, 1203-1291*. Barcelona, 2013.

64. Elvis MALLORQUÍ GARCIA: *Col·lecció diplomàtica de Sant Pere de Galligants (911-1300)*. Volum I. Barcelona, 2013.

65. Elvis MALLORQUÍ GARCIA: *Col·lecció diplomàtica de Sant Pere de Galligants (911-1300)*. Volum II. Barcelona, 2013.

66. Pere PUIG I USTRELL, Javier ROBLES I MONTESINOS, Vicenç RUIZ I GÓMEZ, Joan SOLER I JIMÉNEZ, Alan CAPELLADES I RIERA: *Diplomatari de Sant Llorenç del Munt, 1101-1230*. Barcelona, 2013.

67. Elvis MALLORQUÍ GARCIA: *Col·lecció diplomàtica dels Cartellà, cavallers de Maçanet de la Selva (1106-1301)*. Barcelona, 2015.

68. Stefano M. CINGOLANI: *Diplomatari de Pere el Gran. 2. Relacions internacionals i política exterior (1260-1285)*. Barcelona, 2015.

69. Sergi GRAU TORRAS, Eduard BERGA, Stefano M. CINGOLANI: *L'herètica pravitat a la Corona d'Aragó: documents sobre càtars, valdesos i altres heretges (1155-1324)*. Volum I. Barcelona, 2015.

70. Sergi GRAU TORRAS, Eduard BERGA, Stefano M. CINGOLANI: *L'herètica pravitat a la Corona d'Aragó: documents sobre càtars, valdesos i altres heretges (1155-1324)*. Volum II. Barcelona, 2015.

71. Francesc RODRÍGUEZ BERNAL: *Col·lecció diplomàtica de l'Archivo Ducal de Cardona (965-1230)*. Barcelona, 2016.

72. Javier ESCUDER (ed.): *Diplomatari de Santa Maria de les Franqueses, 1075-1298*. Barcelona, 2016.

73. Tilmann SCHMIDT, Roser SABANÉS I FERNÁNDEZ (eds.): *Butllari de Catalunya: documents pontificis originals conservats als arxius de Catalunya (1198-1417)*. Volum I. Barcelona, 2016.

74. Tilmann SCHMIDT, Roser SABANÉS I FERNÁNDEZ (eds.): *Butllari de Catalunya: documents pontificis originals conservats als arxius de Catalunya (1198-1417)*. Volum II. Barcelona, 2016.

75. Tilmann SCHMIDT, Roser SABANÉS I FERNÁNDEZ (eds.): *Butllari de Catalunya: documents pontificis originals conservats als arxius de Catalunya (1198-1417)*. Volum III. Barcelona, 2016.

76. Antoni Virgili, Josep Maria Escolà, Manel Pica, Montserrat Rovira: *Diplomatari de la catedral de Tortosa. Episcopats de Ponç de Torrella (1212-1254) i Bernat d'Olivella (1254-1272)*. Volum I. Barcelona, 2018.

77. Antoni Virgili, Josep Maria Escolà, Manel Pica, Montserrat Rovira: *Diplomatari de la catedral de Tortosa. Episcopats de Ponç de Torrella (1212-1254) i Bernat d'Olivella (1254-1272)*. Volum II. Barcelona, 2018.

78. Irene Brugués, Núria Jornet i Coloma Boada (dirs.), Carme Muntaner, Jordi Casals: *Diplomatari de la col·lecció de pergamins del monestir de Santa Clara de Barcelona (1039-1241)*. Barcelona, 2020.

79. Robert Àlvarez: *Diplomatari de la cartoixa de Montalegre (916-1450)*. Volum I. Barcelona, 2020.

80. Robert Àlvarez: *Diplomatari de la cartoixa de Montalegre (916-1450)*. Volum II. Barcelona, 2020.

81. Jordi Bolòs, *Col·lecció diplomàtica de l'Arxiu Capitular de Lleida. Primera part. Documents de les seus episcopals de Roda i de Lleida (fins a l'any 1143)*. Barcelona, 2020.